········ 第6版 ········

登録販売者
合格教本

北海道医薬総合研究所
本間克明【著】

過去問
アプリ
付き!

DEKODAS-WEB

技術評論社

はじめに

　登録販売者をめざして本書を手にされたあなたに敬意を表したいと思います。新型コロナウイルスで先が見通せなくなっていますが、この資格はあなたを活かしてくれるものと確信します。

　本書は、厚生労働省「試験問題の作成に関する手引き（令和4年3月版）」に準拠しつつ、全国の過去問題を詳細に分析して受験地ごとの出題傾向の偏りを標準化しました。つまり、どの都道府県で受験されても合格点をクリアできるだけの内容となっているものと確信します。また、付録の問題演習用アプリには、実際の試験問題が収録してあり、弱点を徹底的に分析できるようになっています。

　まず、あなたが試験に合格すること、それが本書の目的ですが、それがゴールではありません。「セルフメディケーションを支える専門家」、それがライセンス取得後のあなたが背負うべき責任です。受験対策にだけにとどまらず、あなたが現場に出たときに、実践していただきたいことを随所にちりばめてあります。

　一般用医薬品（大衆薬／OTC薬）のうち約95％を、第2類と第3類医薬品が占めています。第1類医薬品と要指導医薬品は薬剤師による専売品ですが、一般用医薬品の大部分を、あなたのライセンスで販売することができるのです。

　ドラッグストア等で買い物をするときに、私たちは「くすり」を「相談して買う」習慣を忘れて久しくなります。「いちいち説明なんかいらない」とおっしゃるお客さまが多いと思います。習慣は変えられます。最初はわずらわしいと思われるかもしれませんが、あなたのひと声が、医薬品による健康被害からお客さまを守ることになるものと確信します。

　あなたの合格を心よりお祈りいたします。

　私たちと一緒に、新しい時代のセルフメディケーションに貢献しましょう。

2022年9月　本間 克明

目　次

■ 目　次

目　次

目　次

第5章　医薬品の適正使用・安全対策 ⋯⋯⋯⋯⋯ 343

別冊　第6版 登録販売者合格教本　確認テスト解答

登録販売者試験とは

1 登録販売者とは

　平成18年に薬事法(現・医薬品医療機器等法)が改正され、医薬品の販売制度の見直しがなされました。これにより、一般用医薬品をリスクの程度に応じて3つに区分し、リスクの低い第2類、第3類医薬品の販売等に携わることができる専門家として「登録販売者」が設けられました。登録販売者は、生活者のセルフメディケーションを支援するために生活者に対して情報を提供したり、相談に対応することが求められています。

2 登録販売者になるには

　医薬品は人の健康や生命に直接影響するものであり、適正に使用された場合であっても有益な効果だけをもたらすとは限らず、好ましくない反応(副作用)を生じることがあります。一般用医薬品は医療用医薬品(病院や調剤薬局でもらう薬)に比べると副作用等による健康被害のリスクは低いといわれていますが、医薬部外品や化粧品、また健康食品とは異なるものであるため、一般用医薬品を販売する専門家になるためには、各都道府県が実施する登録販売者試験に合格しなければなりません。

　試験は、医薬品販売の最前線で購入者に対して情報を提供したり、相談対応をする「登録販売者」にふさわしく、実務的な内容を重視したものです。試験問題は各都道府県が作成しますが、試験の出題範囲はあらかじめ厚生労働省から示されています。

3 登録販売者試験の概要

(1)試験日程

　各都道府県が、試験を少なくとも年1回以上定期的に実施します。

　登録販売者試験では、地区別にブロックをつくり同一ブロック内では共通問題を使用し試験日を統一しています。

- ■ **北海道・東北ブロック**（北海道・青森・岩手・秋田・山形・宮城・福島）
- ■ **北関東・甲信越ブロック**（茨城・栃木・群馬・山梨・長野・新潟）
- ■ **南関東ブロック**（埼玉・千葉・神奈川・東京）
- ■ **福井**
- ■ **東海・北陸ブロック**（静岡・岐阜・愛知・三重・富山・石川）
- ■ **関西広域連合ブロック**（滋賀・京都・大阪・兵庫・和歌山・徳島）
- ■ **奈良**
- ■ **中国・四国ブロック**（岡山・広島・山口・島根・鳥取・香川・愛媛・高知）
- ■ **九州・沖縄ブロック**（福岡・佐賀・長崎・熊本・大分・宮崎・鹿児島・沖縄）

▼登録販売者試験の試験区分

（2022年の場合：年度により試験区分が変わる場合があります）

※住所や勤務地などにより受験地が制限されることがないため、試験実施日が異なる複数の都道府県で受験することができますが、2022年現在「新型コロナウイルスによる感染防止のため、都道府県をまたいでの受験をお控えください」という地域もあるので、詳細は都道府県に問合せてください。

(2) 受験資格・実務経験

　学歴要件は廃止されたので、誰でも受験可能です。受験に際しての実務経験要件は廃止されました。

4 試験範囲と出題数および試験形式

(1) 試験範囲と出題数

▼表1　試験範囲と出題数

試験の項目	出題数
第1章　医薬品に共通する特性と基本的な知識	
I　医薬品概論	20問
II　医薬品の効き目や安全性に影響を与える要因	
III　適切な医薬品選択と受診勧奨	
IV　薬害の歴史	
第2章　人体の働きと医薬品	
I　人体の構造と働き	20問
II　薬の働く仕組み	
III　症状からみた主な副作用	
第3章　主な医薬品とその作用	
I　精神神経に作用する薬	40問
II　呼吸器官に作用する薬	
III　胃腸に作用する薬	
IV　心臓などの器官や血液に作用する薬	
V　排泄に関わる部位に作用する薬	
VI　婦人薬	
VII　内服アレルギー用薬（鼻炎用内服薬を含む。）	
VIII　鼻に用いる薬	
IX　眼科用薬	
X　皮膚に用いる薬	
XI　歯や口中に用いる薬	
XII　禁煙補助剤	
XIII　滋養強壮保健薬	
XIV　漢方処方製剤・生薬製剤	
XV　公衆衛生用薬	
XVI　一般用検査薬	

試験の項目	出題数
第4章　薬事関係法規・制度	
I　医薬品、医療機器等の品質、有効性及び安全性の確保等に関する法律の目的等	20問
II　医薬品の分類・取扱い等	
III　医薬品の販売業の許可	
IV　医薬品販売に関する法令遵守	
第5章　医薬品の適正使用・安全対策	
I　医薬品の適正使用情報	20問
II　医薬品の安全対策	
III　医薬品の副作用等による健康被害の救済	
IV　一般用医薬品に関する主な安全対策	
V　医薬品の適正使用のための啓発活動	
合　計	120問

（2）試験形式

マークシート方式の筆記試験。

5 合格基準

基準1：原則として、総出題数に対する正答率が7割以上であること。

基準2：試験項目ごとに都道府県知事が定める一定割合以上の正答率であること。

　項目ごとの最低正答率は都道府県により異なり、3〜4割です。つまり、総合得点で7割以上の正答率であっても、3〜4割以下の正答率の試験項目が1つでもあった場合には不合格となります。そのため各項目全てをしっかり学ぶことが重要になります。

6 提出書類など

　提出書類などは次の通りです。くわしくは都道府県へお問合せください。

① 登録販売者試験受験願書

② 写真

③ その他都道府県知事が必要と認める書類

④ 受験手数料

7 登録販売者試験に合格後、管理者となるための要件

「登録販売者試験に合格後、管理者となるための要件」は次の通りです。

① 管理者・管理代行者となるには、過去5年間のうち2年間の実務・業務経験が必要となりました。それまでの間は、管理者・管理代行者の管理・指導の下に登録販売者として販売実務に従事することは可能です。

ただし、管理者資格を得た後であっても、3年以上実務を離れてしまうと、不足期間を満たすまでは、「研修中」となります。

また、令和2年3月27日付通知により、1か月80時間以上従事の原則が緩和され、月当たりの時間数にかかわらず月単位で従事した期間が通算して2年以上あり、かつ、過去5年間において、合計1,920時間以上従事した場合は、管理資格ありとみなされます。

② 管理者・管理代行者要件を満たす登録販売者と、それ以外の登録販売者を名札で区分することになりました。

③ 薬局等に、登録販売者の勤務経験の記録・保存義務を課すとともに、求めに応じた勤務経験の証明が義務付けられました（管理者となる際に証明が必要なため）。

本書の使い方

1 本書の構成

本書はテキストと確認テストで構成されています。

本書のテキストは、厚生労働省が示した登録販売者試験の「試験問題の作成に関する手引き（令和4年3月）」に準拠しています。

基本的に左ページがテキスト、右ページが確認テストという見開き2ページで完結した構成になっています。確認テストの内容は、左ページのテキストに書いてあります。確認しながら解いてみましょう。たまに左ページのテキストに書いていない場合もありますが、そのときは問題を解きながらその場で覚えていきましょう。

確認テストは、実際に出題された登録販売者試験問題を分解して正誤問題（○×問題）を作成しています。

登録販売者試験は、穴埋め問題、成分名や効用の組合せ問題なども出題され
ますが、多くは正しいか誤っているかを判断させる正誤問題です。したがって
正誤問題（○×問題）を繰り返し正解できるようになることが合格への近道に
なるでしょう。本書では○×問題を1142問収録しています。繰り返し、学習
しましょう。また、○×問題だけではなく、試験問題をそのままの形で載せて
いるところもあります。

　さらに、本書では、スマートフォンやパソコンからアクセスできる、問題
演習用Webアプリ DEKIDAS-Web（デキダスWeb）を読者特典として提供して
います。この問題演習用Webアプリには、令和2年度と令和3年度の試験問題
を1920問収録してあります。それぞれの地域に分かれて収録していますので、
最後の仕上げ、あるいは確認テストの成果を試すためにも問題を解いてみましょ
う。問題演習用WebアプリDEKIDAS-Webについては後述します。

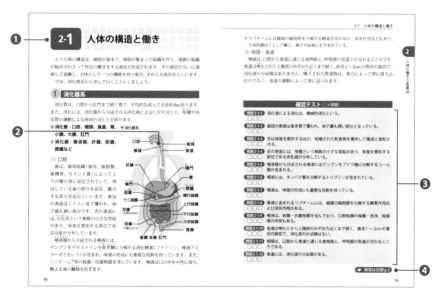

❶節のテーマ：節番号とテーマを示しています。

❷図表：わかりづらい点は図示しています。

❸確認テスト：左ページで学んだことの確認テストです。実際の試験問題を使用しています。

　　　　　　□□□：チェック欄です。解けなかった問題にチェックを入れるなど、
　　　　　　　　　　演習のチェックに使いましょう。

❹参照ページ：別冊「確認テスト解答」の参照ページを書いてあります。

2 本書の使い方

　前述しましたが、本書の基本構成は、見開きで左側がテキスト、右側が確認テストとなっています。確認テストは左側のテキストを読めばほぼ答えられる構成になっています。本書のテキスト部分は、非常にシンプルでコンパクトですが、登録販売者試験で問われる内容はほぼ左側のテキスト部分に書いてある内容に集約されます。繰り返し読み、学習しましょう。

　本書の使い方は、3パターンあります。

①左ページのテキストを読んで、右ページの問題を解く

　もっともベーシックな使い方です。テキストを読んで、覚えて、問題を解く、という学習を繰り返しましょう。繰り返すことによって、問題を解く力が養われます。

②左ページのテキスト部分を通して読む

　テキストとしての使い方です。左ページのテキスト部分を読み進めます。一通りテキストを読んで理解してから、問題を解きたい方に最適です。

③問題集として使う

　上級者向けです。左ページのテキスト部分をすべて読んでしまった方や、他の本で学習をした方、あるいは実務でほぼ試験に出る内容を知っている方向けです。右ページの確認テストを解いてみて復習用にお使いください。解答がわからなくても、左ページのテキスト部分を読めば、ほぼ答えはわかります。本書は復習をしたい方にも最適です。

3 別冊「確認テスト 解答」

　巻末に別冊として「確認テスト 解答」をつけました。書籍から取り外しができますので、取り外してお使いください。

問題演習用Webアプリ

1 DEKIDAS-Webについて

本書では、スマートフォンやパソコンからアクセスできる、問題演習用Webアプリ DEKIDAS-Web（デキダス Web）を読者特典として提供しています。

DEKIDAS-Webは、スマートフォンやパソコンで登録販売者試験の試験問題を演習し、弱点を分析するWebアプリです。

収録した試験問題は、令和2年度と令和3年度の試験問題で、「試験問題の作成に関する手引き」（平成30年3月）に対応した試験問題です。

付録DEKIDAS-Webには、1920問の試験問題が収録されています（16回×120問＝1920問）。各地域の問題をスマートフォンやパソコンで解くだけではでなく、DEKIDAS-Webはジャンル別に問題を出題する機能、間違った問題だけを出題する機能、弱点がすぐわかるレーダーチャート分析機能、一問あたりの問題に時間制限をかける機能などがあります。

▼DEKIDAS-Web
パソコン画面（左）、スマートフォン画面（右）

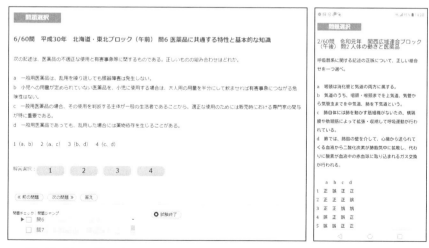

※画像は旧版の画像です。

2 収録問題について

　問題演習用WebアプリDEKIDAS-Webには、令和2年度と令和3年度の以下のブロックの問題が収録されています。

収録問題

令和2年	北海道・東北（福島県）	令和3年	北海道・東北（福島県）
令和2年	北関東・甲信越（栃木県）	令和3年	北関東・甲信越（栃木県）
令和2年	南関東（千葉県）	令和3年	南関東（千葉県）
令和2年	東海・北陸（愛知県）	令和3年	東海・北陸（愛知県）
令和2年	関西（関西広域連合）	令和3年	関西（関西広域連合）
令和2年	奈良県（奈良県）	令和3年	奈良県（奈良県）
令和2年	中国（広島県）	令和3年	中国・四国（広島県）
令和2年	九州・沖縄（福岡県）	令和3年	九州・沖縄（福岡県）

3 不適切問題について

　登録販売者試験では、まれに不適切問題がある場合があります。

　正答がない、正答が複数あり絞り込めない、といった試験問題です。不適切問題があった場合は、各都道府県から試験後に発表されます。

　DEKIDAS-Webでは、不適切問題があった場合、「解なし」問題である旨と仮に選択する選択肢を問題文中に入れています。

　「なぜ、不適切な問題なのか」という理由については、公表されている場合と公表されていない場合があります。また、不適切な問題について、試験ではどのように採点されるかなども、公表されている場合と公表されていない場合があります。くわしくは、各都道府県で公表している登録販売者試験のページを参考にしてください。

4 DEKIDAS-Webの始め方

　詳細はp.419をご覧いただき、ユーザー登録し、ご使用ください。

第1章

医薬品に共通する
特性と基本的な知識

　「くすり」は、人体には異物であり「リスク」を伴っています。
　第1章では、医薬品の本質をよく理解し、購入者に正しく情報を伝えて、適正に使用していただくための基本知識と薬害の歴史を学びます。

1-1 医薬品概論

① 医薬品の本質

(1) 医薬品は異物

　医薬品の多くは、人体に取り込まれて作用し、効果を発現させるものです。しかし、本来、医薬品は、人体にとっては異物（外来物）であり、その作用は複雑、かつ、多岐に渡り、そのすべては解明されていないため、必ずしも期待される有益な効果（薬効）のみをもたらすとは限らず、好ましくない反応（副作用）を生じる場合もあります。

　人体に使用されない医薬品であっても、たとえば、殺虫剤を誤って使うと健康を害するおそれがあり、検査薬は検査結果について正しい解釈や判断がされなければ適切な治療を受ける機会を失うおそれがあるなど、人の健康に影響を与えるものもあります。

(2) 医薬品と情報

　医薬品は、人の疾病の診断、治療もしくは予防に使用されること、または人の身体の構造や機能に影響を及ぼすことを目的とする生命関連製品であり、その有用性が認められたものです。医療用医薬品と比較すればリスクは相対的に低いと考えられる一般用医薬品であっても、科学的な根拠に基づく適正な使用が必要です。

　一般用医薬品は、効能効果、用法用量、副作用等の必要な情報が適切に伝達されることを通じて、購入者等が適切に使用することにより、初めてその役割を発揮するものです。このため、一般用医薬品には、製品に添付されている文書（添付文書）や製品表示に必要な情報が記載されています。もし、情報が伴わなければ、単なる薬物（有効成分を含有する化学物質）に過ぎません。

　一般用医薬品は、一般の生活者が自ら選択し使用するものですが、添付文書や製品表示に記載された内容を見ただけでは、誤解や認識不足を生じることもあります。購入者等が、適切に選択し適正に使用するためには、登録販売者などの専門家が関与し、購入者等が知りたい情報を十分に得ることができるように、相談に対応することが不可欠です。

(3) 医薬品情報の更新

　また、医薬品は、市販後にも、医学・薬学等の新たな知見、使用成績等に基

づき、その有効性・安全性等の確認が行われる仕組みになっています。それらの結果を踏まえ、リスク区分の見直し、承認基準の見直しがなされ、販売時の取扱い、製品の成分分量、効能効果、用法用量、使用上の注意等が変更となった場合には、添付文書や製品表示の記載に反映されます。医薬品は、このような知見の積み重ねや使用成績の結果等によって、随時新たな情報が付加されます。したがって、登録販売者は常に新しい情報の把握に努める必要があります。

（4）医薬品の品質管理

医薬品は、高い水準で均一な品質が保証されていなければなりません。医薬品医療機器等法では、健康被害の発生の可能性の有無にかかわらず、異物等の混入、変質等がある医薬品を販売してはならないと定めています。登録販売者も、そのようなことがないよう注意するとともに、製造販売業者による製品回収等の情報に日頃から留意しておくことが重要です。

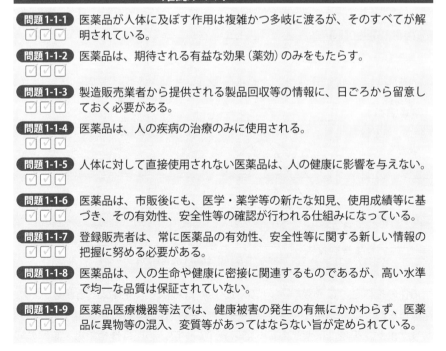

確認テスト（○×問題）

問題1-1-1　医薬品が人体に及ぼす作用は複雑かつ多岐に渡るが、そのすべてが解明されている。

問題1-1-2　医薬品は、期待される有益な効果（薬効）のみをもたらす。

問題1-1-3　製造販売業者から提供される製品回収等の情報に、日ごろから留意しておく必要がある。

問題1-1-4　医薬品は、人の疾病の治療のみに使用される。

問題1-1-5　人体に対して直接使用されない医薬品は、人の健康に影響を与えない。

問題1-1-6　医薬品は、市販後にも、医学・薬学等の新たな知見、使用成績等に基づき、その有効性、安全性等の確認が行われる仕組みになっている。

問題1-1-7　登録販売者は、常に医薬品の有効性、安全性等に関する新しい情報の把握に努める必要がある。

問題1-1-8　医薬品は、人の生命や健康に密接に関連するものであるが、高い水準で均一な品質は保証されていない。

問題1-1-9　医薬品医療機器等法では、健康被害の発生の有無にかかわらず、医薬品に異物等の混入、変質等があってはならない旨が定められている。

☛ 解答は別冊p.1

② 医薬品のリスク評価

(1) 効果とリスク

　医薬品は、使用方法を誤ると健康被害を生じることがあります。医薬品の効果とリスクは、用量と作用強度の関係（用量－反応関係）に基づいて評価されます。治療量を超えた量を単回投与した後に毒性が発現するおそれが高いことは当然ですが、少量の投与でも長期投与されれば慢性的な毒性が発現する場合もあります。また、少量の投与でも発がん、胎児毒性や組織・臓器の機能不全を生じる場合もあります。

(2) 投与量と効果／毒性の関係

　薬物用量を増加させると、効果の発現が検出されない「無作用量」から、「最小有効量」を経て「治療量」に至ります。さらに「治療量上限」を超えると、効果よりも有害反応が強く発現する「中毒量」となり、「最小致死量」を経て、「致死量」に至ります。図をよく見て、無作用量・治療量・中毒量・致死量などを把握してください。

▼投与量と効果の関係

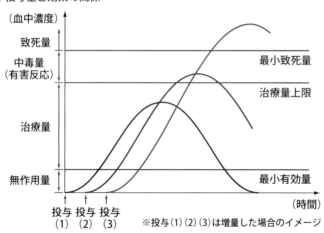

　毒性の指標として、動物実験の50%致死量（LD_{50}）が用いられることがあります。治療量を超えない少量でも、長期投与されれば慢性的な毒性が発現する場合もあり、また、少量の医薬品の投与でも発がん作用、胎児毒性や組織・臓器の機能不全を生じる場合もあります。

(3) 医薬品開発のリスク評価

次のような国際的な標準化（ハーモナイゼーション）の流れがあります。

- GLP（Good Laboratory Practice）：
  非臨床試験（動物実験）における安全性の基準
- 医薬品毒性試験法ガイドライン：厳密な毒性試験の実施
- GCP（Good Clinical Practice）：
  ヒト臨床試験における効果と安全性の評価基準
- GPSP（Good Post-marketing Study Practice）：
  製造販売後の調査および試験の実施基準
- GVP（Good Vigilance Practice）：製造販売後の安全管理基準

確認テスト（○×問題）

問題 1-1-10 医薬品の投与量と効果の関係は、薬物用量を増加させるに伴い、効果の発現が検出されない「無作用量」から、最小有効量を経て「治療量」に至る。

問題 1-1-11 毒性の指標として用いられるLD_{50}は、動物実験における50%致死量のことである。

問題 1-1-12 少量の医薬品の投与では、発がん作用、胎児毒性や組織・臓器の機能不全を生じることがない。

問題 1-1-13 治療量を超えた量を単回投与した後に毒性が発現する恐れが高いことは当然であるが、少量の投与でも長期投与されれば慢性的な毒性が発現する場合もある。

問題 1-1-14 新規に開発される医薬品のリスク評価は、医薬品開発の国際的な標準化（ハーモナイゼーション）制定の流れの中で実施されている。

問題 1-1-15 新規に開発される医薬品のリスク評価は、非臨床試験における安全性の基準であるGood Laboratory Practice（GLP）に準拠して実施されている。

問題 1-1-16 ヒトを対象とした臨床試験における効果と安全性の評価基準には、国際的にGood Laboratory Practice（GLP）が制定されている。

問題 1-1-17 製造販売後の調査および試験の実施基準の英語略称は、GVPで表わされる。

問題 1-1-18 医薬品に対しては製造販売後の調査および試験の実施基準としてGood Vigilance Practice（GVP）と製造販売後安全管理基準としてGood Post-marketing Study Practice（GPSP）が制定されている。

☞ 解答は別冊 p.1

3　健康食品

　「薬（医）食同源」という言葉があるように、古くから特定の食品摂取と健康増進の関連は関心を持たれてきました。特に近年では、食品やその成分についての健康増進効果の情報がメディア等を通して大量に発信され、消費者の関心も高くなっています。

　健康増進や維持の助けになることが期待されるいわゆる「健康食品」は、あくまで食品であり、医薬品とは法律上区別されます。しかし、健康食品の中でも国が示す要件を満たす食品「保健機能食品」は、一定の基準のもと健康増進の効果等を表示することが許可された健康食品です。

　「保健機能食品」には現在、以下の3種類があります。

①「特定保健用食品」は、一般にトクホと呼ばれるもので、身体の生理機能などに影響を与える保健機能成分を含むもので、個別に（一部は規格基準に従って）特定の保健機能を示す有効性や安全性などに関する国の審査を受け、許可されたものです。

②「栄養機能食品」は、身体の健全な成長や発達、健康維持に必要な栄養成分（ビタミン、ミネラルなど）の補給を目的としたもので、国が定めた規格基準に適合したものであれば、その栄養成分の健康機能を表示できます。

③「機能性表示食品」は、事業者の責任で科学的根拠をもとに疾病に罹患していない者の健康維持および増進に役立つ機能を商品のパッケージに表示するものとして国に届出された商品ですが、特定保健用食品とは異なり国の個別の許可を受けたものではありません。

　いわゆる健康食品は、その多くが摂取しやすいように錠剤やカプセル等の医薬品に類似した形状で販売されています。健康食品であっても、誤った使用方法や個々の体質により健康被害を生じた例も報告されています。また、医薬品との相互作用で薬物治療の妨げになることもあります。

　健康食品は、食品であるため、摂取しても安全で害がないかのようなイメージを強調したものも見られますが、法的にも、また安全性や効果を担保する科学的データの面でも医薬品とは異なることを十分理解しておく必要があります。一般用医薬品の販売時に、健康食品の摂取の有無について確認することは重要で、購入者等の健康に関する意識を尊重しつつも、必要があればそれらの摂取についての指導も行うべきです。

1

医薬品に共通する特性と基本的な知識

▼医薬品と食品

← 医薬品 →	←		食品		→
医薬品 (医薬部外品を含む)	特定保健用食品 (個別許可型)	栄養機能食品 (規格基準型)	機能性表示食品 (届出のみ)		一般食品

保健機能食品
消費者庁所管

確認テスト (○×問題)

問題1-1-19 「健康食品」という言葉は、健康増進や維持に有用な食品全般をさすものとして社会で広く使われている。

問題1-1-20 健康食品は、医薬品と同様に、疾病の治療や予防に対する効果を表示することができる。

問題1-1-21 医薬品を扱う者は、健康食品は法的にも、また安全性や効果を担保する科学的データの面でも医薬品とは異なるものであることを認識し、消費者に指導・説明を行わなくてはならない。

問題1-1-22 食品は、身体構造や機能に影響する効果を表示することはできないが、例外的に栄養機能食品については、「特定の保健機能の表示」ができる。

問題1-1-23 キシリトールを含む食品は、「虫歯を治す食品です」と表示することができる。

問題1-1-24 特定保健用食品については、「特定の保健機能の表示」が許可されている。

問題1-1-25 栄養機能食品については、各種ビタミン等に対して「栄養機能の表示」ができない。

問題1-1-26 「機能性表示食品」は、疾病に罹患していない者の健康の維持および増進に役立つ旨または適する旨（疾病リスクの低減に係るものを除く）を表示するものである。

問題1-1-27 いわゆる健康食品は、安全性や効果を担保する科学的データの面で医薬品とは異なるものであり、医薬品を扱う者にとって、消費者に指導・説明を行う対象ではない。

☞ 解答は別冊 p.1

4 セルフメディケーションへの積極的な貢献

　急速に少子高齢化が進む中、持続可能な医療制度の構築に向け、医療費の増加やその国民負担の増大を解決し、健康寿命を伸ばすことが日本の大きな課題です。セルフメディケーションの推進は、その課題を解決する重要な活動のひとつであり、地域住民の健康相談を受け、一般用医薬品の販売や必要な時は医療機関の受診を勧める業務は、その推進に欠かせません。

　セルフメディケーションを的確に推進するためにも、一般用医薬品の販売等を行う登録販売者は、一般用医薬品等に関する正確で最新の知識を常に修得するよう心がけるとともに、薬剤師や医師、看護師など地域医療を支える医療スタッフあるいは行政などとも連携をとって、地域住民の健康維持・増進、生活の質（QOL）の改善・向上などに携わることが望まれます。

　少子高齢化の進む社会では、地域包括ケアシステムなどに代表されるように、自分、家族、近隣住民、専門家、行政などすべての人たちで協力して個々の住民の健康を維持・増進していくことが求められます。医薬品の販売等に従事する専門家はその中でも重要な情報提供者であり、薬物療法の指導者となることを常に意識して活動することが求められます。

　また、平成29年1月からは、適切な健康管理の下で医療用医薬品からの代替を進める観点から、条件を満たした場合にスイッチOTC医薬品の購入の対価について、一定の金額をその年分の総所得金額等から控除するセルフメディケーション税制が導入され、令和4年1月の見直しにより、スイッチOTC医薬品以外にも腰痛や肩こり、風邪やアレルギーの諸症状に対応する一般用医薬品が税制の対象となっています。

1-2 医薬品の効き目や安全性に影響を与える要因

1 副作用への配慮

(1) 副作用の定義

副作用は次のように定義されています。

WHO （世界保健機関）	疾病の予防、診断、治療のため、または身体の機能を正常化するために、人に通常用いられる量で発現する医薬品の有害かつ意図しない反応

(2) 副作用を大別すると（発生原因の観点から）

①薬理作用による副作用

　薬という物質（すなわち薬物）が、生体の生理機能に影響を与えることを薬理作用といいます。医薬品は複数の薬理作用を持つため、期待される有益な反応（主作用）以外の反応が現れることがあります。主作用以外の反応で、好ましくないものについて、一般に副作用と呼んでいます。副作用は、眠気や口渇等の比較的軽度のものから、日常生活に支障を来す程度の健康被害を生じる重大なものまでさまざまです。

　複数の疾病を有する人の場合、ある疾病のために使用された医薬品の作用が、その疾病に対して薬効をもたらす一方、別の疾病に対しては症状を悪化させたり、治療が妨げられたりすることもあります。

確認テスト（○×問題）

問題1-2-1 世界保健機関で定義する医薬品の副作用には、「疾病の診断のために用いられる医薬品により発現する有害かつ意図しない反応」は含まれていない。

問題1-2-2 WHO（世界保健機関）の定義によれば、医薬品の副作用とは、「疾病の予防、診断、治療のため、または身体の機能を正常化するために、人に通常用いられる量で発現する医薬品の有害かつ意図しない反応」とされている。

問題1-2-3 薬という物質、すなわち薬物が、生体の生理機能に影響を与えることを薬理作用という。

問題1-2-4 副作用とは、死亡や日常生活に支障を来すなど重篤なものを指し、眠気や口渇など軽度のものは、副作用として取り扱わない。

👉 解答は別冊p.2

②アレルギー（過敏反応）による副作用

　免疫は、本来、細菌やウイルスなどから人体を防御するために生じる反応ですが、免疫機構が過敏に反応して、好ましくない症状が引き起こされることがあります。アレルギーにおいては過剰に組織に刺激を与える場合も多く、引き起こされた炎症自体が過度に苦痛を与えることもあります。

　このように、アレルギーにより体の各部位に生じる炎症等の反応をアレルギー症状といい、流涙や眼の痒み等の結膜炎症状、鼻汁やくしゃみ等の鼻炎症状、蕁麻疹や湿疹、かぶれ等の皮膚症状、血管性浮腫のようなやや広い範囲にわたる腫れ等が生じることが多くあります。

　アレルギーは、医薬品の薬理作用とは関係なく起こり、内服薬だけでなく外用薬でも引き起こされることがあります。さらに、医薬品に含まれる添加物が、アレルギーを引き起こす原因物質（アレルゲン）となることもあります。アレルゲンとなり得る添加物としては、黄色4号（タートラジン）、カゼイン、亜硫酸塩（亜硫酸ナトリウム、ピロ硫酸カリウム等）が知られています。

　普段は医薬品にアレルギーを起こしたことがない人でも、抵抗力が低下している場合には、思わぬアレルギーを生じることがあります。また、アレルギーには体質的・遺伝的な要素もあり、アレルギーを起こしやすい体質の人や、近い親族にアレルギー体質の人がいる場合には、注意が必要です。

　医薬品を使用してアレルギーを起こしたことがある人は、その原因となった医薬品の使用を避ける必要があります。また、医薬品の中には、鶏卵や牛乳等を原材料として作られているものがあるため、それらに対するアレルギーがある人では使用を避けなければならない場合もあります。

　一般用医薬品は、軽度な疾病に伴う症状の改善等を図るためのものであり、一般の生活者が自らの判断で使用するものです。一般用医薬品の使用を中断することによる不利益より、重大な副作用を回避することが優先され、その兆候が現れたときには、まず使用を中止して、必要に応じて医師、薬剤師などに相談されるべきです。

　登録販売者は、購入者から副作用の発生の経過を十分に聴いて、その後の適切な情報提供を行うほか、副作用の状況によっては、購入者に対して、速やかに医療機関を受診するよう勧奨する必要があります。

　また、副作用は、容易に異変を自覚できるものばかりでなく、血液や内臓機能への影響のように、明確な自覚症状として現れないこともあるので、継続して長く使用する場合には、特に異常が感じられなくても医療機関を受診するよう、登録販売者から促していくことも重要です。

確認テスト（○×問題）

問題1-2-5 ☑☑☑　医薬品は、十分に注意して適正に使用されれば副作用が生じることはない。

問題1-2-6 ☑☑☑　医薬品に含まれる添加物は、アレルギーを引き起こす原因物質とはならない。

問題1-2-7 ☑☑☑　アレルギーには、体質的な要素はあるが、遺伝的な要素はない。

問題1-2-8 ☑☑☑　医薬品を使用してアレルギーを起こしたことがある人は、その原因となった医薬品の使用を避ける必要がある。

問題1-2-9 ☑☑☑　一般用医薬品は、軽度な疾病に伴う症状の改善を図ることを目的として販売者の判断で使用されている医薬品である。

問題1-2-10 ☑☑☑　一般用医薬品の使用によって副作用の兆候が現れたときには、基本的に使用を中止することとされており、必要に応じて医師、薬剤師等に相談がなされるべきである。

問題1-2-11 ☑☑☑　医薬品を使用する人が、副作用をその初期段階で認識することにより、副作用の種類に応じて速やかに適切に処置し、重篤化の回避が図られることが重要である。

問題1-2-12 ☑☑☑　通常は、一般用医薬品の使用を中断することによる不利益よりも、重大な副作用を回避することが優先される。

問題1-2-13 ☑☑☑　副作用は、容易に異変を自覚できるものばかりでなく、血液や内臓機能への影響等のように、直ちに明確な自覚症状として現れないこともある。

☛ 解答は別冊 p.2

2 不適正な使用と副作用

　医薬品は、保健衛生上のリスクを伴うものであり、疾病の種類や症状等に応じて適切な医薬品が選択され、適正な使用がなされなければ、症状の悪化、副作用や事故等の好ましくない結果を招く危険性が高くなります。一般用医薬品の場合、その使用を判断する主体が一般の生活者であることから、その適正な使用を図っていく上で、販売時における専門家の関与が特に重要となります。

　医薬品の不適切な使用は、以下の2つに大別することができます。

① 誤解や認識不足

② 本来の目的以外の意図で使用する場合

(1) 使用する人の誤解や認識不足による不適正な使用

　一般用医薬品は、購入者等の誤解や認識不足のために適正に使用されないことがあります。

　たとえば、選択された医薬品が適切ではなく、症状が改善しないまま使用し続けている場合や、症状の原因となっている疾病の根本的な治療や生活習慣の改善等がなされないまま、手軽に入手できる一般用医薬品を使用して症状を一時的に緩和するだけの対処を漫然と続けているような場合には、いたずらに副作用を招く危険性が増すばかりでなく、適切な治療の機会を失うことにもなりかねないのです。

　また、「薬はよく効けばよい」「多く飲めば早く効く」等と短絡的に考えて、定められた用量を超える量を服用したり、小児への使用を避けるべき医薬品を「子供だから大人用のものを半分にして飲ませればよい」として服用させるなど、安易に医薬品を使用した場合には、特に副作用につながる危険性が高いのです。このほか、人体に直接使用されない医薬品についても、使用する人の誤解や認識不足によって使い方や判断を誤り、副作用につながることがあります。

　このような誤解や認識不足による不適正な使用や、それに起因する副作用の発生の防止を図るには、医薬品の販売等に従事する専門家が、購入者等に対して、正しい情報を適切に伝えていくことが重要となります。購入者等が、医薬品を使用する前に添付文書や製品表示を必ず読み、その適正な使用が図られるよう、購入者の理解力や医薬品を使用する状況等に即して説明がなされるべきです。

> **注意** 小児に与えてはいけない医薬品があります。
> ➡第5章別表5-1の「小児における年齢制限」を参照（p.391）

　また、使用量を守ったとしても、便秘や不眠、頭痛など不快な症状が続くために、長期にわたり一般用医薬品を毎日連用（常習）する事例も見られます。便秘薬や総合感冒薬、解熱鎮痛薬などは一時的に症状を抑えるための医薬品であり、長期連用すれば、重篤な疾患の発見が遅れたり、肝臓や腎臓などの医薬品を代謝する器官を傷めることもあります。このほか、長期連用により精神的な依存がおこり、使用量が増え、購入するための経済的な負担も大きくなった例もあります。

確認テスト（○×問題）

問題1-2-14 手軽に入手できる一般用医薬品を使用して症状を一時的に緩和するだけの対処を漫然と続けているような場合には、適切な治療の機会を失うことにつながりやすい。

問題1-2-15 一般用医薬品は、使用の判断をする主体が一般の生活者であるため、適正な使用を図っていく上で、販売時に専門家の関与が重要となる。

問題1-2-16 一般用医薬品は、購入者等の誤解や認識不足のために適正に使用されないことがある。

問題1-2-17 「薬はよく効けばよい」と短絡的に考えて、定められた用量を超える量を服用すると、有害事象につながる危険性が高い。

問題1-2-18 大人用の一般用医薬品を小児に服用させる場合は、すべて半分の量を服用させればよい。

問題1-2-19 購入者等の誤解や認識不足による不適正な使用を防ぐため、医薬品の販売等に従事する専門家は、購入者等に対して、正しい情報を適切に伝えていくことが重要となる。

問題1-2-20 人体に直接使用されない医薬品についても、使用する人の誤解や認識不足によって使い方や判断を誤り、副作用につながることがある。

☞ 解答は別冊p.2

(2) 医薬品を本来の目的以外の意図で使用する不適正な使用

医薬品は、その目的とする効果に対して副作用が生じる危険性が最小限となるよう、使用する量や使い方が定められています。本来の目的以外の意図で、定められた用量を意図的に超えて服用したり、みだりに他の医薬品や酒類等と一緒に摂取すると、過量摂取による急性中毒等を生じる危険性が高くなり、また、乱用の繰り返しによって慢性的な臓器障害等を生じるおそれもあります。

一般用医薬品にも習慣性・依存性がある成分を含んでいるものがあります。そうした医薬品がしばしば乱用されることが知られています。特に、青少年は、薬物乱用の危険性に関する認識や理解が必ずしも十分でなく、好奇心から身近に入手できる薬物を興味本位で乱用することがあるので、注意が必要です。

適正な使用がなされる限りは安全かつ有効な医薬品であっても、乱用された場合には薬物依存を生じることがあり、一度、薬物依存が形成されると、離脱することは容易ではありません。

必要以上の大量購入や頻回購入などを試みる不審な者には慎重に対処する必要があり、積極的に事情を尋ねる、状況によっては販売を差し控えるなどの対応も考えなければなりません。

➡濫用等のおそれがある医薬品成分（p.321を参照）。

※筆者注：乱用と濫用の意味は同じ。法律用語では濫用を使う。

③ 相互作用への配慮

複数の医薬品を併用した場合、または保健機能食品（特定保健用食品、栄養機能食品および機能性表示食品）や、いわゆる健康食品を含む特定の食品と一緒に摂取した場合に、医薬品の作用が増強したり、減弱したりすることがあります。これを相互作用といいます。作用が増強すれば、副作用が発生しやすくなり、また、作用が減弱すれば、十分な効果が得られないなどの不都合を生じることになります。

相互作用には、医薬品が吸収、分布、代謝、または排泄される過程で起こるものと、医薬品が薬理作用をもたらす部位において起こるものがあります。

相互作用を回避するには、医薬品を使用している期間やその前後を通じて、その医薬品との相互作用を生じるおそれのある医薬品や食品の摂取を控えます。

(1) 他の医薬品との成分の重複・相互作用

一般用医薬品は、一つの医薬品の中に作用の異なる複数の成分を組み合わせ

て含んでいることが多く、他の医薬品と併用した場合に、同様な作用を持つ成分が重複することがあり、これにより、作用が強く出過ぎたり、副作用を招く危険性が増すことがあります。

　たとえば、かぜ薬、解熱鎮痛薬、鎮静薬、鎮咳去痰薬、アレルギー用薬等では、成分や作用が重複することが多く、通常、これらの薬効群に属する医薬品の併用は避けることとされています。相互作用による副作用のリスクを減らす観点から、緩和を図りたい症状が明確である場合には、なるべくその症状に合った成分のみが配合された医薬品が選択されることが望ましいのです。

　医療機関で治療を受けている場合には、その治療が優先されることが望ましく、一般用医薬品を併用しても問題ないかどうかについては、治療を行っている医師または歯科医師もしくは医薬品を調剤した薬剤師に確認する必要があります。

確認テスト（○×問題）

問題1-2-21 医薬品を、定められた用量を意図的に超えて服用したり、みだりに酒類と一緒に摂取するといった乱用がなされると、過量摂取による急性中毒等を生じる危険性が高くなる。

問題1-2-22 医薬品の乱用の繰り返しによって慢性的な臓器障害等を生じるおそれがある。

問題1-2-23 一般用医薬品には、習慣性・依存性がある成分を含んでいるものはないため、医薬品が乱用されることはない。

問題1-2-24 青少年は、薬物乱用の危険性に関する認識や理解が必ずしも十分でなく、好奇心から身近に入手できる薬物を興味本位で乱用することがあるので、注意が必要である。

問題1-2-25 薬物依存が形成されても、そこから離脱することは容易である。

問題1-2-26 医薬品の販売等に従事する専門家は、必要以上の大量購入や頻回購入を試みる者には慎重に対処する必要がある。

問題1-2-27 複数の医薬品を併用した場合、医薬品の作用が減弱することはあるが、増強することはない。

問題1-2-28 相互作用は、医薬品が薬理作用をもたらす部位において起こるものであり、吸収、代謝の過程で起こることはない。

問題1-2-29 一般用医薬品は、一つの医薬品の中に作用の異なる複数の成分を組み合わせて含んでいる（配合される）ことはない。

☞ 解答は別冊p.2

(2) 食品との飲み合わせ

　食品との相互作用（飲み合わせ）を注意しなければならないのは、主に飲み薬（内服薬）の場合です。たとえば、アルコールは、医薬品の吸収や肝臓での代謝を促進することがあります。つまり、アルコールをよく飲む人は、体内から医薬品が速く消失して十分な薬効が得られなくなることがあるのです。その結果、肝臓で代謝されるアセトアミノフェンなどでは、通常よりも代謝されやすくなり、体内から医薬品が速く消失して十分な薬効が得られなくなることがあります。また、代謝によって産生する物質（代謝産物）に薬効があるものの場合には、作用が強く出たり、逆に、代謝産物が人体に悪影響を及ぼす医薬品の場合は副作用が現れやすくなります。

　このほか、カフェインやビタミンAのように、食品中に医薬品の成分と同じ物質が存在するために、それらを含む医薬品（例：総合感冒薬）と食品（例：コーヒー）を一緒に服用すると過剰摂取となるものもあります。

　生薬成分については、医薬品的な効能効果が示されていなければ、食品として流通可能なものもあり、そうした食品を合わせて摂取すると、生薬成分が配合された医薬品の効き目や副作用を増強させることがあります。

　また、外用薬や注射薬であっても、食品によって医薬品の作用や代謝に影響を受ける可能性があります。

④ 小児への配慮

> **ポイント** 医薬品使用上の
> 「新生児」：生後4週未満、
> 「乳児」：生後4週以上〜1歳未満、
> 「幼児」：1歳以上〜7歳未満、
> 「小児」：7歳以上〜15歳未満

　ただし、一般的に15歳未満を小児とすることもあり、具体的な年齢が明らかな場合は、医薬品の使用上の注意においては、「3歳未満の小児」等と表現される場合もあります。

　小児は大人と比べて身体の大きさに対して腸が長く、服用した医薬品の吸収率が相対的に高く、また、血液脳関門が未発達であるため吸収されて循環血液中に移行した医薬品の成分が脳に達しやすく、中枢神経系に影響を与える医薬品で副作用を起こしやすい傾向にあります。また、肝臓や腎臓の機能が未発達

であるため、医薬品の代謝・排泄に時間がかかり、作用が強く出たり、副作用がより強く出ることがあります。

確認テスト（○×問題）

問題1-2-30 ☑☑☑ 医薬品を用量用法に従い服用すれば、食品と一緒に摂取しても、相互作用を起こすことはない。

問題1-2-31 ☑☑☑ 相互作用を回避するには、通常、ある医薬品を使用している期間やその前後を通じて、その医薬品との相互作用を生じるおそれのある医薬品や食品の摂取を控えなければならない。

問題1-2-32 ☑☑☑ アルコールは、主として腎臓で代謝されるため、酒類（アルコール）をよく摂取する者では、その代謝機能が高まっていることが多い。

問題1-2-33 ☑☑☑ 酒類（アルコール）は、医薬品の吸収や代謝に影響を与えることがある。

問題1-2-34 ☑☑☑ カフェインやビタミンAは、食品中に医薬品の成分と同じ物質が存在するため、それらを含む医薬品と食品を一緒に服用すると過剰摂取となるものもある。

問題1-2-35 ☑☑☑ 生薬成分が配合された医薬品と、同じ生薬成分を含む食品を合わせて摂取しても、生薬成分が配合された医薬品の効き目や副作用を増強させることはない。

問題1-2-36 ☑☑☑ 外用薬や注射薬であっても、食品によって医薬品の作用や代謝（体内で化学的に変化すること）に影響を受ける可能性がある。

問題1-2-37 ☑☑☑ 乳児とは1歳未満、幼児とは5歳未満、小児とは12歳未満をいう。

問題1-2-38 ☑☑☑ 小児は、大人と比べて身体の大きさに対して腸が短く、服用した医薬品の吸収率が相対的に低い。

問題1-2-39 ☑☑☑ 小児は、血液脳関門が大人と比べて発達しており、吸収されて循環血液中に移行した医薬品成分が脳に達しにくく、中枢神経系に影響を与える医薬品の副作用は起こりにくい。

問題1-2-40 ☑☑☑ 小児は、肝臓や腎臓の機能が未発達であるため、医薬品の成分の代謝・排泄に時間がかかり、作用が強く出過ぎたり、副作用がより強く出ることがある。

☞ 解答は別冊p.2

　5歳未満の幼児に使用される錠剤やカプセル剤などの医薬品では、服用時に喉につかえやすいので注意するよう添付文書に記載されています。

　医薬品が喉につかえると、大事に至らなくても咳き込んで吐き出して苦しむことになり、その体験から乳幼児に医薬品の服用に対する拒否意識を生じさせてしまうことがあります。

　乳児向けの用法用量が設定されている医薬品であっても、乳児は医薬品の影響を受けやすく、また、状態が急変しやすく、一般用医薬品の使用の適否が見極めにくいため、基本的には医師の診療を受けることが優先され、一般用医薬品による対処は最小限（夜間等、医師の診療を受けることが困難な場合）にとどめるべきです。

　乳幼児が誤って薬を大量に飲み込んだ、または目に入れてしまったなどの誤飲・誤用事故の場合には、通常の使用状況から著しく異なるため、想定しがたい事態につながるおそれがあります。

5　高齢者への配慮

ポイント　医薬品の使用上の「高齢者」：65歳以上

　一般に高齢者は生理機能が低下していることが多く、特に、肝臓や腎臓の機能が低下していると医薬品の作用が強く現れやすく、副作用を生じるリスクが高くなります。

　しかし、高齢者であっても基礎体力や生理機能の衰えの度合いは個人差が大きく、年齢のみから一概にリスクの増大を判断することは難しいものです。

　また、高齢者は、喉の筋肉が衰えて飲食物を飲み込む力が弱まっている（嚥下障害）場合があり、薬を服用する際に喉に詰まらせやすいということを覚えておいてください。

　医薬品の副作用で口渇（口中の乾燥）を生じることがあり、その場合、誤嚥（食べ物等が誤って気管に入り込むこと）を誘発しやすくなります。

　加えて、高齢者は、持病（基礎疾患）を抱えていることが多く、一般用医薬品の使用によって基礎疾患の症状が悪化したり、治療の妨げとなる場合があるほか、複数の医薬品が長期間にわたって使用される場合には、副作用を生じるリスクも高くなるので注意が必要です。

　このほか、高齢者によくみられる傾向として、医薬品の説明を理解するのに

時間がかかる場合や、細かい文字が見えづらく、添付文書や製品表示の記載を読み取るのが難しい場合があり、情報提供や相談対応において特段の配慮（はいりょ）が必要です。また、高齢者では、手先の衰えのため医薬品を容器や包装から取り出すことが難しい場合や、医薬品の取り違えや飲み忘れを起こしやすいなどの傾向もあり、家族や周囲の人（介護関係者等）の理解や協力も含めて、医薬品の安全使用の観点からの配慮が重要です。

ポイント 高齢者に配慮すべきポイント

・持病はあるか（相互作用等）　　・手先はどうか（薬を取り出せるか）

・薬を飲めるか（誤嚥はないか）　　・理解力はどうか（物忘れはないか）

・視力はどうか（添付文書を読めるか）

確認テスト（○×問題）

問題 1-2-41 ☑☑☑ 5歳未満の幼児に使用される錠剤やカプセル剤等の医薬品では、服用時に喉につかえやすいので注意するよう添付文書に記載されている。

問題 1-2-42 ☑☑☑ 家庭内の医薬品の保管場所については、いつでも取り出せるよう、小児が容易に手に取れる場所や、小児の目につく場所とすることが適切である。

問題 1-2-43 ☑☑☑ 医薬品の使用上の注意においては、おおよその目安として７５歳以上を「高齢者」としている。

問題 1-2-44 ☑☑☑ 基礎体力や生理機能の衰えの度合いは個人差が小さいため、年齢から副作用発生リスクを判断することは容易である。

問題 1-2-45 ☑☑☑ 高齢者では、手先の衰えのため医薬品を容器や包装から取り出すことが難しい場合や、医薬品の取り違えや飲み忘れを起こしやすいなどの傾向もあり、家族や周囲の人（介護関係者等）の理解や協力も含めて、医薬品の安全使用の観点からの配慮が重要となることがある。

問題 1-2-46 ☑☑☑ 高齢者は医薬品の副作用で口渇を生じた場合、誤嚥（食べ物等が誤って気管に入り込むこと）を誘発しやすくなるので注意が必要である。

問題 1-2-47 ☑☑☑ 高齢者は、持病（基礎疾患）を抱えていることが多いが、一般用医薬品の使用によって基礎疾患の症状が悪化することはない。

問題 1-2-48 ☑☑☑ 高齢者によくみられる傾向として、医薬品の説明を理解するのに時間がかかる場合や、細かい文字が見えづらく、添付文書や製品表示の記載を読み取るのが難しい場合等があり、情報提供や相談対応において特段の配慮が必要となる。

☞ 解答は別冊 p.3

6　妊娠・授乳中の配慮

　妊婦が一般用医薬品を使用する場合、胎児に影響を及ぼすことがないよう配慮する必要があり、そもそも一般用医薬品による対処が適当かどうかを含めて慎重に考慮しなければなりません。胎児は、誕生するまでの間は、母体との間に存在する胎盤を通じて栄養分を受け取っています。胎盤には、胎児の血液と母体の血液とが混ざらない仕組み（血液−胎盤関門）があります。母体が医薬品を使用した場合に、血液−胎盤関門によって、どの程度医薬品の成分の胎児への移行が防御されるかは、未解明のことも多くあります。一般用医薬品においても、妊婦が使用した場合の安全性に関する評価が困難であるため、妊婦の使用については多くの場合「相談すること」とされています。

　さらに、ビタミンA含有製剤のように、妊娠前後の一定期間（前後3か月）に通常の用量を超えて摂取すると胎児に先天異常の危険性を高めるものや、便秘薬のように、配合成分やその用量によっては流産や早産を誘発するものがあります。一般用医薬品の販売等に際しては、本人が来店するとは限らないため、購入者から状況を聞いて、想定される使用者の把握に努めるなど、積極的な情報収集と、それに基づく情報提供が重要です。

　なお、妊娠の有無やその可能性については、購入者にとって他人に知られたくない場合もあることから、情報提供や相談対応を行う際には、プライバシーに配慮することが必要です。

　また、医薬品の種類によっては、授乳婦が使用した医薬品成分が乳汁中に移行することがあり、母乳を介して乳児が医薬品の成分を摂取することになる場合があります。この場合、乳幼児に好ましくない影響を及ぼす医薬品については、授乳期間中の使用を避けるか、使用後しばらくの間は授乳を避けることができるよう、医薬品の販売等に従事する専門家である登録販売者を通して、積極的な情報提供がなされることを望みます。

　吸収された医薬品の一部が乳汁中に移行することが知られていても、通常の使用の範囲では具体的な悪影響は判明していないものもあり、購入者から相談があったときには、乳汁に移行する成分やその作用等について適切な説明ができるようにしておく必要があります。

7　医療機関で治療を受けている人

　近年、生活習慣病等の慢性疾患を持ちながら日常生活を送る生活者が多くなっています。疾患の種類や程度によっては、一般用医薬品を使用することでその症状が悪化したり、治療が妨げられることもあります。

　購入しようとする医薬品を使用することが想定される人が、医療機関で治療を受けている場合には、疾患の程度やその医薬品の種類等に応じて、問題を生じるおそれがあれば使用を避けることができるように情報提供することが重要であり、「お薬手帳」の活用も必要です。なお、医療機関・薬局で交付された薬剤を使用している人については、登録販売者が一般用医薬品との併用の可否を判断することは困難なことが多く、その薬剤を処方した医師もしくは歯科医師または調剤を行った薬剤師に伝えるよう説明することも重要です。

　過去に医療機関で治療を受けていた（今は治療を受けていない）という場合には、どのような疾患について、いつ頃かかっていたのか（いつ頃治癒したのか）を踏まえ、購入者等が使用の可否を適切に判断することができるよう情報提供をしてください。医療機関での治療は特に受けていない場合であっても、医薬品の種類や配合成分等によっては、特定の症状がある人が使用するとその症状を悪化させるおそれがある等、注意が必要なものがあります。

確認テスト（○×問題）

問題 1-2-49　胎盤には、胎児の血液と母体の血液とが混ざり合う仕組み（血液－胎盤関門）がある。

問題 1-2-50　妊娠中に医薬品を使用した場合、母体の血液－胎盤関門が、医薬品成分の胎児への移行をどの程度防御するかは、未解明のことも多い。

問題 1-2-51　ビタミンB12含有製剤は、妊娠前後の一定期間に通常の用量を超えて摂取すると、胎児に催奇形性の危険性が高まるとされている。

問題 1-2-52　便秘薬の中には、流産や早産を誘発するおそれのあるものがある。

問題 1-2-53　生活習慣病等の慢性疾患の種類や程度によっては、一般用医薬品の有効性や安全性に影響を与える要因となることがある。

問題 1-2-54　登録販売者は、医療機関・薬局で交付された薬剤を使用している人に対し、その薬剤を処方した医師もしくは歯科医師または調剤を行った薬剤師に相談するよう説明する必要がある。

☞ 解答は別冊p.3

8　プラセボ効果

　医薬品を使用したとき、結果的または偶発的に薬理作用によらない作用を生じることをプラセボ効果（偽薬効果）といいます。プラセボ効果は、医薬品を使用したこと自体による楽観的な結果への期待（暗示効果）や、条件付けによる生体反応、時間経過による自然発生的な変化（自然緩解など）等が関与して生じると考えられています。

　医薬品を使用したときにもたらされる反応や変化には、薬理作用によるもののほか、プラセボ効果によるものも含まれています。プラセボ効果によってもたらされる反応や変化にも、望ましいもの（効果）と不都合なもの（副作用）とがあります。

　プラセボ効果は、主観的な変化だけでなく、客観的に測定可能な変化として現れることもありますが、不確実であり、それを目的として医薬品が使用されるべきではありません。購入者が、適切な医薬品の選択、医療機関の受診機会を失うことのないよう、正確な情報が適切に伝えられることが重要です。

9　医薬品の品質

　医薬品は、高い水準で均一な品質が保証されていなければなりませんが、配合されている成分（有効成分および添加物成分）には、高温や多湿、光（紫外線）等によって品質の劣化（変質・変敗）を起こしやすいものが多く、適切な保管・陳列がなされなければ、医薬品の効き目が低下したり人体に好ましくない作用をもたらす物質を生じることがあります。

　医薬品を保管・陳列する場所については、清潔性が保たれるとともに、その品質が十分保持される環境となるよう（高温、多湿、直射日光等の下に置かれることのないよう）留意する必要があります。

　その品質が承認された基準に適合しない医薬品、その全部または一部が変質・変敗した物質から成っている医薬品の販売は禁止されています。

　また、医薬品は、適切な保管・陳列がされたとしても、経時変化による品質の劣化は避けられません。一般用医薬品では、薬局または店舗販売業において購入された後、すぐに使用されるとは限らず、家庭における常備薬として購入されることも多いことから、外箱等に記載されている使用期限から十分な余裕をもって販売する（使用期限をしっかり管理する）ことが重要です。

　なお、表示されている「使用期限」は、未開封状態で保管された場合に品質が保持される期限であり、液剤などでは、いったん開封されると記載されている期日まで品質が保証されない場合があります。

| 医薬品 | 高温 | 多湿 | 光（紫外線） | ➡ | 品質の劣化
（変質・変敗） |

確認テスト（○×問題）

問題 1-2-55 過去に医療機関で治療を受けていたが、今は治療を受けていない場合であれば、一般用医薬品の使用について特に注意をする必要はない。

問題 1-2-56 プラセボ効果とは、医薬品を使用したとき、結果的または偶発的に生じる薬理作用による作用のことをいう。

問題 1-2-57 プラセボ効果によってもたらされる反応や変化には望ましいもの（効果）のみがあり、不都合なもの（副作用）はない。

問題 1-2-58 プラセボ効果は、主観的な変化だけでなく、客観的に測定可能な変化として現れることがある。

問題 1-2-59 プラセボ効果には、一定の効果が期待できることから、それを目的として一般用医薬品を使用するべきである。

問題 1-2-60 医薬品に配合されている成分（有効成分および添加物成分）には、高温や多湿、光（紫外線）等によって品質の劣化（変質・変敗）を起こしやすいものが多い。

問題 1-2-61 医薬品は、高い水準で均一な品質が保証されているので、保管する温度に留意する必要はない。

問題 1-2-62 医薬品は、適切な保管・陳列がなされていれば、経時変化による品質の劣化は起こらない。

問題 1-2-63 一般用医薬品は、家庭における常備薬として購入されることも多いことから、外箱等に記載されている使用期限から十分な余裕をもって販売等がなされることが重要である。

問題 1-2-64 医薬品の外箱等に表示されている「使用期限」は、開封の有無に関わらず、医薬品の品質が保持される期限である。

☞ 解答は別冊 p.3

1-3 適切な医薬品選択と受診の勧め

1 一般用医薬品

(1) 一般用医薬品の定義

　一般用医薬品とは、「医薬品のうち、その効能及び効果において人体に対する作用が著しくないものであつて、薬剤師その他の医薬関係者から提供された情報に基づく需要者の選択により使用されることが目的とされているもの（要指導医薬品を除く）」です（法第4条第5項第4号）。要指導医薬品は、一般用医薬品の中に入るのではなく、独立した分類です。医薬品を分類すると、医療用医薬品、要指導医薬品、一般用医薬品の三つに分けられます。

(2) 一般用医薬品の役割

　一般用医薬品の役割は、次のようになります。

① 軽度な疾病に伴う症状の改善

② 生活習慣病等の疾病に伴う症状発現の予防（科学的、合理的に効果が期待できるものに限る）

③ 生活の質（QOL）の改善・向上

④ 健康状態の自己検査

⑤ 健康の維持・増進

⑥ その他保健衛生（衛生害虫の防除、殺菌消毒等）

　一般用医薬品は、上記の項目のように医療機関での治療を受けるほどではない体調の不良や疾病の初期段階、あるいは日常において、生活者が自らの疾病の治療、予防または生活の質の改善・向上を図ることを目的としています。なお生活習慣病（脂質異常症、高血圧、糖尿病、肥満など）は、薬を飲む前に運動療法と食事療法が基本となります。

(3) ドーピング

　スポーツ競技者については、医薬品使用においてドーピングに注意が必要です。一般用医薬品にも使用すればドーピングに該当する成分を含んだものがあるため、スポーツ競技者から相談があった場合は、専門知識を有する薬剤師などへの確認が必要です。

2　セルフメディケーション

　急速な高齢化の進展や生活習慣病の増加など疾病構造の変化、生活の質の向上への要請等に伴い、自分自身の健康に対する関心が高い生活者が多くなっています。そのような中で、専門家による適切なアドバイスの下、身近にある一般用医薬品を利用する「セルフメディケーション」の考え方がみられるようになってきています。

　セルフメディケーションの主役は一般の生活者であり、一般用医薬品の販売等に従事する専門家においては、購入者に対して常に科学的な根拠に基づいた正確な情報提供を行い、セルフメディケーションを適切に支援していくことが期待されています。したがって、情報提供は必ずしも医薬品の販売に結びつけるのでなく、医療機関の受診を勧めたり（受診勧奨）、医薬品の使用によらない対処を勧めることが適切な場合があることにも留意する必要があります。

　症状が重いとき（高熱や激しい腹痛がある場合、患部が広範囲である場合など）に、一般用医薬品を使用することは、一般用医薬品の役割にかんがみて、適切な対処とはいえません。体調の不良や軽度の症状等について一般用医薬品を使

確認テスト（○×問題）

問題1-3-1　一般用医薬品の役割として、「軽度な疾病に伴う症状の改善」、「生活の質（QOL）の改善・向上」等がある。

問題1-3-2　「重度な疾患に伴う症状の改善」は、一般用医薬品承認審査合理化等検討会中間報告書「セルフメディケーションにおける一般用医薬品のあり方について」（平成14年11月）において、一般用医薬品の役割とされた。

問題1-3-3　「セルフメディケーション」には、専門家による適切なアドバイスの下、身近にある一般用医薬品を利用する考え方がある。

問題1-3-4　セルフメディケーションの主役は、一般用医薬品の販売等に従事する専門家である。

問題1-3-5　一般用医薬品の購入者への情報提供は、医薬品の販売に結びけるのでなく、受診勧奨など、医薬品の使用によらない対処を勧めることが適切な場合もある。

問題1-3-6　高熱や激しい腹痛がある場合など症状が重いときは、一般用医薬品の使用を勧めることが適切な対処である。

問題1-3-7　乳幼児や妊婦では、通常の成人の場合に比べ、一般用医薬品で対処可能な範囲は広い。

☛ 解答は別冊p.4

用して対処した場合であっても、一定期間、一定回数使用しても症状の改善が
みられないとき、または悪化したときには、医療機関を受診して医師の診療を
受ける必要があります。

　なお、一般用医薬品で対処可能な範囲は、医薬品を使用する人によって変わ
ってくるものであり、たとえば、乳幼児や妊婦等では、通常の成人の場合に比
べ、その範囲は限られてくることに留意する必要があります。

③ コミュニケーション

　一般用医薬品は、一般の生活者がその選択や使用を判断する主体であり、生
活者のセルフメディケーションに対して、登録販売者は、第2類・第3類医薬
品の販売と情報提供を担い、支援していくという姿勢が基本となります。

　医薬品の適正な使用のための情報は、添付文書や製品に表示されていますが、
それらの記載は一般的・網羅的な内容となっているため、個々の使用者にとって、
どの記載内容が当てはまるかなどを理解することは必ずしも容易でなく、販売
時に一歩踏み込んだコミュニケーションが必要です。

　また、購入者があらかじめ購入する医薬品を決めていることも多く、使う人
の体質や症状等にあった製品を事前に調べて選択しているのではなく、宣伝広
告や販売価格等に基づいて漠然と選択していることも少なくありません。医薬
品の販売に従事する専門家は、購入者が、自分自身や家族の健康に対する責任
感を持ち、適切な医薬品を選択して、適正に使用するよう、働きかけていくこ
とが重要です。その場合、単に専門用語を分かりやすい平易な表現で説明する
だけでなく、説明した内容が購入者にどう理解され、行動に反映されているか、
というところまで配慮すべきです。

　しかし、購入者自身、何を期待して医薬品を購入するのか漠然としている場
合もあり、また、購入者側に情報提供を受けようとする意識が乏しく、コミュ
ニケーションが成立しがたい場合もあります。医薬品の販売等に従事する専門
家は、そうした場合であっても、購入者側から医薬品の使用状況に係る情報を
できる限り引き出し、可能な情報提供を行っていくためのコミュニケーション
技術を身につけるべきです。

　また、購入者等が医薬品を使用する状況は随時変化する可能性があるため、
販売数量は一時期に使用する必要量とする等、販売時のコミュニケーションの
機会が継続的に確保されるよう配慮することも重要です。

4 販売時に確認しておきたいポイント

医薬品の販売に従事する専門家としての登録販売者が、購入者等から確認しておきたい基本的なポイントは、次のとおりです。

① 何のためにその医薬品を購入しようとしているか（購入者等側のニーズ、購入の動機）。
② その医薬品を使用するのは、情報提供を受けている当人か、またはその家族等が想定されるか。
③ その医薬品を使用する人として、小児や高齢者、妊婦等が想定されるか。

確認テスト（○×問題）

問題 1-3-8 ☑☑☑ 購入者が、自分自身や家族の健康に対する責任感を持ち、適切な医薬品を選択して適正に使用するよう、働きかけていくことが重要である。

問題 1-3-9 ☑☑☑ 登録販売者は、一般の生活者のセルフメディケーションに対して、第2類医薬品および第3類医薬品の販売や情報提供を担う観点から、生活者を支援していく姿勢で臨むことが基本となる。

問題 1-3-10 ☑☑☑ 医薬品の情報提供は、使用する人に誤認が生じないよう正確な専門用語を用い、相手によって表現を変えることのないよう注意して行う。

問題 1-3-11 ☑☑☑ 一般用医薬品の場合、必ずしも情報提供を受けた当人が医薬品を使用するとは限らないことを踏まえ、販売時のコミュニケーションを考える必要がある。

問題 1-3-12 ☑☑☑ 購入者側に情報提供を受けようとする意識が乏しい場合には、コミュニケーションを図る必要はない。

問題 1-3-13 ☑☑☑ 購入者等が医薬品を使用する状況は随時変化する可能性があるため、販売数量は一時期に使用する必要量とする等、販売時のコミュニケーションの機会が継続的に確保されるよう配慮することが重要である。

問題 1-3-14 ☑☑☑ 購入者から確認しておきたい基本的なポイントの1つとして、「その医薬品を使用するのは情報提供を受けている当人か、またはその家族等が想定されるか」が挙げられる。

問題 1-3-15 ☑☑☑ その医薬品を使用する人として、小児や高齢者、妊婦等が想定されるかについては、購入者にたずねる必要はない。

☛ 解答は別冊 p.4

④ その医薬品を使用する人が、医療機関で治療を受けていないか。

⑤ その医薬品を使用する人が、過去にアレルギーや医薬品による副作用等の
　経験があるか。

⑥ その医薬品を使用する人が、相互作用や飲み合わせで問題を生じるおそれ
　のある、他の医薬品の使用や食品の摂取をしていないか。

　なお、第1類医薬品を販売する場合は、③〜⑤の事項を販売する薬剤師が確
認しなければならず、第2類医薬品を販売する場合は、③〜⑤の事項を販売す
る薬剤師または登録販売者が確認するよう努めなければなりません。

　さらに、一般用医薬品は、すぐに使用する必要に迫られて購入されるとは限
らず、家庭における常備薬として購入されることも多いことから、その販売等
に従事する専門家においては、以下の⑦、⑧に関しても、把握に努めることが
望ましいでしょう。

⑦ その医薬品がすぐに使用される状況にあるか（症状が現にあるのか、常備用
　なのか※）。
　※すぐに医薬品を使用する状況にない場合は、実際に使用する際に、改めて添付
　　文書等に目を通すよう促すことが重要です。
⑧ 症状等がある場合、それはいつ頃からか、その原因や患部等の特定はなさ
　れているか。

　こうした購入者側の状況を把握するには、医薬品の販売等に従事する専門家
から購入者に尋ねることが少なくありませんが、会話しやすい雰囲気づくりに
努め、購入者等が健康への高い関心を有する生活者として参加意識を持って、
医薬品を使用する状況等について自らの意志で伝えてもらえるよう促していく
ことが重要です。

　また、購入者等が医薬品を使用する状況は随時変化する可能性があるため、
販売数量は一時期に使用する必要量とする等、販売時のコミュニケーションの
機会が継続的に確保されるよう配慮することも重要です。

確認テスト（○×問題）

問題 1-3-16 その医薬品を使用する人が医療機関で治療を受けていないかの確認は特には必要とされない。

問題 1-3-17 症状等がある場合、それはいつ頃からか、その原因や患部等の特定はなされているかに関して、把握に努めることが望ましい。

問題 1-3-18 一般用医薬品は、家庭における常備薬として購入されることも多いため、購入者側でその医薬品がすぐに使用される状況にあるかについて確認する必要はない。

問題 1-3-19 母乳を与える女性（授乳婦）に対して、乳幼児に好ましくない影響が及ぶことが知られている一般用医薬品について、授乳期間中の使用を避けるか、使用後しばらくの間は授乳を避けるよう説明した。

問題 1-3-20 過去に医薬品を服用し薬疹を経験した人から、再度同種の医薬品を服用したいと申し出があり、定められた用量の半量で様子を見ながら服用するよう説明した。

問題 1-3-21 購入者等が一般用医薬品を使用する状況は随時変化する可能性があるため、販売数量は一時期に使用する必要量とする等、販売時のコミュニケーションの機会が継続的に確保されるよう配慮することも重要である。

確認テスト

問題 1-3-22 成人女性が、ドラッグストア（店舗販売業）に来店した。かぜ様症状のため一般用医薬品を購入しようとしている。登録販売者が購入者から確認すべき事項に関する以下の記述の正誤について、正しい組み合わせはどれか。 （令和3年 北海道、青森、岩手、秋田、山形、宮城、福島）

		a	b	c	d
a 副作用の経験の有無	1	正	正	正	誤
b 他の医薬品の使用の有無	2	正	誤	正	正
c 発症時期	3	正	正	正	正
d アレルギーの経験の有無	4	正	正	誤	正
	5	誤	正	正	正

解答は別冊 p.4

1-4 薬害の歴史

1 サリドマイド訴訟

サリドマイド訴訟は、催眠鎮静剤として販売されたサリドマイド製剤を妊娠している女性が使用したことにより、出生児に四肢欠損、耳の障害等の先天異常（サリドマイド胎芽症）が発生したことに対する損害賠償訴訟です。

1963年6月に製薬企業を被告として、さらに翌年12月には国および製薬企業を被告として提訴され、1974年10月に和解が成立しています。

サリドマイドは催眠鎮静成分として承認されました（その鎮静作用を目的として、胃腸薬に配合され市販された）が、副作用として血管新生を妨げる作用もあったのです。

妊娠している女性が摂取した場合、サリドマイドは血液−胎盤関門を通過して胎児に移行してしまいます。胎児はその成長の過程で、諸器官の形成のため細胞分裂が活発に行われますが、血管新生が妨げられると細胞分裂が正常に行われず、器官が十分に成長しないことから、四肢欠損、視聴覚等の感覚器や心肺機能の障害等の先天異常が発生してしまったのです。

なお、血管新生を妨げる作用は、サリドマイドの光学異性体のうち、一方の異性体（S体）のみが有する作用であり、もう一方の異性体（R体）にはなく、また、鎮静作用はR体のみが有するとされています。サリドマイドが摂取されると、R体とS体は体内で相互に転換するため、R体のサリドマイドを分離して製剤化しても催奇形性は避けられません。

> **ポイント** サリドマイドの光学異性体
> 血管新生を妨げる作用➡S体のみ
> 鎮静作用➡R体のみ

サリドマイド製剤は、1957年に西ドイツで販売が開始され、日本では1958年1月から販売されていました。1961年11月、西ドイツのレンツ博士がサリドマイド製剤の催奇形性について警告を発し、西ドイツでは製品が回収されました。日本にも同年12月に西ドイツ企業から勧告が届いており、かつ翌年になってからもその企業から警告が発せられていたにもかかわらず、出荷停止は

50

1962年5月まで行われませんでした。販売停止および回収措置は1962年9月であるなど、わが国の対応の遅さが問題視されました。

　サリドマイドによる薬害事件は、世界的にも問題となったため、WHO加盟国を中心に市販後の副作用情報の収集の重要性が改めて認識され、情報収集体制の整備が図られることになりました。

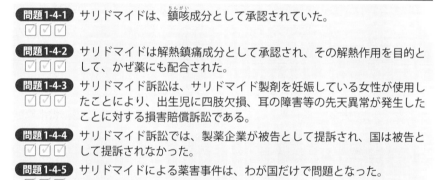

確認テスト（○×問題）

問題1-4-1　サリドマイドは、鎮咳成分として承認されていた。

問題1-4-2　サリドマイドは解熱鎮痛成分として承認され、その解熱作用を目的として、かぜ薬にも配合された。

問題1-4-3　サリドマイド訴訟は、サリドマイド製剤を妊娠している女性が使用したことにより、出生児に四肢欠損、耳の障害等の先天異常が発生したことに対する損害賠償訴訟である。

問題1-4-4　サリドマイド訴訟では、製薬企業が被告として提訴され、国は被告として提訴されなかった。

問題1-4-5　サリドマイドによる薬害事件は、わが国だけで問題となった。

問題1-4-6　1961年11月、西ドイツ（当時）のレンツ博士がサリドマイド製剤の催奇形性について警告を発した後、日本では直ちにサリドマイド製剤の販売停止および回収措置が行われた。

問題1-4-7　サリドマイドの副作用として血管新生を妨げる作用があり、この影響を受けた胎児に四肢欠損や視聴覚の障害等の先天異常が発生した。

問題1-4-8　サリドマイドの光学異性体のうち、血管新生を妨げる作用は、一方の異性体（R体）のみが有する作用であり、もう一方の異性体（S体）にはなく、鎮静作用はS体のみが有するとされている。

問題1-4-9　サリドマイドの光学異性体のうち、R体には有害作用がないことから、R体のサリドマイドを分離して製剤化すると催奇形性を避けることができる。

☛ 解答は別冊p.4

2 スモン訴訟

　スモン訴訟は、整腸剤として販売されていたキノホルム製剤を使用したことにより、亜急性脊髄視神経症（英名 Subacute Myelo-Optico-Neuropathy の頭文字をとってスモン）に罹患したことに対する損害賠償訴訟です。スモンの症状は、初期には腹部の膨満感から激しい腹痛を伴う下痢を生じ、次第に下半身の痺れや脱力、歩行困難等が現れます。麻痺は上半身にも拡がる場合があり、ときに視覚障害から失明に至ることもありました。

　キノホルム製剤は、1924年から整腸剤として市販され、1958年頃から消化器症状を伴う特異な神経症状が報告されるようになり、米国では1960年にアメーバ赤痢への使用に限ることが勧告されました。

　日本では、1970年8月になって、スモンの原因はキノホルムであるとの説が発表され、同年9月に販売が停止されました。

　1971年5月に国および製薬企業を被告として提訴されました。被告である国は、スモン患者の早期救済のためには、和解による解決が望ましいとの基本方針に立って、1977年10月に東京地裁において和解が成立して以来、各地の地裁および高裁において和解が勧められ、1979年9月に全面和解が成立しています。

　スモン患者に対する施策や救済制度として、治療研究施設の整備、治療法の開発調査研究の推進、施術費および医療費の自己負担分の公費負担、世帯厚生資金貸付による生活資金の貸付のほか、重症患者に対する介護事業が講じられています。

　サリドマイド訴訟、スモン訴訟を契機として、1979年に医薬品の副作用による健康被害の迅速な救済を図るため、「医薬品副作用被害救済制度」が創設されました。

> スモンの原因はキノホルム（整腸剤）

確認テスト (○×問題)

問題1-4-10　スモンとは、「慢性脊髄視神経症」のことである。
☑☑☑

問題1-4-11　スモンはその症状として、初期には腹部の膨満感から激しい腹痛を伴
☐☐☐　う下痢を生じ、次第に下半身の痺れや脱力、歩行困難等が現れるが一
　　　時的であり、時間の経過とともに症状は軽快し、後遺症は残らない。

問題1-4-12　スモン訴訟とは、整腸剤として販売されていたクロロホルム製剤を使
☐☐☐　用したことにより、亜急性脊髄視神経症に罹患したことに対する損害
　　　賠償訴訟である。

問題1-4-13　スモンの原因とされているキノホルム製剤は、解熱鎮痛薬として販売
☑☑☑　されていた。

問題1-4-14　スモン訴訟とは、鎮暈薬（ちんうん）として販売されていたキノホルム製剤を使用
☑☑☑　したことにより、スモンに罹患したことに対する損害賠償訴訟である。

問題1-4-15　スモン訴訟は、国および製薬企業を被告として提訴された。
☑☑☑

問題1-4-16　スモン訴訟は、国および製薬企業を被告として提訴されたものであり、
☐☐☐　和解が成立した例はない。

問題1-4-17　キノホルム製剤の副作用について、西ドイツ（当時）から警告が発せら
☐☐☐　れていたにも関わらず、日本では販売停止と回収措置の対応の遅さが
　　　問題視された。

問題1-4-18　わが国では、1970年8月になって、スモンの原因はキノホルム製剤で
☐☐☐　あるとの説が発表され、同年9月に販売が停止された。

問題1-4-19　現在では、スモン患者に対し、施術費および医療費の自己負担分の公
☐☐☐　費負担、重症患者に対する介護事業等が行われている。

問題1-4-20　日本では、サリドマイド訴訟、スモン訴訟を契機として、1979年に医
☐☐☐　薬品副作用被害救済制度が創設された。

☛ 解答は別冊p.5

③ HIV訴訟

　HIV訴訟は、血友病患者が、ヒト免疫不全ウイルス（Human Immunodeficiency Virus：HIV）が混入した原料血漿から製造された血液凝固因子製剤の投与を受けたことにより、HIVに感染したことに対する損害賠償訴訟です。国および製薬企業を被告として、1989年5月に大阪地裁、同年10月に東京地裁で提訴、1996年3月に両地裁で和解が成立しました。

　和解確認書において、国〔厚生大臣（当時）〕は、「わが国における血友病患者のHIV感染という悲惨な被害を拡大させたことについて指摘された重大な責任を深く自覚、反省して、原告らを含む感染被害者に物心両面にわたり甚大な被害に至ったことにつき、深く衷心よりお詫び」しています。

　HIV訴訟の和解を踏まえ、国は、HIV感染者に対する恒久対策として、エイズ治療研究開発センターおよび拠点病院の整備や治療薬の早期提供等のさまざまな取り組みを推進してきています。

　平成11年8月には、厚生省（現厚生労働省）の正面横に、「命の尊さを心に刻みサリドマイド、スモン、HIV感染のような医薬品による悲惨な被害を再び発生させることのないよう」願い、「誓いの碑」が建てられました。

　その後、医薬品の承認審査体制の充実、製薬企業に対し従来の副作用報告に加えて感染症報告を義務づけ、緊急に必要とされる医薬品を迅速に供給するための「緊急輸入」制度の創設を内容とする改正薬事法が1996年に成立しました。また、血液製剤の安全確保対策として検査や献血時の問診の充実が図られるとともに、薬事行政組織の再編、情報公開の推進、健康危機管理体制の確立等がなされています。

④ CJD訴訟

　CJD訴訟は、脳外科手術等に用いられていたヒト乾燥硬膜を介して、クロイツフェルト・ヤコブ病（Creutzfeldt-Jakob Disease：CJD）に罹患したことに対する損害賠償訴訟です。CJDは、細菌でもウイルスでもないタンパク質の一種であるプリオンが原因とされ、プリオンが脳の組織に感染し、次第に認知症に類似した症状が現れ、死に至る重篤な神経難病です。ヒト乾燥硬膜の原料が採取された段階でプリオンに汚染していた可能性があり、プリオン不活化のための十分な化学的処理が行われないまま製品として流通して、脳外科手術で硬膜が移植された患者にCJDが発生してしまいました。

国と輸入販売業者および製造業者を被告として、1996年11月に大津地裁、1997年9月に東京地裁で提訴され、2002年3月に両地裁で和解が成立しました。

CJD訴訟の和解に際して、国（厚生労働大臣）は、生物由来の医薬品によるHIVやCJDの感染被害が多発したことを受けて、2002年に薬事法を改正、生物由来製品の安全対策強化、独立行政法人医薬品医療機器総合機構による生物由来製品による感染等被害救済制度が創設されました。このほか、①CJD患者の入院対策・在宅対策の充実、②CJDの診断・治療法の研究開発、③CJDに関する正しい知識の普及・啓発、④患者家族・遺族に対する相談事業等に対する支援、⑤CJD症例情報の把握、⑥ヒト乾燥硬膜の移植の有無を確認するための患者診療録の長期保存、等の措置が講じられています。

確認テスト（○×問題）

問題 1-4-21 ☑☑☑ HIV訴訟は、血友病患者が、ヒト免疫不全ウイルス（HIV）が混入した原料血漿から製造された血液凝固因子製剤の投与を受けたことにより、HIVに感染したことに対する損害賠償訴訟である。

問題 1-4-22 ☑☑☑ HIV訴訟は、国および製薬企業を被告として提訴され、その後、和解が成立した。

問題 1-4-23 ☑☑☑ 国は、HIV感染者に対する恒久対策として、エイズ治療研究開発センターおよび拠点病院の整備や治療薬の早期提供等のさまざまな取組みを推進してきている。

問題 1-4-24 ☑☑☑ HIV訴訟の和解を踏まえ、血液製剤の安全確保対策として、薬事行政組織の再編、情報公開の推進、健康危機管理体制の確立等は行われたが、検査や献血時の問診の充実は図られなかった。

問題 1-4-25 ☑☑☑ CJDの原因は、ウイルスの一種であるプリオンとされている。

問題 1-4-26 ☑☑☑ CJD訴訟は、脳外科手術等に用いられていたウシ乾燥硬膜を介してCJDに罹患したことに対する損害賠償訴訟である。

問題 1-4-27 ☑☑☑ CJD訴訟はすでに和解が成立している。

問題 1-4-28 ☑☑☑ CJDは、プリオン不活化のための化学的処理が十分行われないまま流通したヒト乾燥硬膜を、脳外科手術で移植された患者に発生した。

問題 1-4-29 ☑☑☑ CJDは、認知症に類似した症状が現れ、死に至る重篤な神経難病である。

問題 1-4-30 ☑☑☑ CJD訴訟を契機に、独立行政法人医薬品医療機器総合機構による医薬品副作用被害救済制度の創設がなされた。

☞ 解答は別冊 p.5

5　C型肝炎訴訟

　出産や手術での大量出血などの際に特定のフィブリノゲン製剤や血液凝固第IX因子製剤の投与を受けたことにより、C型肝炎ウイルスに感染したことに対する損害賠償訴訟です。

　国および製薬企業を被告として、2002年から2007年にかけて、5つの地裁で提訴されました。2006年から2007年にかけて言い渡された5つの判決は、国および製薬企業が責任を負うべき期間等について判断が分かれました。

　このような中、C型肝炎ウイルス感染者の早期・一律救済の要請に応えるべく、議員立法によってその解決を図るため、2008年1月に「特定フィブリノ ゲン製剤及び特定血液凝固第IX因子製剤によるC型肝炎感染被害者を救済するための給付金の支給に関する特別措置法」（平成20年法律第2号）が制定、施行されました。国では、この法律に基づく給付金の支給の仕組みに沿って、現在、和解を進めています。

　また、「薬害再発防止のための医薬品行政等の見直しについて（最終提言）」（平成22年4月28日薬害肝炎事件の検証および再発防止のための医薬品行政のあり方検討委員会）を受け医師、薬剤師、法律家、薬害被害者などの委員により構成される医薬品等行政評価・監視委員会が設置されました。

第**2**章

人体の働きと医薬品

2章は幅広い内容があり、覚えるのが難しいかもしれません。しかし、購入者の皆さまからの信頼を得るためには、どうしても必要な知識です。ただ暗記するのではなく、よく理解して、店頭で活用できるように身につける努力をしましょう。

- **・人体の構造と働きを学びます**
  ➡自分自身の体のことをよく理解してください。
- **・薬の働くしくみを学びます**
  ➡体内に入った薬がたどる運命をよく理解してください。
- **・副作用について学びます**
  ➡医薬品による副作用(有害作用)をよく理解してください。

ヒトの体の構造は、細胞が基本で、細胞が集まって組織を作り、複数の組織が組み合わさって特定の働きをする器官が形成されます。その器官が互いに連絡して協働し、全体として一つの機能を持つ場合、それらを器官系といいます。

では、消化器系から学んで行くことにしましょう。

1　消化器系

消化管は、口腔から肛門まで続く管で、平均的な成人で全長約9mあります。また、消化には、消化腺から分泌される消化液による化学的消化と、咀嚼や消化管の運動による機械的消化とがあります。

●**消化管：口腔、咽頭、食道、胃、小腸、大腸、肛門**

●**消化腺：唾液腺、肝臓、胆嚢、膵臓など**

（1）口腔

歯は、歯周組織（歯肉、歯根膜、歯槽骨、セメント質）によって上下の顎の骨に固定されていて、埋没している歯の部分を歯根、露出する部分を歯冠といいます。歯冠の表面はエナメル質で覆われ、体で最も硬い部分です。舌の表面には、舌乳頭という無数の小さな突起があり、味覚を感知する部位である味蕾が分布しています。

▼消化器系

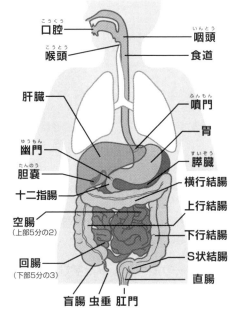

口腔（こうくう）
喉頭（こうとう）
咽頭（いんとう）
食道
肝臓
噴門（ふんもん）
胃
幽門（ゆうもん）
膵臓（すいぞう）
胆嚢（たんのう）
横行結腸
十二指腸
上行結腸
空腸（上部5分の2）
下行結腸
回腸（下部5分の3）
S状結腸
直腸
盲腸　虫垂　肛門

唾液腺から分泌される唾液には、デンプンをデキストリンや麦芽糖に分解する消化酵素（プチアリン。唾液アミラーゼともいう）が含まれ、味覚の形成にも重要な役割を持っています。また、リゾチーム※等の殺菌・抗菌物質を含んでいます。唾液は口の中を中性に保ち、酸よる歯の齲蝕を防ぎます。

※リゾチームには細菌の細胞壁を分解する酵素作用のほか、消炎作用などもあり、生体防御因子として働く。鼻汁や涙液にも含まれている。

(2) 咽頭・食道

　咽頭は、口腔から食道に通じる食物路と、呼吸器の気道とが交わるところです。食道は喉_{のど}もとから上腹部のみぞおち近くまで続く、直径1～2cmの管状の器官で、消化液の分泌腺はありません。嚥_{えんげ}下された飲食物は、重力によって胃に落ち込むのでなく、食道の運動によって胃に送られます。

確認テスト（○×問題）

問題2-1-1 消化液による消化は、機械的消化という。
☑☑☑

問題2-1-2 歯冠の表面は象牙質で覆われ、体で最も硬い部分となっている。
☑☑☑

問題2-1-3 舌は味覚を感知するほか、咀嚼された飲食物を攪拌して唾液と混和させる。
☑☑☑

問題2-1-4 舌の表面には、味蕾という無数の小さな突起があり、味覚を感知する部位である舌乳頭が分布している。
☑☑☑

問題2-1-5 唾液腺から分泌される唾液にはデンプンをブドウ糖に分解するコール酸が含まれる。
☑☑☑

問題2-1-6 唾液には、タンパク質を分解するトリプシンが含まれている。
☑☑☑

問題2-1-7 唾液は、味覚の形成にも重要な役割を持っている。
☑☑☑

問題2-1-8 唾液に含まれるリゾチームには、細菌の細胞壁を分解する酵素作用および消炎作用がある。
☑☑☑

問題2-1-9 唾液は、殺菌・抗菌物質を含んでおり、口腔粘膜の保護・洗浄、殺菌等の作用もある。
☑☑☑

問題2-1-10 食道は喉もとから上腹部のみぞおち近くまで続く、直径1～2cmの管状の器官で、消化液の分泌腺はない。
☑☑☑

問題2-1-11 咽頭は、口腔から食道に通じる食物路と、呼吸器の気道が交わるところである。
☑☑☑

問題2-1-12 食道には、消化液の分泌腺がある。
☑☑☑

☛ 解答は別冊p.5

（3）胃

　胃の内壁は粘膜で覆われ、多くのひだがあります。胃腺につながる粘膜表面の微細な孔から、塩酸（胃酸）やペプシノーゲン等の胃液を分泌します。ペプシノーゲンは胃酸によって、タンパク質を消化する酵素であるペプシンとなります。タンパク質がペプシンによって半消化された状態をペプトンといいます。胃液から胃自体を保護するため、胃粘膜細胞から粘液が分泌されていて、胃液と粘液のバランスが崩れると胃痛等の症状が出ることがあります。また、胃粘液に含まれる成分は、小腸におけるビタミンB_{12}の吸収にも重要な役割を果たしています。食道から送られてきた内容物は、胃の運動によって胃液と混和され、かゆ状となって小腸に送り出されるまで数時間、胃内に滞留します。炭水化物主体の食品（丼物・麺類など）は比較的短く、脂質分の多い食品は比較的長く滞留します。

（4）小腸

　小腸は、十二指腸、空腸、回腸の3部分に分かれています。十二指腸に続く上部約40％を空腸、残り約60％を回腸と呼びますが明確な境目はありません。十二指腸は、胃から連なる約25cmのC字型に彎曲した部分で、膵臓からの膵管と胆嚢からの胆管の開口部があって、それぞれ膵液と胆汁を腸管内へ送り込んでいます。小腸の粘膜表面は絨毛（柔突起ともいう）に覆われてビロード状になっています。絨毛を構成する細胞の表面には、さらに微絨毛（粘膜上皮細胞）

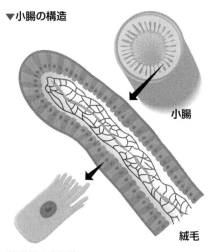

▼小腸の構造

小腸

絨毛

粘膜状上皮細胞

が密生して吸収効率を高めています。十二指腸で分泌される腸液に含まれる成分の働きによって、膵液中のトリプシノーゲンがトリプシンに変わり、胃で半消化されたペプトンをさらに細かく消化します。空腸で分泌される腸液には、半消化されたタンパク質をアミノ酸まで分解する消化酵素や、炭水化物を単糖類まで分解する消化酵素が含まれます。

(5) 膵臓（すいぞう）

膵液を十二指腸へ分泌します。膵液は弱アルカリ性で、胃で酸性となった内容物を中和するのに重要です。膵液は、消化酵素の前駆体タンパクであり、消化管内で活性体であるトリプシンに変換されるトリプシノーゲンのほか、デンプンを分解するアミロプシン（膵液アミラーゼ）、脂質を分解するリパーゼなど、多くの消化酵素を含んでいます。また、膵臓は、消化腺であるとともに、血糖値を調節するホルモン（インスリンとグルカゴン）を血液中に分泌する内分泌腺でもあります。

▼膵臓

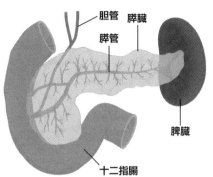

胆管
膵臓
膵管
脾臓
十二指腸

➡膵臓は、消化と血糖値のコントロールに関与しています。

確認テスト（○×問題）

問題2-1-13 胃の内壁は粘膜で覆われており、粘膜の表面にある無数の孔からは塩酸（胃酸）やペプシンを分泌している。

問題2-1-14 胃内の内容物の滞留時間は、脂質分の多い食品より炭水化物主体の食品の方が比較的長い。

問題2-1-15 小腸は、トリプシノーゲンをトリプシンにする。

問題2-1-16 小腸のうち十二指腸に続く部分の、概ね上部40％が空腸、残り約60％が回腸である。

問題2-1-17 血糖値を調節するホルモン（インスリン、グルカゴン）は、肝臓から血液中に分泌される。

問題2-1-18 膵臓は、消化腺であるとともに、血糖値を調節するホルモン（インスリンおよびグルカゴン）等を血液中に分泌する内分泌腺でもある。

問題2-1-19 膵液に含まれる酵素には、炭水化物およびタンパク質を分解する酵素はあるが、脂質を分解する酵素は含まれていない。

☛ 解答は別冊p.6

(6) 胆囊、肝臓

胆囊は、肝臓で産生された胆汁を濃縮して蓄える器官で、十二指腸に内容物が入ってくると収縮して腸管内に胆汁を送り込みます。胆汁に含まれる胆汁酸塩（コール酸など）は、脂質の消化を容易にし、また、脂溶性ビタミンの吸収を助ける役割があります。腸内に放出された胆汁酸塩の大部分は、小腸で再吸収されて肝臓に戻されます（腸肝循環）。

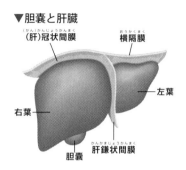

▼胆囊と肝臓
(肝)冠状間膜　横隔膜　左葉　右葉　肝鎌状間膜　胆囊

さらに胆汁には、古くなった赤血球や過剰なコレステロールを排出する役割もあります。胆汁に含まれるビリルビン（黄色色素）は、赤血球中のヘモグロビンが分解されて生じた老廃物です。

肝機能障害や胆管閉塞などを起こすとビリルビンが血液中に滞留して、黄疸を生じます。腸管内に排出されたビリルビンは、腸内細菌によって代謝されて、糞便を茶褐色にする色素となります。

肝臓は、大きい臓器であり、横隔膜の直下に位置します。

(7) 肝臓の主な働き

①栄養分の代謝・貯蔵

小腸で吸収されたブドウ糖は、血液によって肝臓に運ばれてグリコーゲンとして蓄えられます。グリコーゲンは、ブドウ糖が重合してできた高分子多糖で、血糖値が下がったときなど、必要に応じてブドウ糖に分解されて血液中に放出されます。また、肝臓は、脂溶性ビタミンであるビタミンA、Dのほか、ビタミンB_6やB_{12}などの水溶性ビタミンも貯蔵します。

②有害な物質の無毒化・代謝

医薬品として摂取された物質の多くも、肝臓において代謝されます。アルコールの場合、胃や小腸で吸収されますが、肝臓へと運ばれて一度アセトアルデヒドに代謝されたのち、さらに代謝されて酢酸となります。アミノ酸が分解されて生成するアンモニアも、有害な物質であるため、肝臓で代謝されて尿素となって排出されます。

③生体物質の産生

生体物質とは生物の体内に存在する化学物質の総称です。胆汁酸やホルモンなどの生合成の出発物質となります。

コレステロール、フィブリノゲン等の血液凝固因子、アルブミン、必須アミ

ノ酸[※]以外のアミノ酸、生命維持に必須な役割を果たす種々の生体物質が、肝臓で産生されます。

※ 必須アミノ酸：体内で作られないため、食品などから摂取する必要があるアミノ酸。ヒトの場合、トリプトファン、リジン、メチオニン、フェニルアラニン、スレオニン、バリン、ロイシン、イソロイシン、ヒスチジンの9種のアミノ酸が必須アミノ酸とされる。

確認テスト（○×問題）

問題2-1-20 胆汁に含まれる胆汁酸塩は、炭水化物の消化を容易にし、また、脂溶性ビタミンの吸収を助ける。

問題2-1-21 腸内に放出された胆汁酸塩の大部分は、再吸収されずに体外に排出される。

問題2-1-22 胆汁に含まれるビリルビンは、血液中のコレステロールが分解されて生じた老廃物である。

問題2-1-23 胆嚢は、肝臓で産生された胆汁を濃縮して蓄える器官で、十二指腸に内容物が入ってくると収縮して腸管内に胆汁を送り込む。

問題2-1-24 黄疸とは、ヘモグロビンが胆汁中へ排出されず血液中に滞留して、皮膚や白目が黄色くなる現象である。また、過剰なヘモグロビンが尿中に排出され、尿の色が濃くなることもある。

問題2-1-25 肝臓は、大きい臓器であり、胸骨の後方に位置する。

問題2-1-26 小腸で吸収されたグリコーゲンは、血液によって肝臓に運ばれてブドウ糖として蓄えられる。

問題2-1-27 肝臓に蓄えられたグリコーゲンは、血糖値が下がったときなど、必要に応じてブドウ糖に分解されて血液中に放出される。

問題2-1-28 肝臓は、脂溶性ビタミンであるビタミンA、D等を貯蔵することはできるが、ビタミンB_6やB_{12}等の水溶性ビタミンは貯蔵することができない。

問題2-1-29 アルコールは、肝臓へ運ばれて酢酸に代謝されたのち、さらに代謝されアセトアルデヒドとなる。

問題2-1-30 アルコールは、胃や小腸で吸収されるが、肝臓へと運ばれて一度酢酸に代謝されたのち、さらに代謝されてアセトアルデヒドになる。

問題2-1-31 肝臓では、必須アミノ酸が生合成される。

問題2-1-32 肝臓は、コレステロール、フィブリノゲンなどの生体物質の産生をする。

☞ 解答は別冊p.6

(8) 大腸

　大腸は、盲腸、虫垂、上行結腸、横行結腸、下行結腸、S状結腸、直腸からなる管状の臓器です。小腸と違って、内壁粘膜に絨毛がありません。

　大腸では、水分とナトリウム、カリウム、リン酸などの電解質の吸収が行われ、糞便が形成されます。大腸では消化はほとんど行われません。大腸の粘膜から分泌される粘液（大腸液）は、便塊を粘膜上皮と分離しやすく滑らかにします。

　大腸内には腸内細菌が存在して、食物繊維を発酵分解します。このとき、臭気の元となるメタンや二酸化炭素などのガスが生成されます。大腸の粘膜上皮細胞は、腸内細菌が食物繊維を分解して生じる栄養分を、その活動に利用していて、大腸が正常に働くには、腸内細菌の存在が重要です。

　また、大腸の腸内細菌は、血液凝固や骨へのカルシウム定着に必要なビタミンKなどの物質も産生しています。

　糞便の成分の大半は水分で、はがれ落ちた腸壁上皮細胞の残骸が15〜20%、腸内細菌の死骸が10〜15%含まれ、食物の残滓は約5%に過ぎません。糞便となって直腸に達すると、刺激が脳に伝わって便意を感じます。　直腸は、大腸の終末の部分で、肛門へと続いています。

　通常、糞便はS状結腸に滞留していて、直腸は空になっています。溜まった糞便が直腸へ送られてくると、その刺激に反応して便意が起こります。

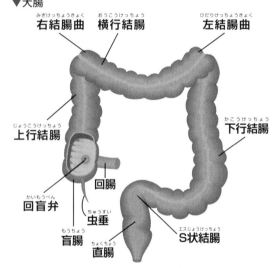

▼大腸

右結腸曲（みぎけっちょうきょく）　横行結腸（おうこうけっちょう）　左結腸曲（ひだりけっちょうきょく）

上行結腸（じょうこうけっちょう）　下行結腸（かこうけっちょう）

回腸

回盲弁（かいもうべん）　虫垂（ちゅうすい）

盲腸（もうちょう）　直腸（ちょくちょう）　S状結腸（エスじょうけっちょう）

(9) 肛門

　肛門は、直腸粘膜が皮膚へと連なる体外への開口部で、肛門括約筋で囲まれていて、排便を意識的に調節することができます。

　肛門部には静脈が細かい網目状に通っていて、肛門周囲の組織がうっ血すると痔の原因となります。

▼肛門

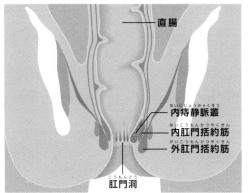

直腸

内痔静脈叢
内肛門括約筋
外肛門括約筋

肛門洞

確認テスト（○×問題）

問題2-1-33 大腸は盲腸、虫垂、上行結腸、横行結腸、下行結腸、S状結腸、直腸
☑☑☑ からなる管状の臓器で、内壁粘膜に絨毛がない。

問題2-1-34 大腸の粘膜から消化液が分泌され、消化が活発に行われている。
☑☑☑

問題2-1-35 通常、糞便はS状結腸には滞留しない。
☑☑☑

問題2-1-36 大腸で水分と電解質の吸収が行われている。
☑☑☑

問題2-1-37 大腸内の腸内細菌が食物繊維を発酵分解して生じた栄養分は、粘膜上
☑☑☑ 皮細胞の活動に利用される。

問題2-1-38 大腸の粘膜から分泌される粘液は、便塊を粘膜上皮と分離しやすく滑
☑☑☑ らかにする。

問題2-1-39 糞便の成分の大半は水分で、次に多いのが食物の残滓であり、そのほ
☑☑☑ かに腸内細菌の死骸などが含まれている。

問題2-1-40 盲腸は、大腸の終末の部分に位置し肛門へと続いている。
☑☑☑

問題2-1-41 大腸が正常に働くには、腸内細菌の存在が重要である。
☑☑☑

問題2-1-42 大腸の腸内細菌は、血液凝固や骨へのカルシウム定着に必要なビタミ
☑☑☑ ンK等の物質も産生している。

☞ 解答は別冊p.6

2 呼吸器系

　呼吸を行うための器官系で、鼻腔、咽頭、喉頭、気管、気管支、肺からなります。鼻腔から気管支までの呼気および吸気の通り道を気道といい、そのうち、咽頭・喉頭までの部分を上気道、気管から気管支・肺までの部分を下気道といいます。異物や病原物質の侵入経路となるため、いくつもの防御機構が備わっています。

(1) 鼻腔（びくう）

　鼻腔の内壁には粘液分泌腺が多く分布し、鼻汁（びじゅう）を分泌します。鼻汁は、鼻から吸った空気に湿り気を与え、粘膜を保護するため、常に少しずつ分泌されています。鼻汁にはリゾチームが含まれ、気道の防御機構の一つとなっています。かぜやアレルギーのときなどには、防御反応と

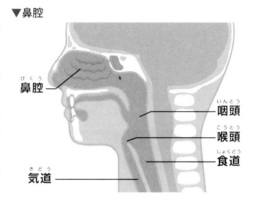

▼鼻腔

鼻腔（びくう）

咽頭（いんとう）

喉頭（こうとう）

食道（しょくどう）

気道（きどう）

して大量に鼻汁（いわゆる鼻水）が分泌されるようになります。

(2) 咽頭（いんとう）

　鼻腔と口腔につながっており、咽頭は消化管と気道の両方に属します。

　咽頭の後壁には扁桃があり、粘膜表面が凸凹してます。扁桃にはリンパ組織が集まっていて、気道に侵入してくる細菌、ウイルス等に対する免疫反応が行われています。

(3) 喉頭（こうとう）・気管・気管支

　喉頭は、咽頭と気管の間にある軟骨に囲まれた円筒状の器官で、軟骨の突起した部分がいわゆる「のどぼとけ」です。喉頭は、発声器としての役割もあり、喉頭上部にある声帯で呼気を振動させて声が発せられます。

　喉頭から肺へ向かう気道が左右の肺へ分岐するまでの部分を気管といい、そこから肺の中で複数に枝分かれする部分を気管支といいます。喉頭の大部分と気管から気管支までの粘膜は線毛上皮（おお）で覆われており、吸い込まれた粉塵、細菌等の異物は、気道粘膜から分泌される粘液にからめ取られ、線毛運動による粘液層の連続した流れによって気道内部から咽頭へ向けて排出され、唾液とともに嚥下されます。

（4）肺

　肺自体には肺を動かす筋組織がないため、自力で膨らんだり縮んだりするのではなく、横隔膜や肋間筋によって拡張・収縮して呼吸運動が行われています。

　肺の内部で気管支が細かく枝分かれし、末端はブドウの房のような構造となっており、その球状の袋部分を肺胞といいます。肺胞の壁は非常に薄くできていて、周囲を毛細血管が網のように取り囲んでいます。肺胞と毛細血管を取り囲んで支持している組織を間質といいます。肺胞の壁を介して、心臓から送られてくる血液から二酸化炭素が肺胞気中に拡散し、代わりに酸素が血液中の赤血球に取り込まれるガス交換が行われ、肺胞気中の二酸化炭素は、呼気に混じって排出されます。

▼肺

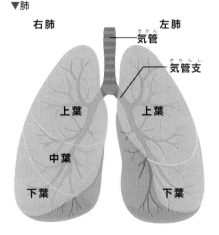

右肺　左肺　気管　気管支　上葉　上葉　中葉　下葉　下葉

2　人体の働きと医薬品

確認テスト（○×問題）

問題2-1-43 鼻汁にはリゾチームが含まれ、気道の防御機構の一つとなっている。

問題2-1-44 咽頭の後壁にある扁桃はリンパ組織が集まってできていて、気道に侵入してくる細菌、ウイルス等に対する免疫反応が行われる。

問題2-1-45 咽頭は、発声器としての役割もあり、咽頭上部にある声帯で呼気を振動させて声が発せられる。

問題2-1-46 肺は、胸部の左右両側に1対あり、肺自体の筋組織が弛緩・収縮することにより呼吸運動が行われている。

問題2-1-47 肺にある横隔膜の壁を介して、血液中の二酸化炭素と酸素のガス交換が行われる。

問題2-1-48 肺は、自体の筋組織を動かすことで、膨らんだり縮んだりして、呼吸運動を行う。

問題2-1-49 肺胞は、異物や細菌が侵入してきたときのために粘液層によって保護されている。

問題2-1-50 肺胞の壁を介して、二酸化炭素と酸素の交換が行われている。

☞ 解答は別冊p.6

③ 循環器系

　循環器系は、心臓、血管系、血液、脾臓、リンパ系から成り立っています。血管系が心臓を中心とする閉じた管（閉鎖循環系）であるのに対して、リンパ系は末端がリンパ毛細管となって組織の中に開いている開放循環系です。

（1）心臓

　心臓の内部は上部左右の心房、下部左右の心室の四つの空洞に分かれています。心房で血液を集めて心室に送り、心室から血液を拍出します。このような心臓の動きを拍動といいます。心臓の右側部分（右心房、右心室）は、全身から集まってきた血液を肺へ送り出し、肺でのガス交換が行われた血液は、心臓の左側部分（左心房、左心室）に入り、そこから全身に送り出されます。

▼心臓

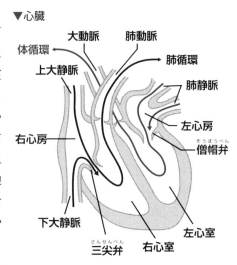

大動脈　肺動脈　体循環　肺循環　上大静脈　肺静脈　左心房　右心房　僧帽弁（そうぼうべん）　下大静脈　三尖弁（さんせんべん）　右心室　左心室

（2）血管系（動脈、静脈、毛細血管）

　心臓から拍出された血液を送る血管を動脈、心臓へ戻る血液を送る血管を静脈といいます。

　動脈は弾力があり圧力にも耐えられる構造となっていて、多くは体の深部を通っていますが、頸部、手首、肘の内側等では皮膚表面近くを通るため、心拍に合わせて脈がふれます。

　血管壁にかかる圧力（血圧）は、通常、上腕部の動脈で測定します。心臓が収縮したときの血圧を最大血圧、心臓が弛緩（しかん）したときの血圧を最小血圧といい、（120 − 70）のように表記します。

　静脈は皮膚表面近くを通っている部分が多く、皮膚の上から透けて見えます。四肢を通る静脈では、薄いひだ（静脈弁）が発達して逆流を防いでいます。

　毛細血管の薄い血管壁を通して、酸素と栄養分が血液中から組織へ運び込まれ、それと交換に二酸化炭素や老廃物が組織から血液中へ取り込まれます。

　消化管壁を通っている毛細血管の大部分は、門脈と呼ばれる血管に集まって肝臓に入ります。消化管で吸収された物質は、一度肝臓を通って代謝や解毒を

受けた後に、血流に乗って全身を循環する仕組みとなっています。医薬品も体にとっては異物であるため、消化管から吸収されたあと、肝臓で代謝や解毒を受けます。

(3) 血液

血液は、血漿と血球からなり、酸素や栄養分を全身の組織に供給し、二酸化炭素や老廃物を肺や腎臓へ運ぶほか、ホルモンを全身に運搬します。

① 血漿

血漿は90％以上が水分で、アルブミン、グロブリン等のタンパク質のほか、微量の脂質、糖質、電解質を含みます。アルブミンは、血液の浸透圧を保持し、ホルモンや医薬品の成分等と複合体を形成して、それらが血液によって運ばれるときに代謝や排泄を受けにくくしています。グロブリンは、免疫反応において、抗体としての役割を担うため、免疫グロブリンとも呼ばれています。

脂質（中性脂肪、コレステロール等）は、血漿中のタンパク質と結合してリポタンパク質を形成して、血漿中に分散しています。

また、コレステロールが血管内壁に蓄積すると、血液が流れにくくなるとともに、動脈では弾力性が損なわれて、もろくなります。

確認テスト（○×問題）

問題 2-1-51 心臓から拍出された血液を送る血管を静脈、心臓へ戻る血液を送る血管を動脈という。

問題 2-1-52 動脈は、弾力性があり、圧力がかかっても耐えられるようになっている。

問題 2-1-53 心臓が収縮したときの血圧を最小血圧、心臓が弛緩したときの血圧を最大血圧という。

問題 2-1-54 静脈は、四肢を通る部分では、一定の間隔をおいて内腔に向かう薄い帆状のひだが発達して、血液の逆流を防いでいる。

問題 2-1-55 血液は、血清と血球からなり、酸素や栄養分を全身の組織に供給し、二酸化炭素や老廃物を排泄する器官へ運ぶ。

問題 2-1-56 血漿は、90％以上が水分からなり、アルブミン、グロブリン等のタンパク質のほか、微量の脂質、糖質、電解質を含む。

問題 2-1-57 ホルモンや医薬品の成分等が血漿に含まれるアルブミンと複合体を形成すると、血液によって運ばれるときに代謝や排泄を受けやすくなる。

☞ 解答は別冊p.7

②血球（赤血球・白血球・血小板）

a. 赤血球

　中央部がくぼんだ円盤状の細胞で、血液全体の約40％を占めていて、赤い血色素（ヘモグロビン）を含んでいます。

b. 白血球

　白血球は体内に侵入した細菌やウイルス等の異物に対する防御を受け持つ細胞で、いくつかの種類があります。

▼白血球の種類

種類	白血球の	説明
好中球	約60％を占める。	血管壁を通り抜けて組織の中に入り込むことができ、感染が起きた組織に集まり、細菌やウイルス等を食作用によって取り込んで分解する。
リンパ球	約35％を占める。	血液のほかリンパ液にも分布している。リンパ節、脾臓等のリンパ組織で増殖し、細菌、ウイルス等の異物を認識して（T細胞リンパ球）、それらに対する抗体（免疫グロブリン）を産生する（B細胞リンパ球）。
単球	約5%を占める。	最も大きく、血管壁を通り抜けて組織の中に入り込むことができ、組織の中ではマクロファージ（貪食細胞）と呼ばれる。

c. 血小板

　損傷した血管は、血小板が粘着凝集して傷口を覆います。このとき血小板から放出される酵素によって血液を凝固させる一連の反応が起こり、血漿タンパク質の一種であるフィブリノゲンが傷口で重合して線維状のフィブリンとなります。

（4）脾臓

　脾臓の主な働きは、古くなった赤血球を処理することです。また、脾臓にはリンパ球が増殖、密集するリンパ組織があります。

（5）リンパ系（リンパ液、リンパ管、リンパ節）

　リンパ系は、血管系とは独立した存在です。リンパ系には心臓のようなポンプがなく、骨格筋の収縮によってゆっくり流れています。

　リンパ液は、血漿の一部が毛細血管から組織の中へ滲み出して組織液となったもので、血漿とほとんど同じ成分ですが、タンパク質が少なく、リンパ球を含みます。組織液は、細胞に酸素や栄養分を供給して二酸化炭素や老廃物を回収したのち、毛細血管で吸収されて血液に戻りますが、一部はリンパ管に戻ります。

　リンパ管には逆流防止のための弁があって、リンパ液は一定の方向に流れて

います。リンパ管は合流して次第に太くなり、最終的に鎖骨の下にある静脈につながりますが、途中にリンパ節を形成します。リンパ節は、リンパ球やマクロファージが密集していて、細菌やウイルスは、ここで免疫反応によって排除されます。

▼リンパ節

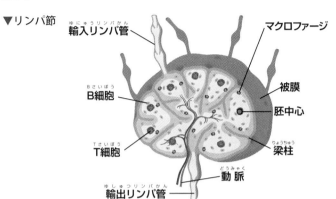

輸入リンパ管（ゆにゅうリンパかん）
マクロファージ
B細胞（Bさいぼう）
被膜
胚中心
T細胞（Tさいぼう）
梁柱（りょうちゅう）
動脈（どうみゃく）
輸出リンパ管（ゆしゅつリンパかん）

確認テスト（○×問題）

問題2-1-58 赤血球は、リンパ節で増殖し、細菌、ウイルス等の異物を認識したり、それらに対する抗体を産生する。

問題2-1-59 白血球は、体内に侵入した細菌やウイルス等の異物に対する防御を受け持つ。

問題2-1-60 好中球は、白血球の中で最も大きく、強い食作用を持ち、血管壁を通り抜けて組織の中に入り込むことができる。

問題2-1-61 好中球は、白血球の中で最も数が多く、感染が起きた組織に遊走して集まり、細菌やウイルス等を食作用によって取り込んで分解する。

問題2-1-62 単球は、白血球の約5%と少ないが、最も大きく、強い食作用を持つ。

問題2-1-63 血小板から放出される酵素によって血液を凝固させる一連の反応が起こり、血漿タンパク質の一種であるフィブリノゲンが傷口で重合して線維状のフィブリンとなる。

問題2-1-64 脾臓の主な働きは、脾臓内を流れる血液から古くなった赤血球を濾し取って処理することである。

問題2-1-65 リンパ液は血漿の一部が毛細血管から組織の中へ滲み出して組織液となったもので、血漿とほとんど同じ成分からなるが、タンパク質が少なく、リンパ球を含む。

☞ 解答は別冊p.7

4 泌尿器系

泌尿器系は、血液中の老廃物を、尿として体外へ排泄するための器官系です。

(1) 腎臓

腎臓は、横隔膜の下、背骨の左右両側に位置する一対の空豆状の臓器で、尿管、動脈、静脈、リンパ管がつながっています。

腎臓に入る動脈は細かく枝分かれして、毛細血管が小さな球状になった糸球体を形成しています。糸球体の外側を袋状のボウマン嚢が包み込んでおり、これを腎小体といいます。ボウマン嚢から1本の尿細管が伸びて、腎小体と尿細管とで腎臓の基本的な機能単位（ネフロン）を構成しています。

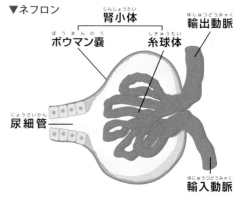

▼ネフロン

腎小体

ボウマン嚢　　糸球体

輸出動脈

尿細管

輸入動脈

腎小体では、肝臓でアミノ酸が分解されて生成した尿素など、血液中の老廃物が濾過され、原尿として尿細管へ入ります。そのほか、血球やタンパク質以外の血漿成分も、腎小体で濾過されます。尿細管では、原尿中のブドウ糖やアミノ酸等の栄養分および血液の維持に必要な水分や電解質が再吸収され、その結果、老廃物が濃縮され、余分な水分、電解質とともに最終的に尿となります。

腎臓には、心臓から拍出される血液の1/5 ～ 1/4が流れています。

このほか腎臓には内分泌腺としての機能もあり、骨髄における赤血球の産生を促進するホルモン（エリスロポエチン；造血ホルモン）を分泌します。また、食品から摂取あるいは体内で生合成されたビタミンDは、腎臓で活性型ビタミンDに転換されて、骨の形成や維持の作用を発揮します。

(2) 副腎

左右の腎臓の上部は、皮質と髄質の2層構造からなっています。副腎皮質では、副腎皮質ホルモンが産生・分泌されます。副腎皮質ホルモンの一つであるアルドステロンは、体内に塩分と水を貯留し、カリウムの排泄を促す作用があり、電解質と水分の排出調節をしています。

副腎髄質では、自律神経系に作用するアドレナリン（エピネフリン）とノルアドレナリン（ノルエピネフリン）が産生・分泌されます。

（3）尿路

　腎臓から膀胱を経て尿道に至る尿の通り道を尿路といいます。尿のほとんどは水分で、尿素、尿酸等の老廃物、その他微量の電解質、ホルモン等を含みます。尿は血液が濾過されて作られるため、糞便とは異なり、健康な状態であれば細菌等の微生物は存在しません。

（4）膀胱

　尿が膀胱に溜まると脳を介して尿意が生じます。膀胱の出口にある膀胱括約筋が緩み、同時に膀胱壁の排尿筋が収縮し、尿が尿道へと押し出されます。

（5）尿道

　女性は尿道が短いため、細菌などが侵入しやすくなります。高齢者では、排尿機能が低下し、また、膀胱の容量が小さくなるため、尿失禁を起こしやすくなります。

（6）前立腺

　男性では、尿道を取り囲むように前立腺があり、加齢とともに前立腺が肥大し、尿道を圧迫して尿が出にくくなることがあります。男性は80歳までに、8割の方が前立腺の肥大を発症するといわれています。

確認テスト（○×問題）

問題 2-1-66 腎小体では、血液中の老廃物が濾過され、原尿として尿細管に入る。

問題 2-1-67 腎臓に入る動脈は細かく枝分かれして、毛細血管が小さな球状になった糸球体を形成する。糸球体の外側を袋状のボウマン嚢が包み込んでおり、これをネフロンという。

問題 2-1-68 食品から摂取あるいは体内で生合成されたビタミンDは、腎臓で活性型ビタミンDに転換されて、骨の形成や維持に役立つ。

問題 2-1-69 副腎皮質ホルモンの一つであるアドレナリンは、体内に塩分と水を貯留し、カリウムの排泄を促す作用があり、電解質と水分の排出調節の役割を担っている。

問題 2-1-70 副腎皮質では、自律神経系に作用するアドレナリンとノルアドレナリンが産生・分泌される。

問題 2-1-71 男性では、膀胱の真下に尿管を取り囲むように前立腺があり、加齢とともに前立腺が肥大し、尿管を圧迫して排尿困難などを生じることがある。

☞ 解答は別冊 p.7

5 感覚器官（目・鼻・耳）

（1）目

　眼球は、頭蓋骨のくぼみ（眼窩）に収まっている球形の器官で、外側は、正面前方付近（黒目の部分）のみ透明な角膜が覆っています。

　角膜や水晶体は、組織液（房水）で満たされ、眼内に一定の眼圧を生じさせています。また、角膜や水晶体には血管が通っていないため、房水によって栄養分や酸素が供給されています。水晶体の前には虹彩があり、瞳孔を散大・縮小させて眼球内に入る光の量を調節しています。角膜に射し込んだ光は、角膜、房水、水晶体、硝子体を透過しながら屈折して網膜に焦点を結び、水晶体の厚みを変化させることで、遠近の焦点調節が行われます。

　水晶体は、毛様体の収縮・弛緩によって、近くの物を見るときには丸く厚みが増し、遠くの物を見るときには平たく扁平になります。

　網膜には光を受容する細胞（視細胞）が密集していて、視細胞が受容した光の情報は、網膜内の神経細胞を介して神経線維に伝えられます。網膜の神経線維は眼球の後方で束になり、視神経となります。

　網膜にある視細胞が光を感じる反応には、ビタミンAが不可欠であるため、ビタミンAが不足すると夜間視力の低下（夜盲症）を生じます。

　眼瞼は、皮下組織が少なく薄くできているため、内出血や裂傷が生じやすく、むくみや全身的な体調不良（薬の副作用を含む）の症状が現れやすい部位です。

　上眼瞼の内側に涙腺があり、血漿から涙液を産生しています。涙液は、ゴミを洗い流すだけでなく、角膜に酸素や栄養分を供給したり、リゾチームや免疫グロブリンを含んでいて、角膜や結膜を感染から防御しています。涙液分泌がほとんどない睡眠中や、涙液の働きが悪くなったときには、滞留した老廃物に粘液や脂分が混じって眼脂（目やに）となります。

　結膜は、眼瞼の裏側と眼球前方の強膜（白目の部分）とを結ぶように覆って組織を保護しています。薄い透明な膜であるため、中を通っている血管が外部から容易に観察できます。目の充血は血管が拡張して赤く見える状態ですが、結膜の充血では白目の部分だけでなく眼瞼の裏側も赤くなります。強膜が充血したときは、眼瞼の裏側は赤くならず、強膜自体が乳白色であるため、白目の部分がピンク味を帯びます。

　眼球を上下左右斜めの各方向に向けるため、6本の眼筋が眼球側面の強膜に

つながっています。眼球の動きが少なく、同じ位置に長時間支持していると眼筋が疲労します。

▼眼球

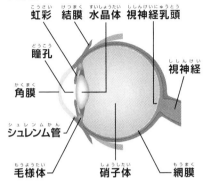

確認テスト (○×問題)

問題2-1-72 眼球は、頭蓋骨のくぼみ (眼窩) に収まっている球形の器官で、外側は、正面前方付近 (黒目の部分) のみ透明な角膜が覆っている。

問題2-1-73 角膜に射し込んだ光は、角膜、房水、水晶体、硝子体を透過しながら屈折して網膜に焦点を結ぶ。

問題2-1-74 角膜や水晶体には血管が通っておらず、房水と呼ばれる組織液によって栄養分や酸素が供給される。

問題2-1-75 水晶体は、その周りを囲んでいる毛様体の収縮・弛緩によって、遠くの物を見るときには丸く厚みが増し、近くの物を見るときには扁平になる。

問題2-1-76 網膜には光を受容する細胞 (視細胞) が密集していて、個々の視細胞は神経線維につながり、それが束なって眼球の後方で視神経となる。

問題2-1-77 夜盲症は、視細胞が光を感じる反応に不可欠なビタミンB₁が不足したために生じる。

問題2-1-78 涙液分泌がほとんどない睡眠中や、涙の働きが悪くなったときには、滞留した老廃物に粘液や脂分が混じって眼脂 (目やに) となる。

問題2-1-79 目の充血は血管が拡張して赤く見える状態であるが、結膜の充血では白目の部分だけでなく眼瞼の裏側も赤くなる。

☞ 解答は別冊p.7

(2) 鼻

　鼻は、嗅覚情報の受容器官で、空気中を漂う物質を吸い込み、その化学的刺激を感じとります。食品からの嗅覚情報は、舌が受容した味覚情報と脳において統合され、風味として認識されます。

　鼻腔上部にある特殊な神経細胞（嗅細胞）を、におい分子が刺激すると、脳の嗅覚中枢へ伝えられます。においに対して鋭敏ですが、順応を起こしやすく、同じにおいを継続して嗅いでいると次第に感じなくなります。

　鼻腔は、薄い板状の軟骨と骨でできた鼻中隔によって左右に仕切られています。鼻中隔の前部は、毛細血管が多く粘膜が薄いため、傷つきやすく鼻出血を起こしやすいのです。鼻腔の粘膜に炎症を起こして腫れた状態を鼻炎といい、鼻汁過多や鼻閉（鼻づまり）などの症状を生じます。

　鼻腔に隣接した目と目の間、額部分、頬の下、鼻腔の奥に空洞があり、それらを総称して副鼻腔といいます。副鼻腔も、鼻腔と同様、線毛があって粘液を分泌する粘膜で覆われています。

　副鼻腔に入った埃等の粒子は、粘液に捉えられて線毛の働きによって鼻腔内へ排出されますが、鼻腔と連絡する管は非常に狭いため、鼻腔粘膜が腫れると副鼻腔の開口部がふさがりやすくなり、副鼻腔に炎症を生じることがあります。

(3) 耳

　耳は、聴覚情報と平衡感覚を感知する器官で、外耳、中耳、内耳からなっています。

　外耳は、耳介（いわゆる耳）と外耳道からなっています。耳介は軟骨組織が皮膚で覆われたもので、外耳道の軟骨部に連なっています。軟骨部には耳毛が生えて、埃等が入り込むのを防ぎます。外耳道にある耳垢腺（汗腺の一種）や皮脂腺からの分泌物に、埃や外耳道上皮の老廃物などが混じって耳垢（耳あか）となります。

　中耳は、鼓膜、鼓室、耳小骨、耳管からなっています。外耳道を伝わってきた音は、鼓膜を振動させ、三つの耳小骨が鼓膜の振動を増幅して、内耳へ伝導します。鼓室は、耳管で鼻腔や咽頭と通じているため、ウイルスや細菌の感染を受けることがあります。また、小さな子供では耳管が太く短くて、走行が水平に近いため、鼻腔からウイルスや細菌が侵入し感染が起こりやすくなります。

　内耳は、聴覚器官である蝸牛と、平衡器官である前庭の二つの部分からなっています。前庭は、水平・垂直方向の加速度を感知する部分（耳石器官）と、体の回転や傾きを感知する部分（半規管）に分けられます。どちらも内部はリンパ液で満たされています。

　乗り物酔い（動揺病）は、乗り物に乗っているとき反復される加速度刺激や動揺によって、平衡感覚が混乱して生じる身体の変調です。

▼耳

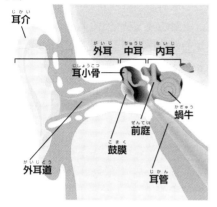

耳介

外耳　中耳　内耳

耳小骨

蝸牛

前庭

鼓膜

外耳道

耳管

確認テスト（○×問題）

問題2-1-80 においに対する感覚は順応を起こしにくく、長時間同じにおいを嗅いでいても、そのにおいをいつまでも鋭敏に感じる。

問題2-1-81 鼻腔は、薄い板状の軟骨と骨でできた鼻中隔によって左右に仕切られている。

問題2-1-82 鼻炎は鼻腔の粘膜に炎症を起こして腫れた状態であり、鼻汁過多や鼻閉（鼻づまり）等の症状を生じる。

問題2-1-83 副鼻腔は、鼻腔と違い、線毛を有し粘液を分泌する細胞でできた粘膜で覆われている。

問題2-1-84 副鼻腔には、粘液を分泌する細胞はない。

問題2-1-85 外耳は、鼓膜、鼓室、耳小骨、耳管からなる。

問題2-1-86 内耳では、伝わってきた音で鼓膜が振動し、鼓室内部の三つの耳小骨が鼓膜の振動を増幅する。

問題2-1-87 小さな子供では、耳管が細く短くて、走行が水平に近いため、鼻腔からウイルスや細菌が侵入し感染が起こりやすい。

問題2-1-88 内耳の前庭は、水平・垂直方向の加速度を感知する部分（耳石器官）と、体の回転や傾きを感知する部分（半規管）に分けられる。

☞ 解答は別冊p.7

6 運動器官（皮膚・骨格・筋肉）

（1）皮膚

体を覆う皮膚と、汗腺、皮脂腺、乳腺等の皮膚腺、爪や毛等の角質を総称して外皮系といいます。爪や毛などの角質は皮膚の一部が変化したものです。

体温が上がると、皮膚を通っている毛細血管に血液がより多く流れるように血管が開き、体外へより多くの熱を排出します。一方、汗腺からは、汗を分泌し、その蒸発時の気化熱を利用して体温を下げます。

ヒトの皮膚の表面には一定の微生物が付着していて、皮膚表面での病原菌の繁殖が抑えられ、病原菌の体内への侵入を防いでいます。

皮膚の構造は、表皮、真皮、皮下組織の3層からなっています。表皮は最も外側の角質層と表皮細胞層に分けられます。さらに角質層は、細胞膜が丈夫な線維性のタンパク質（ケラチン）でできた角質細胞と、セラミドを主成分とする細胞間脂質で構成されており、皮膚のバリア機能を担っています。皮膚に物理的な刺激が繰り返されると角質層が肥厚して、「たこ」や「うおのめ」ができます。

皮膚の色は、表皮や真皮に沈着したメラニン色素によるものです。メラニン色素は、表皮の最下層にあるメラニン産生細胞（メラノサイト）で産生され、太陽光に含まれる紫外線から皮膚組織を防護する役割があります。

真皮は、線維芽細胞とその細胞で産生された線維性のタンパク質（コラーゲン、フィブリリン、エラスチン等）からなる結合組織の層で、皮膚に弾力と強さを与えています。また、真皮には、毛細血管や知覚神経の末端が通っています。

真皮の下には皮下組織があり、脂肪細胞が多く集まって皮下脂肪層となっています。

毛根の最も深い部分を毛球といいます。毛球の下端の凹んでいる部分を毛乳頭といい、毛乳頭には毛細血管が入り込んで、取り巻く毛母細胞に栄養分を運んでいます。

皮脂腺は腺細胞が集まってできており、脂分を蓄えて死んだ腺細胞自身が分泌物（皮脂）となって毛穴から排出されます。

汗腺には、腋窩などの毛根部に分布するアポクリン腺（体臭腺）と、手のひらなど毛根がないところも含め全身に分布するエクリン腺の二種類があります。汗はエクリン腺から分泌され、体温調節のための発汗は全身の皮膚に生じますが、精神的緊張による発汗は手のひらや足底、脇の下、顔面などの限られた皮

膚に生じます。

▼皮膚

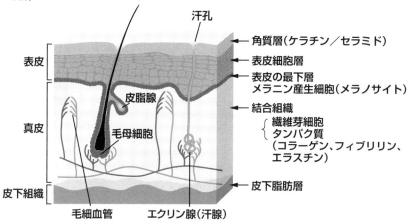

確認テスト（○×問題）

問題2-1-89 皮膚を通っている毛細血管は、収縮して体外へ熱を排出したり、拡張して放熱を抑えたりする。

問題2-1-90 皮膚は、表皮、真皮、内皮の3層構造からなる。

問題2-1-91 表皮は、最も外側にある角質層と生きた表皮細胞の層に分けられる。

問題2-1-92 表皮は、最も外側にある角質層と表皮細胞の層に分けられ、皮膚に物理的な刺激が繰り返されると表皮細胞が肥厚して、たこやうおのめができる。

問題2-1-93 メラニン色素は、表皮の最下層にあるメラニン産生細胞（メラノサイト）で産生され、皮膚を潤いのある柔軟な状態に保つ働きがある。

問題2-1-94 メラニン色素は、皮下組織の最下層にあるメラニン産生細胞で産生される。

問題2-1-95 真皮には、毛細血管や知覚神経は通っていない。

問題2-1-96 汗腺には、毛根部に分布するアポクリン腺と、全身に分布するエクリン腺の2種類があり、汗はエクリン腺から分泌される。

問題2-1-97 体温調節のための発汗は全身の皮膚に生じるが、精神的緊張による発汗は手のひらや足底、脇の下の皮膚に限って起こる。

☞ 解答は別冊p.7

（2）骨格

骨格系は骨と関節からなり、骨と骨が関節で接合し、体を支えています。骨の基本構造は、（1）主部となる骨質、（2）骨質表面を覆う骨膜、（3）骨質内部の骨髄、（4）骨の接合部にある関節軟骨、の四組織からなっています。

▼骨の基本構造

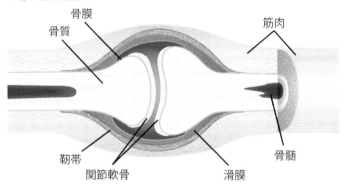

▼骨の機能

身体各部の支持機能	頭部や内臓を支える身体の支柱
臓器保護機能	骨格内に臓器を収めて保護
運動機能	骨格筋の収縮を効果的に体躯の運動に転換
造血機能	骨髄の造血幹細胞から赤血球、白血球、血小板が分化
貯蔵機能	カルシウム※やリン等の無機質の貯蔵

骨は生きた組織で、成長が停止した後も一生を通じて破壊（骨吸収）と修復（骨形成）が行われています。吸収と形成のバランスが取られることにより、一定の骨密度が保たれています。無機質は骨に硬さを与え、有機質（タンパク質および多糖体）は骨の強靭さを保っています。

関節とは、広義には骨と骨の連接全般を指しますが、狭義には複数の骨が互いに運動できるように連結したものをいいます。骨の関節面は弾力性に富む柔らかな軟骨層（関節軟骨）に覆われ、衝撃を和らげ、関節の動きを滑らかにしています。関節周囲を包む膜（滑膜）は、軟骨の動きを助け、靭帯は骨を連結し、関節部を補強しています。

※カルシウム：生体の生理機能に関与する重要な物質であり、細胞内において微量で筋組織の収縮、神経の伝達調節などに働いている。

（3）筋組織

筋組織は、その機能や形態によって、骨格筋、平滑筋、心筋に分類されます。筋組織は筋細胞と結合組織からできているのに対して、腱（けん）は結合組織のみでできているため、伸縮性はあまりありません。

骨格筋は、横縞模様（よこしまもよう）（横紋（おうもん））が見えるので横紋筋とも呼ばれます。収縮力が強く、自分の意識どおりに動かすことができる随意筋ですが、疲労しやすく、長時間の動作は難しいといえます。

骨格筋の疲労は、運動を続けることでエネルギー源として蓄えられているグリコーゲンが減少し、酸素や栄養分の供給不足が起こるとともに、グリコーゲンの代謝に伴って生成する乳酸が蓄積して、筋組織の収縮性が低下する現象です。

平滑筋と心筋は不随意筋（ふずいい）で、自分の意思で止めたり動かしたりはできません。平滑筋には、横縞模様がありません。心筋は、不随意筋ですが骨格筋のような横縞模様があり、強い収縮力と持久力を兼ね備えています。筋組織は神経からの指令によって収縮しますが、随意筋（骨格筋）は体性神経系（運動神経）で支配されるのに対して、不随意筋（平滑筋および心筋）は自律神経系に支配されています。

確認テスト（○×問題）

問題2-1-98 骨の基本構造は、骨質、骨膜、骨髄、関節軟骨の四組織からなる。

問題2-1-99 関節とは、広義には骨と骨の連接全般を指すが、狭義には複数の骨が互いに運動できるように連結したものをいう。

問題2-1-100 赤血球、白血球、血小板は骨質で産生される造血幹細胞から分化して、体内に供給される。

問題2-1-101 有機質（タンパク質および多糖体）は骨に硬さを与え、無機質（カルシウムやリン等）は骨の強靭さを保つ。

問題2-1-102 筋組織は筋細胞と結合組織からできているのに対して、腱は結合組織のみでできているため、伸縮性が高い。

問題2-1-103 骨格筋の疲労は、乳酸の代謝に伴って生成するグリコーゲンが蓄積して生じる。

問題2-1-104 筋組織は神経からの指令によって収縮するが、随意筋は自律神経系で支配されるのに対して、不随意筋は体性神経系に支配されている。

☞ 解答は別冊p.8

7 脳・神経系

体内の情報伝達の大半を担う組織として、神経細胞が連なった神経系があります。神経細胞の細胞体から伸びる細長い突起（軸索）を神経線維といいます。

人間の身体は個々の部位が単独で動いているものではなく、総合的に制御されています。このような制御する部分を中枢といい、一方、中枢によって制御される部分を末梢と呼びます。中枢は末梢からの刺激を受け取って統合し、それらに反応して興奮を起こし、末梢へ刺激を送り出すことで、末梢での動きを発生させ、人間の身体を制御しています。神経系はその働きにより、中枢神経系と末梢神経系に大別されます。

(1) 中枢神経系

中枢神経系は、脳と脊髄から構成されています。

脳の下部には、自律神経系、ホルモン分泌等のさまざまな調節機能を担っている部位があります。

脳の重さは体重の約5%ですが、血液の循環量は心拍出量の約15%、酸素の消費量は全身の約20%、ブドウ糖の消費量は全身の約25%と大量のエネルギーを消費しています。

脳には、血液脳関門があり、医薬品を脳に効かせるためには、この関門を通過させなければなりません。小児では、血液脳関門が未発達であるため、血液中に移行した医薬品が脳に達しやすく影響を受けやすい特徴があります。

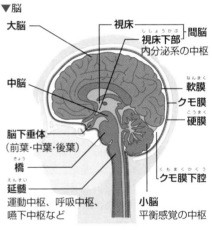

▼脳

大脳
視床
視床下部
内分泌系の中枢
間脳
中脳
軟膜
クモ膜
硬膜
脳下垂体
（前葉・中葉・後葉）
橋
延髄
運動中枢、呼吸中枢、
嚥下中枢など
クモ膜下腔
小脳
平衡感覚の中枢

脳と脊髄は、延髄（後頭部と頸部の境目あたり）でつながっています。延髄には、心拍数を調節する心臓中枢、呼吸を調節する呼吸中枢などがあります。

脊髄は脊椎の中にあり、脳と末梢の間で刺激を伝えるほか、末梢からの刺激の一部に対して脳を介さずに刺激を返す場合があり、これを脊髄反射といいます。

(2) 末梢神経系

末梢神経系は、体性神経系と、自律神経系に分類されます。

体性神経系は、随意運動、知覚などを担います。

　自律神経系は、交感神経系と副交感神経系からなります。交感神経系は体が闘争や恐怖等の緊張状態に対応した態勢をとるように働き、副交感神経系は体が食事や休憩等の安息状態となるように働きます。

　交感神経の神経伝達物質はノルアドレナリン、副交感神経の神経伝達物質はアセチルコリンです。ただし、汗腺を支配する交感神経線維の末端では、例外的にアセチルコリンが伝達物質として放出されます。効果器に伸びる自律神経は、節前繊維と節後繊維からできています。

　医薬品が体内で薬効または副作用をもたらす際も、自律神経系への作用や影響が重要なポイントになります。効果器に対してアドレナリン様の作用を有する成分をアドレナリン作動成分、アセチルコリン様の作用を有する成分をコリン作動成分と呼んでいます。それらと逆に、アセチルコリンの働きを抑える作用（抗コリン作用）を有する成分を抗コリン成分といいます。

▼交感神経系と副交感神経系

効果器	交感神経系 ノルアドレナリン	副交感神経系 アセチルコリン
目	瞳孔散大	瞳孔収縮
唾液腺	少量の粘性の高い唾液を分泌	唾液分泌亢進
心臓	心拍数増加	心拍数減少
末梢血管	収縮（→血圧上昇）	拡張（→血圧降下）
気管・気管支	拡張	収縮
胃	血管の収縮	胃液分泌亢進
腸	運動低下	運動亢進
肝臓	グリコーゲンの分解（ブドウ糖の放出）	グリコーゲンの合成
皮膚	立毛筋収縮	―
汗腺	発汗促進（伝達物質はアセチルコリン）	―
膀胱	排尿筋の弛緩（→排尿抑制）	排尿筋の収縮（→排尿促進）

確認テスト（○×問題）

問題2-1-105 すべての薬物は、血液脳関門を通過して脳の組織へ移行できる。
☑☑☑

問題2-1-106 脊髄は、末梢からの刺激に対して脳を介して刺激を返す場合があり、これを脊髄反射と呼ぶ。
☑☑☑

問題2-1-107 副交感神経系が働くと、心臓においては心拍数が増加する。
☑☑☑

☛ 解答は別冊p.8

① 体内で薬がたどる運命

医薬品には、吸収された有効成分が循環血液中に移行して全身を巡って薬効をもたらす全身作用と、特定の狭い身体部位において薬効をもたらす局所作用とがあります。

(1) 薬の吸収

医薬品が吸収される経路はいくつかあります。

①消化管吸収

内服薬のほとんどは、消化管から吸収されて循環血液中に移行し、全身作用を現します。錠剤、カプセル剤などは、消化管で吸収される前に、腸溶性製剤のような特殊なものを除き、胃で有効成分が溶け出します。

吸収は、主として小腸で行われます。一般に、消化管からの吸収は、濃い方から薄い方へ拡散していくことによって消化管にしみ込んでいく現象です。

消化管での吸収は食事の影響を受けることもあるので、食事と服用の時期の関係について、それぞれの医薬品の用法（添付文書）に定められています。

②内服以外の粘膜吸収

坐剤は、挿入すると直腸内で溶けて、直腸内壁の静脈から循環血液中に入るため、内服の場合よりも全身作用が速く現れます。禁煙補助剤のニコチンガムは、成分が口腔粘膜から吸収されて全身作用を表します。

このような粘膜を通っている静脈は肝臓を経由しないため、直腸や口腔粘膜から吸収された成分は、肝臓で代謝を受けることなく全身へ巡ります。

医療用医薬品の中には全身作用を期待する点鼻薬がありますが、一般用医薬品では、今のところ全身作用を目的とするものはなく、局所作用を期待するものだけです。ただし、鼻腔粘膜を通る毛細血管からは、点鼻薬の成分が循環血液中に移行しやすく、坐剤等と同様、初めに肝臓で代謝を受けることなく血流に乗って全身へ巡るので、全身性の副作用を生じることがあります。

点眼薬については、鼻涙管を通って鼻粘膜から吸収されることがあり、眼以外の部位に到達して副作用を起こすことがあるため、場合によっては点眼する際には目頭の鼻涙管の部分を強く圧迫することによって、有効成分が鼻に流れるのを防ぐ必要があります。

　ただし、アレルギー反応は微量の抗原でも生じるため、点眼薬や含嗽薬（うがい薬）などでもアレルギー性副作用が起こることがあります。

③皮膚吸収

　塗り薬や貼り薬（貼付剤）は、局所的な効果を目的とするものがほとんどです。有効成分が皮膚から浸透して体内の組織で作用する医薬品の場合は、浸透する量は皮膚の状態、傷の有無や程度などによって影響を受けます。通常は、皮膚から循環血液中へ移行する量は多くはありませんが、全身作用が現れることがあります。また、アレルギー性の副作用は、適用部位以外にも現れることもあります。

確認テスト（○×問題）

問題 2-2-1 ☑☑☑　医薬品には、吸収された有効成分が循環血液中に移行して全身を巡って薬効をもたらす全身作用と、特定の身体部位において薬効をもたらす局所作用とがある。

問題 2-2-2 ☑☑☑　内服薬の成分は、消化管で濃度の薄い方から濃い方へ拡散し吸収される。

問題 2-2-3 ☑☑☑　消化管からの医薬品の吸収は、消化管が消化作用によって積極的に医薬品成分を取り込むことで起こる。

問題 2-2-4 ☑☑☑　内服薬には、錠剤、カプセル剤、腸溶性製剤等があるが、多くの場合、小腸で有効成分が溶出する。

問題 2-2-5 ☑☑☑　全身作用を目的として使用された坐剤の有効成分は、吸収されると初めに肝臓で代謝を受けた後、血流に乗って全身へ巡る。

問題 2-2-6 ☑☑☑　坐剤は、医薬品の成分が吸収され、肝臓で代謝を受けてから全身を巡る。

問題 2-2-7 ☑☑☑　点鼻薬は、医薬品の成分が吸収され、肝臓で代謝を受けてから全身を巡る。

問題 2-2-8 ☑☑☑　皮膚に適用する医薬品は、加齢等により皮膚のみずみずしさが低下すると、医薬品の成分が浸潤・拡散しやすくなる。

問題 2-2-9 ☑☑☑　貼付剤は、医薬品の成分が吸収され、肝臓で代謝を受けてから全身を巡る。

問題 2-2-10 ☑☑☑　皮膚に適用する医薬品の有効成分が皮膚から浸透する量は、皮膚の状態や傷の有無などの影響を受けることはなく、常に一定である。

☞ 解答は別冊 p.8

(2) 薬の代謝・排泄

　代謝とは、物質が体内で化学的に変化することで、有効成分も循環血液中へ移行して体内を循環するうちに徐々に代謝を受けて、分解されたり、体内のほかの物質が結合するなどして構造が変化します。その結果、作用を失ったり（不活性化）、作用が現れたり（代謝的活性化）、あるいは体外へ排泄されやすい水溶性の物質に変化します。

　排泄とは、代謝によって生じた物質（代謝物）が尿等で体外へ排出されることであり、有効成分は未変化体のまま、あるいは代謝物として、腎臓から尿中へ、肝臓から胆汁中へ、または肺から呼気中へ排出されます。その他、母乳への移行は、乳児に対する副作用の発現という点で、軽視することはできません。

①消化管で吸収されてから循環血液中に入るまでの間に起こる代謝

　消化管で吸収された医薬品の有効成分は、消化管の毛細血管から血液中へ移行します。その血液は門脈を経由して肝臓に入るので、吸収された成分は、循環血流に乗って全身へ巡る前に、肝臓を通過する際に酵素の働きにより代謝を受けることになります。そのため、循環血液中に到達する医薬品の成分の量は、消化管で吸収された量よりも少なくなります。これを肝初回通過効果（first-pass effect）といいます。

　肝機能が低下した人では医薬品を代謝する能力が低いため、正常な人に比べて全身循環に到達する有効成分の量がより多くなり、効き目が過剰に現れたり、副作用を生じやすくなったりします。なお、薬物代謝酵素の遺伝子型には個人差があります。また、小腸などの消化管粘膜や腎臓にも、代謝活性があることが明らかにされています。

②循環血液中に移行した成分の代謝、排泄

　循環血液中に移行した医薬品の成分は、主として肝細胞内の酵素系の働きで代謝を受けます。ほとんどの場合、医薬品の成分は血液中で血漿タンパク質と結合した複合体を形成して、この複合体には酵素が作用しないため、一度に代謝されてしまうことはなく、徐々に代謝されていくこととなります。

　血漿タンパク質との結合は可逆的で、一つひとつの分子はそれぞれ結合と遊離を繰り返しています。

　循環血液中に移行した成分は、未変化体またはその代謝物が腎臓で濾過され、大部分は尿中に排泄されます。そのため、腎臓の機能が低下した人では、正常の人よりも医薬品の成分が循環血液中に存在する時間が長くなり、効き目が強

すぎたり、副作用を生じやすくなります。また、血漿タンパク質と複合体を形成している医薬品分子は、腎臓での濾過を免れて循環血液中にとどまります。

　複数の医薬品を併用したときは、血漿タンパク質の量はそれに応じて変化しないため、結合するタンパク質を医薬品成分の分子どうしが互いに奪い合って、複合体を形成していない分子の割合が増すこととなり、代謝や排泄に影響が生じて、効き目が強すぎたり、副作用を起こしやすくなります。

　尿による排泄のほか、成分によっては、未変化体または代謝物が胆汁中に分泌され、糞便中に混じって排泄されるものもあります。

　また、医薬品の成分が乳汁中に移行する場合には、乳汁も体外に排出する経路の一つといえます。その場合、代謝を受けないまま乳汁中に移行することが多く、医薬品によっては、使用してしばらくの間、母乳を与えると乳児に医薬品の影響が生じることがあります。また、トランスポーターによって輸送されることもありません。

確認テスト（○×問題）

問題2-2-11 小腸から吸収された医薬品のほとんどは、血液脳関門を経由して肝臓に入り代謝を受けてから全身をめぐる。

問題2-2-12 ほとんどの場合、医薬品の成分は血液中で血漿タンパク質と結合した複合体を形成し、複合体を形成している分子には酵素が作用しないため、一度に代謝されてしまうことはない。

問題2-2-13 循環血液中に移行した医薬品の成分のほとんどは、未変化体またはその代謝物として糞便中に排泄される。

問題2-2-14 腎臓の機能が低下した状態にある人では医薬品の成分が速やかに排泄されてしまい、循環血液中に存在する時間が正常の人よりも短くなるため、効き目が弱くなる。

問題2-2-15 循環血液中に移行した医薬品の成分は、主として肝細胞内の酵素系の働きで代謝を受ける。

問題2-2-16 医薬品成分と血漿タンパク質との結合は速やかかつ不可逆的である。

問題2-2-17 複数の医薬品を併用したときは、結合するタンパク質を医薬品成分の分子どうしが互いに奪い合って、複合体を形成していない分子の割合が増す。

問題2-2-18 医薬品の成分の排泄は専ら尿により行われ、糞便中に混じって排泄されることはない。

☛ 解答は別冊 p.8

② 薬の体内での働き

　循環血液中に移行した有効成分は、血流によって全身の組織・器官へ運ばれて作用しますが、多くの場合、標的となる細胞に存在する受容体、酵素、トランスポーターなどのタンパク質と結合し、その機能を変化させることで薬効や副作用を現します。そのため、医薬品が効果を発揮するためには、有効成分がその作用の対象である器官や組織の細胞外液中あるいは細胞内液（細胞質という）中に、一定以上の濃度で分布する必要があります。

▼医薬品の作用点（イメージ図）

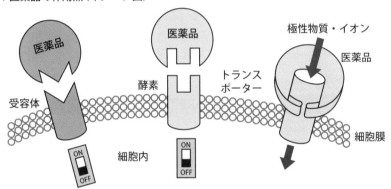

　これらの濃度に強く関連するのが血中濃度です。医薬品が摂取された後、成分の吸収が進むにつれて、その血中濃度が上昇し、ある閾値（最小有効濃度）を超えたときに生体の反応として薬効がもたらされます（p.24のグラフを参照）。血中濃度はある時点でピーク（最高血中濃度）に達し、その後は低下しますが、これは代謝・排泄の速度が吸収・分布の速度を上回るためです。

　やがて、血中濃度が最小有効濃度を下回ると、薬効は消失します。過剰に摂取しても、薬効は頭打ちになり、むしろ有害な作用が現れやすくなってしまいます。

　全身作用を目的とする医薬品は、無効域と、危険域（中毒域ともいう）の間の範囲（有効域、治療域ともいう）となるよう使用量や使用間隔が定められています。

3 医薬品の剤形

医薬品の有効成分の性状はさまざまであり、それぞれに特徴があります。医薬品がどのような形状で使用されるかは、その医薬品の使用目的と有効成分の性状とに合わせて決められ、そうした医薬品の形状のことを剤形といいます。

有効成分を消化管から吸収させ、全身に分布させることにより薬効をもたらすための剤形としては、錠剤(内服)、口腔用錠剤、カプセル剤、散剤・顆粒剤、経口液剤・シロップ剤等があります。

これらの剤形の違いは、使用する人の利便性を高めたり、有効成分が溶け出す部位を限定したり、副作用を軽減したりすることに関連します。そのため、医薬品を使用する人の年齢や身体の状態等の違いに応じて、最適な剤形が選択されるよう、それぞれの剤形の特徴を理解する必要があります。

確認テスト (○×問題)

問題 2-2-19 ☑☑☑ 循環血液中に移行した有効成分は、多くの場合、標的となる細胞に存在する受容体、酵素、トランスポーターなどのタンパク質と結合し、その機能を変化させることで薬効を現す。

問題 2-2-20 ☑☑☑ 医薬品が摂取された後、成分の吸収が進むにつれてその血中濃度が上昇し、最高血中濃度を超えたときに生体の反応として薬効がもたらされる。

問題 2-2-21 ☑☑☑ 十分な間隔をあけずに追加摂取するなどして医薬品の血中濃度を高くしても、ある濃度以上になるとより強い薬効は得られなくなり、有害な作用(副作用や毒性)も現れにくくなる。

問題 2-2-22 ☑☑☑ 医薬品が摂取され、その有効成分が循環血液中に移行すれば、その血中濃度に関わらず生体の反応としての薬効が現れる。

問題 2-2-23 ☑☑☑ 一度に大量の医薬品を摂取したり、十分な間隔をあけずに追加摂取したりして血中濃度を高くしても、ある濃度以上になるとより強い薬効は得られなくなる。

問題 2-2-24 ☑☑☑ 全身作用を目的とする医薬品は、血中濃度が無効域と危険域の間の範囲となるよう使用量や使用間隔が定められている。

問題 2-2-25 ☑☑☑ 有効成分を吸収させ、全身に分布させることにより薬効をもたらすための剤形として、錠剤、散剤、経口液剤、外用液剤などがある。

☛ 解答は別冊p.9

(1) 錠剤（内服）

　錠剤は、内服用医薬品の剤形として最も広く用いられています。一定の形状に成型された固形製剤であるため、飛散せず、苦味や刺激性を口中で感じることなく服用できます。

　錠剤（内服）を服用するときは、適切な量の水（またはぬるま湯）とともに飲み込む必要があります。水が少ないと、錠剤が喉や食道に貼り付いてしまい、喉や食道の粘膜を傷めるおそれがあります。

　錠剤（内服）は、胃や腸で崩壊し、有効成分が溶出することが薬効発現の前提となるため、噛み砕いて服用すべきではありません。特に腸内での溶解を目的としてコーティングした腸溶錠（コーラック、カイベールC等）は、販売時に情報提供が必要です。

(2) 口腔用錠剤

①口腔内崩壊錠

　唾液で速やかに溶ける工夫がされているので、水なしで服用することができます。高齢者や乳幼児、水分摂取が制限されている場合でも、有効な剤形です（ストッパ下痢止めEX等）。

②チュアブル錠

　舐めたり噛み砕いたりして服用する剤形で、水なしでも服用できます（小児用バファリンチュアブル、ケロリンチュアブル、シナールEXチュアブル錠、ピシャット錠等、最近増えている剤形です）。

③トローチ、ドロップ

　薬効を期待する部位が口の中や喉であるものが多く、飲み込まずに口の中で舐めて、徐々に溶かします。

(3) 散剤、顆粒剤

　粉末状にしたものを散剤、小さな粒状にしたものを顆粒剤といいます。錠剤を飲み込むことが困難な人にとっては服用しやすいのですが、口の中に広がって歯や入れ歯に挟まったり、苦味や渋味を強く感じる場合があります。

　口中に散剤が残ったときには、さらに水などを口に含み、口腔内をすすぐようにして飲んでかまいません。また、顆粒剤は粒の表面がコーティングされているものもあるので、噛み砕かないようにしましょう。

（4）経口液剤、シロップ剤

　固形製剤よりも飲み込みやすく、すでに有効成分が液中に溶けたり分散したりしているため、服用後、比較的速やかに消化管から吸収されます。有効成分の血中濃度が上昇しやすいため、習慣性や依存性がある成分が配合されている製品では、本来の目的と異なる不適正な使用がなされることがあります。

　経口液剤では苦味やにおいが強く感じられることがあるので、小児用には、白糖等を混ぜたシロップ剤が作られます。

（5）カプセル剤

　カプセル内に散剤や顆粒剤、液剤等を充填した剤形であり、内服用の医薬品に広く用いられています。カプセルの原材料として広く用いられているゼラチンはブタなどのタンパク質を主成分としているため、ゼラチンに対してアレルギーを発症してしまうことがあります。

　また、水なしでカプセル剤を服用するとゼラチンが喉や食道に貼り付くことがあるため、適切な量の水（またはぬるま湯）とともに服用することを伝えてください。

確認テスト（○×問題）

問題2-2-26 経口液剤は、一般的に固形製剤と比べ、服用後、循環血液中の成分濃度が上昇しやすい。

問題2-2-27 錠剤（内服）は、胃や腸で崩壊し、有効成分が溶出することが薬効発現の前提となるため、例外的な場合を除いて、口中で噛み砕いて服用してはならない。

問題2-2-28 口腔内崩壊錠は、口の中の唾液で速やかに溶ける工夫がなされているため、水なしで服用することができる。

問題2-2-29 経口液剤は、固形製剤に比べ、飲み込みやすいが、消化管からの吸収は比較的遅い点が特徴である。

問題2-2-30 チュアブル錠は、口の中で舐めたり噛み砕いたりして服用してはいけない。

問題2-2-31 顆粒剤は粒の表面がコーティングされているものもあるので、噛み砕かずに水などで服用する。

問題2-2-32 カプセル剤の原材料として広く用いられているゼラチンは、ブタなどの動物由来のタンパク質であるため、アレルギーを持つ人では使用を避けるなどの注意が必要である。

☞ 解答は別冊p.9

（6）外用局所に適用する剤形

軟膏剤、クリーム剤、外用液剤、貼付剤、スプレー剤等がありますが、それぞれの剤形の特性が薬効や副作用に影響します。

①軟膏剤、クリーム剤

基剤の違いにより、軟膏剤とクリーム剤に大別されます。軟膏・クリームは、有効成分が適用部位に留まりやすいという特徴があります。一般的には、適用する部位の状態に応じて、軟膏剤は、油性の基剤で皮膚への刺激が弱く、適用部位を水から遮断したい場合などに用い、患部が乾燥していてもじゅくじゅくと浸潤していても使用できます。また、クリーム剤は、油性基剤に水分を加えたもので、皮膚への刺激が強いため傷等への使用は避ける必要があります。

②外用液剤

外用の液状製剤で、軟膏剤やクリーム剤に比べて、患部が乾きやすいという特徴があります。また、適用部位に強い刺激感を与える場合があります。

③貼付剤

皮膚に貼り付ける剤形で、テープ剤とパップ剤があります。適用部位に有効成分が一定時間留まるため、薬効の持続が期待できる反面、適用部位にかぶれなどを起こす場合もあります。

④スプレー剤

有効成分を霧状にして局所に吹き付ける剤形です。手指では塗りにくい部位や、広範囲に適用する場合に適しています。

確認テスト（○×問題）

問題2-2-33 外用局所に適用する剤形のうち、一般的に適用部位を水から遮断したい場合にはクリーム剤ではなく軟膏剤を用いることが多い。

問題2-2-34 外用液剤は、軟膏剤やクリーム剤に比べて、適用した表面が乾きやすく、適用した部位に直接的な刺激感などは与えない。

問題2-2-35 軟膏剤とクリーム剤を比べると、一般的に、患部が乾燥していたり、患部を水で洗い流したい場合等は、軟膏剤を用いることが多い。

問題2-2-36 貼付剤は皮膚に粘着させて用いる剤形であり、適用した部位に有効成分が一定期間留まるため、薬効の持続が期待できる反面、適用部位においてかぶれなどが起こる場合もある。

問題2-2-37 外用液剤は、有効成分を霧状にする等して局所に吹き付ける剤形であり、手指等では塗りにくい部位や、広範囲に適用する場合に適している。

☛ 解答は別冊 p.9

2-3 症状からみた主な副作用

① 副作用が生じた場合の対応

　医薬品は、十分注意して適正に使用された場合でも副作用を生じることがあります。重篤な副作用は、発生頻度が低く、遭遇する機会は非常にまれです。登録販売者は、医薬品販売の責任者として、積極的な情報提供や相談対応が望まれます。

　厚生労働省は「重篤副作用疾患別対応マニュアル」を公表しています。このマニュアルが対象とする重篤副作用の中には、一般用医薬品によって発生する副作用も含まれているので、登録販売者は、購入者への情報提供や相談対応に、積極的に活用しましょう。

　なお、登録販売者が、一般用医薬品の使用による副作用と疑われる症状について医療機関の受診をすすめる場合は、購入者がその医薬品の添付文書等を持参して医師に見せるようアドバイスを行うのがよいでしょう。

② 全身に現れる副作用

（1）ショック（アナフィラキシー）

　ショック（アナフィラキシー）は、医薬品の成分に対する即時型の過敏反応（アレルギー）です。発生頻度は低いのですが、以前にその医薬品の使用によって蕁麻疹等のアレルギーを起こしたことがある人で起きるリスクが高いとされています。

確認テスト（○×問題）

問題 2-3-1 医薬品は、十分に注意して適正に使用すれば副作用を生じることがない。
☑ ☑ ☑

問題 2-3-2 重篤な副作用は、一般に発生頻度が低いため、副作用の早期発見・早期対応が行われるには、医薬品の販売等に従事する専門家が副作用の症状に関する知識を有することが重要である。
☑ ☑ ☑

問題 2-3-3 アナフィラキシーとは、遅延型の過敏反応である。
☑ ☑ ☑

問題 2-3-4 アナフィラキシーは、アレルギーの一種であり、皮膚の痒みや蕁麻疹などの症状が現れるが、死に至るおそれはほとんどない。
☑ ☑ ☑

☞ 解答は別冊 p.9

顔や上半身の紅潮・熱感、皮膚の痒み、蕁麻疹、口唇や舌・手足のしびれ感、むくみ（浮腫）、悪心、顔面蒼白、手足が冷たくなる、冷や汗、息苦しさ・胸苦しさ等の症状が突如現れ、発症すると急速に症状が進行してチアノーゼや呼吸困難を生じ、適切な対応が遅れれば死に至るおそれがあります。

発症してから進行が非常に速い（2時間以内）ことが特徴であり、救急車等を利用して直ちに救急救命処置が可能な医療機関を受診する必要があります。

(2) 皮膚粘膜眼症候群（スティーブンス・ジョンソン症候群）

皮膚粘膜眼症候群は、高熱（38℃以上）を伴って、発疹・発赤、火傷様の水疱等の激しい症状が、比較的短期間に全身の皮膚、口、目の粘膜に現れる病態で、この候群について最初に報告をした二人の医師の名前にちなんでスティーブンス・ジョンソン症候群（SJS；Stevens Johnson Syndrome）とも呼ばれています。発生頻度は、人口100万人当たり年間1～6人と報告されていますが、発生の詳細は不明で、発症を予測することは困難です。

(3) 中毒性表皮壊死融解症（TEN）

中毒性表皮壊死融解症（TEN；Toxic Epidermal Necrolysis）は、38℃以上の高熱を伴って広範囲の皮膚に発赤が生じ、全身の10％以上に火傷様の水疱、皮膚の剥離、びらん等が認められ、口唇の発赤・びらん、眼の充血等の症状を伴う病態で、同症について最初に報告をした医師の名前にちなんでライエル症候群と呼ぶこともあります。皮膚粘膜眼症候群と関連のある病態と考えられており、中毒性表皮壊死融解症の症例の多くが皮膚粘膜眼症候群の進展型とみられています。

発生頻度は、人口100万人当たり年間0.4～1.2人と報告されています。SJSと同様、現状では発症機序の詳細は明確にされておらず、発症を予測することは困難です。

SJSとTENは、ともに原因と考えられる医薬品の服用後2週間以内に発症することが多いのですが、1か月以上経ってから起こることもあります。

(4) 肝機能障害

医薬品の使用により生じる肝機能障害は、有効成分による中毒性のものと、有効成分に対する抗原抗体反応が原因で起きるアレルギー性のものとに大別されます。

軽度の肝機能障害の場合、自覚症状がみられず、健康診断等の血液検査で初めて判明する場合もあります。主な症状としては、全身の倦怠感、黄疸のほか、発熱、発疹、皮膚の掻痒感、吐き気などです。

黄疸とは、ビリルビン（黄色色素）が胆汁中へ排出されず血液中に滞留して、皮膚や白眼が黄色くなる病態です。また、過剰となった血液中のビリルビンが尿中に排出され、尿の色が濃くなることもあります。

　肝機能障害が疑われた時点で、原因と考えられる医薬品の使用を中止し、医師の診療を受けることが重要であり、漫然と原因と考えられる医薬品を使用し続けた場合には、不可逆的な病変（肝不全）に至ることもあります。

確認テスト (○×問題)

問題 2-3-5 アナフィラキシーは、発症してから進行が非常に速い（2時間以内）ことが特徴である。

問題 2-3-6 スティーブンス・ジョンソン症候群、中毒性表皮壊死融解症はいずれも皮膚の変化の数週間後に目の異変が起こる。

問題 2-3-7 スティーブンス・ジョンソン症候群の発生頻度は、人口100万人当たり年間1～6人と報告されている。

問題 2-3-8 中毒性表皮壊死融解症は、原因と考えられる医薬品の使用を中止すれば、すぐに症状は治まる。

問題 2-3-9 中毒性表皮壊死融解症の発症機序の詳細は、現在明確にされており、発症を予測することが容易である。

問題 2-3-10 皮膚粘膜眼症候群（スティーブンス・ジョンソン症候群）は、原因と考えられる医薬品の服用後2週間以内に発症することが多く、1か月以上経ってから起こることはない。

問題 2-3-11 医薬品による肝機能障害は、医薬品の成分や代謝物の肝毒性による中毒性のものと、医薬品の成分に対する即時型の過敏反応によるアレルギー性のものとに大別される。

問題 2-3-12 肝機能障害の症状の一つである黄疸は、血色素であるヘモグロビンが胆汁中に排出されないために起こる症状である。

問題 2-3-13 黄疸とは、胆汁酸が胆汁中へ排出されずに血液中に滞留することが原因で、皮膚や白目が黄色くなる現象である。

問題 2-3-14 医薬品による肝機能障害の主な症状の一つである黄疸は、アルブミンが尿中へ排出されず血液中に滞留することにより、皮膚や白目が黄色くなる現象である。

☛ 解答は別冊 p.10

(5) 偽アルドステロン症

　体内に塩分（ナトリウム）と水が貯留して、体からカリウムが失われることによって生じる病態で、副腎皮質からのアルドステロン分泌が増えていないにもかかわらず生じることから、偽アルドステロン症と呼ばれています。

　低カリウム血症を伴う高血圧症を示すことから、低カリウム血性ミオパチーによると思われる四肢の脱力と、血圧上昇に伴う頭重感などが現れることがあります。

　主な症状としては、手足の脱力、血圧上昇、筋肉痛、こむら返り、倦怠感、手足のしびれ、頭痛、むくみ（浮腫）、喉の渇き、悪心・嘔吐等がみられ、病態が進行すると、筋力低下、起立不能、歩行困難、痙攣等を生じることがあります。

　低身長、低体重など体表面積が小さい人や高齢者において生じやすいとされ、原因となる医薬品を長期にわたって服用してから、初めて発症する場合もあります。また、複数の医薬品の飲み合わせや、食品との相互作用で起こることがあります。偽アルドステロン症と気付いたら、原因と考えられる医薬品の使用を中止し、速やかに医師の診療を受けることが重要です（➡ p.114 参照）。

(6) 病気等に対する抵抗力の低下等

　医薬品の使用が原因で血液中の白血球（好中球）が減少し、細菌やウイルスの感染に対する抵抗力が弱くなり、発熱、悪寒、喉の痛み、口内炎、倦怠感等の症状を生じることがあります。進行すると重症の細菌感染を繰り返し、致命的となるおそれもあります。ステロイド性抗炎症薬や抗癌薬などが、そのような易感染性をもたらすことが知られています。かぜの症状と見分けることが難しいため、原因となっている医薬品を漫然と使ってしまうことがあります。医薬品を一定期間使用しても症状が続くようであれば医薬品の副作用の可能性を考慮して、使用を中止し、医療機関を受診することが重要です。

　このほか、医薬品の使用が原因で血液中の血小板が減少し、鼻血、歯茎からの出血、青あざ（紫斑）、口腔粘膜の血腫等の内出血、経血が止まりにくい（月経過多）等の内出血等の症状が現れることがあります。脳内出血等の重篤な症状に移行することを防止するため、症状に気付いたときは、原因と考えられる医薬品の使用を中止して、早期に受診する必要があります。

③ 精神神経系に現れる副作用

（1）精神神経障害

　医薬品の副作用によって中枢神経系が影響を受け、物事に集中できない、落ち着きがなくなる、不眠、不安、震え、興奮、眠気、うつ等の精神神経症状を生じることがあります。これらのうち、眠気は比較的軽視されがちですが、乗物や危険な機械類の運転操作中に眠気を生じると重大な事故につながる可能性が高いので、そのような作業に従事しないよう十分注意することが必要です。

　精神神経症状は、医薬品の大量服用や長期連用、適用外の乳幼児への使用等の不適正な使用がなされた場合に限らず、使用した人の体質等により通常の使用でも発生します。これらの症状が現れた場合には、原因と考えられる医薬品の使用を中止し、状態によっては医師の診療を受けることが望ましいでしょう。

確認テスト（○×問題）

問題2-3-15 偽アルドステロン症は、肝臓からのアルドステロン分泌が、増えていないにもかかわらず生じることから、そのように呼ばれている。

問題2-3-16 偽アルドステロン症は、体からナトリウムが失われたことに伴う症状である。

問題2-3-17 医薬品が原因となって起こる偽アルドステロン症では、手足の脱力、血圧上昇、筋肉痛、こむら返り等が見られる。

問題2-3-18 偽アルドステロン症は、低身長、低体重など体表面積が小さい人や高齢者において生じやすいとされている。

問題2-3-19 医薬品の使用が原因で血液中の白血球（好中球）が増加し、病気等に対する抵抗力が弱くなり、進行すると重症の細菌感染を繰り返し、致命的となるおそれもある。

問題2-3-20 精神神経系に現れる副作用は、医薬品の作用によって末梢神経系が刺激されて現れる。

問題2-3-21 精神神経系に現れる副作用は、医薬品の多量服用や長期連用等の不適正な使用がなされた場合に発生することがある。

問題2-3-22 精神神経系に現れる副作用は、使用した人の体質等により通常の使用でも発生することがある。

問題2-3-23 医薬品の副作用によって不安、震え等の症状を生じた場合は、原因と考えられる医薬品の使用を中止し、医師の診療を受けることが望ましい。

☞ 解答は別冊p.10

(2) 無菌性髄膜炎

　髄膜炎のうち、髄液に細菌が検出されない場合、ウイルスが原因で起きることが多いのですが、マイコプラズマ感染症やライム病、医薬品の副作用としても生じることもあります。

　全身性エリテマトーデス[※1]、混合性結合組織病[※2]、関節リウマチ等の基礎疾患がある人で、発症するリスクが高いとされています。

　多くの場合、発症は急性で、首筋のつっぱりを伴った激しい頭痛、発熱、悪心・嘔吐、意識混濁等の症状が現れます。これらの症状が現れた場合には、原因と考えられる医薬品の使用を中止して、医師の診療を受ける必要があります。

　早期に原因となった医薬品の使用を中止すれば、速やかに回復し、比較的予後は良好であることがほとんどですが、重篤な中枢神経系の後遺症が残った事例も報告されています。また、過去に比較的軽度の症状を発症した人でも、再度の使用により再び発症し、急激に症状が進む場合があることが報告されています。

[※1] **全身性エリテマトーデス**：膠原病の一種で、発熱や全身の倦怠感、頬に赤い発疹、手指の腫れと関節炎、口内炎、光線過敏等の症状が現れます。

[※2] **混合性結合組織病**：膠原病の重複症候群の中の1つの病型で、寒冷刺激や精神的緊張によって起こる手指の蒼白化（レイノー現象）、手の甲から指にかけての腫れ、多発関節炎、皮膚の硬化等の症状が現れます。

(3) その他

　心臓や血管に作用する医薬品により、頭痛やめまい、浮動感（体がふわふわと宙に浮いたような感じ）、不安定感（体がぐらぐらする感じ）等を生じることがあります。これらの症状が現れた場合には、原因と考えられる医薬品の使用を中止し、状態によっては医師の診療を受ける必要があります。

　このほか、医薬品を長期連用したり、過量服用するなどの不適正な使用によって、倦怠感や虚脱感等を生じることがあります。

　登録販売者は、購入者の健康被害を防止する観点から、不自然なまとめ買いなど、販売する医薬品の使用状況についても留意すべきです。

➡ 副作用が疑われる症状や兆候が現れた場合、まず服用を中止します。次に医師または薬剤師に相談するようにアドバイスしてください。

4　体の局所に現れる副作用

(1) 消化器系に現れる副作用
①消化性潰瘍
しょうかせいかいよう

　消化性潰瘍は、胃や十二指腸の粘膜組織が傷害され、その一部が粘膜筋板を超えて欠損する状態であり、医薬品の副作用で生じることもあります。胃のもたれ、食欲低下、胸やけ、吐き気、胃痛、空腹時にみぞおちが痛くなる、消化管出血に伴って糞便が黒くなる等の症状を生じます。自覚症状が乏しい場合もあり、突然の吐血・下血あるいは貧血症状（動悸や息切れ等）の検査を受けたときに発見されることもあります。いずれにしても、重篤な症状への移行を防止するため、原因と考えられる医薬品の使用を中止し、状態によっては医師の診療を受けるべきです。

確認テスト（○×問題）

問題2-3-24　無菌性髄膜炎は、医薬品の副作用として生じることがない。

問題2-3-25　無菌性髄膜炎は、首筋のつっぱりを伴った軽い頭痛から徐々に長期間かけて症状が現れる。

問題2-3-26　無菌性髄膜炎は、急に発症し、激しい頭痛、発熱、吐き気・嘔吐等の症状が現れる。

問題2-3-27　喘息を基礎疾患として持っている人は、イブプロフェンを使用した際に、無菌性髄膜炎の副作用を発症するリスクが高い。

問題2-3-28　医薬品の長期連用、過量服用などの不適正な使用によって、倦怠感や虚脱感を生じることがある。

問題2-3-29　消化性潰瘍では、胃のもたれ、食欲低下、胸やけ、吐き気、胃痛、空腹時にみぞおちが痛くなる、消化管出血に伴って糞便が黒くなるなどの症状を生じる。

問題2-3-30　医薬品の副作用として現れる消化性潰瘍は、医薬品の作用によって腸管運動が麻痺して腸内容物の通過が阻害された状態をいう。

問題2-3-31　消化性潰瘍とは、医薬品の作用により大腸の腸管内の粘膜が傷害され、組織が損傷した状態である。

問題2-3-32　消化性潰瘍は、自覚症状が乏しい場合もあり、貧血症状（動悸や息切れ等）の検査時や突然の吐血・下血により発見されることもある。

☛ 解答は別冊p.10

②イレウス様症状（腸閉塞様症状）

　イレウスとは、腸内容物の通過が阻害された状態をいいます。腸管自体は閉塞を起こしていなくても、医薬品の作用によって腸管運動が麻痺して腸内容物の通過が妨げられると、激しい腹痛やガス排出（おなら）の停止、嘔吐、腹部膨満感を伴う著しい便秘が現れます。悪化すると腸管内に貯留した消化液が逆流し、激しい嘔吐が起こり水分や電解質が失われたり（脱水症状）、腸内細菌の異常増殖によって全身状態の衰弱が急激に進むおそれがあります。

　腹痛などの症状のために水分や食物の摂取が抑制され、嘔吐がない場合でも脱水状態となることあります。悪化すると、腸内容物の逆流による嘔吐が原因で脱水症状を呈したり、腸内細菌の異常増殖によって全身状態の衰弱が急激に進行する可能性があります。

　小児や高齢者のほか、普段から便秘傾向のある人は、発症のリスクが高いとされており、また、下痢が治まったことによる安心感から便秘を放置して、症状を悪化させてしまうことがあります。いずれにしても初期症状に気付いたら、原因と考えられる医薬品の使用を中止して、早期に医師の診療を受けることが重要です。

③その他

　消化器に対する医薬品の副作用によって、悪心・嘔吐、食欲不振、腹部（胃部）不快感、腹部（胃部）膨満感、腹痛、口内炎、口腔内の荒れや刺激感等を生じることがあります。これらの症状が現れたときには、原因と考えられる医薬品の使用を中止し、状態によっては医師の診療を受けることが望ましいでしょう。医薬品によっては、一過性の軽い副作用として、口渇、便秘、軟便または下痢が現れることがあります。

　また、浣腸剤や坐剤の使用による一過性の症状として、肛門部の熱感等の刺激、異物の注入による不快感、排便直後の立ちくらみなどが現れることがあります。添付文書等には、それらの症状の継続、増強が見られた場合には、その医薬品の使用を中止して、専門家（登録販売者も含む）に相談するよう記載されています。

（2）呼吸器系に現れる副作用

①間質性肺炎

　通常の肺炎は、気管支または肺胞が細菌に感染して炎症を生じたものであるのに対し、間質性肺炎は肺の中で肺胞と毛細血管を取り囲んで支持している組織（間質）が炎症を起こしたものです。ガス交換効率が低下して、血液に酸素

が十分取り込めずに低酸素状態となります。

息切れ・息苦しさ等の呼吸困難、空咳（痰の出ない咳）、発熱等が、医薬品の使用から1〜2週間程度の間に起こります。息切れは、初期には運動時または坂道や階段を上がるときに起きますが、進行すると歩行だけでも息切れを感じるようになります。発熱は、必ずしも伴わないことがあります。

これらの症状は、かぜ、気管支炎等の症状と区別が難しいこともあり、注意が必要です。症状が一時的で改善することもありますが、悪化すると肺線維症となる場合があります。重篤な症状への進行を防止するため、原因と思われる薬剤の使用を中止して、速やかに医師の診療を受ける必要があります。

➡ 間質性肺炎については、p.378も参照。

確認テスト（○×問題）

問題2-3-33 イレウスとは、腸内容物の通過が阻害されている状態をいい、普段から下痢傾向がある人は発症リスクが高いとされている。

問題2-3-34 腸内容物の通過が阻害された状態をイレウスといい、腸管自体は閉塞を起こしていなくても、医薬品の作用によって腸管運動が麻痺して腸内容物の通過が妨げられると、激しい腹痛やガス排出（おなら）の停止、嘔吐、腹部膨満感を伴う著しい便秘が現れる。

問題2-3-35 医薬品が原因となって起こるイレウス様症状では、胃に激しい痛みを生ずる。

問題2-3-36 医薬品が原因となって起こるイレウス様症状では、消化管出血により糞便が黒くなる。

問題2-3-37 医薬品が原因となって起こるイレウス様症状では、突然の吐血を起こすことがある。

問題2-3-38 イレウス様症状（腸閉塞様症状）は、小児や高齢者のほか、普段から下痢傾向のある人は、発症のリスクが高いとされる。

問題2-3-39 間質性肺炎は、気管支または肺胞が細菌に感染して炎症を生じたものである。

問題2-3-40 医薬品による間質性肺炎は、医薬品の使用から1〜2週間程度の間に、息切れ・息苦しさ等の呼吸困難、空咳、発熱等の症状が現れる。

問題2-3-41 間質性肺炎の症状は、かぜ、気管支炎等の症状との区別が容易である。

☛ 解答は別冊p.10

②喘息

　原因となる医薬品（アスピリンなどの非ステロイド性抗炎症成分）を使用して短時間（1時間以内）で、鼻水・鼻づまりが起こり、続いて咳、喘鳴、呼吸困難を生じて、それらが次第に悪化します。顔面の紅潮や目の充血、吐き気、腹痛、下痢等を伴うこともあります。内服薬だけでなく坐薬や外用薬でも誘発されることがあります。

　合併症を起こさない限り、原因となった医薬品の成分が体内から消失すれば症状は寛解し、軽症の場合では半日程度ですが、重症では24時間以上続き、意識消失や呼吸停止等の危険性もあります。

　非アレルギー性の鼻炎または慢性副鼻腔炎、鼻茸（鼻ポリープ）、嗅覚異常等の鼻の疾患が合併している場合や、成人になってから喘息を発症した人、季節に関係なく喘息発作が起こる人等で発症しやすいとされています。特に、これまでに医薬品（内服薬に限らない）の使用によって喘息発作を起こしたことがある人では重症化しやすいため、同種の医薬品の使用を避ける必要があります。

(3) 循環器系に現れる副作用

①うっ血性心不全

　全身が必要とする量の血液を心臓から送り出すことができなくなり、肺に血液が貯留して、息切れ、疲れやすい、足のむくみ、急な体重の増加、咳とピンク色の痰などを認めた場合は、うっ血性心不全の可能性を疑い、早期に医師の診療を受ける必要があります。

②不整脈

　心筋の自動性や興奮伝導の異常が原因で心臓の拍動リズムが乱れる病態で、めまい、立ちくらみ、全身のだるさ（疲労感）、動悸、息切れ、胸部の不快感、脈の欠落等の症状が現れます。不整脈の種類によっては失神（意識消失）することもあり、生死に関わる危険な不整脈を起こしている可能性があるので、自動体外式除細動器（AED）の使用を考慮するとともに、直ちに救急救命処置が可能な医療機関を受診する必要があります。

(4) 泌尿器系に現れる副作用

①腎障害

　医薬品が原因となって腎臓に障害を起こすことがあり、尿量減少、全身のむくみを伴う息苦しさ、倦怠感、悪心・嘔吐、尿が濁る・赤みを帯びる、タンパク尿等の症状を生じます。これらの症状が現れたときは、原因と考えられる医

薬品の使用を中止して、速やかに医師の診療を受ける必要があります。

②排尿困難・尿閉

副交感神経系の機能を抑制する成分が配合された医薬品によって、膀胱の排尿筋の収縮が抑制され、排尿時に尿が出にくい、尿が少ししか出ない、残尿感等の症状を生じ、さらに進行すると、尿意があるのに尿が全く出なくなり(尿閉)、下腹部が膨満して激しい痛みを感じるようになります。これらの症状は前立腺肥大等の基礎疾患がない人でも現れることが知られており、男性に限らず女性においても報告されています。

多くの場合、原因となった医薬品の使用を中止することにより速やかに改善しますが、医療機関での処置が必要なこともあります。

③膀胱炎様症状

医薬品の服用によって尿の回数が増える(頻尿)、排尿時に痛みがある、残尿感等の症状が現れることがあります。これらの症状が現れたときには、原因と考えられる医薬品の使用を中止し、状態によっては医師の診療を受けることが望ましいでしょう。

確認テスト (○×問題)

問題 2-3-42 喘息は、内服薬だけでなく外用薬でも誘発されることがある。

問題 2-3-43 医薬品の副作用による喘息は、重症化することはない。

問題 2-3-44 医薬品の副作用による喘息は、原因となる医薬品を使用して6〜10時間で、鼻水・鼻づまりが起きる。

問題 2-3-45 医薬品の服用による副作用で、めまい、立ちくらみ、全身のだるさ、動悸、息切れ、胸部の不快感、脈が飛ぶような感じなどの症状が現れた場合は、うっ血性心不全が疑われる。

問題 2-3-46 不整脈とは、心筋の自動性や興奮伝導の異常が原因で心臓の拍動リズムが乱れる病態である。

問題 2-3-47 腎障害は、尿量の減少、ほとんど尿が出ない、逆に一時的に尿が増える、倦怠感、吐き気等の症状を生じる。

問題 2-3-48 自律神経に働いて、副交感神経系を抑制する作用がある成分が配合された医薬品の使用によって膀胱の排尿筋の収縮が抑制され、尿が出にくい、尿が少ししか出ない等の症状を呈し、さらに進行すると尿閉を起こし、下腹部に激しい痛みを起こすことがある。

☞ 解答は別冊p.11

(5) 感覚器系に現れる副作用
①眼圧上昇

　眼球内の角膜と水晶体の間を満たしている眼房水が排出されにくくなると、眼圧が上昇して視覚障害を生じることがあります。

　たとえば、抗コリン作用がある成分が配合された医薬品の使用によって眼圧が上昇し（急性緑内障発作）、眼痛、眼の充血とともに急激な視力低下を起こすことがあります。時に、眼房水の出口である隅角が狭くなっている閉塞隅角緑内障かある人は、厳重な注意が必要です。また、眼圧の上昇に伴って、頭痛や吐き気・嘔吐等の症状が現れることもあります。

　高眼圧を長時間放置すると、視神経が損傷して不可逆的な視覚障害（視野欠損や失明）に至るおそれがあり、速やかに眼科専門医の診療を受ける必要があります。

> ➡ 胃痛の薬には抗コリン成分が配合される場合が多く、眼圧を上げてしまうので、服用前に医師または薬剤師に相談することとされています。

②その他

　医薬品によっては、一過性の副作用として、瞳孔の散大（散瞳）による異常なまぶしさ、目のかすみ等の副作用が現れることがあります。

　眠気と同様、瞳孔を散大させる可能性のある医薬品を販売する場合には、その症状が乗物や機械類の運転操作中に現れると重大な事故につながるおそれがあるので、注意を喚起する必要があります。

(6) 皮膚に現れる副作用
①接触皮膚炎

　化学物質、金属等による皮膚刺激に対して皮膚が敏感に反応して、強い痒みを伴う発疹・発赤、腫れ、刺激感、水疱・ただれ等の激しい炎症症状（接触皮膚炎）が起きることがあり、色素沈着や白斑を生じることもあります。

　接触皮膚炎は、いわゆる「肌に合わない」という状態であり、外来性の物質が皮膚に接触することで現れる炎症です。同じ医薬品が触れても、発症するか否かはその人の体質によって異なります。原因となる医薬品と接触してから発症するまでの時間はさまざまですが、触れた部分の皮膚にのみ生じ、正常な皮膚との境目がはっきりしているのが特徴です。一方、アレルギー性皮膚炎の場合は、発症部位は医薬品の接触部位に限定されません。

　症状が現れたときは、重篤な症状への移行を防止するため、原因と考えられる医薬品の使用を中止します。原因となった医薬品との接触がなくなれば、通常は1週間程度で症状は治まりますが、再びその医薬品と接触すると再発します。

確認テスト（○×問題）

問題 2-3-49 抗コリン作用がある成分が配合された医薬品の使用によって眼圧低下が誘発され、眼痛、目の充血とともに急激な視力低下を起こすことがある。特に緑内障のある場合には注意が必要である。

問題 2-3-50 抗コリン作用がある成分が配合された医薬品の使用によって眼圧上昇が誘発され、眼痛、目の充血とともに急激な視力低下を起こすことがあり、特に白内障がある場合には注意が必要である。

問題 2-3-51 抗コリン作用がある成分が配合された医薬品を使用すると、眼圧低下が誘発され、緑内障を悪化させることがある。

問題 2-3-52 散瞳を生じる成分が配合された医薬品を使用した後は、乗物や機械類の運転操作をさける必要がある。

問題 2-3-53 眼球内の角膜と水晶体の間を満たしている房水が排出されにくくなると、眼圧の下降により視覚障害を生じる。

問題 2-3-54 眼圧が高い症状が長引いたまま放置された場合には、視神経が損傷して不可逆的な視覚障害（視野欠損や失明）に至るおそれがあり、速やかに眼科専門医の診療を受ける必要がある。

問題 2-3-55 接触皮膚炎は、原因となった医薬品との接触がなくなれば、通常1週間程度で症状が治まり抗体が形成されるため、再び原因となった医薬品と接触しても再発しない。

問題 2-3-56 接触皮膚炎は、医薬品が触れた皮膚と、正常な皮膚との境目がはっきりしないのが特徴である。

問題 2-3-57 接触皮膚炎は、医薬品が触れた部分だけでなく、光が当たった部分の皮膚から全身へ広がり、重篤化する場合がある。

☞ 解答は別冊 p.11

②光線過敏症

　かぶれ症状は、太陽光線（紫外線）に曝されて初めて起こることもあります。光線過敏症の症状は、医薬品が触れた部分だけでなく、光が当たった部分の皮膚から全身へ広がり、重篤化する場合もあります。貼付剤の場合は剥がした後でも発症することがあります。原因と考えられる医薬品の使用を中止して、皮膚に医薬品が残らないよう洗い流し、患部を遮光して（白い生地や薄手の服は紫外線を透過するおそれがあります）速やかに医師の診療を受ける必要があります。

③薬疹

　医薬品の使用によって引き起こされるアレルギー反応の一種で、発疹・発赤等の皮膚症状を薬疹といいます。あらゆる医薬品で起きる可能性があり、また、同じ医薬品でも生じる発疹はさまざまです。

　皮膚以外に、目の充血や唇・口腔粘膜の異常が見られることもあります。発熱を伴う場合には、皮膚粘膜眼症候群、中毒性表皮壊死融解症等の重症型薬疹へ急速に進行することがあります。

　薬疹は医薬品の使用後1～2週間までの間に起きることが多いのですが、長期間服用してから生じることもあります。アレルギー体質の人や、以前に薬疹を起こしたことがある人で生じやすいのですが、それまで薬疹を経験したことがない人であっても、暴飲暴食や肉体疲労等が誘因となって現れることがあります。

　多くの場合、原因となった医薬品の使用を中止すれば、症状は次第に寛解します。しかし、以前、薬疹を経験したことがある人が再度同種の医薬品を使用すると、より重篤なアレルギー反応を生じるおそれがあるので、同種の医薬品の使用を避ける必要があります。

④その他

　外用薬の適用部位（患部）に生じる副作用として、そのほかに含有される刺激性成分による痛み、焼灼感（ヒリヒリする感じ）、熱感、乾燥感等の刺激感、腫れ等があります。

　また、外用薬には、感染を起こしている患部には使用を避けることとされているものがありますが、感染の初期段階に気付かずに使用して、みずむし・たむし等の白癬症、にきび、化膿症状、持続的な刺激感等を起こす場合があるので注意が必要です

確認テスト（○×問題）

問題2-3-58 ☑☑☑ かぶれ症状には、太陽光線（紫外線）に曝されて初めて起こる光線過敏症と呼ばれるものがあり、医薬品が触れた部分だけでなく、光が当たった部分の皮膚から全身へ広がり、重篤化する場合がある。

問題2-3-59 ☑☑☑ 光線過敏症が現れた場合は、原因と考えられる医薬品の使用を中止し、患部は洗浄せずそのままの状態で、白い生地や薄手の服で遮光し、速やかに医師の治療を受ける必要がある。

問題2-3-60 ☑☑☑ 光線過敏症の症状は、医薬品が触れた皮膚の部分にのみ生じ、全身へ広がって重篤化することはない。

問題2-3-61 ☑☑☑ 薬疹とは、医薬品によって引き起こされるアレルギー反応の一種で、発疹・発赤等の皮膚症状を呈する場合をいう。

問題2-3-62 ☑☑☑ 薬疹は、目や口腔粘膜に異常が見られる場合や発熱を伴う場合には、皮膚粘膜眼症候群、中毒性表皮壊死融解症に進行することがある。

問題2-3-63 ☑☑☑ 薬疹は、皮膚以外に、目の充血や唇・口腔粘膜の異常として現れることもある。

問題2-3-64 ☑☑☑ 薬疹は、アレルギー体質の人や以前に薬疹を起こしたことがある人で生じやすいが、それまで薬疹を経験したことがない人であっても、暴飲暴食や肉体疲労が誘因となって現れることがある。

問題2-3-65 ☑☑☑ 薬疹を経験したことのない人でも、二日酔いや肉体疲労等のときに医薬品を使用することで発症することがある。

問題2-3-66 ☑☑☑ 医薬品を使用した後に生じた痒み等の症状は、一般の生活者が自己判断で別の医薬品を用いて対症療法を行うことが望ましい。

☞ 解答は別冊 p.11

(7) 副作用情報等の収集と報告

　法第68条の10第2項の規定に基づき、登録販売者は、医薬品の副作用等を知った場合に、保健衛生上の危害の発生または拡大を防止するため必要があると認めるときは、その旨を厚生労働大臣に報告しなければならないとされています。

　実務上は決められた形式に従い、報告書を独立行政法人医薬品医療機器総合機構に提出することとなります。一般用医薬品においても毎年多くの副作用が報告されており、市販後も医薬品の安全性を継続的に確保するために、専門家により多くの情報が収集され、医薬品の安全性をより高める活動が続けられています。

　報告書の書式は、本書（別表5-3　医薬品安全性情報報告書）を参照してください。

（著者注）

　「医薬品・医療機器等安全性情報報告制度」は、法第68条の10第2項の規定に基づく制度。

　『薬局開設者，病院，診療所若しくは飼育動物診療施設の開設者又は医師，歯科医師，薬剤師，登録販売者，獣医師その他の医薬関係者は，医薬品，医療機器又は再生医療等製品について，当該品目の副作用その他の事由によるものと疑われる疾病，障害若しくは死亡の発生又は当該品目の使用によるものと疑われる感染症の発生に関する事項を知つた場合において，保健衛生上の危害の発生又は拡大を防止するため必要があると認めるときは，その旨を厚生労働大臣に報告しなければならない。』

第 3 章

主な医薬品とその作用

　第3章では、一般用医薬品に使われる個々の成分について学びます。

　覚えなければならないことがたくさんあります。しかし、単に暗記だけにとどまることなく、実務に活かせる知識として身につけてください。

　医薬品の購入者の安全を守るのは、あなたの務めなのですから。

3-1 精神神経に作用する薬

3-1-1 かぜ薬

1 「かぜ」とは

　「かぜ」(感冒)とは、その原因の約8割はウイルス(200種類以上確認されている)が鼻や喉_{のど}などに感染して起こる上気道の急性炎症の総称で、通常は数日〜1週間程度で自然寛解_{かんかい}します。

　また、かぜとよく似た症状が現れる疾患に、喘息_{ぜんそく}、アレルギー性鼻炎、リウマチ熱、関節リウマチ、肺炎、肺結核、髄膜炎_{ずいまくえん}、急性肝炎、尿路感染症等多数あります。急激な発熱を伴う場合や、症状が4日以上続くとき、症状が重篤_{じゅうとく}なときは、かぜではない可能性があります。

　インフルエンザ(流行性感冒)は、かぜと同様、ウイルスの呼吸器感染によるものですが、感染力が強く、また、重症化しやすいため、かぜとは区別して扱われます。

　かぜ薬とは、かぜの諸症状_{しょしょうじょう}の緩和_{かんわ}を目的として使用される医薬品の総称で、総合感冒薬とも呼ばれます。かぜは、生体の免疫機構_{めんえききこう}によってウイルスが消滅すれば自然に治癒_{ちゆ}します。かぜ薬にはウイルスを体内から除去する作用はありません。発熱、咳_{せき}、鼻水など症状がはっきりしている場合には、不要な成分の摂取を避ける意味でも総合感冒薬ではなく、解熱鎮痛薬_{げねつちんつう}、鎮咳去痰薬_{ちんがいきょたん}、鼻炎用薬などを選択すべきです。

　以下、かぜ薬に配合される成分の概要を示します。それぞれの詳細は、3-1-2以降で解説していきます。

2 かぜ薬の主な配合成分

(1) 解熱鎮痛成分
・アスピリン、サザピリン (両方ピリン系ではない) ……p.120参照

> **注意** いかなる場合も小児 (15歳未満) には使用しないこと。

- サリチルアミド、エテンザミド……p.120参照

  > **注意** 15歳未満で、水痘またはインフルエンザの場合、使用を避ける。

- アセトアミノフェン……p.122参照

  （小児のインフルエンザによる発熱に唯一使用可能）

- イブプロフェン……p.122参照

  > **注意** いかなる場合も小児（15歳未満）には使用しないこと。

- イソプロピルアンチピリン（ピリン系）……p.122参照
- ジリュウ、ゴオウ、カッコン、サイコ、ボウフウ、ショウマ（解熱作用）
- センキュウ、コウブシ（鎮痛作用）

確認テスト（○×問題）

問題3-1-1 かぜの約8割は細菌の感染が原因である。
☑ ☑ ☑

問題3-1-2 かぜとよく似た症状が現れる疾患には、髄膜炎、リウマチ熱、関節リ
☑ ☑ ☑ ウマチ、急性肝炎などがある。

問題3-1-3 かぜ薬とは、ウイルスの増殖を抑えたり、ウイルスを体内から除去す
☑ ☑ ☑ ることを目的として使用される医薬品の総称であり、総合感冒薬とも
呼ばれる。

問題3-1-4 発熱、咳、鼻水など症状がはっきりしているかぜであっても、別の症
☑ ☑ ☑ 状の発現予防のため総合感冒薬を選択することが基本である。

問題3-1-5 アスピリンは、現在、一般用医薬品で唯一のピリン系解熱鎮痛成分で
☑ ☑ ☑ ある。

問題3-1-6 アスピリンを含む医薬品を子供のために購入しようとしたので、アス
☑ ☑ ☑ ピリンを含む一般用医薬品は、顧客の子供の年齢（10歳）では、いか
なる場合も使用しないこととなっている旨を説明した。

問題3-1-7 サリチルアミドやエテンザミドは15歳未満の小児でインフルエンザに
☑ ☑ ☑ かかっているときに優先的に選択される医薬品である。

問題3-1-8 アセトアミノフェンは、非ピリン系の解熱鎮痛成分で、一般用医薬品
☑ ☑ ☑ では、小児向けの製品はない。

問題3-1-9 現在では、イソプロピルアンチピリンが一般用医薬品で唯一のピリン
☑ ☑ ☑ 系解熱鎮痛成分となっている。

問題3-1-10 解熱鎮痛薬に用いられるジリュウは、ライ症候群の発生との関連性が
☑ ☑ ☑ 示唆されている。

☞ 解答は別冊p.11

(2) くしゃみや鼻汁を抑える成分

くしゃみや鼻汁を抑える目的で抗ヒスタミン成分や抗コリン成分が配合されます。なお、抗ヒスタミン成分は、睡眠改善薬、鎮咳去痰薬、アレルギー用薬、点鼻薬、点眼薬等に幅広く使用されるため、各節で説明が重複する場合があります。

抗ヒスタミン成分 **副作用** 眠気（運転／機械操作注意）	・クロルフェニラミンマレイン酸塩 ・カルビノキサミンマレイン酸塩 ・メキタジン ・クレマスチンフマル酸塩 ・ジフェンヒドラミン塩酸塩
抗コリン成分	・ベラドンナ総アルカロイド ・ヨウ化イソプロパミド

(3) アドレナリン作動成分

鼻粘膜の血管を収縮させて充血を和らげ（交感神経を刺激する）、気管・気管支を広げる成分です。同様の作用を有する生薬としてマオウが配合されている場合もあります。

・メチルエフェドリン塩酸塩、メチルエフェドリンサッカリン塩…p.142参照
・プソイドエフェドリン塩酸塩……p.200参照

> **注意** 依存性あり。

(4) 咳を抑える成分（咳中枢に作用する鎮咳成分）……p.140参照

・コデインリン酸塩水和物……………… 依存性あり
・ジヒドロコデインリン酸塩…… 依存性あり

> **注意** コデイン類：12歳未満使用禁忌。

・デキストロメトルファン臭化水素酸塩水和物　　・ノスカピン
・チペピジンヒベンズ酸塩　　・クロペラスチン塩酸塩

(5) 痰の切れをよくする成分（去痰成分）………p.143参照

・グアイフェネシン　　・ブロムヘキシン塩酸塩
・グアヤコールスルホン酸カリウム　　・エチルシステイン塩酸塩
・シャゼンソウ、セネガ、キキョウ、セキサン、オウヒ（生薬）

(6) 抗炎症成分

鼻粘膜や喉の炎症による腫れを和らげることを目的として、トラネキサム酸、グリチルリチン酸二カリウム等が配合されている場合があります。

①トラネキサム酸

体内での炎症物質の産生を抑えることで炎症の発生を抑え、腫れを和らげると考えられています。凝固した血液を溶解されにくくする働きもあるため、血栓のある人（脳血栓、心筋梗塞、血栓性静脈炎等）や血栓を起こすおそれのある人は、治療を行っている医師または処方薬の調剤を行った薬剤師に相談するなどの対応が必要です。

> **注意** 血栓のある人は注意。

確認テスト（○×問題）

問題3-1-11 かぜ薬（総合感冒薬）の配合成分であるカルビノキサミンマレイン酸塩は、抗ヒスタミン成分である。

問題3-1-12 かぜ薬の配合成分のうちメキタジンは、中枢神経系に作用し、咳を抑える。

問題3-1-13 かぜ薬に配合されるクレマスチンフマル酸塩は、抗ヒスタミン作用がある。

問題3-1-14 鼻汁分泌やくしゃみを抑えることを目的として、ベラドンナ総アルカロイド、ヨウ化イソプロパミドが配合されている場合がある。

問題3-1-15 交感神経系を刺激して鼻粘膜の血管を拡張させることによって鼻粘膜の充血や腫れを和らげることを目的として、メチルエフェドリン塩酸塩が配合されている場合がある。

問題3-1-16 かぜ薬に配合されるコデインリン酸塩水和物は、去痰作用がある。

問題3-1-17 鎮咳去痰薬であるチペピジンヒベンズ酸塩は、交感神経系を刺激して気管支を拡張させる。

問題3-1-18 グアイフェネシンは、痰の切れをよくする目的でかぜ薬に配合される成分である。

問題3-1-20 トラネキサム酸は、体内で炎症物質の産生を抑えることで炎症の発生を抑え、腫れを和らげると考えられている。また、凝固した血液を溶解されにくくする働きもある。

問題3-1-21 トラネキサム酸は、フィブリノゲンやフィブリンを分解する作用があるので、血液凝固異常の症状がある人は、注意が必要である。

問題3-1-22 トラネキサム酸は、タンパク質分解酵素で、体内で産生される炎症物質を分解する作用を示す。

☞ 解答は別冊p.12

②グリチルリチン酸二カリウム

グリチルリチン酸二カリウムの作用本体であるグリチルリチン酸は、化学構造がステロイド性抗炎症成分に類似していることから、抗炎症作用を示します。

グリチルリチン酸を大量に摂取すると偽アルドステロン症を起こすおそれがあります。高齢者、むくみのある人、心臓病、腎臓病または高血圧の診断を受けた人は、偽アルドステロン症を起こすリスクが高いとされており、1日最大服用量がグリチルリチン酸として40mg以上となる製品では、長期連用を避けることとされています。

なお、医薬品では1日摂取量がグリチルリチン酸として200mgを超えないように用量が定められていますが、かぜ薬以外の医薬品にも配合されていることが少なくなく、また、グリチルリチン酸二カリウムは甘味料として一般食品や医薬部外品などにも広く用いられるため、登録販売者としては、購入者等に対して、摂取されるグリチルリチン酸の総量が継続して多くならないよう注意を促すことが重要です。

グリチルリチン酸は、生薬であるカンゾウ（甘草）の主たる薬効成分であり、カンゾウまたはそのエキスとして配合されていることもあります。

> **注意** 偽アルドステロン症に注意。

> **ポイント** 偽アルドステロン症（p.96参照）
>
> 体内にナトリウムと水が貯留して、カリウムが失われた状態。主な症状として、尿量の減少、手足の脱力、血圧上昇、筋肉痛、こむら返り、倦怠感、手足のしびれ、頭痛、むくみ、喉の渇き、悪心嘔吐などがあります。
> ➡お客様の訴えを敏感にキャッチする姿勢が大切です。

③カミツレ（生薬）

発汗、抗炎症等の作用を期待して、カミツレ等の生薬成分が配合されている場合があります。また、カミツレの成分であるアズレンスルホン酸ナトリウム（アズレン）が用いられる場合もあります。

（7）鎮静成分

解熱鎮痛成分の鎮痛作用を補助する目的で、ブロモバレリル尿素、アリルイソプロピルアセチル尿素等の鎮静成分が配合されている場合があります。

| 注意 | 依存性あり。 |

（8）胃酸中和する成分（制酸成分）

解熱鎮痛成分（生薬成分の場合を除く）による胃腸障害の軽減を目的として、ケイ酸アルミニウム、酸化マグネシウム、水酸化アルミニウムゲル等の制酸成分が配合されていることがあります。なお、この場合、胃腸薬のように、胃腸症状に対する薬効を標榜（ひょうぼう）することは認められていません。

（9）カフェイン類

解熱鎮痛成分（生薬成分の場合を除く）の配合に伴い、その鎮痛作用を補助する目的で、カフェイン、無水カフェイン、安息香酸ナトリウムカフェイン等が配合されている場合があります。

なお、カフェイン類が配合されているからといって、必ずしも抗ヒスタミン成分や鎮静成分の作用による眠気が解消されるわけではありません。

確認テスト（○×問題）

問題3-1-23 グリチルリチン酸二カリウムは、フィブリノゲンやフィブリンを分解する作用があるので、血液凝固異常の症状がある人は、注意が必要である。

問題3-1-24 1日最大服用量がグリチルリチン酸として40 mg 以上となる製品については、長期連用を避けることとされている。

問題3-1-25 グリチルリチン酸は、化学構造がステロイド性抗炎症成分と類似しており、抗炎症作用を示す。

問題3-1-26 グリチルリチン酸二カリウムは、アレルギー用薬（鼻炎用内服薬を含む）に用いられる抗ヒスタミン成分である。

問題3-1-27 グリチルリチン酸を大量に摂取すると低ナトリウム血症に伴う、偽アルドステロン症を生ずるおそれがあり、使用する前にその適否を十分考慮するなど、慎重な使用がなされる必要がある。

問題3-1-28 グリチルリチン酸を含む生薬として、カンゾウがある。

問題3-1-29 医薬品では、1日摂取量がグリチルリチン酸として100mgを超えないように用量が定められている。

☛ 解答は別冊 p.12

3 主な医薬品とその作用

かぜ薬

（10）その他：ビタミン成分等

　かぜのときに消耗しやすいビタミンまたはビタミン様物質を補給することを目的として、粘膜の健康維持・回復に重要なビタミンC（アスコルビン酸、アスコルビン酸カルシウム等）、ビタミンB₂（リボフラビン、リン酸リボフラビンナトリウム等）、ヘスペリジンや、疲労回復の作用のあるビタミンB₁（チアミン硝化物、フルスルチアミン塩酸塩、ビスイブチアミン、チアミンジスルフィド、ベンフォチアミン、ビスベンチアミン等）、アミノエチルスルホン酸（タウリン）等が配合されている場合があります。また、強壮作用等を期待してニンジンやチクセツニンジン等の生薬成分が配合されている場合もあります。

３　かぜ薬に配合される漢方処方製剤

（1）葛根湯…カンゾウ、マオウ含む

　体力中等度以上のものの感冒の初期（汗をかいていないもの）、鼻かぜ、鼻炎、頭痛、肩こり、筋肉痛、手や肩の痛みに適すとされますが、体の虚弱な人（体力の衰えている人、体の弱い人）、胃腸の弱い人、発汗傾向の著しい人では、悪心、胃部不快感等の副作用が現れやすい等、不向きとされます。

　まれに重篤な副作用として肝機能障害、偽アルドステロン症を生じることが知られています。

重篤な副作用　肝機能障害、偽アルドステロン症。

（2）麻黄湯…カンゾウ、マオウ含む

　体力充実して、かぜのひき始めで、寒気がして発熱、頭痛があり、咳が出て身体のふしぶしが痛く汗が出ていないものの感冒、鼻かぜ、気管支炎、鼻づまりに適すとされますが、胃腸の弱い人、発汗傾向の著しい人では、悪心、胃部不快感、発汗過多、全身脱力感等の副作用が現れやすい等、不向きとされます。

　麻黄湯は、マオウの含有量が多くなるため、体の虚弱な人（体力の衰えている人、体の弱い人）は使用を避ける必要があります。

（3）小柴胡湯、柴胡桂枝湯…カンゾウ含む

漢方製剤	効用
小柴胡湯	体力中等度で、ときに脇腹（腹）からみぞおちあたりにかけて苦しく、食欲不振や口の苦味があり、舌に白苔がつくものの食欲不振、吐き気、胃炎、胃痛、胃腸虚弱、疲労感、かぜの後期の諸症状に適すとされ、また、胃腸虚弱、胃炎のような消化器症状にも用いられるが、体の虚弱な人（体力の衰えている人、体の弱い人）には不向きとされる。
柴胡桂枝湯	体力中等度またはやや虚弱で、多くは腹痛を伴い、ときに微熱・寒気・頭痛・吐き気などのあるものの胃腸炎、かぜの中期から後期の症状に適すとされる。

　小柴胡湯については、インターフェロンで治療を受けている人では、間質性肺炎の副作用が現れるおそれが高まるため、使用を避ける必要があります（p.378参照）。

重篤な副作用　肝機能障害、間質性肺炎。

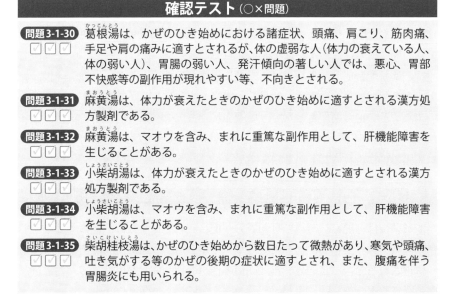

確認テスト（○×問題）

問題3-1-30　葛根湯は、かぜのひき始めにおける諸症状、頭痛、肩こり、筋肉痛、手足や肩の痛みに適すとされるが、体の虚弱な人（体力の衰えている人、体の弱い人）、胃腸の弱い人、発汗傾向の著しい人では、悪心、胃部不快感等の副作用が現れやすい等、不向きとされる。

問題3-1-31　麻黄湯は、体力が衰えたときのかぜのひき始めに適すとされる漢方処方製剤である。

問題3-1-32　麻黄湯は、マオウを含み、まれに重篤な副作用として、肝機能障害を生じることがある。

問題3-1-33　小柴胡湯は、体力が衰えたときのかぜのひき始めに適すとされる漢方処方製剤である。

問題3-1-34　小柴胡湯は、マオウを含み、まれに重篤な副作用として、肝機能障害を生じることがある。

問題3-1-35　柴胡桂枝湯は、かぜのひき始めから数日たって微熱があり、寒気や頭痛、吐き気がする等のかぜの後期の症状に適すとされ、また、腹痛を伴う胃腸炎にも用いられる。

● 解答は別冊p.12

3

主な医薬品とその作用

かぜ薬

(4)**小青竜湯**…カンゾウ、マオウ含む

　体力中等度またはやや虚弱で、うすい水様の痰を伴う咳や鼻水が出るものの気管支炎、気管支喘息、鼻炎、アレルギー性鼻炎、むくみ、感冒、花粉症に適すとされますが、体の虚弱な人（体力の衰えている人、体の弱い人）、胃腸の弱い人、発汗傾向の著しい人では、悪心、胃部不快感等の副作用が現れやすい等、不向きとされます。

> **重篤な副作用** 肝機能障害、間質性肺炎、偽アルドステロン症。

(5)**桂枝湯、香蘇散**…カンゾウ含む

　桂枝湯は、体力虚弱で、汗が出るもののかぜの初期。香蘇散は、体力虚弱で、神経過敏で気分がすぐれず胃腸の弱いもののかぜの初期、または血の道症。

(6)**その他、半夏厚朴湯、麦門冬湯**

　これらは、「3-2-1 鎮咳去痰薬」（p.140）で解説します。

4　かぜ薬の副作用

　かぜ薬の重篤な副作用は、配合されている解熱鎮痛成分（生薬成分を除く）によるものが多い。まれに、ショック（アナフィラキシー）、皮膚粘膜眼症候群、中毒性表皮壊死融解症、喘息、間質性肺炎が起きることがありますが、これらはかぜ薬（漢方処方成分、生薬成分のみから成る場合を除く）の使用上の注意では、配合成分によらず共通に記載されています。

　このほか配合成分によっては、まれに重篤な副作用として、肝機能障害、偽アルドステロン症、腎障害、無菌性髄膜炎を生じることがあります。

　また、その他の副作用として、皮膚症状（発疹・発赤、掻痒感）、消化器症状（悪心・嘔吐欲不振）、めまいのほか、配合成分によっては、眠気や口渇、便秘、排尿困難等が現れることがあります。

5　かぜ薬の相互作用

　かぜ薬には、通常、複数の有効成分が配合されているため、他のかぜ薬や解熱鎮痛薬、鎮咳去痰薬、鼻炎用薬、アレルギー用薬、鎮静薬、睡眠改善薬などが併用されると、同じ成分または同種の作用を持つ成分が重複して、効き目が強くなりすぎたり、副作用が起こりやすくなるおそれがあります。

　かぜに対する民間療法として、しばしば酒類（アルコール）を用いることが

ありますが、アルコールは医薬品の成分の吸収や代謝に影響を与えるため、肝機能障害等の副作用が起こりやすくなります。したがって、かぜ薬の服用期間中は、飲酒を控える必要があります。

6　かぜ薬と受診勧奨

　かぜ薬の使用は、発熱や頭痛・関節痛、くしゃみ、鼻汁・鼻閉（鼻づまり）、咽喉痛、咳、痰等の症状を緩和する対症療法です。一定期間または一定回数使用して症状の改善がみられない場合は、かぜとよく似た症状を呈する別の疾患や細菌感染の合併等が疑われるため、一般用医薬品で対処することは適当でない可能性があります。

　このような場合には、医薬品の販売等に従事する専門家は、購入者等に対して、漫然とかぜ薬の使用を継続せずに、購入者等に対して、医療機関を受診するよう促すべきです。

　特に、かぜ薬の使用後に症状が悪化した場合には、間質性肺炎やアスピリン喘息等、かぜ薬自体の副作用による症状が現れた可能性もあります。

　なお、高熱、黄色や緑色に濁った膿性の鼻汁・痰、喉（扁桃）の激しい痛みや腫れ、呼吸困難を伴う激しい咳といった症状がみられる場合は、一般用医薬品によって自己治療を図るのではなく、初めから医療機関での診療を受けることが望ましい。また、慢性の呼吸器疾患、心臓病、糖尿病等の基礎疾患がある人の場合も、基礎疾患の悪化や合併症の発症を避けるため、初めから医療機関を受診することが望ましい。

　小児のかぜでは、急性中耳炎を併発することがあります。また、症状が長引くような場合は、医療機関で診療を受けるなどの対応が必要です。また、2歳未満の乳幼児には、医師の診断を受けさせることを優先し、止むを得ない場合にのみ服用させることとされています。

確認テスト（○×問題）

問題3-1-36　小青竜湯は、マオウを含み、まれに重篤な副作用として、肝機能障害を生じることがある。

問題3-1-37　桂枝湯は、マオウを含み、まれに重篤な副作用として、肝機能障害を生じることがある。

☞ 解答は別冊p.13

3-1-2　解熱鎮痛薬

1　解熱鎮痛薬とは

　痛みは何らかの警告信号として、発熱は細菌感染等に対する生体の防御機能として、引き起こされる症状です。ただし、月経痛（生理痛）のように、必ずしも病気が原因でない痛みもあります。プロスタグランジンはホルモンに類似した物質で、病気や外傷のとき、その痛みの信号を増幅させます。解熱鎮痛薬は、その痛みや発熱の原因を治すものではなく、発熱や痛みを鎮めるため使用される医薬品の総称です。また、解熱に関しては、中枢神経系におけるプロスタグランジンの産生抑制作用のほか、腎臓における水分の再吸収を促して循環血流量を増し、発汗を促進する作用も寄与しています。

2　代表的な配合成分

（1）解熱鎮痛成分

①サリチル酸系解熱鎮痛成分

　アスピリン（別名アセチルサリチル酸）、サザピリン、サリチル酸ナトリウム、エテンザミド、サリチルアミド等を総称してサリチル酸系解熱鎮痛成分といいます。

　アスピリンは、ほかの解熱鎮痛成分に比べて胃腸障害が起こりやすいとされ、アスピリンアルミニウムとして胃粘膜への刺激を減弱させて、胃腸への影響の軽減を図っている製品もあります。なお、アスピリンは医療用医薬品では、血栓ができやすい人に対する血栓予防薬の成分としても用いられています。そうしたアスピリン製剤が処方されている場合には、一般用医薬品の解熱鎮痛薬を自己判断で使用することは避け、処方した医師または調剤を行った薬剤師に相談すべきです。

　エテンザミドは、痛みの発生を抑える働きが中心であるほかの解熱鎮痛成分に比べ、痛みの伝わりを抑える働きが優位であるとされており、そうした作用の違いによる効果を期待して、ほかの解熱鎮痛成分と組み合わせて配合されることが多くあります。たとえば、アセトアミノフェン、カフェイン、エテンザミドの組合せは、それぞれの頭文字から「ACE処方」と呼ばれます。

> **注意**
> ・ ライ症候群の発生との関連性が示唆されているため、アスピリン（アルミニウム塩を含む）、サザピリン、サリチル酸ナトリウムについては、一般用医薬品では、小児（15歳未満）に対してはいかなる場合も使用しないこと。
> ・ また、エテンザミド、サリチルアミドについては、15歳未満の小児で水痘（水疱瘡）またはインフルエンザにかかっているときは原則として使用を避ける必要がある。
> ・ アスピリン（アスピリンアルミニウムを含む）には、血液を凝固しにくくさせる作用があるため、胎児や出産への影響を考慮して、出産予定日12週間以内の使用を避ける。

確認テスト（○×問題）

問題3-1-38 アスピリン、サザピリンは、一般用医薬品では、小児に対しては、いかなる場合も使用しない。

問題3-1-39 アスピリンは、ほかの成分より胃腸障害が起こりやすい。また、血液を凝固させにくくさせる作用がある。

問題3-1-40 アスピリンは医療用医薬品として、血栓ができやすい人に対する血栓予防薬の成分としても用いられている。

問題3-1-41 アスピリンには血液を凝固しにくくさせる作用があるため、胎児や出産への影響を考慮して、出産予定日12週間以内の使用を避ける必要がある。

問題3-1-42 アスピリンは、ほかの解熱鎮痛成分に比べて胃腸障害が起きやすいとされ、アスピリンアルミニウムとして胃粘膜への刺激を減弱させる等して、胃腸への影響の軽減を図っている製品もある。

問題3-1-43 解熱鎮痛薬に用いられるアスピリンは、ライ症候群の発生との関連性が示唆されている。

問題3-1-44 アスピリン、カフェイン、エテンザミドの組合せは、それぞれの頭文字から「ACE処方」と呼ばれる。

問題3-1-45 エテンザミド、サリチルアミドは、一般用医薬品では、小児で水痘またはインフルエンザにかかっているときは使用を避ける必要がある。

問題3-1-46 エテンザミドは、中枢神経系の刺激反射を抑え、いわゆる「筋肉のこり」を和らげる。

問題3-1-47 エテンザミドは、痛みの発生を抑える働きが中心であるほかの解熱鎮痛成分に比べ、痛みの伝わりを抑える働きが優位であるとされており、そうした作用の違いによる効果を期待して、ほかの解熱鎮痛成分と組み合わせて配合されることが多い。

● 解答は別冊p.13

3
主な医薬品とその作用

解熱鎮痛薬

②アセトアミノフェン

　主として中枢性の作用によって解熱・鎮痛をもたらすため、末梢における抗炎症作用は期待できません。その分、胃腸障害は比較的少なく、空腹時に服用できる製品もありますが、食後の服用が推奨されています。

　内服薬のほか、小児の解熱に用いる製品として、アセトアミノフェンが配合された坐薬もあります。

> **注意** 解熱坐薬は、成分の重複を避けるために、ほかの解熱鎮痛薬やかぜ薬と併用しないよう配慮が必要。

> **重篤な副作用** 皮膚粘膜眼症候群、中毒性表皮壊死融解症、急性汎発性発疹性膿疱症、間質性肺炎、腎障害、肝機能障害（定められた用量を超えて使用した場合や、日頃からアルコールをよく摂取する人で起こしやすい）。

③イブプロフェン

　アスピリン等に比べて胃腸への影響が少ない上、抗炎症作用もあり、頭痛、咽頭痛、生理痛、腰痛等の製品が多くあります。一般用医薬品においては、15歳未満の小児に対しては、いかなる場合も使用してはいけません。

　体内でのプロスタグランジンの産生を抑制することで消化管粘膜の防御機能が低下するため、消化管に広く炎症を生じる疾患である胃・十二指腸潰瘍、潰瘍性大腸炎またはクローン病の既往歴がある人では、それら疾患の再発を招くおそれがあります。また、出産予定日12週間以内の妊婦については、服用しないこと。

> **注意** いかなる場合も小児（15歳未満）には使用しないこと。

④イソプロピルアンチピリン

　解熱や鎮痛の作用は比較的強く、一方抗炎症作用は弱く、ほかの解熱鎮痛成分と組み合わせて配合されます。現在は、イソプロピルアンチピリンが一般用医薬品で唯一のピリン系解熱鎮痛成分となっています。

　なお、医療用医薬品では、現在でもイソプロピルアンチピリン以外のピリン系解熱鎮痛成分も用いられており、ピリン系解熱鎮痛成分によって薬疹（ピリン疹と呼ばれる）等のアレルギー症状を起こしたことがある人は、使用を避ける必要があります。

> **注意** ピリン疹（販売時、過去にピリン系で薬疹があったかどうかの確認が必要）。

(2) 生薬成分

　生薬の解熱作用は、化学合成成分（プロスタグランジンの産生抑制）と異なり、アスピリン等を避けなければならない場合にも使用できます。

▼生薬成分

生薬	説明
ジリュウ	フトミミズ科の近縁動物の内部を除いたものを基原とする生薬。
シャクヤク	ボタン科のシャクヤクの根を基原とする生薬で、鎮痛鎮痙鎮静作用を示す。
ボウイ	ツヅラフジ科のオオツヅラフジの蔓性の茎および根茎を、通例、横切したものを基原とする生薬で、鎮痛、尿量増加（利尿）等の作用を期待して用いられる。

(3) 鎮静成分

　解熱鎮痛成分の鎮痛作用を助ける目的で、ブロモバレリル尿素、アリルイソプロピルアセチル尿素のような鎮静成分が配合されている場合があります。

確認テスト（○×問題）

問題3-1-48 アセトアミノフェンは、解熱・鎮痛・抗炎症作用を期待して配合している。

問題3-1-49 解熱鎮痛薬に用いられるアセトアミノフェンは、ライ症候群の発生との関連性が示唆されている。

問題3-1-50 アセトアミノフェンは、15歳未満の小児で水痘（水疱瘡）またはインフルエンザにかかっているときは使用を避ける必要がある。

問題3-1-51 アセトアミノフェンは、主として中枢性の作用によって解熱・鎮痛をもたらすと考えられる。定められた用量を超えて使用した場合や、日頃から酒類（アルコール）をよく摂取する人は、肝機能障害を起こしやすい。内服薬のほか、専ら小児の解熱に用いる製品として、アセトアミノフェンが配合された坐薬もある。

問題3-1-52 イブプロフェンは、プロスタグランジンの産生を抑える作用により発熱を鎮め、痛みを和らげることを目的として用いられる。

問題3-1-53 イブプロフェンはアスピリン等に比べて胃腸への影響が少なく、抗炎症作用も示すことから、頭痛、咽頭痛、月経痛（生理痛）、腰痛等に使用されることが多い。

問題3-1-54 イブプロフェンは、アスピリンに比べて胃腸への悪影響が少ないことから、一般用医薬品として、小児向けの製品もある。

問題3-1-55 アスピリン、サザピリン、イソプロピルアンチピリンを総称してピリン系解熱鎮痛成分という。

👉 解答は別冊p.13

(4) 制酸成分

解熱鎮痛成分（生薬成分を除く）による胃腸障害の軽減を目的として、ケイ酸アルミニウム、酸化マグネシウム、水酸化アルミニウムゲル、メタケイ酸アルミン酸マグネシウム等の制酸成分が配合されている場合があります。

(5) 骨格筋の緊張を鎮める成分

メトカルバモールには、骨格筋の緊張をもたらす脊髄反射を抑制する作用があり、「筋肉のこり」を和らげることを目的として、解熱鎮痛薬に配合されることがあります。

(6) カフェイン類

解熱鎮痛成分の鎮痛作用を増強する効果を期待して、また、中枢神経系を刺激して頭をすっきりさせたり、疲労感・倦怠感を和らげることなどを目的として、カフェイン、無水カフェイン、安息香酸ナトリウムカフェイン等が配合されている場合があります。

(7) ビタミン成分

発熱等によって消耗されやすいビタミンの補給を目的として、ビタミンB_1（チアミン塩化物塩酸塩、チアミン硝化物、ジベンゾイルチアミン、チアミンジスルフィド、ビスベンチアミン、ジセチアミン塩酸塩等）、ビタミンB_2（リボフラビン、リボフラビンリン酸エステルナトリウム等）、ビタミンC（アスコルビン酸、アスコルビン酸カルシウム等）等が配合されている場合があります。

3　鎮痛を目的とする漢方処方製剤

(1) 芍薬甘草湯…カンゾウ含む

体力に関わらず使用でき、筋肉の急激な痙攣を伴う痛みのあるもののこむら返り、筋肉の痙攣、腹痛、腰痛に適すとされます。ただし、症状があるときのみの服用にとどめ、連用は避けます。まれに重篤な副作用として、肝機能障害のほか、間質性肺炎、うっ血性心不全や心室頻拍を生じることが知られており、心臓病の診断を受けた人では使用を避ける必要があります。

(2) 桂枝加朮附湯、桂枝加苓朮附湯…カンゾウ含む

桂枝加朮附湯は、体力虚弱で、汗が出、手足が冷えてこわばり、ときに尿量が少ないものの関節痛、神経痛に、桂枝加苓朮附湯は体力虚弱で、手足が冷えてこわばり、尿量が少なく、ときに動悸、めまい、筋肉のぴくつきがあるものの関節痛、神経痛に適すとされます。どちらも動悸、のぼせ、ほてり等の副作用が現れやすい等の理由で、のぼせが強く赤ら顔で体力が充実している人には

不向きとされます。

(3) 薏苡仁湯、麻杏薏甘湯…マオウ、カンゾウ含む

薏苡仁湯は、体力中等度で関節や筋肉のはれや痛みがあるものの関節痛、筋肉痛、神経痛に適すとされ、麻杏薏甘湯は体力中等度なものの、関節痛、神経痛、筋肉痛、いぼ、手足のあれ（手足の湿疹・皮膚炎）に適すとされますが、どちらも悪心・嘔吐、胃部不快感等の副作用が現れやすい等の理由で、体の虚弱な人（体力の衰えている人、体の弱い人）、胃腸の弱い人、発汗傾向の著しい人には不向きとされます。

(4) 疎経活血湯…カンゾウ含む

体力中等度で痛みがあり、ときにしびれがあるものの関節痛、神経痛、腰痛、筋肉痛に適すとされますが、消化器系の副作用（食欲不振、胃部不快感等）が現れやすい等の理由で、胃腸が弱く下痢しやすい人には不向きとされます。

(5) 当帰四逆加呉茱萸生姜湯…カンゾウ含む

体力中等度以下で、手足の冷えを感じ、下肢の冷えが強く、下肢または下腹部が痛くなりやすいものの冷え性，しもやけ、頭痛、下腹部痛、腰痛、下痢、月経痛に適すとされますが、胃腸の弱い人には不向きとされます。

(6) 釣藤散…カンゾウ含む

体力中等度で、慢性に経過する頭痛、めまい、肩こりなどがあるものの慢性頭痛、神経症、高血圧の傾向のあるものに適すとされますが、消化器系の副作用（食欲不振、胃部不快感等）が現れやすい等の理由で、胃腸虚弱で冷え症の人には不向きとされます。

(7) 呉茱萸湯

体力中等度以下で手足が冷えて肩がこり、ときにみぞおちが膨満するものの頭痛、頭痛に伴う吐き気・嘔吐、しゃっくりに適すとされます。

確認テスト（○×問題）

問題3-1-56 芍薬甘草湯は、体力に関わらず、筋肉の急激な痙攣を伴う痛みのあるもののこむらがえり、筋肉の痙攣、腹痛、腰痛に適する。

問題3-1-57 釣藤散は、体力中等度で、慢性に経過する頭痛、めまい、肩こりなどがあるものの慢性頭痛、神経症、高血圧の傾向のあるものに適する。

☞ 解答は別冊p.13

④　解熱鎮痛薬の相互作用

　一般の生活者は、「痛み止め」と「熱さまし」は影響し合わないと誤認している場合もあり、登録販売者は、適宜注意を促すことが重要です。解熱鎮痛成分とアルコールとの相互作用については、アルコールの作用による胃粘膜の荒れがアスピリン、アセトアミノフェン、イブプロフェン、イソプロピルアンチピリン等による胃腸障害を増強するという事実が報告されています。また、アルコールにより、アセトアミノフェンによる肝機能障害も起こりやすくなるため、相互作用を充分認識した上で、販売時の適切な対応が必要です。

⑤　解熱鎮痛薬と受診勧奨

　解熱鎮痛薬の使用は、発熱や痛みを一時的に抑える対症療法であって、疾病の原因を根本的に解消するものではありません。以下のような場合は、一般用医薬品によって自己治療を図るのではなく、医療機関を受診するなどの対応が必要です。

- 発熱している患者で、激しい腹痛や下痢などの消化器症状、息苦しいなどの呼吸器症状、排尿時の不快感等の泌尿器症状、または発疹や痒みなどの皮膚症状等を伴っている場合
- 発熱が1週間以上続いているような場合

　このような場合には、かぜ以外の感染症やその他の重大な病気が原因となっている可能性があります。自己判断で安易に熱を下げることは、発熱の原因である病気の診断を困難にさせ、悪化させるおそれがあります。なお、通常、体温が38℃以下であればひきつけや著しい体力消耗等のおそれはなく、平熱になるまで解熱鎮痛薬を用いる必要はありません。ただ、発汗に伴って体から水分や電解質が失われるので、吸収のよいスポーツドリンク等で補給することが重要です。

　関節痛については、歩くときや歩いたあとに膝関節が痛む場合、関節が腫れて強い熱感があるという場合、または、起床したときに関節にこわばりがあるような場合は、関節リウマチ、痛風、変形性関節炎等の可能性が考えられます。

　月経痛（生理痛）については、年月の経過に伴って次第に増悪していくような場合には、子宮内膜症等の可能性が考えられます。

　頭痛については、頭痛が頻繁に出現して24時間以上続く場合や、一般用医薬品を使用しても痛みを抑えられない場合は、自己治療で対処できる範囲を超えていると判断されます。特に、頭痛の頻度と程度が次第に増してきて耐え難くなった場合や、これまで経験したことがないような突然の激しい頭痛、手足のしびれや意識障害などの精神神経系の異常を伴う頭痛が現れたときには、くも膜下出血等の生命に関わる重大な病気である可能性が疑われます。

　また、解熱鎮痛薬を使用したときは症状が治まるものの、しばらくすると頭痛が再発し、解熱鎮痛薬が常時手放せないような場合には、薬物依存が形成されている可能性も考えられます。登録販売者は、家族や周囲の人の理解や協力も含め、医薬品の適正使用、安全使用に配慮することが重要です。

確認テスト

問題3-1-58　☑ ☑ ☑

　鎮痛の目的で用いられる漢方処方製剤に関する次の記述のうち、正しいものの組合せはどれか。　　　　　　（平成28年　東京、埼玉、千葉、神奈川）

a　芍薬甘草湯は、体力に関わらず、筋肉の急激な痙攣を伴う痛みのあるもののこむらがえり、筋肉の痙攣、腹痛、腰痛に適すとされ、構成生薬としてカンゾウを含む。

b　呉茱萸湯は、体力虚弱で、汗が出、手足が冷えてこわばり、ときに尿量が少ないものの関節痛、神経痛に適すとされ、構成生薬としてカンゾウを含む。

c　疎経活血湯は、体力中等度以下で、手足の冷えを感じ、下肢の冷えが強く、下肢又は下腹部が痛くなりやすいものの冷え症、腰痛、下腹部痛、頭痛、しもやけ、下痢、月経痛に適すとされ、構成生薬としてカンゾウを含まない。

d　薏苡仁湯は、体力中等度なものの関節や筋肉のはれや痛みがあるものの関節痛、筋肉痛、神経痛に適すとされ、構成生薬としてカンゾウとマオウを含む。

1 (a、b)　　　2 (a、d)　　　3 (b、c)　　　4 (b、d)　　　5 (c、d)

 解答は別冊p.14

3-1-3 眠気を促す薬（催眠鎮静薬）

1 代表的な配合成分

(1) 抗ヒスタミン成分（ジフェンヒドラミン塩酸塩）

　抗ヒスタミン成分を主薬とする催眠鎮静薬は、医療機関において不眠症の治療のため処方される睡眠薬と区別するため、一般用医薬品では、睡眠改善薬または睡眠補助薬と呼ばれます。

　睡眠改善薬は、妊婦または妊娠していると思われる女性は服用しないこととされています。妊娠中に起こる睡眠障害については、ホルモンのバランスや体型の変化等によるものであり、睡眠改善薬の適用対象となる症状ではありません。

　小児および若年者では、抗ヒスタミン成分により眠気とは反対の神経過敏や中枢興奮などが現れることがあります。特に15歳未満の小児ではそうした副作用が起きやすいため、抗ヒスタミン成分を含有する睡眠改善薬の使用は避けるべきです。

(2) ブロモバレリル尿素、アリルイソプロピルアセチル尿素

　いずれも脳の興奮を抑え、痛み等を感じる感覚を鈍くする作用があります。少量でも眠気を催しやすいため、これら成分を服用した後は、乗物または機械類の運転操作を避ける必要があります。また、反復して摂取すると依存を生じることが知られており、本来の目的から逸脱した使用（乱用）がなされることがあります。

　なお、ブロモバレリル尿素は、胎児障害の可能性があるため、妊婦または妊娠している可能性のある人は使用を避けることが望ましいとされています。

> **注意** 依存性あり。目的外の使用に注意。

(3) 生薬成分

　神経の興奮・緊張を和らげる作用がある生薬成分として、チョウトウコウ、サンソウニン、カノコソウ、チャボトケイソウ、ホップ等の生薬成分が複数配合されている製品があります。生薬成分のみであっても、複数の鎮静薬の併用や、長期連用は避けるべきです。

▼眠気を促す薬に配合される生薬

生薬	説明
チョウトウコウ	アカネ科のカギカズラ、*Uncaria sinensis* Havilandまたは*Uncaria macrophylla* Wallichの通例とげを基原とする生薬
サンソウニン	クロウメモドキ科のサネブトナツメの種子を基原とする生薬
カノコソウ（別名キッソウコン）	オミナエシ科のカノコソウの根茎および根を基原とする生薬
チャボトケイソウ（別名パッシフローラ）	南米原産のトケイソウ科の植物で、その開花期における茎および葉
ホップ	ヨーロッパ南部から西アジアを原産とするアサ科のホップ*Humulus lupulus* L.の成熟した球果状の果穂

確認テスト（○×問題）

問題3-1-59 脳内のヒスタミンによる刺激の発生が抑えられると眠気が促される。ジフェンヒドラミン塩酸塩は抗ヒスタミン成分の中でも特にそうした中枢作用が強いとされる。
☑ ☑ ☑

問題3-1-60 主たる有効成分としてジフェンヒドラミン塩酸塩が配合されている睡眠改善薬は、一時的な睡眠障害ではなく、慢性的に不眠症状がある人を対象とする。
☑ ☑ ☑

問題3-1-61 妊娠中にしばしば生ずる睡眠障害については、ホルモンのバランスや体形の変化等によるものであり、睡眠改善薬の適用対象ではない。
☑ ☑ ☑

問題3-1-62 主たる有効成分としてジフェンヒドラミン塩酸塩が配合されている睡眠改善薬は、乳汁に移行しないため、母乳を与える女性でも使用できる。
☑ ☑ ☑

問題3-1-63 主たる有効成分としてジフェンヒドラミン塩酸塩が配合されている睡眠改善薬は、効き目には影響しないので、服用時にアルコールを摂取しても構わない。
☑ ☑ ☑

問題3-1-64 ブロモバレリル尿素には胎児障害の可能性があるため、妊婦または妊娠していると思われる女性は使用を避けることが望ましい。
☑ ☑ ☑

問題3-1-65 アリルイソプロピルアセチル尿素は、脳の興奮を抑える作用を持つ。
☑ ☑ ☑

問題3-1-66 神経の興奮・緊張を和らげる作用を期待してチョウトウコウ、サンソウニン等の生薬成分を組み合わせて配合されている製品があり、これらの生薬成分のみからなる鎮静薬は、通常、長期連用する必要がある場合に用いられる。
☑ ☑ ☑

☞ 解答は別冊p.14

3

主な医薬品とその作用

眠気を促す薬

2　不安・不眠の改善を目的とした漢方処方製剤

(1) 酸棗仁湯…カンゾウ含む

　体力中等度以下で、心身が疲れ、精神不安、不眠などがあるものの不眠症、神経症に適すとされますが、胃腸が弱い人、下痢または下痢傾向のある人では、消化器系の副作用（悪心、食欲不振、胃部不快感等）が現れやすい等、不向きとされます。

　1週間位服用して症状の改善がみられない場合には、漫然と服用を継続せず、医療機関を受診するなどの対応が必要です。

(2) 加味帰脾湯…カンゾウ含む

　体力中等度以下で、心身が疲れ、血色が悪く、ときに熱感を伴うものの貧血、不眠症、精神不安、神経症に適すとされます。

(3) 抑肝散、抑肝散加陳皮半夏…カンゾウ含む

　抑肝散は、体力中等度を目安として、神経が高ぶり、怒りやすい、イライラなどがあるものの神経症、不眠症、小児夜泣き、小児疳症（神経過敏）、歯ぎしり、更年期障害、血の道症に適すとされます。心不全を引き起こす可能性があるため、動くと息が苦しい、疲れやすい、足がむくむ、急に体重が増えた場合は直ちに医師の診療を受けるべきです。

　抑肝散加陳皮半夏は、体力中等度を目安としてやや消化器が弱く、神経が高ぶり、怒りやすい、イライラなどがあるものの神経症、不眠症、小児夜泣き、小児疳症（神経過敏）、更年期障害、血の道症、歯ぎしりに適すとされます。

(4) 柴胡加竜骨牡蛎湯

　体力中等度以上で、精神不安があって、動悸、不眠、便秘などを伴う高血圧の随伴症状（動悸、不安、不眠）、神経症、更年期神経症、小児夜泣き、便秘に適すとされますが、体の虚弱な人（体力の衰えている人、体の弱い人）、胃腸が弱く下痢しやすい人、瀉下薬（下剤）を服用している人では、腹痛、激しい腹痛を伴う下痢の副作用が現れやすい等、不向きとされています。構成生薬として瀉下成分のダイオウを含みます（ただし、ツムラ製品にはダイオウが入っていません：筆者調べ）。

重篤な副作用　肝機能障害、間質性肺炎。

> **参考** 柴胡加竜骨牡蛎湯の成分
>
> 柴胡加竜骨牡蛎湯エキス粉末M（クラシエ）3包中
> （サイコ2.5g、ハンゲ2.0g、ブクリョウ・ケイヒ各1.5g、オウゴン・タイ
> ソウ・ニンジン・リュウコツ・ボレイ各1.25g、ダイオウ0.5g、ショウキョ
> ウ0.4gより抽出）
>
> ツムラ漢方柴胡加竜骨牡蛎湯エキス顆粒2包中
> （サイコ2.5g、ハンゲ2.0g、ブクリョウ・ケイヒ各1.5g、オウゴン・タイ
> ソウ・ニンジン・リュウコツ・ボレイ各1.25g、ショウキョウ0.5gより抽出）

（5）桂枝加竜骨牡蛎湯…カンゾウ含む

　体力中等度以下で疲れやすく、神経過敏で興奮しやすいものの神経質、不眠症、小児夜泣き、夜尿症、眼精疲労、神経症に適すとされます。

確認テスト（○×問題）

問題3-1-67
☑ ☑ ☑
酸棗仁湯は、体力中等度以下で、心身が疲れ、精神不安、不眠などがあるものの不眠症、神経症に適すとされるが、胃腸が弱い人、下痢又は下痢傾向のある人では、消化器系の副作用が現れやすい等、不向きとされる。

問題3-1-68
☑ ☑ ☑
一般用医薬品の酸棗仁湯は、症状の原因となる体質の改善を主眼としているため、症状の改善がみられなくても1か月継続して服用する必要がある。

問題3-1-69
☑ ☑ ☑
加味帰脾湯は、神経がたかぶり、怒りやすい、イライラなどがあるものの神経症、不眠症、小児夜なき、小児疳症、歯ぎしり、更年期障害、血の道症に適すとされる。

問題3-1-70
☑ ☑ ☑
抑肝散加陳皮半夏は、体力中等度を目安としてやや消化器が弱いものに幅広く用いることができる。神経がたかぶり、怒りやすい、イライラなどがあるものの神経症、不眠症、小児夜なき、小児疳症（神経過敏）、更年期障害、血の道症、歯ぎしりに適すとされる。

問題3-1-71
☑ ☑ ☑
柴胡加竜骨牡蛎湯は、体力中等度以下で、心身が疲れ、血色が悪く、ときに熱感を伴うものの貧血、不眠症、精神不安、神経症に適すとされる。

👉 解答は別冊p.14

③ 催眠鎮静薬の相互作用

　ジフェンヒドラミン塩酸塩、ブロモバレリル尿素、アリルイソプロピルアセチル尿素は、催眠鎮静薬以外の一般用医薬品や医療用医薬品にも配合されていることがあるので相互作用に要注意です。また、医療機関で不眠症治療等を受けている患者が、一般用医薬品の催眠鎮静薬を自己判断で使用すると、医師による治療を妨げるおそれがあるため、使用を避ける必要があります。

　アルコールとの相互作用ですが、飲酒とともにジフェンヒドラミン塩酸塩、ブロモバレリル尿素またはアリルイソプロピルアセチル尿素を含む催眠鎮静薬を服用すると、その薬効や副作用が増強されるおそれがあるため、服用時には飲酒を避ける必要があります。

　カノコソウ、サンソウニン、チャボトケイソウ、ホップ等を含む製品は、効能効果が標榜または暗示されていなければ食品（ハーブ）として流通可能ですが、それら成分または他の鎮静作用があるとされるハーブ（セントジョーンズワート等）を含む食品を併せて摂取すると、医薬品の薬効が増強、減弱したり、副作用のリスクが高まったりすることがあります。

④ 催眠鎮静薬と受診勧奨

　基本的に、不眠に対して一般用医薬品で対処が可能なのは、特段の基礎疾患がない人における、ストレス、疲労、時差ぼけ等の睡眠リズムの乱れが原因の一時的な不眠や寝つきが悪い場合です。

　寝ようとして床に入ってもなかなか寝つけない（入眠障害）、睡眠時間を十分取ったつもりでもぐっすり眠った感じがしない（熟眠障害）、睡眠時間中に何度も目が覚めてしまい再び寝つくのが難しい（中途覚醒）、まだ眠りたいのに早く目が覚めてしまって寝つけない（早朝覚醒）等の症状が慢性的に続いている場合は、うつ病等の精神神経疾患や、何らかの身体疾患に起因する不眠、または催眠鎮静薬の使いすぎによる不眠等の可能性も考えられるため、医療機関を受診させるなどの対応が必要です。

　なお、ブロモバレリル尿素等の鎮静成分を大量摂取したときの応急処置は、高度な専門的判断を必要とします。関係機関の専門家に相談する、昏睡や呼吸抑制が起きているようであれば直ちに救命救急が可能な医療機関に連れて行く等の対応を取ることができるよう、十分な説明が必要です。

　また、ブロモバレリル尿素等の反復摂取によって薬物依存の状態になっている場合は、自己の努力のみで依存からの離脱を図ることは困難であり、医療機関での診療が必要です。

参考　ブロモバレリル尿素を含む一般用医薬品（配置用を除く）

　PMDAの一般用医薬品添付文書検索より抽出して、筆者がまとめたものです（令和4年6月現在）。催眠鎮静薬としてブロモバレリル尿素が配合された一般用医薬品は、奥田脳神経薬のみですが、解熱鎮痛薬の中にブロモバレリル尿素が配合されたものが多くあります。

薬品名（50音順）	分量	区分	効能効果	製造
奥田脳神経薬	600mg	指定2類	催眠鎮静薬	奥田製薬
コンジスイとんぷく	*180mg	指定2類	解熱鎮痛薬	丹平製薬
サブロン顆粒	600mg	指定2類	解熱鎮痛薬	日本薬品
サリドンエース	200mg	指定2類	解熱鎮痛薬	第一三共ヘルスケア
三愛鎮痛散	600mg	指定2類	解熱鎮痛薬	廣昌堂
サンプンラク	400mg	指定2類	解熱鎮痛薬	赤玉堂
歯痛頓用リスト	*200mg	指定2類	解熱鎮痛薬	松田薬品工業
新スッキリA錠	600mg	指定2類	解熱鎮痛薬	寧薬化学工業
新トアノージZ	210mg	指定2類	解熱鎮痛薬	北日本製薬
新ノーカイN	600mg	指定2類	解熱鎮痛薬	新新薬品工業
新ノーソ	200mg	指定2類	解熱鎮痛薬	明治薬品
新リングル	600mg	指定2類	解熱鎮痛薬	佐藤製薬
大正トンプク	*200mg	指定2類	解熱鎮痛薬	大正製薬
テラポニン頭痛薬プレミアム	200mg	指定2類	解熱鎮痛薬	小林薬品工業
トリブラサイム	*150mg	指定2類	鎮うん薬	大木製薬
ナロンエースR	*200mg	指定2類	解熱鎮痛薬	大正製薬
ナロンエースプラス	*200mg	指定2類	解熱鎮痛薬	大正製薬
ナロンエースT	*200mg	指定2類	解熱鎮痛薬	大正製薬
ナロン顆粒	*200mg	指定2類	解熱鎮痛薬	大正製薬
ナロン錠	*200mg	指定2類	解熱鎮痛薬	大正製薬
ニューニクロン錠F	600mg	指定2類	解熱鎮痛薬	寧薬化学工業
ヒラミン	600mg	指定2類	解熱鎮痛薬	松田薬品工業
ヘデクカプセル	200mg	指定2類	解熱鎮痛薬	平坂製薬
ヘデクパウダー	200mg	指定2類	解熱鎮痛薬	平坂製薬
メディペインACE	400mg	指定2類	解熱鎮痛薬	小林薬品工業
ユニー錠	400mg	指定2類	解熱鎮痛薬	小林薬品工業
ユニペインプレミアム	200mg	指定2類	解熱鎮痛薬	小林薬品工業
ワンツー	400mg	指定2類	解熱鎮痛薬	寧薬化学工業

　分量は、ブロモバレリル尿素の配合量で、*は1回量、その他は1日量です。

3-1-4　眠気を防ぐ薬

① カフェインの働きと主な副作用

眠気防止薬は、その主たる有効成分としてカフェイン（無水カフェイン、安息香酸ナトリウムカフェイン等を含む）が配合され、眠気や倦怠感を除去する目的で使用される一般用医薬品です。

カフェインは、脳に軽い興奮状態を起こして眠気や倦怠感を一時的に抑える働きがあります。脳が過剰に興奮すると、副作用として振戦（震え）、めまい、不安、不眠、頭痛を生じることがあります。

カフェインの眠気防止に関連しない作用として、腎臓におけるナトリウムイオン（同時に水分）の再吸収抑制があり、尿量の増加（利尿）をもたらします。

その他留意すべき作用としては、胃液分泌亢進作用があり、副作用として胃腸障害（食欲不振、悪心・嘔吐）が起こることがあります。胃酸過多の症状のある人、胃潰瘍の診断を受けた人は、服用を避ける必要があります。

また、心筋を興奮させる作用もあり、副作用として動悸を生じることがあります。心臓病の診断を受けた人は、服用を避ける必要があります。

コーヒーやお茶などの食品として摂取する場合に比べて、医薬品では、カフェインが凝縮された状態で容易に摂取可能であることから、「短期間の服用にとどめ、連用しないこと」と注意喚起がされています。

カフェインは、血液－胎盤関門を通過して胎児に到達することが知られており、胎児の心拍数を増加させる可能性があります。また、摂取されたカフェインの一部は乳汁中にも移行しますが、乳児では肝臓が未発達で、摂取されたカフェインが代謝されるのにより多くの時間が必要なため、母乳を与える女性がカフェインを大量に摂取したり、連用した場合には、乳児の体内にカフェインの蓄積を生じ、頻脈、不眠等を引き起こす可能性があります。

眠気防止薬におけるカフェインの1回摂取量はカフェインとして200mg、1日摂取量ではカフェインとして500mgが上限とされています。

カフェインの血中濃度が最高血中濃度の半分に低減するのに要する時間は、通常の成人が約3.5時間であるのに対し、乳児では約80時間にもなるため、副作用が現れやすくなります。また、成長期には睡眠が重要なので、小児用の眠

気防止薬はありません。

▼100g中に含まれるお茶・コーヒー中のカフェイン量
（五訂増補・日本食品成分表より）

品名	カフェイン量
玉露	160mg
煎茶	20mg
番茶	10mg
ウーロン茶	20mg
紅茶	30mg
コーヒー	60mg

確認テスト (○×問題)

問題3-1-72 無水カフェインは、反復して摂取しても習慣になりにくい。
☑☑☑

問題3-1-73 カフェインを有効成分とする眠気防止薬は、副作用として胃腸障害（食
☑☑☑ 欲不振、悪心・嘔吐）が現れることがある。

問題3-1-74 カフェインを有効成分とする眠気防止薬は、「短期間の服用にとどめ、
☑☑☑ 連用しないこと」と注意喚起がなされている。

問題3-1-75 カフェインを有効成分とする眠気防止薬は、眠気防止薬の薬効に関連
☑☑☑ しない作用として、尿量の減少をもたらす。

問題3-1-76 カフェインを有効成分とする眠気防止薬は、小児向けの製品も販売さ
☑☑☑ れている。

問題3-1-77 妊娠中にカフェインを含有する医薬品を使用すると、胎児の心拍数が
☑☑☑ 低下するため、注意が必要である。

問題3-1-78 安全使用の観点からカフェインの留意すべき作用としては、胃液分泌
☑☑☑ 亢進作用があり、副作用として胃腸障害（食欲不振、悪心、嘔吐）が現
れることがある。

問題3-1-79 眠気防止薬におけるカフェインの1回摂取量はカフェインとして
☑☑☑ 200mg、1日摂取量は500mgが上限とされている。

問題3-1-80 母乳を与える女性が服用しても、摂取されたカフェインは乳汁中に移
☑☑☑ 行しない。

問題3-1-81 カフェインの血中濃度が最高血中濃度の半分に低減するのに要する時
☑☑☑ 間は、通常の成人が約80時間であるのに対し、乳児では約3.5時間で
ある。

👉 **解答は別冊p.14**

3-1-5 鎮暈薬（乗物酔い防止薬）

1 代表的な配合成分

（1）抗めまい成分

成分：ジフェニドール塩酸塩

作用：内耳の前庭神経の調節、内耳への血流の改善をします。

構造：抗ヒスタミン成分と共通する化学構造や薬理作用を持っています。

> **副作用** 頭痛、排尿困難、眠気、まぶしさ、口渇。緑内障の悪化。

（2）抗ヒスタミン成分

抗ヒスタミン成分は、延髄にある嘔吐中枢への刺激や内耳の前庭における自律神経反射を抑える作用を示します。

- ジメンヒドリナート（ジフェンヒドラミンテオクル酸塩）…乗り物酔い
- メクリジン塩酸塩…乗り物酔い（持続時間が長い）
- プロメタジン塩酸塩…乗り物酔い（15歳未満は使用を避ける）

（3）抗コリン成分

成分：スコポラミン臭化水素酸塩水和物

作用：消化管の緊張を低下させて吐き気を抑え、また、自律神経系の混乱を軽減させます。

生薬：スコポラミンを含むロートエキスが配合されている場合もあります。

代謝：肝臓で速やかに代謝されてしまうため、抗ヒスタミン成分と比べて作用の持続時間は短い。

> **副作用** 散瞳による目のかすみや異常なまぶしさ、顔のほてり、頭痛、眠気、口渇、便秘、排尿困難。

（4）鎮静成分

乗物酔いの発現には心理的な要因による影響も大きく、ブロモバレリル尿素、アリルイソプロピルアセチル尿素のような鎮静成分が配合されている場合があります。

（5）キサンチン系成分

脳に軽い興奮を起こさせて平衡感覚の混乱によるめまいを軽減させることを

目的として、カフェイン（無水カフェイン、クエン酸カフェイン等を含む）やジプロフィリンなどのキサンチン系と呼ばれる成分が配合されている場合があります。

（6）局所麻酔成分

アミノ安息香酸エチルは、胃粘膜への麻酔作用によって嘔吐刺激を和らげ、乗物酔いに伴う吐き気を抑える効果を目的として、局所麻酔成分が配合される場合があります。

> **注意**　乳幼児ではメトヘモグロビン血症を起こすおそれがあるため、アミノ安息香酸エチルが配合されている医薬品は、**6歳未満の小児への使用は避けること。**

確認テスト（○×問題）

問題3-1-82　ジフェニドール塩酸塩は内耳にある前庭神経の調節作用のほか、内耳への血流を改善する作用を示し、抗ヒスタミン成分としてよりも専ら抗めまい成分として使用される。

問題3-1-83　鎮暈薬に用いられるジフェニドール塩酸塩は、排尿困難の症状がある人ではその症状を悪化させるおそれがある。

問題3-1-84　ジフェニドール塩酸塩は、乗り物酔いの発現に影響する不安や緊張を和らげる。

問題3-1-85　ジメンヒドリナートは、ジフェンヒドラミンテオクル酸塩の一般名で、専ら乗物酔い防止薬に配合される抗コリン成分である。

問題3-1-86　鎮暈薬（乗物酔い防止薬）に用いられるジメンヒドリナートは、胃粘膜への麻酔作用によって嘔吐刺激を和らげる。

問題3-1-87　スコポラミン臭化水素酸塩水和物は、中枢に作用して自律神経系の混乱を軽減させ、末梢では消化管の緊張を低下させることを目的として用いられる。

問題3-1-88　スコポラミン臭化水素酸塩水和物は、肝臓での代謝が速く、抗ヒスタミン成分と比べ持続時間は短い。

問題3-1-89　スコポラミン臭化水素酸塩水和物は、鎮暈薬に配合される主な成分で、外国において、乳児突然死症候群や乳児睡眠時無呼吸発作のような致命的な呼吸抑制を生じたとの報告があるため、小児では使用を避ける必要がある。

問題3-1-90　鎮暈薬（乗物酔い防止薬）に用いられるアミノ安息香酸エチルは、乗物酔いの要因となる不安や緊張などの心理的な影響を和らげる。

☞ 解答は別冊 p.15

3

主な医薬品とその作用

鎮暈薬

3-1-6 小児の疳を適応症とする生薬製剤・漢方処方製剤（小児鎮静薬）

1 小児鎮静薬とは

　小児鎮静薬は、夜泣き、乳吐きなどの症状を鎮めるほか、虚弱体質、消化不良などの改善を目的とする医薬品です。症状の原因となる体質の改善を主眼としているものが多く、比較的長期間（1か月位）継続して服用されることがあります。なお、身体的な問題がなく生じる夜泣き、ひきつけ、疳の虫等の症状については、成長に伴って自然に治まるのが通常です。発達段階の一時的な症状と保護者が達観することも重要で、小児鎮静薬を保護者側の安眠等を図ることを優先して使用することは適当ではありません。

2 代表的な配合成分

（1）ゴオウ、ジャコウ

　緊張や興奮を鎮め、血液の循環を促す作用等を期待して用いられます。

（2）レイヨウカク

　ウシ科のサイカレイヨウ（高鼻レイヨウ）等の角を基原とする生薬で、緊張や興奮を鎮める作用等を期待して用いられます。

（3）ジンコウ

　ジンチョウゲ科のジンコウ、その他同属植物の材、特にその辺材の材質中に黒色の樹脂が沈着した部分を採取したものを基原とする生薬で、鎮静、健胃、強壮などの作用を期待して用いられます。

（4）その他

　リュウノウ（ボルネオールを含む）、動物胆（ユウタンを含む）、チョウジ、サフラン、ニンジン、カンゾウ等が配合されている場合もあります。

　カンゾウについては、小児の疳を適応症とする生薬製剤では主として健胃作用を期待して用いられ、配合量は比較的少ないことが多いのですが、他の医薬品等から摂取されるグリチルリチン酸も含め、その総量が継続して多くならないよう注意が必要です。

③ 漢方処方製剤

　漢方処方製剤は、用法用量において適用年齢の下限が設けられていない場合にあっても、生後3か月未満の乳児には使用しないこととなっています。

　小児の疳を適応症とする主な漢方処方製剤としては、柴胡加竜骨牡蛎湯、桂枝加竜骨牡蛎湯、抑肝散、抑肝散加陳皮半夏のほか、小建中湯があります。

　なお、これらはカンゾウを含んでおり、乳幼児に使用する場合、体重当たりのグリチルリチン酸の摂取量が多くなることがあるので注意が必要です。

・小建中湯（組成：芍薬・桂皮・大棗・生姜・甘草）

　体力虚弱で疲労しやすく腹痛があり、血色がすぐれず、ときに動悸、手足のほてり、冷え、寝汗、鼻血、頻尿および多尿などを伴うものの小児虚弱体質、疲労倦怠、慢性胃腸炎、腹痛、神経質、小児夜尿症、夜泣きに適すとされます。

④ 受診勧奨

　乳幼児は状態が急変しやすく、容態が変化した場合に、自分の体調を適切に伝えることが難しいため、保護者等が状態をよく観察し、医薬品の使用の可否を見極めることが重要です。

　小児鎮静薬を一定期間または一定回数服用させても症状の改善がみられない場合は、その他の原因（たとえば、食事アレルギーやウイルス性胃腸炎など）に起因する可能性も考えられるので、漫然と 使用を継続せず医療機関を受診させるなどの対応が必要です。

▼宇津救命丸の添付文書（参考）

成分・分量

1日量（60粒）中

成　　　分		分　　量
ジャコウ　（麝香）	雄麝香鹿の腺分泌物	1.0mg
ゴオウ　（牛黄）	牛の胆嚢結石	9.0mg
レイヨウカク（羚羊角）	羚羊の頭角	30.0mg
ギュウタン　（牛胆）	牛の胆汁末	12.0mg
ニンジン　（人参）	オタネニンジンの根	110.0mg
オウレン　（黄連）	黄連の根茎	60.0mg
カンゾウ　（甘草）	甘草の根茎	60.0mg
チョウジ　（丁子）	丁子の花蕾	9.0mg

添加物として寒梅粉、白糖、銀箔、香料を含有します。

出典：宇津救命丸株式会社「宇津救命丸＜銀粒＞添付文書」

3-2 呼吸器官に作用する薬

3-2-1 鎮咳去痰薬
（ちんがいきょたんやく）

1 鎮咳去痰薬とは

　気道に吸い込まれた埃や塵などの異物が気道粘膜の線毛運動によって排出されないとき、飲食物等が誤って気管に入ってしまったとき、または、冷たい空気や刺激性のある蒸気などを吸い込んだときなど、それらを排除しようとして反射的に咳が出ます。このように咳は、気管や気管支に何らかの異変が起こったときに、その刺激が中枢神経系に伝わり、延髄にある咳嗽中枢の働きによって引き起こされる反応です。したがって、咳はむやみに抑え込むべきではないともいえます。呼吸器官に感染を起こしたときや、空気の汚れ、タバコを吸いすぎたときなどには、気道粘膜からの粘液分泌が増え、その粘液に気道に入り込んだ異物や粘膜上皮細胞の残骸などが混じって痰となります。また、気道粘膜に炎症を生じたときにも咳が誘発され、また、炎症に伴って気管や気管支が収縮して喘息を生じることもあります。

　鎮咳去痰薬は、咳を鎮める、痰の切れをよくする、喘息症状を和らげることを目的とする医薬品の総称です。

2 代表的な配合成分

（1）麻薬性鎮咳成分

　コデインリン酸塩水和物、ジヒドロコデインリン酸塩については、その作用本体であるコデイン、ジヒドロコデインがモルヒネと同じ基本構造を持ち、依存性がある成分であり、麻薬性鎮咳成分と呼ばれます。長期連用や大量摂取によって倦怠感や虚脱感、多幸感等が現れることがあり、薬物依存につながるおそれがあります。特に内服液剤では、その製剤的な特徴から、本来の目的以外で服用する不適正な使用がなされることがあります。

　コデインリン酸塩水和物、ジヒドロコデインリン酸塩は、妊娠中に摂取した場合、吸収された成分の一部が血液－胎盤関門を通過して胎児へ移行すること

が知られています。

> **注意** 依存症あり。便秘。目的外の使用。

● **コデインリン酸水和物・ジヒドロコデインリン酸を含む医薬品について**

コデインリン酸塩水和物またはジヒドロコデインリン酸塩を含む医薬品（以下「本剤」という）については、米国等において12歳未満の小児等への使用を禁忌とする措置がとられたことを踏まえ、平成29年度第3回薬事・食品衛生審議会医薬品等安全対策部会安全対策調査会で安全対策が検討されました。

その結果、本剤による死亡例の国内報告はなく、日本での呼吸抑制のリスクは欧米と比較して遺伝学的に低いと推定されること等から、国内で直ちに使用を制限する必要性は考えにくい一方、本剤による小児の呼吸抑制発生リスクを可能な限り低減する観点から、一般用医薬品・医療用医薬品とも、以下の予防的な措置を行うこととされました。

①速やかに添付文書を改訂し、原則、本剤を12歳未満の小児等に使用しないよう注意喚起を行うこと。

②1年6か月程度の経過措置期間を設け、コデイン類を含まない代替製品や、12歳未満の小児を適応外とする製品への切換えを行うこと。

③切換え後、12歳未満の小児への使用を禁忌とする使用上の注意の改訂を再度実施すること（一般用医薬品は「してはいけないこと」に「12歳未満の小児」に追記する使用上の注意の改訂を再度実施すること）。

※その後、令和元年7月9日、「禁忌」（使用しないこと）とされました。

確認テスト（○×問題）

問題3-2-1 ☑☑☑ 咳は、気管や気管支に何らかの異変が起こったときに、その刺激が末梢神経系に伝わり引き起こされる反応である。

問題3-2-2 ☑☑☑ 咳はむやみに抑え込むべきではないが、長く続く咳は体力の消耗や睡眠不足をまねくなどの悪影響もある。

問題3-2-3 ☑☑☑ 呼吸器官に感染を起こしたときは、気道粘膜からの粘液分泌が減る。その粘液に、気道に入り込んだ異物や粘膜上皮細胞の残骸などが混じって痰となる。

問題3-2-4 ☑☑☑ コデインリン酸塩水和物の内服液剤では、本来の目的以外の意図で服用する不適正な使用がなされることがある。

● 解答は別冊p.15

（2）非麻薬性鎮咳成分

ノスカピン、ノスカピン塩酸塩水和物、デキストロメトルファン臭化水素酸塩水和物、チペピジンヒベンズ酸塩、チペピジンクエン酸塩、ジメモルファンリン酸塩、クロペラスチン塩酸塩、クロペラスチンフェンジゾ酸塩などは、非麻薬性鎮咳成分と呼ばれます。

デキストロメトルファンフェノールフタリン塩は、主にトローチ剤・ドロップ剤に配合される鎮咳成分です。

麻薬性鎮咳成分、非麻薬性鎮咳成分のどちらも、延髄の咳嗽中枢（がいそうちゅうすう）に作用して咳を抑えます。

（3）気管支拡張成分

メチルエフェドリン塩酸塩、メチルエフェドリンサッカリン塩、トリメトキノール塩酸塩水和物、メトキシフェナミン塩酸塩等のアドレナリン作動成分は、交感神経系を刺激して気管支を拡張させる作用を示し、呼吸を楽にして咳や喘息の症状を鎮めることを目的として用いられます。

アドレナリン作動成分と同様の作用を示す生薬成分として、マオウ（麻黄：マオウ科のマオウ、チュウマオウまたはエフェドラ・エクイセチナの地上茎を基原とする生薬）が配合されている場合もあります。マオウについては、気管支拡張のほか、発汗促進、尿量増加（利尿）等の作用も期待されます。

アドレナリン作動成分およびマオウ（構成生薬にマオウを含む漢方処方製剤も同様）については、気管支に対する作用のほか、交感神経系への刺激作用によって、心臓血管系や、肝臓でのエネルギー代謝等にも影響が生じることが考えられます。心臓病、高血圧、糖尿病または甲状腺機能亢進症の診断を受けた人では、症状を悪化させるおそれがあります。

> **注意** メチルエフェドリン塩酸塩、メチルエフェドリンサッカリン塩、マオウについては、中枢神経系に対する作用がほかの成分に比べ強いとされ、依存性がある。

自律神経系を介さずに気管支の平滑筋に直接作用して弛緩させ、気管支を拡張させる成分として、ジプロフィリン等のキサンチン系成分があります。

> **注意** ・キサンチン系成分は中枢神経系を興奮させる作用を示し、甲状腺機能障害、てんかんの診断を受けた人では、症状の悪化を招くおそれがある。
> ・キサンチン系成分は心臓刺激作用を示し、副作用として動悸が現れることがある。

（4）去痰成分

①気道粘膜からの粘液の分泌を促進し、痰の粘度を薄めて排出しやすくするもの

グアイフェネシン、グアヤコールスルホン酸カリウム、クレゾールスルホン酸カリウム。

②痰の粘液のねばりけを弱めて排出しやすくするもの

エチルシステイン塩酸塩、メチルシステイン塩酸塩、カルボシステイン。

③分泌促進作用・溶解低分子化作用・線毛運動促進作用

ブロムヘキシン塩酸塩。

確認テスト （○×問題）

問題 3-2-5 ノスカピンは、中枢神経系に作用して咳を抑える働きがあり、麻薬性鎮咳成分と呼ばれる。

問題 3-2-6 鎮咳去痰薬に含まれるチペピジンクエン酸塩は、気管支拡張作用を目的として配合されている。

問題 3-2-7 鎮咳去痰薬に用いられるメチルエフェドリン塩酸塩は、自律神経系を介さずに気管支の平滑筋に直接作用して弛緩させ、気管支を拡張させるキサンチン系成分である。

問題 3-2-8 鎮咳去痰薬に配合されるマオウは、アドレナリン作動成分と同様の作用を示す。

問題 3-2-9 グアイフェネシンは、気道粘膜からの分泌を促進し、痰の切れをよくすることを期待して用いられる。

問題 3-2-10 ブロムヘキシン塩酸塩は、痰の切れをよくすることを目的として用いられる。

問題 3-2-11 鎮咳去痰薬は、咳を鎮める成分、気管支を拡げる成分、痰の切れをよくする成分等を組み合わせて配合されている。気管支を拡げる成分としてトリメトキノール塩酸塩水和物、気道粘膜からの分泌促進により痰の切れをよくする成分としてブロムヘキシン塩酸塩などがある。

問題 3-2-12 カルボシステインは、気管支を拡張し、呼吸を楽にして咳や喘息の症状を鎮めることを目的として用いられる。

👉 解答は別冊 p.15

(5) 抗炎症成分

　気道の炎症を和らげることを目的として、トラネキサム酸、グリチルリチン酸二カリウム等が配合されている場合があります。偽アルドステロン症に留意し、1日最大服用量がカンゾウ（原生薬換算）として1g以上となる製品は、長期連用を避けることとされています。

(6) 抗ヒスタミン成分

　咳や喘息、気道の炎症は、アレルギーに起因することがあり、鎮咳成分や気管支拡張成分、抗炎症成分の働きを助ける目的で、クロルフェニラミンマレイン酸塩、クレマスチンフマル酸塩、カルビノキサミンマレイン酸塩等の抗ヒスタミン成分が配合されている場合があります。ただし、気道粘膜での粘液分泌を抑制することで痰が出にくくなることがあるため、痰の切れをよくしたい場合は併用に注意する必要があります。

(7) 殺菌消毒成分

　口腔咽喉薬の効果を兼ねたトローチ剤やドロップ剤では、セチルピリジニウム塩化物等の殺菌消毒成分が配合されている場合があります。

(8) 鎮咳去痰薬に配合される生薬成分

▼鎮咳去痰薬に配合される生薬成分

生薬成分	効用
キョウニン（杏仁）	バラ科のアンズ等の種子を基原とする生薬で、咳嗽（がいそう）中枢を鎮静させる。
ナンテンジツ（南天実）	メギ科のシロミナンテン（シロナンテン）またはナンテンの果実を基原とする生薬で、知覚神経・末梢運動神経に作用して咳止めに効果があるとされる。
ゴミシ（五味子）	マツブサ科のチョウセンゴミシの果実を基原とする生薬で、鎮咳作用を期待して用いられる。
シャゼンソウ（車前草）	オオバコの花期の全草を基原とする生薬で、気道粘液の分泌を促す。
オウヒ（桜皮）	バラ科のヤマザクラまたはカスミザクラの樹皮を基原とする生薬で、去痰作用を期待して用いられる。
キキョウ（桔梗）	キキョウ科のキキョウの根を基原とする生薬で、痰または痰を伴う咳に用いられる。

生薬成分	効用
セネガ、オンジ	セネガはヒメハギ科のセネガまたはヒロハセネガの根を基原とする生薬、オンジはヒメハギ科のイトヒメハギの根および根皮を基原とする生薬で、いずれも去痰作用を期待して用いられる。 これらの生薬成分の摂取により糖尿病の検査値に影響を生じることがある。糖尿病が改善したと誤認されるおそれがあるため、1日最大配合量がセネガ原生薬として1.2g以上、またはオンジとして1g以上を含有する製品では、使用上の注意において成分および分量に関連する注意として記載されている。
セキサン	ヒガンバナ科のヒガンバナ鱗茎を基原とする生薬で、去痰たん作用を期待して用いられる。セキサンのエキスは、別名を白色濃厚セキサノールとも呼ばれる。
バクモンドウ（麦門冬）	ユリ科のジャノヒゲの根の膨大部を基原とする生薬で、鎮咳、去痰、滋養強壮等の作用を期待して用いられる。
ハンゲ（半夏）	サトイモ科のカラスビシャクのコルク層を除いた塊茎を基原とする生薬で、中枢性の鎮咳作用を示す成分として配合される。

確認テスト (○×問題)

問題3-2-13 鎮咳去痰薬に含まれるトラネキサム酸は、抗炎症作用を目的として配合されている。

問題3-2-14 鎮咳去痰薬に配合されるクロルフェニラミンマレイン酸塩は、ヒスタミンの働きを抑える。

問題3-2-15 鎮咳去痰薬に配合されるキョウニンはオオバコ科のオオバコの花期の全草を基原とする生薬で、去痰作用を期待して用いられる。

問題3-2-16 鎮咳去痰薬に配合されるキョウニンは、バラ科のアンズの種子を用いた生薬である。

問題3-2-17 鎮咳去痰薬に配合されるナンテンジツは、知覚神経・末梢運動神経に作用して咳止めに効果があるとされる。

問題3-2-18 鎮咳去痰薬に配合されるシャゼンソウは、アドレナリン作動成分と同様の作用を示す。

問題3-2-19 鎮咳去痰薬に配合されるセネガは、アドレナリン作動成分と同様の作用を示す。

問題3-2-20 中枢性の鎮咳作用を示す生薬成分として、ハンゲ（サトイモ科のカラスビシャクのコルク層を除いた塊茎を基原とする生薬）が配合されている場合もある。

☞ 解答は別冊p.15

3

主な医薬品とその作用

鎮咳去痰薬

③ 漢方処方製剤

(1) 半夏厚朴湯

体力中等度を目安として、気分がふさいで、咽喉・食道部に異物感があり、ときに動悸、めまい、嘔気などを伴う不安神経症、神経性胃炎、つわり、咳、しわがれ声、のどのつかえ感に適すとされます。

(2) 柴朴湯…カンゾウ含む

体力中等度で、気分がふさいで、咽喉、食道部に異物感があり、かぜをひきやすく、ときに動悸、めまい、嘔気などを伴うものの小児喘息、気管支喘息、気管支炎、咳、不安神経症、虚弱体質に適すとされますが、むくみの症状のある人には不向きとされます。

重篤な副作用 間質性肺炎、肝機能障害。その他、膀胱炎様症状。

(3) 麦門冬湯…カンゾウ含む

体力中等度以下で、痰が切れにくく、ときに強く咳こみ、または咽頭の乾燥感があるもののから咳、気管支炎、気管支喘息、咽頭炎、しわがれ声に適すとされますが、水様痰の多い人には不向きとされます。

重篤な副作用 間質性肺炎、肝機能障害。

(4) 五虎湯、麻杏甘石湯、神秘湯…いずれも、カンゾウ、マオウを含む

漢方製剤	効用
五虎湯	体力中等度以上で、咳が強く出るものの咳、気管支喘息、気管支炎、小児喘息、感冒、痔の痛みに適すとされる。
麻杏甘石湯	体力中等度以上で、咳が出て、ときにのどが渇くものの咳、小児喘息、気管支喘息、気管支炎、感冒、痔の痛みに適すとされる。
神秘湯	体力中等度以上で、咳、喘鳴、息苦しさがあり、痰が少ないものの小児喘息、気管支喘息、気管支炎に用いられる。

いずれも胃腸の弱い人、発汗傾向の著しい人等に不向きとされます。

④ 相互作用、受診勧奨

(1) 相互作用

一般用医薬品の鎮咳去痰薬は、複数の有効成分が配合されている場合が多く、他の鎮咳去痰薬、かぜ薬、抗ヒスタミン成分やアドレナリン作動成分を含有する医薬品（鼻炎用薬、睡眠改善薬、乗物酔い防止薬、アレルギー用薬等）など

が併用された場合、同じ成分または同種の作用を有する成分が重複摂取となる可能性があります。

（2）受診勧奨等

　鎮咳去痰薬に解熱成分は配合されておらず、発熱を鎮める効果は期待できません。発熱を伴うときは、呼吸器に細菌やウイルス等の感染を生じている可能性があります。

　咳や痰、息切れ等の症状が長く続く場合には、慢性気管支炎や肺気腫などの慢性閉塞性肺疾患（COPD）の可能性があり、医師の診療を受けるなどの対応が必要です。

　喘息については、気管支粘膜の炎症が慢性化していると、一般用医薬品の鎮咳去痰薬で一時的に症状を抑えることができたとしても、しばらくすると発作が繰り返し現れることになります。喘息発作が重積すると生命に関わる呼吸困難につながることもあり、一般用医薬品の使用によって対処を図るのでなく、早期に医療機関での診療を受けるなどの対応が必要です。

確認テスト（○×問題）

問題3-2-21　☑☑☑　半夏厚朴湯は、体力中等度を目安として、幅広く応用できる。気分がふさいで、咽喉・食道部に異物感があり、ときに動悸、めまい、嘔気などを伴う不安神経症、神経性胃炎、つわり、咳、しわがれ声、のどのつかえ感に適すとされる。

問題3-2-22　☑☑☑　半夏厚朴湯は構成生薬としてカンゾウを含み、炎症を和らげ、特に小児喘息や気管支喘息に用いられる。

問題3-2-23　☑☑☑　鎮咳去痰薬として用いられる柴朴湯は、構成生薬としてカンゾウを含まない。

問題3-2-24　☑☑☑　麦門冬湯は、体力中等度以上で、咳が強くでるものの咳、気管支喘息、気管支炎、小児喘息、感冒、痔の痛みに用いられるが、胃腸の弱い人や発汗傾向の著しい人等には不向きとされる。

問題3-2-25　☑☑☑　五虎湯は、体力中等度以下で、痰が切れにくく、ときに強く咳こみ、または咽頭の乾燥感があるもののから咳、気管支炎、気管支喘息、咽頭炎、しわがれ声に適すとされるが、水様痰の多い人には不向きとされる。

☞ 解答は別冊p.15

3-2-2 口腔咽喉薬・うがい薬

口腔咽喉薬は、口腔内または咽頭部の粘膜に局所的に作用して、炎症による痛み、腫れ等の症状の緩和を目的とするものです。

1 口腔咽喉薬・含嗽薬に関する一般的な注意事項

トローチ剤は、噛み砕いて飲み込んでしまうと効果は期待できません。

噴射式の液剤では、息を吸いながら噴射すると気管支や肺に入ってしまうおそれがあるため、軽く息を吐きながら噴射するとよいでしょう。

2 代表的な配合成分

(1) 炎症を和らげる成分（抗炎症成分）

声がれ、喉の荒れ、喉の不快感、喉の痛みまたは喉の腫れの症状を鎮めることを目的として、グリチルリチン酸二カリウム、トラネキサム酸等の抗炎症成分が用いられます。また、炎症を生じた粘膜組織の修復を促す作用を期待して、アズレンスルホン酸ナトリウム（水溶性アズレン）が配合されている場合もあります。

(2) 殺菌消毒成分

口腔内や喉に付着した細菌等の微生物を死滅させたり、その増殖を抑えることを目的として、セチルピリジニウム塩化物、デカリニウム塩化物、ベンゼトニウム塩化物、ポビドンヨード、ヨウ化カリウム、ヨウ素、クロルヘキシジングルコン酸塩、クロルヘキシジン塩酸塩、チモール等が用いられます。

ヨウ素系殺菌消毒成分またはクロルヘキシジングルコン酸塩・クロルヘキシジン塩酸塩が配合されたものでは、まれにショック（アナフィラキシー）のような全身性の重篤な副作用を生じることがあります。これらの成分に対するアレルギーの既往歴がある人では、使用を避ける必要があります。

また、ポビドンヨードが配合された含嗽薬では、銀を含有する歯科材料（義歯等）が変色することがあります。

> **注意**　ヨウ素製剤について
> ・バセドウ病や橋本病などの甲状腺疾患の診断を受けた人（ヨウ素の摂取）。
> ・妊娠中（ヨウ素は血液−胎盤関門を通過して胎児に移行する）。
> ・授乳中（摂取されたヨウ素の一部が乳汁中に移行する）。

（3）生薬成分

▼口腔咽喉薬・含嗽薬に配合される生薬成分

生薬成分	説明
ラタニア	咽頭粘膜をひきしめ（収斂）作用により炎症の寛解を促す。
ミルラ	咽頭粘膜の収斂作用のほか、抗菌作用も期待できる。
その他	芳香による清涼感等を目的として、ハッカ（シソ科のハッカの地上部を基原とする生薬）、ウイキョウ（セリ科のウイキョウの果実を基原とする生薬）、チョウジ（フトモモ科のチョウジの蕾を基原とする生薬）、ユーカリ（フトモモ科のユーカリノキまたはその近縁植物の葉を基原とする生薬）等から得られた精油成分が配合されている場合がある。

確認テスト（○×問題）

問題3-2-26　トローチ剤は、有効成分が口腔内や咽頭部に行き渡るよう、口中に含み、噛まずにゆっくり溶かすようにして使用することが重要である。

問題3-2-27　噴射式の液剤は、軽く息を吐きながら噴射することが望ましい。

問題3-2-28　含嗽薬は、水で希釈または溶解して使用するものが多いが、調製した濃度が濃すぎても薄すぎても効果が十分得られない。

問題3-2-29　口腔咽喉薬は、口腔内や咽頭における局所的な作用を目的とする医薬品であるが、成分の一部が吸収されて、全身的な影響を生じることがある。

問題3-2-30　トラネキサム酸は、口腔咽喉薬に殺菌消毒成分として配合されることがある。

問題3-2-31　アズレンスルホン酸ナトリウムは、口腔咽喉薬に殺菌消毒成分として配合されることがある。

問題3-2-32　ヨウ素系殺菌消毒成分が口腔内に使用される場合、結果的にヨウ素の摂取につながり、副腎皮質におけるホルモン産生に影響を及ぼす可能性がある。

☛ 解答は別冊p.16

3 喉の痛みを鎮めることを目的とした漢方処方製剤

(1) 桔梗湯…カンゾウの量が多い

　体力に関わらず使用でき、喉が腫れて痛み、ときに咳が出るものの扁桃炎、扁桃周囲炎に適すとされますが、胃腸が弱く下痢しやすい人では、食欲不振、胃部不快感等の副作用が現れやすい等、不向きとされます。

　5〜6回服用しても症状の改善がみられない場合には、扁桃炎や扁桃周囲炎から細菌等の二次感染を生じている可能性もあるので(特に、高熱を伴う場合)、漫然と使用を継続せずにいったん使用を中止して、医師の診療を受けるなどの対応が必要です。構成生薬は、カンゾウとキキョウの2つ。

(2) 駆風解毒散・駆風解毒湯…カンゾウ含む

　体力に関わらず使用できます。喉が腫れて痛む扁桃炎、扁桃周囲炎に適すとされますが、体の虚弱な人(体力の衰えている人、体の弱い人)、胃腸が弱く下痢しやすい人では、食欲不振、胃部不快感等の副作用が現れやすい等、不向きとされます。水またはぬるま湯に溶かしてうがいしながら少しずつゆっくり服用するのを特徴としていて、駆風解毒湯のトローチ剤もあります。

　桔梗湯と同じく5〜6回服用しても症状の改善がみられない場合には、扁桃炎や扁桃周囲炎から細菌等の二次感染を生じている可能性もあるので(特に、高熱を伴う場合)、漫然と使用を継続せずにいったん使用を中止して、医師の診療を受けるなどの対応が必要です。

(3) 白虎加人参湯…カンゾウ含む

　体力中等度以上で、熱感と口渇が強いものの喉の渇き、ほてり、湿疹・皮膚炎、皮膚のかゆみに適すとされますが、体の虚弱な人(体力の衰えている人、体の弱い人)、胃腸虚弱で冷え症の人では、食欲不振、胃部不快感等の副作用が現れやすい等、不向きとされます。比較的長期間(1か月位)服用されることがあります。

(4) 響声破笛丸…カンゾウ含む

　体力に関わらず使用できます。長期間にわたっての声帯の酷使や、無理な発声などによる声がれや失声によく効くばかりでなく、平素のどが弱くて、すぐ声のかれる傾向のある人にも効を奏します。

4　ヨウ素の相互作用

　ヨウ素は、レモン汁やお茶などに含まれるビタミンC等の成分と反応すると脱色して殺菌作用が失われるため、ヨウ素系含嗽薬では、そうした食品を摂取した直後の使用は避けることが望ましい。

5　含嗽薬と受診勧奨

　激しい痛みを感じるような場合には、扁桃蜂巣炎や扁桃膿瘍（扁桃の部分に膿が溜まった状態）などを生じている可能性もあり、早期に医師の診療を受けるなどの対応が必要です。

　また、症状が数週間以上続く場合には、喉頭癌等の重大な疾患が原因となっている可能性もあるので、医師の診療を受けるなどの対応が必要です。

確認テスト（○×問題）

問題3-2-33 桔梗湯は、ひび、あかぎれ、しもやけ、うおのめ、あせも、ただれ、外傷、火傷、痔核による疼痛、肛門裂傷、かぶれに適すとされるが、湿潤、ただれ、火傷または外傷のひどい場合、傷口が化膿している場合、患部が広範囲の場合には不向きとされる。

問題3-2-34 桔梗湯は、構成生薬が1つである。

問題3-2-35 駆風解毒湯は、体力に関わらず、喉が腫れて痛む扁桃炎、扁桃周囲炎に適すとされるが、体の虚弱な人（体力の衰えている人、体の弱い人）、胃腸が弱く下痢しやすい人では、食欲不振、胃部不快感等の副作用が現れやすい等、不向きとされる。

問題3-2-36 駆風解毒散および駆風解毒湯は、水またはぬるま湯に溶かしてうがいしながら少しずつゆっくり服用するのが特徴で、駆風解毒湯のトローチ剤もある。

問題3-2-37 白虎加人参湯は、体力中等度以上で、熱感と口渇が強いものの喉の渇き、ほてり、湿疹・皮膚炎、皮膚のかゆみに適すとされるが、体の虚弱な人（体力の衰えている人、体の弱い人）、胃腸虚弱で冷え症の人では、食欲不振、胃部不快感等の副作用が現れやすい等、不向きとされる。また、比較的長期間（1か月位）服用されることがある。

問題3-2-38 響声破笛丸は、腹部に皮下脂肪が多く、便秘がちな人における、高血圧の随伴症状（動悸、肩こり、のぼせ）、肥満症、むくみ、便秘の症状に適すとされるが、体の虚弱な人（体力の衰えている人、体の弱い人）、胃腸が弱く下痢しやすい人、発汗傾向の著しい人では、激しい腹痛を伴う下痢等の副作用が現れやすい等、不向きとされる。

3-3 胃腸に作用する薬

3-3-1 胃の薬 （制酸薬、健胃薬、消化薬）

1 胃の不調、薬が症状を抑える仕組み

　胃の働きに異常が生じると、胃液の分泌量の増減や食道への逆流が起こったり、胃液による消化作用から胃自体を保護する働きや胃の運動が低下して、胸やけや胃の不快感、消化不良、胃もたれ、食欲不振等の症状として現れます。

　これら不快な症状を緩和する目的で、制酸薬、健胃薬、消化薬が用いられます。一般用医薬品の胃の薬は、制酸、健胃、消化、胃粘膜保護、抗炎症、消泡など、それぞれの作用を期待して配合された多くの製品があります。各製品の特徴をよく把握して適切なアドバイスができるようにしましょう。

2 制酸成分

　制酸成分は、胃酸を中和して、胸やけや胃の不快感を改善します。

　制酸成分を主体とする胃腸薬については、酸度の高い食品といっしょに使用すると胃酸に対する中和作用が低下することが考えられるため、炭酸飲料での服用は適当ではありません。

- 炭酸水素ナトリウム（重曹）
- 乾燥水酸化アルミニウムゲル、ジヒドロキシアルミニウムモノアセテート等のアルミニウムを含む成分
- ケイ酸マグネシウム、酸化マグネシウム、炭酸マグネシウム等のマグネシウムを含む成分
- 合成ヒドロタルサイト、メタケイ酸アルミン酸マグネシウム等のアルミニウムとマグネシウムの両方を含む成分
- 沈降炭酸カルシウム、リン酸水素カルシウム等のカルシウムを含む成分、またはこれらの成分を組み合わせたもの等が配合されている場合があります。

> **要注意** 制酸成分のうちアルミニウムを含む成分については、透析療法を受けている人が長期間服用した場合にアルミニウム脳症およびアルミニウム骨症を引き起こしたとの報告があり、透析療法を受けている人では使用を避ける必要がある。

③ 健胃成分

　味覚や嗅覚を刺激して反射的な唾液や胃液の分泌を促すことにより、弱った胃の働きを高めることを目的として、オウバク、オウレン、センブリ、ゲンチアナ、リュウタン、ケイヒ、ユウタンなどの生薬成分が配合されている場合があります。この中では、ユウタン（熊胆）だけが、動物由来（クマ科のヒグマその他近縁動物の胆汁を乾燥したものを基原とする生薬）です。これら苦味成分が配合された健胃薬は、オブラートで包んで、味や香りを遮蔽する方法で服用してしまうと本来の効果が期待できないため、適当ではありません。

　その他、乾燥酵母は、胃腸の働きに必要な栄養素を補給することにより胃の働きを高めるものとして配合されることがあります。また、カルニチン塩化物は、生体内に存在する有機酸の一種で、胃液分泌を促す、胃の運動を高める、胃壁の循環血流を増す等の作用が期待されます。

確認テスト（○×問題）

問題3-3-1 ☑☑☑ 制酸成分のうちアルミニウムを含む成分については、透析療法を受けている人が長期間服用した場合にはアルミニウム脳症およびアルミニウム骨症を引き起こしたとの報告があり、透析療法を受けている人では使用を避ける必要がある。

問題3-3-2 ☑☑☑ メタケイ酸アルミン酸マグネシウムは、抗コリン作用により胃痛、腹痛等を鎮める効果がある。

問題3-3-3 ☑☑☑ 合成ヒドロタルサイトは、消化作用を目的として胃の薬に用いられる。

問題3-3-4 ☑☑☑ 制酸薬は、胃液の分泌亢進による胃酸過多や、それに伴う胸やけ、腹部の不快感、吐き気等の症状を緩和することを目的とする医薬品である。

問題3-3-5 ☑☑☑ 制酸成分を主体とする胃腸薬は、酸度の高い食品といっしょに使用すると作用が強くなり、炭酸飲料での服用が好ましい。

問題3-3-6 ☑☑☑ ケイヒやセンブリのような香りや苦味のある成分を含む健胃薬で散剤のものは、オブラートで包む等、味や香りを遮蔽する方法で服用されることが適切である。

☞ 解答は別冊p.16

④ 消化成分

　炭水化物、脂質、タンパク質、繊維質等の分解に働く酵素を補うことを目的とし胃の薬に配合されます。

- ジアスターゼ：別名アミラーゼ、炭水化物の消化酵素。
- プロザイム：タンパク質の消化酵素。
- リパーゼ：脂質の消化酵素。
- セルラーゼ：繊維質の消化酵素。

　また、ウルソデオキシコール酸は胆汁の分泌を促す作用があるとされ、消化を助ける効果を期待して配合されることがあります。

⑤ その他の成分

（1）胃粘膜保護・修復成分

　胃粘膜の修復を期待して、アズレンスルホン酸ナトリウム（水溶性アズレン）、アルジオキサ、スクラルファート、ゲファルナート、ソファルコン、テプレノン、セトラキサート塩酸塩、トロキシピド、銅クロロフィリンカリウム、銅クロロフィリンナトリウム、メチルメチオニンスルホニウムクロライド等が配合されている場合があります。

> **要注意** アルジオキサとスクラルファートはアルミニウムを含む成分であるため、透析を受けている人では使用を避ける必要がある。

> **注意** セトラキサート塩酸塩は、体内で代謝されてトラネキサム酸が生じることから、血栓のある人、血栓を起こすおそれのある人では、生じた血栓が分解されにくくなることが考えられるので、使用する前に、治療を行っている医師または処方薬の調剤を行った薬剤師に相談するよう勧めること。

> **重篤な副作用** ソファルコン、テプレノン➡肝機能障害。

（2）胃粘膜の炎症を和らげる成分（抗炎症成分）

　胃粘膜の炎症を和らげることを目的として、グリチルリチン酸二カリウム、グリチルリチン酸ナトリウム、グリチルリチン酸モノアンモニウム、または生薬成分としてカンゾウが配合されている場合があります。

（3）消泡成分

消化管内容物中に発生した気泡の分離を促すことを目的として、ジメチルポリシロキサン（別名ジメチコン）が配合されている場合があります。

（4）胃液分泌抑制成分

胃液の分泌は副交感神経系からの刺激によって亢進することから、過剰な胃液の分泌を抑える作用を期待して、副交感神経の伝達物質であるアセチルコリンの働きを抑えるロートエキスやピレンゼピン塩酸塩が配合されている場合があります。ピレンゼピン塩酸塩は、消化管の運動にはほとんど影響を与えずに胃液の分泌を抑える作用を示します。しかし、消化管以外では一般的な抗コリン作用のため、排尿困難、動悸、目のかすみの副作用を生じることがあります。

重複注意　胃腸鎮痛鎮痙薬、乗物酔い薬との併用（成分の重複）注意。

確認テスト（○×問題）

問題3-3-7　プロザイムは、胃粘膜を覆って胃液による消化から保護する。

問題3-3-8　アルジオキサは、アルミニウムを含むため、透析を受けている人は使用を避ける必要がある。

問題3-3-9　スクラルファートは、銅を含む成分であるため、透析を受けている人では使用を避ける必要がある。

問題3-3-10　胃の薬に用いられるゲファルナートは、胃液分泌抑制作用を目的とする。

問題3-3-11　メチルメチオニンスルホニウムクロライドは、胃粘膜保護・修復作用がある。

問題3-3-12　ソファルコン、テプレノンは、まれに重篤な副作用として腎機能障害を生じることがある。

問題3-3-13　セトラキサート塩酸塩は、体内で代謝されてサリチル酸を生じることから、血栓のある人は使用前に医師や薬剤師に相談することが望ましい。

問題3-3-14　ジメチルポリシロキサンは、胃粘膜保護・修復作用がある。

問題3-3-15　ロートエキスは、過剰な胃液の分泌を抑える。

問題3-3-16　ピレンゼピン塩酸塩は、健胃作用を目的として胃の薬に用いられる。

☞ 解答は別冊p.16

6 胃の不調を改善する漢方処方製剤

　胃の不調を改善する目的で用いられる漢方処方製剤としては、安中散、
人参湯、平胃散、六君子湯等があります。これらはいずれも構成生薬としてカ
ンゾウを含むので、配慮が必要です。

(1) 安中散…カンゾウ含む

　体力中等度以下で腹部は力がなくて、胃痛または腹痛があって、ときに胸や
けや、げっぷ、胃もたれ、食欲不振、吐き気、嘔吐などを伴うものの神経性胃
炎、慢性胃炎、胃腸虚弱に適すとされます。

(2) 人参湯 (理中丸) …カンゾウの量が少し多い

　体力虚弱で、疲れやすくて手足などが冷えやすいものの胃腸虚弱、下痢、嘔吐、
胃痛、腹痛、急・慢性胃炎に適すとされます。下痢または嘔吐に用いる場合には、
漫然と長期の使用は避け、1週間位使用しても症状の改善がみられないときは、
いったん使用を中止して専門家に相談がなされるべきです。

(3) 平胃散…カンゾウ含む

　体力中等度以上で、胃がもたれて消化が悪く、ときに吐き気、食後に腹が鳴
って下痢の傾向のあるものの食べすぎによる胃のもたれ、急・慢性胃炎、消化
不良、食欲不振に適すとされます。急性胃炎に用いる場合には、漫然と長期の
使用は避け、5 〜 6回使用しても症状の改善がみられないときは、いったん使
用を中止して専門家に相談がなされるなどの対応が必要です。

(4) 六君子湯…カンゾウ含む

　体力中等度以下で、胃腸が弱く、食欲がなく、みぞおちがつかえ、疲れやす
く、貧血性で手足が冷えやすいものの胃炎、胃腸虚弱、胃下垂、消化不良、食
欲不振、胃痛、嘔吐に適すとされます。

重篤な副作用　肝機能障害。

7 胃の薬と受診勧奨

　症状が現れる場合、医薬品が手放せないような場合には、食道裂孔ヘルニア、
胃・十二指腸潰瘍、胃ポリープ等を生じている可能性も考えられるので、医療
機関の受診を勧めましょう。

8　胃の薬の服用方法

　消化を助け、胃もたれを改善する効果を主とする製剤は、食後服用のものが多いです。空腹時や就寝時の胸やけ、ストレスによる胃酸の出すぎなどを抑える効果を主とする製剤は、食間や就寝前の服用のものが多くあります。

　また、医療機関で処方された医療用医薬品を服用している場合は、副作用による胃の不快感を防止するために胃の薬も処方されている場合もあるので、販売時には胃の薬が処方されていないか必ず確認する必要があります。

確認テスト（○×問題）

問題3-3-17
☐ ☐ ☐
胃の不調を改善する目的で用いられる漢方処方製剤としては安中散、人参湯、平胃散、六君子湯等があるが、これらはいずれも構成生薬としてカンゾウを含む。

問題3-3-18
☐ ☐ ☐
安中散は、腹部は力がなくて、胃痛または腹痛があって、ときに胸やけ、げっぷ、食欲不振、吐き気などを伴うものの、神経性胃炎、慢性胃炎、胃腸虚弱に適するとされる。

問題3-3-19
☐ ☐ ☐
安中散は、かぜのひき始めにおける諸症状、頭痛、肩こり、筋肉痛、手足や肩の痛みに適すとされるが、体の虚弱な人（体力の衰えている人、体の弱い人）、胃腸の弱い人、発汗傾向の著しい人では、悪心、胃部不快感等の副作用が現れやすい等、不向きとされる。

問題3-3-20
☐ ☐ ☐
安中散は、元気がなく胃腸の働きが衰えて、疲れやすい人における、虚弱体質、疲労倦怠、病後・術後の衰弱、食欲不振、ねあせの症状に適すとされる。

問題3-3-21
☐ ☐ ☐
人参湯は、胃の不調を改善する目的で用いられる。

問題3-3-22
☐ ☐ ☐
六君子湯は、痰の切れにくい咳（候の乾燥感）、気管支炎、気管支喘息の症状に適すとされるが、水様痰の多い人には不向きとされる。まれに重篤な副作用として間質性肺炎、肝機能障害を生じることが知られている。

問題3-3-23
☐ ☐ ☐
六君子湯は、かぜのひき始めから数日たって症状が少し長引いている状態で、疲労感があり、食欲不振、吐き気がする場合に適するとされ、胃腸虚弱、胃炎のような消化器症状にも用いられるが、体の虚弱な人には不向きとされる。

問題3-3-24
☐ ☐ ☐
一般用医薬品の胃薬（制酸薬、健胃薬、消化薬）は、基本的に、一時的な胃の不調に伴う諸症状を緩和する目的で使用されるものである。

☞ **解答は別冊p.17**

3

主な医薬品とその作用

胃の薬

3-3-2 腸の薬（整腸薬、止瀉薬、瀉下薬）

1 腸について

　腸での消化や栄養成分・水分の吸収が正常に行われなかったり、腸内容物を送り出す運動に異常が生じると、便秘や軟便、下痢といった症状が現れます。急性の下痢の原因には、体の冷えや消化不良、細菌やウイルス等の消化器感染（食中毒など）、緊張等の精神的なストレスによるものがあります。一方、慢性の便秘については、加齢や病気による腸の働きの低下、便意を我慢し続けることによる腸管の感受性の低下などがあります。

2 整腸成分

・ ビフィズス菌、アシドフィルス菌、ラクトミン、乳酸菌、酪酸菌等
・ ケツメイシ、ゲンノショウコ、アセンヤク等
・ トリメブチンマレイン酸塩（胃腸の平滑筋に直接作用して、消化管の運動を調整する作用がある）

3 止瀉薬（下痢止め）

(1) 収斂成分

　腸粘膜をひきしめる（収斂させる）ことにより、腸粘膜を保護し、炎症を鎮めることを目的として、次没食子酸ビスマス、次硝酸ビスマス、タンニン酸アルブミン等が配合されている場合があります。

　ビスマスを含む成分は収斂作用のほか、腸内で発生した有毒物質を分解する作用も持つとされます。生薬のオウバク、オウレンは、収斂作用のほか、抗菌作用、抗炎症作用も期待して配合される場合があります。タンニン酸アルブミンについては、まれに重篤な副作用としてショック（アナフィラキシー）を生じることがあります。

> **注意**
> ・ 収斂成分は、細菌性の下痢・食中毒には不可（状態を悪化させる）。
> ・ タンニン酸アルブミンは、牛乳にアレルギーがある人は避けること。
> ・ ビスマスは、1週間以上継続しないこと（海外の長期連用で精神悪化）。
> ・ ビスマスは、アルコールを避けること（精神神経症状が生じる）。

> ・ ビスマスは、血液－胎盤関門を通過するので妊婦または妊娠している
> と思われる女性では使用を避けること。

(2) ロペラミド塩酸塩

ロペラミド塩酸塩は、食べ過ぎ・飲み過ぎによる下痢、寝冷えによる下痢の症状に用いられますが、逆に便秘を招いてしまうことがあります。

> **注意** ・食あたりや水あたりによる下痢については適用対象ではない。
> ・一般用医薬品では、15歳未満の小児には適用がない。
> ・便秘を避けるため胃腸鎮痛鎮痙薬の併用は避けること。
> ・ロペラミド塩酸塩の使用中の授乳は避けること。

> **副作用** めまい。眠気。イレウス様症状。ショック（アナフィラキシー）。皮膚粘膜眼症候群。中毒性表皮壊死融解症。

(3) 腸内殺菌成分

細菌性の下痢を鎮めることを目的として、ベルベリン塩化物、タンニン酸ベルベリン、アクリノール等が用いられます。腸内殺菌成分の入った止瀉薬を、下痢の予防で服用したり、症状が治まったのに漫然と服用したりすると、腸内細菌のバランスを崩し、腸内環境を悪化させることもあるので、あくまで下痢の症状があるとき、その症状を改善する必要のある間のみの服用にとどめるべきです。ベルベリン塩化物、タンニン酸ベルベリンに含まれるベルベリンは、生薬のオウバクやオウレンの成分であり、抗菌作用のほか、抗炎症作用も併せ持っています。

確認テスト（○×問題）

問題3-3-25 アシドフィルス菌は、腸管内の異常発酵等によって生じた有害な物質を吸着させることを目的として用いられる。

問題3-3-26 ロペラミド塩酸塩は、食あたりや水あたりによる下痢に適応される。

問題3-3-27 ロペラミド塩酸塩が配合された止瀉薬は、細菌感染による下痢の症状を鎮めることを目的として用いられる。

問題3-3-28 止瀉薬に用いられるベルベリン塩化物は、牛乳にアレルギーがある人は使用を避ける必要がある。

☛ 解答は別冊p.17

(4) 吸着成分

　腸管内の異常発酵等によって生じた有害な物質を吸着させることを目的として、炭酸カルシウム、沈降炭酸カルシウム、乳酸カルシウム、リン酸水素カルシウム、天然ケイ酸アルミニウム、ヒドロキシナフトエ酸アルミニウム等が配合されている場合があります。

> **注意**　アルミニウムを含む成分➡透析受けている人は注意。

(5) 生薬成分

　木クレオソート※は、過剰な腸管の(蠕動)運動を正常化し、あわせて水分や電解質の分泌も抑える止瀉作用があります。また、歯に使用の場合、局所麻酔作用もあるとされます。

※木クレオソート：木材を原料とする。石炭を原料とする石炭クレオソートは発がん性のおそれがあり、医薬品としては使用できない。

4 　瀉下成分（下剤）

(1) 小腸刺激性瀉下成分

　ヒマシ油は、ヒマシ(トウダイグサ科のトウゴマの種子)を圧搾して得られた脂肪油で、小腸でリパーゼの働きによって生じる分解物が、小腸を刺激することで瀉下作用をもたらすと考えられています。

> **注意**　・防虫剤や殺鼠剤を誤って飲み込んだ場合のような脂溶性の物質による中毒には使用しない。中毒を悪化させてしまう。
> 　　　　・強い峻下作用を示すため、3歳未満の乳幼児は使用を避けること。

(2) 大腸刺激性瀉下成分

　センナ(マメ科)、センノシド(センナの抽出物)、ダイオウ(タデ科)、ビサコジル、ピコスルファートナトリウム等が用いられます。

①センナ、センノシド、ダイオウ

　センナやダイオウ中に存在するセンノシドは、胃や小腸で消化されませんが、大腸に生息する腸内細菌によって分解され、分解生成物が大腸を刺激して瀉下作用をもたらすと考えられています。ダイオウは各種の漢方処方の構成生薬としても重要ですが、瀉下を目的としない場合には瀉下作用は副作用となります。

> **注意** センナおよびセンノシドが配合された瀉下薬については、妊娠中の女性は、流産・早産を誘発するおそれがあるため使用を避けること。

②ビサコジル

　ビサコジルは、結腸や直腸の粘膜を刺激して、排便を促すと考えられています。また、結腸での水分の吸収を抑えて、糞便のかさを増大させる働きもあります。内服薬のほか、坐薬としても用いられます。内服薬では、胃内で分解されて効果が低下したり、胃粘膜に無用な刺激をもたらすのを避けるため、腸内で溶けるように腸溶性製剤となっています。

> **注意** 胃内でビサコジルが溶け出すおそれがあるため、服用前後1時間以内は制酸成分を含む胃腸薬の服用や牛乳の摂取を避けること。

確認テスト（○×問題）

問題3-3-29 医薬品として使用されるクレオソートは、原料として石炭が使用される。

問題3-3-30 無水リン酸水素カルシウムは、制酸薬に配合されるほか、腸管内の異常発酵等によって生じた有害な物質を吸着させることを目的として止瀉薬に配合されることがある。

問題3-3-31 止瀉薬の中で吸着成分として、天然ケイ酸アルミニウムが配合されることがあるが、透析療法を受けている人では注意が必要である。

問題3-3-32 木クレオソートは、殺菌作用のほか、局所麻酔作用もあるとされる。

問題3-3-33 ヒマシ油は、急激で強い瀉下作用をもたらすことから、防虫剤や殺鼠剤を誤って飲み込んだ場合のような脂溶性の物質による中毒に対して効果がある。

問題3-3-34 ダイオウは、センノシドを含み、大腸刺激性瀉下成分として用いられる。

問題3-3-35 センノシドは、小腸でリパーゼの働きによって生じる分解物が、小腸を刺激することで瀉下作用をもたらすと考えられている。

問題3-3-36 ビサコジルを含む内服薬では、腸内で溶けるように錠剤がコーティングされている製品が多い。

☞ 解答は別冊p.17

③ピコスルファートナトリウム

　ピコスルファートナトリウムは、胃や小腸では分解されませんが、大腸に生息する腸内細菌によって分解されて、大腸への刺激作用を示すようになります。

　大腸刺激性瀉下薬は、服用してから数時間後に効果が出るものが多いので、就寝前に服用して起床時に効果を求めると、排便のリズムも付きやすい。ただ、毎日漫然と連続して服用していると、腸の運動が緩慢になり、薬の量を増やさないと効果が出なくなることも多いのです。大腸刺激性瀉下薬は、便秘時の頓服として使用すべきで、毎日の排便が滞るようなときは、無機塩類や膨潤性瀉下成分の製剤を使用すべきです。

　また、ビフィズス菌や乳酸菌などの整腸成分の製剤を並行して使用する、食物繊維を積極的に摂るなど、大腸刺激性瀉下成分のみに依存しない方法を指導することが必要です。

（3）無機塩類

　腸内容物の浸透圧を高めることで糞便中の水分量を増し、また、大腸を刺激して排便を促すことを目的として、酸化マグネシウム、水酸化マグネシウム、硫酸マグネシウム等のマグネシウムを含む成分が配合されます。

> **注意** 腎臓病の診断を受けた人では、高マグネシウム血症のおそれがある。

（4）膨潤性瀉下成分

　腸管内で糞便のかさを増やすとともに糞便を柔らかくすることによる瀉下作用を目的として、カルメロースナトリウム、カルメロースカルシウムが配合されている場合があります。同様な作用を期待して、プランタゴ・オバタのような生薬成分も用いられます。また、ジオクチルソジウムスルホサクシネート（DSS）もまた、糞便中の水分量を増して、瀉下作用を期待して用いられます。

（5）マルツエキス

　主成分である麦芽糖が腸内細菌によって分解（発酵）して生じるガスによって便通を促します。主に乳幼児の便秘に用いられます。なお、マルツエキスは麦芽糖を60％以上含んでおり水飴状で甘く、乳幼児の発育不良時の栄養補給にも用いられます。

3

> **参考** ピコスルファートナトリウムを含む一般用医薬品
>
> (PMDA添付文書情報より)
>
> ・ビオフェルミン便秘薬　　　第2類　ビオフェルミン製薬
> ・ビュースルー・ソフト　　　第2類　皇漢堂製薬
> ・ビューラック・ソフト　　　第2類　皇漢堂製薬
> ・ピコラックス　　　　　　　第2類　佐藤製薬

確認テスト (○×問題)

問題3-3-37 ☑☑☑　ピコスルファートナトリウムは、胃や小腸で分解され、大腸への刺激作用を示す。

問題3-3-38 ☑☑☑　ピコスルファートナトリウムは、小腸に生息する腸内細菌によって分解されて、小腸への刺激作用を示す。

問題3-3-39 ☑☑☑　酸化マグネシウムは、腸内容物の浸透圧を高めることにより、糞便中の水分量を減らす作用がある。

問題3-3-40 ☑☑☑　酸化マグネシウムや硫酸マグネシウムなどの無機塩類下剤は、そのほとんどが小腸から吸収され、大腸の水分吸収を抑えることにより、瀉下作用を現す。

問題3-3-41 ☑☑☑　瀉下薬に用いられるカルメロースナトリウムは、大腸刺激性瀉下成分である。

問題3-3-42 ☑☑☑　カルメロースカルシウムは、腸管内で水分を吸収して腸内容物に浸透し、糞便のかさを増やすとともに糞便を柔らかくすることによる瀉下作用を目的として、配合されている場合がある。

問題3-3-43 ☑☑☑　マルツエキスは、高い糖濃度により腸管に水を集めることによって糞便のかさを増し、柔らかくすることによって排便しやすくする。

🔹 解答は別冊p.17

5　腸の不調を改善する目的で用いられる漢方処方製剤

(1) 桂枝加芍薬湯…カンゾウ含む

　体力中等度以下で腹部膨満感のある人のしぶり腹、腹痛、下痢、便秘に適すとされます。短期間の使用に限られるものではありませんが、1週間位服用して症状の改善がみられない場合には、いったん使用を中止して専門家に相談がなされるなどの対応が必要です。

(2) 大黄甘草湯…成分はダイオウとカンゾウ

　体力に関わらず使用できます。便秘、便秘に伴う頭重、のぼせ、湿疹・皮膚炎、ふきでもの（にきび）、食欲不振（食欲減退）、腹部膨満、腸内異常発酵、痔などの症状の緩和に適すとされますが、体の虚弱な人（体力の衰えている人、体の弱い人）、胃腸が弱く下痢しやすい人では、激しい腹痛を伴う下痢等の副作用が現れやすい等、不向きとされます。また、本剤を使用している間は、他の瀉下薬の使用を避ける必要があります。短期間の使用に限られるものではありませんが、5〜6日間服用しても症状の改善がみられない場合には、いったん使用を中止して専門家に相談がなされるべきです。

(3) 大黄牡丹皮湯…ダイオウ含む

　体力中等度以上で、下腹部痛があって、便秘しがちなものの月経不順、月経困難、月経痛、便秘、痔疾に適すとされますが、体の虚弱な人（体力の衰えている人、体の弱い人）、胃腸が弱く下痢しやすい人では、激しい腹痛を伴う下痢等の副作用が現れやすい等、不向きとされます。また、本剤を使用している間は、他の瀉下薬の使用を避ける必要があります。便秘、痔疾に対して用いる場合には、1週間位服用しても症状の改善がみられないときは、いったん使用を中止して専門家に相談がなされるべきです。

(4) 麻子仁丸…ダイオウ含む

　体力中等度以下で、ときに便が硬く塊状なものの便秘、便秘に伴う頭重、のぼせ、湿疹・皮膚炎、ふきでもの（にきび）、食欲不振（食欲減退）、腹部膨満、腸内異常醗酵、痔などの症状の緩和に適すとされますが、胃腸が弱く下痢しやすい人では、激しい腹痛を伴う下痢等の副作用が現れやすい等、不向きとされます。また、本剤を使用している間は、他の瀉下薬の使用を避ける必要があります。短期間の使用に限られるものではありませんが、5〜6日間服用しても症状の改善がみられない場合には、いったん使用を中止して専門家に相談がなされるべきです。

6　腸の薬に関する相互作用、受診勧奨

（1）相互作用

　医薬品の成分の中には副作用として便秘や下痢を生じるものがあり、止瀉薬や瀉下薬と一緒にそうした成分を含有する医薬品が併用された場合、作用が強く現れたり、副作用を生じやすくなるおそれがあります。

（2）受診勧奨

　便秘については、生活習慣の改善が重要であり、瀉下薬は一時的な使用が望ましいといえます。瀉下薬が手放せなくなっているような慢性の便秘については、漫然と継続使用するよりも、医師の診療を受けるなどの対応が必要です。

確認テスト（○×問題）

問題3-3-44　桂枝加芍薬湯は、体力中等度以下で腹部膨満感のある人のしぶり腹、腹痛、下痢、便秘に適すとされる。

問題3-3-45　大黄甘草湯は、体力中等度以上で、下腹部痛があって、便秘しがちなものの月経不順、月経痛、便秘、痔疾に適すとされる。

問題3-3-46　大黄牡丹皮湯は、体力に関わらず使用でき、便秘、便秘に伴う頭重、のぼせ、湿疹・皮膚炎、ふきでもの（にきび）、食欲不振等の症状の緩和に適すとされるが、体の虚弱な人、胃腸が弱く下痢しやすい人では不向きとされる。

問題3-3-47　麻子仁丸は、体力中等度以下で、ときに便が硬く塊状なものの便秘、便秘に伴う頭重、のぼせ、湿疹・皮膚炎、ふきでもの（にきび）、食欲不振等の症状の緩和に適すとされる。

問題3-3-48　購入者から「便秘がひどいため、浣腸薬を毎日使い続けてもいいですか。」と聞かれた登録販売者は、「感受性の低下、いわゆる"慣れ"が生じるおそれがありますので、連用は避けてください。」と答えた。

☞ 解答は別冊p.18

3-3-3 胃腸鎮痛鎮痙薬

1 代表的な鎮痙成分

（1）抗コリン成分

急な胃腸の痛みは、主として胃腸の過剰な動き（痙攣）によって生じます。

胃腸鎮痛鎮痙薬に配合される抗コリン成分としては、メチルベナクチジウム臭化物、ブチルスコポラミン臭化物、メチルオクタトロピン臭化物、ジサイクロミン塩酸塩、オキシフェンサイクリミン塩酸塩、チキジウム臭化物等があります。抗コリン作用を示すアルカロイドを豊富に含む生薬成分として、ロートエキスもよく用いられます。

> **注意** ・抗コリン成分を服用後は、乗物または機械類の運転操作を避けること。
> ・ブチルスコポラミン臭化物は、まれに重篤な副作用としてショック（アナフィラキシー）を生じる。

> **副作用** 散瞳による目の異常、ほてり、頭痛、眠気、口渇、便秘、排尿困難。

（2）パパベリン塩酸塩

消化管の平滑筋に直接働いて胃腸の痙攣を鎮める作用を示します。しかし、抗コリン成分と異なり、胃液分泌を抑える作用はありません。

> **注意** 眼圧を上昇させることがあるので、緑内障の診断を受けた人は要注意。

（3）局所麻酔成分

消化管の粘膜および平滑筋に対する麻酔作用による鎮痛鎮痙の効果を期待して、アミノ安息香酸エチル、オキセサゼインのような局所麻酔成分が配合されている場合があります。また、オキセサゼインは、胃液分泌を抑える作用もあり、鎮痛鎮痙効果と合わせて制酸効果も期待されます。

> **注意** ・アミノ安息香酸エチルは、**メトヘモグロビン血症**を起こすおそれがあるため、6歳未満の小児への使用は避けること。
> ・オキセサゼインは、安全性は確立されておらず、妊婦または妊娠していると思われる女性、15歳未満の小児は、使用を避けること。

2　相互作用、受診勧奨

（1）相互作用

　抗コリン成分については、胃腸鎮痛鎮痙薬以外の医薬品（かぜ薬、乗物酔い防止薬、鼻炎用内服薬等）にも配合されている場合があり、成分の重複に注意が必要です。

（2）受診勧奨

　痛みが次第に強くなる、痛みが周期的に現れる、嘔吐や発熱を伴う、下痢や血便・血尿を伴う、原因不明の痛みが30分以上続く場合には、基本的に医療機関を受診すべきです。原因不明の腹痛に安易に胃腸鎮痛鎮痙薬を使用することは好ましくありません。

確認テスト（○×問題）

問題 3-3-49　メチルオクタトロピン臭化物は、まれに重篤な副作用としてアナフィラキシーショックを生ずる。

問題 3-3-50　メチルベナクチジウム臭化物は、胃腸鎮痛鎮痙成分だが、添付文書で、授乳中の人は「相談すること」とされている。

問題 3-3-51　パパベリン塩酸塩は消化管の平滑筋に直接働き、胃液の分泌を抑制する。

問題 3-3-52　アミノ安息香酸エチルは、抗コリン作用により胃痛、腹痛等を鎮める効果がある。

問題 3-3-53　オキセサゼインは、局所麻酔作用のほか、胃液分泌を抑える作用もあるとされ、胃腸鎮痛鎮痙薬と制酸薬の両方の目的で使用される。

問題 3-3-54　パパベリン塩酸塩は、消化管の平滑筋に直接働いて胃腸の痙攣を鎮めるが、副作用として眼圧を上昇させる作用もあることから、緑内障の診断を受けた人では、症状の悪化を招くおそれがある。

問題 3-3-55　胃腸鎮痛鎮痙薬の抗コリン成分の、副交感神経系の働きを抑える作用は、消化管に限定される。

問題 3-3-56　痛みが次第に強くなる原因不明の腹痛が30分以上続く場合には、医師の診察を受けるまでの当座の対処として、一般用医薬品の胃腸鎮痛鎮痙薬を服用して痛みを緩和させた上で、速やかに医療機関を受診することが望ましい。

☛ 解答は別冊 p.18

3-3-4 その他の消化器官用薬

1 浣腸薬

　浣腸薬は、便秘の場合に排便を促すことを目的として、直腸内に適用される医薬品です。剤形には注入剤のほか、坐薬となっているものもあります。

　繰り返し使用すると直腸の感受性の低下（いわゆる慣れ）が生じて効果が弱くなり、浣腸の使用に頼りがちになるため、連用しないこととされています。

> **注意**　直腸の急激な動きに刺激されて流産・早産を誘発するおそれがあるため、妊婦または妊娠していると思われる女性では使用を避ける。

（1）注入剤

　注入剤の配合成分としては、浸透圧の差によって腸管壁から水分を取り込んで直腸粘膜を刺激し、排便を促す効果を期待して、グリセリンやソルビトールが用いられます。

● 使い方

① 薬液の放出部を肛門に差し込み、薬液だまりの部分を絞って、薬液を押し込むように注入する。

② 注入するときはゆっくりと押し込み、注入が終わったら放出部をゆっくりと抜き取る。また、注入する薬液は人肌程度に温めておくと、不快感を生じることが少ない。

③ 薬液を注入した後すぐに排便を試みると、薬液のみが排出されて効果が十分得られないことから、便意が強まるまでしばらく我慢する。薬液が漏れ出しそうな場合は肛門を脱脂綿等で押さえておくとよい。

> **注意**　・肛門や直腸の粘膜に損傷があり出血しているときに使用すると、グリセリンが傷口から血管内に入って、赤血球の破壊（溶血）を引き起こしたり、腎不全を起こすおそれがある。
> ・グリセリンが配合された浣腸薬では、排便時に血圧低下を生じて、立ちくらみの症状が現れるとの報告がある。
> ・使い残しがある場合、残量を再利用すると感染のおそれがあるので使用後は廃棄すること。

(2) 坐剤

　配合成分としては、ビサコジルのほか、炭酸水素ナトリウムが用いられます。

　ビサコジルは瀉下薬の有効成分として内服でも用いられますが、小児や認知症の高齢者が誤って坐薬を服用することのないよう保管に注意が必要です。

　炭酸水素ナトリウムは、直腸内で徐々に分解して炭酸ガスの微細な気泡を発生することで直腸を刺激する作用を期待して用いられます。

> **注意**　炭酸水素ナトリウムを主薬とする坐薬では、まれに重篤な副作用としてショックを生じることが報告されている。

確認テスト (○×問題)

問題3-3-57　浣腸薬は、便秘の場合に排便を促すことを目的として、直腸内に適用される医薬品である。

問題3-3-58　浣腸薬は、繰り返し使用すると直腸の感受性の低下が生じて効果が弱くなるので連用しないこととされている。

問題3-3-59　浣腸薬は、効果を充分発揮させるため、注入した後すぐに排便を試みる。

問題3-3-60　浣腸薬は、便秘の場合に排便を促すことを目的として、直腸内に適用される医薬品であるため、妊婦または妊娠していると思われる女性に対して適するとされている。

問題3-3-61　グリセリンは、直腸内で徐々に分解して炭酸ガスの微細な気泡を発生することで直腸を刺激する作用を期待して用いられる。

問題3-3-62　グリセリンを有効成分とする浣腸薬は、繰り返し使用すると直腸の感受性の低下が生じて効果が弱くなるので、連用しないこととされている。

問題3-3-63　グリセリンを有効成分とする浣腸薬は、肛門や直腸の粘膜に損傷があり出血しているときに使用すると、グリセリンが傷口から血管内に入って、赤血球の破壊（溶血）を引き起こすおそれがある。

問題3-3-64　注入剤を半量等使用した場合、残量を密封して冷所に保存すれば、感染のおそれがないので再利用できる。

問題3-3-65　炭酸水素ナトリウムを主薬とする浣腸薬は、直腸内で内容物を溶解して排便を促す。

☛ 解答は別冊p.18

2 駆虫薬

駆虫薬は、腸管内の寄生虫を駆除するために用いられる医薬品です。一般用医薬品の駆虫薬が対象とする寄生虫は、回虫と蟯虫です。

回虫は、孵化した幼虫が腸管壁から体組織に入り込んで体内を巡り、肺に達した後に気道から再び消化管内に入って成虫となります。そのため腹痛や下痢、栄養障害等の消化器症状のほか、呼吸器等にも障害を引き起こすことがあります。

蟯虫は、肛門から這い出してその周囲に産卵するため、肛門部の痒みやそれに伴う不眠、神経症を引き起こすことがあります。

駆虫薬はその有効成分（駆虫成分）が腸管内において薬効をもたらす局所作用を目的とする医薬品です。消化管からの駆虫成分の吸収は、好ましくない全身作用（頭痛、めまい等の副作用）を生じる原因となるため、極力少ないことが望ましいといえます。

駆除した虫体や腸管内に残留する駆虫成分の排出を促すため瀉下薬が併用されることもありますが、ヒマシ油を使用すると腸管内で駆虫成分が吸収されやすくなり、副作用を生じる危険性が高まるため、ヒマシ油との併用は避ける必要があります。

条虫（サナダ虫など）や吸虫、鉤虫、旋毛虫、鞭虫等の駆除を目的とする一般医薬品はありません。これらについては医療機関を受診して診療を受けるなどの対応が必要です。

> **注意** 駆虫薬は、原則的に空腹時に使用する。

(1) サントニン

回虫の自発運動を抑えて、虫体を便とともに排出させることを目的とします。

消化管から吸収されたサントニンは主に肝臓で代謝されますが、肝臓病の診断を受けた人では、肝機能障害を悪化させるおそれがあります。

> **注意** 服用後、物が黄色く見えたり、耳鳴り、口渇が現れることがある。

(2) カイニン酸

回虫に痙攣を起こさせて、虫体を便とともに排出させることを目的とします。

カイニン酸を含む生薬成分として、マクリ（フジマツモ科のマクリの全藻を基原とする生薬）が配合されている場合もあります。日本薬局方収載のマクリは、煎薬として回虫の駆除に用いられます。

(3) ピペラジンリン酸塩

アセチルコリンの伝達を妨げて、回虫および蟯虫の運動筋を麻痺させることにより、虫体を便とともに排出させることを目的とします。

副作用 痙攣、倦怠感、眠気、食欲不振、下痢、便秘。

(4) パモ酸ピルビニウム

蟯虫の呼吸や栄養分の代謝を抑えて殺虫作用を示します。

注意 ・成分自体の色で、尿や糞便が赤く着色することがある。
・水に溶けにくいため消化管からの吸収は少ないとされているが、ヒマシ油との併用は避ける必要がある。また、空腹時服用ではないが、同様の理由から、脂質分の多い食事やアルコール摂取後の使用は避ける。

確認テスト (○×問題)

問題3-3-66 一般用医薬品の駆虫薬が対象とする寄生虫は、回虫と条虫である。

問題3-3-67 駆除した虫体や腸管内に残留する駆虫成分の排出を促す目的でヒマシ油を併用することは、避ける必要がある。

問題3-3-68 駆虫薬は腸管内に生息する虫体だけでなく、虫卵や腸管内以外に潜伏した幼虫にも駆虫作用を及ぼす。

問題3-3-69 駆虫薬は、消化管内容物の消化・吸収に伴って駆虫成分の吸収が高まることから、食後に使用することとされているものが多い。

問題3-3-70 複数の駆虫薬を併用した方が駆虫効果が高まる。

問題3-3-71 サントニンは、回虫の自発運動を抑える作用を示し、虫体を排便とともに排出させることを目的として用いられる。肝臓病の診断を受けた人では、肝機能障害を悪化させるおそれがあるほか、服用後、一時的に物が黄色く見えたり、耳鳴り、口渇が現れることがある。

問題3-3-72 カイニン酸は、回虫に痙攣を起こさせる作用を示し、虫体を排便とともに排出させることを目的として用いられる。

問題3-3-73 ピペラジンリン酸塩は、回虫の運動筋を麻痺させる作用を示し、虫体を排便とともに排出させることを目的として用いられる。

問題3-3-74 パモ酸ピルビニウムは、服用により、尿または便が赤く着色することがある。

問題3-3-75 パモ酸ピルビニウムとサントニンは、効能・効果として蟯虫の駆除に使用される。

☞ 解答は別冊 p.19

3

主な医薬品とその作用

駆虫薬

3-4 心臓などの器官や血液に作用する薬

3-4-1 強心薬

1 動悸、息切れ等を生じる原因と強心薬の働き

(1) 動悸、息切れ、気つけ

　心臓は、血液を全身に循環させるポンプの働きを担っています。通常、自律神経系によって無意識のうちに調整がなされており、激しい運動をしたり、興奮したときなどの動悸や息切れは、正常な健康状態でも現れます。

　心臓の働きが低下して十分な血液を送り出せなくなると、脈拍数を増やすことによってその不足を補おうとして動悸が起こります。また、心臓から十分な血液が送り出されないと体の各部への酸素の供給が低下するため、呼吸運動によって取り込む空気の量を増やすことでそれを補おうとして、息切れが起こります。精神的な要因、また、女性では貧血や、更年期に生じるホルモンバランスの乱れなどによっても起こることがあります。

　気つけとは、心臓の働きの低下による一時的なめまい、立ちくらみ等の症状に対して、意識をはっきりさせたり、活力を回復させる効果のことです。

(2) 強心薬の働き

　強心薬は、疲労やストレス等による軽度の心臓の働きの乱れについて、心臓の働きを整えて、動悸や息切れ等の症状の改善を目的とする医薬品です。心筋に作用して、その収縮力を高めるとされる成分（強心成分）を主体として配合されています。

2 代表的な配合成分

(1) 強心成分

①センソ（蟾酥）

　ヒキガエル科のアジアヒキガエル等の耳毒腺の分泌物を集めたものを基原とする生薬で、微量で強い強心作用を示します。皮膚や粘膜に触れると局所麻酔作用を示し、センソが配合された丸薬、錠剤等の内服固形製剤は、口中で噛み

砕くと舌等が麻痺することがあるため、噛まずに服用することとされています。

②ジャコウ（麝香）

シカ科のジャコウジカまたはその近縁動物の雄のジャコウ腺分泌物を乾燥したもので、強心作用のほか、呼吸中枢を刺激して呼吸機能を高めたり、意識をはっきりさせる等の作用があります。

③ゴオウ（牛黄）

ウシ科のウシの胆嚢中に生じた結石を基原とする生薬で、強心作用のほか、末梢血管の拡張による血圧降下、興奮を静める等の作用があります。

④ロクジョウ（鹿茸）

シカ科のマンシュウアカジカまたはマンシュウジカの雄のまだ角化していない、もしくは、わずかに角化した幼角を基原とする生薬で、強心作用のほか、強壮、血行促進等の作用があります。小児の疳、滋養強壮薬にも配合される場合があります。

確認テスト（○×問題）

問題3-4-1 動悸や息切れは、睡眠不足等による心臓の働きの低下のほか、精神的な要因やホルモンバランスの乱れなどによって起こることがある。

問題3-4-2 強心薬に用いられるセンソは、ウシ科のウシの胆嚢中に生じた結石である。

問題3-4-3 センソが配合された丸薬、錠剤等の内服固形製剤は、噛んで服用することとされている。

問題3-4-4 センソは、微量で強い強心作用を示し、皮膚や粘膜に触れると局所麻酔作用を示す成分である。

問題3-4-5 ジャコウは、強心作用のほか、呼吸中枢を刺激して呼吸機能を高めたり、意識をはっきりさせる作用があるとされる。

問題3-4-6 ゴオウは、ウシ科のウシの胆嚢中に生じた結石を用いた生薬で、強心作用のほか、末梢血管の拡張による血圧降下、興奮を鎮める等の作用があるとされており、強心薬のほか、小児鎮静薬に配合されることがある。

問題3-4-7 生薬製剤に用いられるゴオウの素材（基原）は、クマ科のヒグマの胆汁の乾燥である。

問題3-4-8 ロクジョウは、強心作用のほか、強壮、血行促進の作用があるとされる。

☞ 解答は別冊 p.19

（2）強心成分以外の配合成分

　強心成分の働きを助ける効果を期待して、また、一部の強心薬では、小児五疳薬や胃腸薬、滋養強壮保健薬等の効能・効果を併せ持つものもあり、鎮静、強壮などの作用を目的とする生薬成分を組み合わせて配合されている場合があります。

①リュウノウ（竜脳）

　中枢神経系の刺激作用による気つけの効果を期待して用いられます。リュウノウ中に存在する主要な物質として、ボルネオールが配合されている場合もあります。

②シンジュ（真珠）

　ウグイスガイ科のアコヤガイ、シンジュガイまたはクロチョウガイ等の外套膜組成中に病的に形成された顆粒状物質を基原とする生薬で、鎮静作用等を期待して用いられることがあります。

③その他

　レイヨウカク、ジンコウ、動物胆（ユウタンを含む）、サフラン、ニンジン、インヨウカク等が配合されている場合があります。

3　漢方処方製剤

（1）苓桂朮甘湯…カンゾウ含む

　体力中等度以下で、めまい、ふらつきがあり、ときにのぼせや動悸があるものの立ちくらみ、めまい、頭痛、耳鳴り、動悸、息切れ、神経症、神経過敏に適すとされます。

　強心作用が期待される生薬は含まれず、主に利尿作用により、水毒（漢方の考え方で、体の水分が停滞したり偏在して、その循環が悪いことを意味する）の排出を促すことを主眼としています。

4　強心薬の相互作用、受診勧奨

（1）相互作用

　医師の治療を受けている人では、強心薬を使用する前に、その適否につき、治療を行っている医師または処方薬の調剤を行った薬剤師に相談すべきです。

（2）受診勧奨

　強心薬については一般に、5〜6日間使用して症状の改善がみられない場合には、心臓以外の要因、たとえば、呼吸器疾患、貧血、高血圧症、甲状腺機能

の異常等のほか、精神神経系の疾患も考えられます。登録販売者は、強心薬を使用した人の状況に応じて、適宜、医療機関の受診を勧奨することが重要です。

　激しい運動をしていないにもかかわらず突発的に動悸や息切れが起こり、意識が薄れてきたり、脈が十分触れなくなったり、胸部の痛みまたは冷や汗を伴うような場合には、早めに医師の診療を受けるなどの対応が必要です。

　心臓の働きの低下が比較的軽微であれば、心臓に無理を生じない程度の軽い運動と休息の繰り返しを日常生活に積極的に取り入れることにより、心筋が鍛えられ、また、手足の筋肉の動きによって血行が促進されて心臓の働きを助けることにつながります。強心薬の使用によって症状の緩和を図るだけでなく、こうした生活習慣の改善によって、動悸や息切れを起こしにくい体質づくりが図られることも重要です。

確認テスト（○×問題）

問題3-4-9 ☑☑☑ リュウノウは、心筋に直接刺激を与え、その収縮力を高める作用（強心作用）があるとされる。

問題3-4-10 ☑☑☑ シンジュは、ウグイスガイ科のアコヤガイ、シンジュガイまたはクロチョウガイ等の外套膜組成中に病的に形成された顆粒状物質を基原とする生薬で、鎮静作用等を期待して用いられる。

問題3-4-11 ☑☑☑ レイヨウカクは、ウシ科のサイカレイヨウ（高鼻レイヨウ）等の角を基原とする生薬で、緊張や興奮を鎮める作用等を期待して用いられる。

問題3-4-12 ☑☑☑ 苓桂朮甘湯は、強心作用が期待される生薬は含まれず、主に利尿作用により、水毒（漢方の考え方で、体の水分が停滞したり偏在して、その循環が悪いことを意味する）の排出を促すことを主眼とする。

確認テスト

問題3-4-13 ☑☑☑

次の記述は苓桂朮甘湯に関するものである。（　　）にあてはまる字句を答えなさい。
(平成29年　奈良　改題)

　体力中等度以下で、めまい、ふらつきがあり、ときにのぼせや動悸があるものの立ちくらみ、めまい、頭痛、耳鳴り、動悸、息切れ等に適すとされている。（　a　）作用が期待される生薬は含まれず、主に（　b　）作用により、水毒（漢方の考え方で、体の水分が停滞したり偏在して、その循環が悪いことを意味する。）の排出を促すことを主眼とする。構成生薬は（　c　）を含む。

 解答は別冊p.19

3-4-2　高コレステロール改善薬

1　コレステロールとは

　コレステロールは細胞の構成成分で、胆汁酸や副腎皮質ホルモン等の生理活性物質の産生に重要な物質でもあり、生体に不可欠な物質です。コレステロールの産生および代謝は、主として肝臓で行われます。コレステロールは水に溶けにくい物質であるため、血液中では血漿タンパク質と結合したリポタンパク質となって存在します。低密度リポタンパク質（LDL）は、コレステロールを肝臓から末梢組織へと運びます。一方、高密度リポタンパク質（HDL）は、末梢組織のコレステロールを取り込んで肝臓へと運びます。

　医療機関で測定する検査値として、LDLが140mg/dL以上、HDLが40mg/dL未満、中性脂肪が150mg/dL以上のいずれかである状態を、脂質異常症といいます。

　高コレステロール改善薬は、末梢血行障害の緩和を目的としますが、生活習慣の改善が重要です。薬の使用は、食事療法、運動療法の補助的な位置づけです。長く飲んでも改善が見られない場合、遺伝的要因も考えられます。また、腹囲を減少させるなどの痩身効果を目的とする医薬品ではありません。

2　代表的な配合成分

（1）高コレステロール改善成分
①大豆油不けん化物

　大豆油不けん化物（ソイステロール）には、腸管におけるコレステロールの吸収を抑える働きがあります。

②リノール酸を含む植物油・ポリエンホスファチジルコリン

　リノール酸、ポリエンホスファチジルコリン（大豆から抽出・精製したレシチンの一種）は、コレステロールと結合して、代謝されやすいコレステロールエステルを形成するとされ、肝臓におけるコレステロールの代謝を促す効果を期待して用いられます。

③パンテチン

　パンテチンは、LDL等の異化排泄を促進し、リポタンパクリパーゼ活性を高めて、HDL産生を高める作用があるとされています。

> **副作用** 高コレステロール改善成分は、吐き気、胃部不快感、胸やけ、下痢等の消化器系の副作用が現れることがある。

(2) ビタミン成分

①ビタミンB₂（リボフラビン酪酸エステル等）

過酸化脂質と結合し、その代謝を促します。リボフラビンは、細胞内の酸化還元系やミトコンドリアにおける電子伝達系に働き、糖質、脂質の生体内代謝に広く関与しています。リボフラビンの摂取によって尿が黄色くなることがありますが、使用を中止するほどの副作用ではありません。

②ビタミンE（トコフェロール酢酸エステル）

ビタミンEは、コレステロールからの過酸化脂質の生成を抑えるほか、末梢血管における血行を促進する作用があります。

確認テスト（○×問題）

問題3-4-14 コレステロールは細胞の構成成分で、生体に不可欠な物質であり、主に腎臓で産生・代謝される。

問題3-4-15 コレステロールは血液中では血漿タンパク質と結合したリポタンパク質となって存在する。

問題3-4-16 ソイステロールはコレステロールの産生を抑える働きがあるとされる。

問題3-4-17 高コレステロール改善薬は、食事療法、運動療法の補助的な位置づけで用いられる。

問題3-4-18 リノール酸は、コレステロールと結合して、代謝されやすいコレステロールエステルを形成する。

問題3-4-19 高コレステロール改善薬の中でリノール酸を含む植物油が配合されているものは、悪心（吐き気）、胃部不快感等の消化器系の副作用が現れることがある。

問題3-4-20 パンテチンは低密度リポタンパク質（LDL）の分解を促し、高密度リポタンパク質（HDL）を増加させる効果を期待して用いられる。

問題3-4-21 ポリエンホスファチジルコリンはコレステロールと結合し、代謝されやすいコレステロールエステルを形成するとされる。

問題3-4-22 ビタミンB₂は、過酸化脂質と結合し、その代謝を促す作用を期待して配合されており、服用することにより尿が黄色くなることがあるが、このことにより服用を中止する必要はない。

☞ 解答は別冊p.19

3

主な医薬品とその作用

強心薬

3-4-3　貧血用薬（鉄製剤）

1　貧血症状と鉄製剤の働き

　一般的な貧血の症状として、疲労、動悸、息切れ、血色不良、頭痛、耳鳴り、めまい、微熱、皮膚や粘膜の蒼白、下半身のむくみ等が現れます。

　貧血は、その原因によりビタミン欠乏性貧血、鉄欠乏性貧血等があります。

　貧血用薬（鉄製剤）は、鉄欠乏性貧血に対して不足している鉄分を補充することにより、造血機能の回復を図る医薬品です。

　鉄分は、赤血球が酸素を運搬する上で重要なヘモグロビンの産生に不可欠なミネラルです。鉄欠乏状態を生じる要因としては、日常の食事からの鉄分の摂取不足および鉄の消化管からの吸収障害による鉄の供給量の不足、消化管出血等が挙げられます。また、体の成長が著しい年長乳児や幼児、月経血損失のある女性、鉄要求量の増加する妊婦、母乳を与える女性では、鉄欠乏状態を生じやすい傾向があります。

2　代表的な配合成分

（1）鉄分

　不足した鉄分を補充することを目的として配合されているものであり、主な成分としては、フマル酸第一鉄、溶性ピロリン酸第二鉄、可溶性含糖酸化鉄、クエン酸鉄アンモニウムなどが用いられます。

　鉄の吸収は空腹の方が高いとされていますが、消化管への副作用を軽減するには、食後に服用することが望ましいといえます。また、服用の前後30分にタンニン酸を含む飲食物（緑茶、紅茶、コーヒー、ワイン、柿等）を摂取すると、タンニン酸と反応して鉄の吸収が悪くなることがあるので、服用前後はそれらの摂取を控えることとされています。

> **注意**　鉄製剤を服用すると便が黒くなることがある。

（2）銅

　銅はヘモグロビンの産生過程で、鉄の代謝や輸送に重要な役割を持っています。補充した鉄分を利用してヘモグロビンが産生されるのを助ける目的で、硫

酸銅が配合されている場合があります。

（3）コバルト

　コバルトは赤血球ができる過程で必要不可欠なビタミンB$_{12}$の構成成分であり、骨髄での造血機能を高める目的で、硫酸コバルトが配合されている場合があります。

（4）マンガン

　マンガンは、糖質・脂質・タンパク質の代謝をする際に働く酵素の構成物質であり、エネルギー合成を促進する目的で、硫酸マンガンが配合されている場合があります。

（5）その他

　貧血を改善するため、ヘモグロビン産生に必要なビタミンB$_6$や、正常な赤血球の形成に働くビタミンB$_{12}$や葉酸などが配合されている場合があります。

　また、ビタミンC（アスコルビン酸等）は、消化管内で鉄が吸収されやすい状態に保つことを目的として用いられます。

確認テスト（○×問題）

問題3-4-23 ☑☑☑　貧血は、その原因によりビタミン欠乏性貧血、鉄欠乏性貧血等に分類される。

問題3-4-24 ☑☑☑　一般用医薬品の貧血用薬（鉄製剤）によって改善を図ることができるのは、鉄不足によって貧血症状が生じている鉄欠乏性貧血のみである。

問題3-4-25 ☑☑☑　体の成長が著しい年長乳児や幼児、月経血損失のある女性、鉄要求量の増加する妊婦、母乳を与える女性では、鉄欠乏状態を生じやすい。

問題3-4-26 ☑☑☑　鉄製剤を服用すると便が黒くなることがあるが、これは副作用により消化管から出血をしているためであり、ただちに使用をやめなければならない。

問題3-4-27 ☑☑☑　銅は、赤血球産生に必要不可欠なビタミンB$_{12}$の構成成分で、骨髄での造血機能を高める目的で硫酸銅が配合される場合がある。

問題3-4-28 ☑☑☑　コバルトはヘモグロビンの産生過程で鉄の代謝や輸送に重要な役割を持つ。

問題3-4-29 ☑☑☑　マンガンは赤血球ができる過程で必要不可欠なビタミンCの構成成分であり、骨髄での造血機能を高める目的で、貧血用薬に硫酸マンガンが配合されている場合がある。

問題3-4-30 ☑☑☑　亜鉛は、ヘモグロビンの産生過程で、鉄の代謝や輸送に重要な役割を持つ。

☛ 解答は別冊 p.19

3-4-4　その他の循環器用薬

1　循環器用薬

(1) コウカ (紅花)

コウカ (キク科の植物ベニバナの管状花をそのまままたは黄色色素の大部分を除いたもので、ときに圧さくして板状としたものを基原とする生薬) には、末梢の血行を促してうっ血を除く作用があります。

(2) ユビデカレノン (コエンザイムQ_{10})

肝臓や心臓などに多く存在し、エネルギー代謝に関与する酵素の働きを助ける成分で、摂取された栄養素からエネルギーが産生される際にビタミンB群とともに働きます。別名コエンザイムQ_{10}ともいいます。

心筋の酸素利用効率を高めて収縮力を高めることによって血液循環の改善効果を示すとされ、軽度な心疾患により日常生活の身体活動を少し越えたときに起こる動悸、息切れ、むくみの症状に用いられます。ただし、2週間位使用して症状の改善がみられない場合には、心臓以外の病気が原因である可能性も考えられ、漫然と使用を継続することは適当ではありません。

> **副作用** 胃部不快感、食欲減退、吐き気、下痢、発疹・痒みが現れることがあります。

小児において心疾患による動悸、息切れ、むくみの症状があるような場合には、医師の診療を受けることが優先されるべきであり、15歳未満の小児向けの製品はありません。

なお、心臓の病気で医師の治療または指示を受けている人では、その処置が優先されるべきです。

(3) ヘプロニカート、イノシトールヘキサニコチネート

いずれの化合物もニコチン酸が遊離し、そのニコチン酸の働きによって末梢の血液循環を改善する作用を示します。よく、ビタミンEと組み合わせて用いられます。

(4) ルチン

ビタミンに類似した物質の一種で、高血圧等における毛細血管の補強、強化

の効果を期待して用いられます。ルチンは1930年にミカン科の植物から発見されたフラボノイド（ポリフェノール）です。その後マメ科のエンジュやタデ科のソバからも検出されています。

2 漢方処方製剤

(1) 三黄瀉心湯…ダイオウ含む

体力中等度以上で、のぼせ気味で顔面紅潮し、精神不安、みぞおちのつかえ、便秘傾向などのあるものの高血圧の随伴症状（のぼせ、肩こり、耳なり、頭重、不眠、不安）、鼻血、痔出血、便秘、更年期障害、血の道症に適すとされますが、体の虚弱な人（体力の衰えている人、体の弱い人）、胃腸が弱く下痢しやすい人、だらだら出血が長引いている人では、激しい腹痛を伴う下痢等の副作用が現れやすい等、不向きとされます。

(2) 七物降下湯

体力中等度以下で、顔色が悪くて疲れやすく、胃腸障害のないものの高血圧に伴う随伴症状（のぼせ、肩こり、耳鳴り、頭重）に適すとされますが、胃腸が弱く下痢しやすい人では、胃部不快感等の副作用が現れやすい等、不向きとされます。また、小児向けの漢方処方ではなく、15歳未満の小児への使用は避ける必要があります。

確認テスト（○×問題）

問題3-4-31 ☑☑☑ コウカは、末梢の血行を促し、うっ血を除く作用がある。

問題3-4-32 ☑☑☑ ユビデカレノンは、肝臓や心臓に多く存在し、エネルギー代謝に関与する酵素の働きを助ける成分である。

問題3-4-33 ☑☑☑ ユビデカレノンは、心筋の酸素利用効率を高めて収縮力を高めることによって血液循環の改善効果を示すとされている成分である。

問題3-4-34 ☑☑☑ ヘプロニカートは、高血圧等における毛細血管の補強、強化の効果を期待して用いられる。

問題3-4-35 ☑☑☑ ルチンは、代謝されてニコチン酸が遊離し、その働きによって末梢の血液循環を改善する作用を示す。

問題3-4-36 ☑☑☑ 三黄瀉心湯は、体力中等度以下で、顔色が悪くて疲れやすく、胃腸障害のないものの高血圧に伴う随伴症状（のぼせ、肩こり、耳鳴り、頭重）に適すとされる。

☞ 解答は別冊p.20

3-5 排泄に関わる部位に作用する薬

3-5-1 痔の薬

❶ 痔の発症、痔疾用薬の働き

痔は、肛門付近の血管がうっ血し、肛門に負担がかかることによって生じる肛門の病気の総称で、その主な病態としては、痔核、裂肛、痔瘻があります。

▼痔の病態

痔核 （じかく）	肛門に存在する細かい血管群が部分的に拡張し、肛門内にいぼ状の腫れが生じたもので、一般に「いぼ痔」と呼ばれる。便秘や長時間の同じ姿勢など、肛門部に過度の圧迫をかけることが、主な要因。 ＜内痔核＞ （ないじかく） 直腸粘膜と皮膚の境目となる歯状線より上部の、腸粘膜にできた痔核。直腸粘膜には知覚神経が通っていないため、自覚症状が少ないことが特徴。 ＜脱肛＞ （だっこう） 排便時に、肛門から成長した痔核がはみ出るのが脱肛で、出血等の症状が現れる。 ＜外痔核＞ （がいじかく） 歯状線より下部の、肛門の出口側にできた痔核。内痔核と異なり、排便と関係なく、出血や患部の痛みを生じる。
裂肛 （れっこう）	肛門の出口からやや内側の上皮に傷が生じた状態であり、一般に、「切れ痔」（または「裂け痔」）と呼ばれる。裂肛は、便秘等により硬くなった糞便を排泄する際や、下痢の便に含まれる多量の水分が肛門の粘膜に浸透して炎症を起こしやすくなった状態で、勢いよく便が通過する際に粘膜が傷つけられることで生じる。
痔瘻 （じろう）	肛門内部に存在する肛門腺窩と呼ばれる小さなくぼみに糞便の滓が溜まって炎症・化膿を生じた状態で、体力低下等により抵抗力が弱まっているときに起こりやすい。炎症・化膿が進行すると、肛門周囲の皮膚部分から膿が溢れ、その膿により周辺部の皮膚がかぶれ、赤く腫れ激痛を生じる。

痔は、肛門部に過度の負担をかけることやストレス等により生じる生活習慣病です。長時間座るのを避け、軽い運動によって血行をよくすることが痔の予防につながります。また、食物繊維の摂取を心がけるなど、便秘を避けることや香辛料などの刺激性のある食べ物を避けることなども痔の予防に効果があります。

一般用医薬品の痔疾用薬には、肛門部または直腸内に適用する外用薬（外用痔疾用薬）と内服して使用する内用薬（内用痔疾用薬）があります。いずれもその使用と併せて、痔を生じた要因となっている生活習慣の改善が重要です。

外用痔疾用薬には、痔核(いぼ痔)または裂肛(切れ痔)による痛み、痒み、腫れ、出血等の緩和、患部の消毒を目的として、坐剤、軟膏剤（注入軟膏を含む）、外用液剤があります。

内用痔疾用薬は、比較的緩和な抗炎症作用、血行改善作用を目的とする成分のほか、瀉下・整腸成分等が配合されたもので、外用痔疾用薬と併せて用いると効果的です。

3

主な医薬品とその作用

確認テスト

問題3-5-1　☑ ☑ ☑

痔に関する次の記述について、（　）の中に入れるべき字句の正しい組合せはどれか。なお、2箇所の（　a　）、（　b　）、（　c　）内にはどちらも同じ字句が入る。

（平成27年　東京、埼玉、千葉、神奈川）

痔の主な病態としては、（　a　）、（　b　）、（　c　）がある。
・（　a　）は、肛門内部に存在する肛門腺窩と呼ばれる小さなくぼみに糞便の滓が溜まって炎症・化膿を生じた状態である。
・（　b　）は、肛門の出口からやや内側の上皮に傷が生じた状態である。
・（　c　）は、肛門に存在する細かい血管群が部分的に拡張し、肛門内にいぼ状の腫れが生じた状態である。

	a	b	c
1	裂肛	痔瘻	痔核
2	裂肛	痔核	痔瘻
3	痔瘻	裂肛	痔核
4	痔瘻	痔核	裂肛
5	痔核	裂肛	痔瘻

 解答は別冊p.20

循環器用薬

2 外用痔疾用薬の代表的な配合成分

外用痔疾用薬は局所に適用するものですが、坐剤および注入軟膏では、成分の一部が直腸粘膜から吸収されて循環血流中に入りやすく、全身的な影響を生じることがあるため、配合成分によっては注意が必要です。

(1) 局所麻酔成分

局所麻酔成分は、皮膚や粘膜などの局所に適用されると、その周辺の知覚神経に作用して刺激の神経伝導を可逆的に遮断する作用を示します。なお、ステロイド性抗炎症成分が配合された坐剤および注入軟膏は、副作用発生のリスクを考えて、その含有量によらず長期連用を避ける必要があります。

痛みや痒みを和らげることを目的として、リドカイン、リドカイン塩酸塩、アミノ安息香酸エチル、ジブカイン塩酸塩、プロカイン塩酸塩等の局所麻酔成分が用いられます。

> **副作用** リドカイン、リドカイン塩酸塩、アミノ安息香酸エチルまたはジブカイン塩酸塩が配合された坐剤および注入軟膏で、まれに重篤な副作用としてショック（アナフィラキシー）を生じることがある。

(2) 鎮痒（痒みを和らげる）成分

①抗ヒスタミン成分

痔に伴う痒みを和らげることを目的として、ジフェンヒドラミン塩酸塩、ジフェンヒドラミン、クロルフェニラミン塩酸塩等の抗ヒスタミン成分が配合されている場合があります。

②局所刺激成分

局所への穏やかな刺激によって痒みを抑える効果を期待して、熱感刺激を生じさせるクロタミトン、冷感刺激を生じさせるカンフル、ハッカ油（シソ科ハッカの地上部を水蒸気蒸留して得た油を冷却、固形分を除去した精油）、メントール等が配合されている場合があります。

(3) 抗炎症成分

①ステロイド性抗炎症成分

痔による肛門部の炎症や痒みを和らげる成分として、ヒドロコルチゾン酢酸エステル、プレドニゾロン酢酸エステル等のステロイド性抗炎症成分が配合されている場合があります。

②グリチルレチン酸

比較的緩和な抗炎症作用を示す成分として、グリチルレチン酸が配合されている場合があります。グリチルレチン酸は、グリチルリチン酸が分解されてで

きる成分で、グリチルリチン酸と同様に作用します。

(4) 組織修復成分

　アラントイン、アルミニウムクロルヒドロキシアラントイネート（別名アルクロキサ）のような組織修復成分が用いられます。

3

確認テスト（○×問題）

問題3-5-2 ☑☑☑
外用痔疾用薬は局所に適用されるものであるが、坐剤および注入軟膏では全身的な影響を生じることがある。

問題3-5-3 ☑☑☑
リドカインは、局所麻酔作用により痔に伴う痛みや痒みを和らげる作用をもつ。

問題3-5-4 ☑☑☑
外用痔疾用薬に用いられるジブカイン塩酸塩は、組織修復作用を目的として配合される。

問題3-5-5 ☑☑☑
アミノ安息香酸エチルは、まれに重篤な副作用としてショック（アナフィラキシー）を生じることがある。

問題3-5-6 ☑☑☑
ジフェンヒドラミン塩酸塩は、局所麻酔作用により痔に伴う痛みや痒みを和らげる作用をもつ。

問題3-5-7 ☑☑☑
外用痔疾用薬に含まれるクロタミトンは、組織修復を目的として配合される。

問題3-5-8 ☑☑☑
痔による肛門部の炎症や痒みを和らげるステロイド性抗炎症成分として、ヒドロコルチゾン酢酸エステルが配合されている場合がある。

問題3-5-9 ☑☑☑
外用痔疾用薬に用いられるアラントインは、痔疾患に伴う局所の感染を防止することを目的として用いられる。

確認テスト

問題3-5-10 ☑☑☑

　次の記述は、外用痔疾用薬に関するものである。正しいものの組み合わせはどれか。
（平成29年　北海道、青森、岩手、秋田、山形、宮城、福島）

a　痔に伴う痛みや痒みを和らげることを目的として用いられるリドカインやジブカイン塩酸塩が局所麻酔成分として配合された坐剤では、まれに重篤な副作用としてショック（アナフィラキシー）を生じることがある。

b　局所への穏やかな刺激により痒みを抑える効果を期待して、カンフルやメントール等が配合される場合がある。

c　デカリニウム塩化物やイソプロピルメチルフェノールは、粘膜表面に不溶性の膜を形成することによる、粘膜の保護や止血を目的として配合される場合がある。

d　坐剤及び注入軟膏は、局所に適用されるものであるため、全身的な影響を考慮する必要はない。

1（a、b）　　　2（a、c）　　　3（b、d）　　　4（c、d）

 解答は別冊p.20

(5) 止血成分

①アドレナリン作動成分

　血管収縮作用による止血効果を期待して、テトラヒドロゾリン塩酸塩、メチルエフェドリン塩酸塩、エフェドリン塩酸塩、ナファゾリン塩酸塩等のアドレナリン作動成分が配合されていることがあります。

　メチルエフェドリン塩酸塩が配合された坐剤・注入軟膏は、交感神経系を刺激するため、心臓血管系や肝臓でのエネルギー代謝等にも影響を生じることが考えられ、心臓病、高血圧、糖尿病または甲状腺機能障害の診断を受けた人では、症状を悪化させるおそれがあります。使用する前に、治療を行っている医師または調剤を行った薬剤師に相談すべきです。

②収斂保護止血成分

　粘膜の保護・止血を目的として、タンニン酸、酸化亜鉛、硫酸アルミニウムカリウム、卵黄油等が配合されている場合があります。

(6) 殺菌消毒成分

　痔疾患に伴う局所の感染を防止することを目的として、クロルヘキシジン塩酸塩、セチルピリジニウム塩化物、ベンザルコニウム塩化物、デカリニウム塩化物、イソプロピルメチルフェノール等の殺菌消毒成分が配合されている場合があります。

(7) 生薬成分

①シコン

　ムラサキ科のムラサキの根を基原とする生薬で、新陳代謝促進、殺菌、抗炎症等の作用を期待して用いられます。

②セイヨウトチノミ

　トチノキ科のセイヨウトチノキ（別名マロニエ）の種子を基原とする生薬で、血行促進、抗炎症等の作用を期待して用いられます。

(8) その他：ビタミン成分

　肛門周囲の末梢血管の血行を改善する作用を期待してビタミンE（トコフェロール酢酸エステル）、傷の治りを促す作用を期待してビタミンA油等が配合されている場合があります。

3 内用痔疾用薬の代表的な成分

内用痔疾用薬は、生薬成分を中心に、以下のような成分を組み合わせて配合されています。

(1) 生薬成分

①オウゴン（抗炎症作用）

シソ科のコガネバナの周皮を除いた根を基原とする生薬。

②セイヨウトチノミ（抗炎症作用）

トチノキ科のセイヨウトチノキ（別名マロニエ）の種子を用いた生薬。

③カイカ、カイカク（止血効果）

カイカはマメ科のエンジュの花および蕾を基原とする生薬、カイカクエンジュの成熟果実を基原とする生薬で、いずれも主に止血効果を期待して用いられます。

(2) 止血成分

カルバゾクロムは、毛細血管を補強、強化して出血を抑える働きがあるとされ、止血効果を期待して配合されている場合があります。

確認テスト（○×問題）

問題3-5-11 外用痔疾用薬に用いられるテトラヒドロゾリン塩酸塩は、血管収縮作用による止血効果を目的として用いられる。

問題3-5-12 外用痔疾用薬に含まれるタンニン酸は、収斂保護止血作用を期待して用いられる。

問題3-5-13 セチルピリジニウム塩化物は、粘膜表面に不溶性の膜を形成することで、粘膜の保護や止血作用を示す。

問題3-5-14 外用痔疾用薬に用いられるクロルヘキシジン塩酸塩は、痔に伴う痛み・痒みを和らげることを目的として用いられる。

問題3-5-15 シコンは、局所麻酔作用により痔に伴う痛みや痒みを和らげる作用をもつ。

問題3-5-16 内用痔疾用薬に配合されるオウゴンは、炎症を和らげる。

問題3-5-17 内用痔疾用薬に配合されるカイカは、止血を目的とする。

問題3-5-18 内用痔疾用薬に配合されるカルバゾクロムは、炎症を和らげる。

☞ 解答は別冊 p.20

3

主な医薬品とその作用

循環器用薬

（3）その他：ビタミン成分

　肛門周囲の末梢血管の血行を促して、うっ血を改善する効果を期待して、ビタミンE（トコフェロール酢酸エステル、トコフェロールコハク酸エステル等）が配合されている場合があります。

４　痔に用いる漢方処方製剤

（1）乙字湯…カンゾウ、ダイオウを含む

　体力中等度以上で大便がかたく、便秘傾向のあるものの痔核（いぼ痔）、切れ痔、便秘、軽度の脱肛に適すとされますが、体の虚弱な人（体力の衰えている人、体の弱い人）、胃腸が弱く下痢しやすい人では、悪心・嘔吐、激しい腹痛を伴う下痢等の副作用が現れやすい等、不向きとされます。

　構成生薬としてカンゾウ、ダイオウを含んでいます。

　乙字湯自体は短期間の使用に限られるものではありませんが、切れ痔、便秘に用いる場合には、5〜6日間服用して症状の改善がみられないときは、いったん使用を中止して専門家に相談すべきです。

重篤な副作用　肝機能障害、間質性肺炎。

（2）芎帰膠艾湯…カンゾウ含む

　体力中等度以下で冷え症で、出血傾向があり胃腸障害のないものの痔出血、貧血、月経異常・月経過多・不正出血、皮下出血に適すとされますが、胃腸が弱く下痢しやすい人では、胃部不快感、腹痛、下痢等の副作用が現れやすい等、不向きとされます。短期間の使用に限られるものではありませんが、1週間位服用して症状の改善がみられないときは、いったん使用を中止して専門家に相談がなされるなどの対応が必要です。

５　相互作用・受診勧奨

（1）相互作用

　外用痔疾薬のうち坐剤および注入軟膏については、成分の一部が直腸で吸収されて循環血流中に入り、内服の場合と同様の影響を生じることがあります。そのため、痔疾用薬の成分と同種の作用を有する成分を含む内服薬や医薬部外品、食品等が併用されると、効き目が強すぎたり、副作用が現れやすくなることがあります。外用薬といえども、安心はできません。

　内用痔疾薬として使用される乙字湯と芎帰膠艾湯は、いずれも、構成生薬としてカンゾウを含むため、カンゾウを含む医薬品に共通する留意点については、p.114（「②グリチルリチン酸二カリウム」）を参照してください。

（2）受診勧奨

　肛門部にはもともと多くの細菌が存在していて、肛門の括約筋によって外部からの細菌の侵入を防いでおり、血流量も豊富なため、それらの細菌によって感染症を生じることは少ないといえます。しかし、痔の悪化等により細菌感染が起きると、異なる種類の細菌の混合感染が起こり、膿瘍や痔瘻を生じて周囲の組織に重大なダメージをもたらすことがあります。これらの治療には手術を要することもあり、すみやかに医療機関を受診し、専門医の診療を受ける必要があります。

　痔の原因となる生活習慣の改善を図るとともに、一定期間、痔疾用薬を使用してもなお排便時の出血、痛み、肛門周囲の痒み等の症状が続く場合には、肛門癌等の重大な病気の症状である可能性も考えられ、早期に医療機関を受診して専門医の診療を受けるなどの対応が必要です。

確認テスト（○×問題）

問題 3-5-19　内用痔疾用薬に配合されるトコフェロール酢酸エステルは、組織修復を目的とする。

問題 3-5-20　乙字湯は、通常、構成生薬としてカンゾウ、ダイオウを含んでいる。

問題 3-5-21　乙字湯は、切れ痔、痔瘻の痔出血の症状に適すとされる。

問題 3-5-22　乙字湯は、まれに重篤な副作用として、肝機能障害、間質性肺炎を生じることがある。

問題 3-5-23　乙字湯は、体の虚弱な人、胃腸が弱く下痢しやすい人では、悪心・嘔吐、激しい腹痛を伴う下痢等の副作用が現れやすい等、不向きとされる。

問題 3-5-24　芎帰膠艾湯は、大便が硬くて便秘傾向がある人における、痔核、切れ痔、便秘の症状に適すとされる。

問題 3-5-25　痔疾用薬のうち注入軟膏は、その成分が直腸粘膜で吸収されて循環血液中に入ることはない。

👉 解答は別冊p.20

3

主な医薬品とその作用

循環器用薬

3-5-2 その他の泌尿器用薬

1 代表的な配合成分

(1) 尿路消毒成分

ウワウルシ（ツツジ科のクマコケモモの葉を基原とする生薬）は、利尿作用のほかに、尿中に排出される分解代謝物が抗菌作用を示します。

(2) 利尿成分

▼利尿成分

利尿成分	説明
カゴソウ	シソ科のウツボグサの花穂を基原とする生薬
キササゲ	ノウゼンカズラ科のキササゲ等の果実を基原とする生薬
サンキライ	ユリ科 *Smilax glabra* Roxburgh の塊茎を基原とする生薬
ソウハクヒ	クワ科のマグワの根皮を基原とする生薬
モクツウ	アケビ科のアケビまたはミツバアケビの蔓性の茎
ブクリョウ	サルノコシカケ科のマツホドの菌核

2 漢方処方製剤

(1) 牛車腎気丸
ごしゃじんきがん

体力中等度以下で、疲れやすくて、四肢が冷えやすく尿量減少し、むくみがあり、ときに口渇があるものの下肢痛、腰痛、しびれ、高齢者のかすみ目、痒み、排尿困難、頻尿、むくみ、高血圧に伴う随伴症状の改善（肩こり、頭重、耳鳴り）に適すとされます。胃腸が弱く下痢しやすい人、のぼせが強く赤ら顔で体力の充実している人では、胃部不快感、腹痛、のぼせ、動悸等の副作用が現れやすい等、不向きとされます。

重篤な副作用 肝機能障害、間質性肺炎。

(2) 八味地黄丸
はちみじおうがん

体力中等度以下で、疲れやすくて、四肢が冷えやすく、尿量減少または多尿でときに口渇があるものの下肢痛、腰痛、しびれ、高齢者のかすみ目、痒み、排尿困難、残尿感、夜間尿、頻尿、むくみ、高血圧に伴う随伴症状の改善（肩こり、頭重、耳鳴り）、軽い尿漏れに適すとされます。胃腸の弱い人、下痢しやすい

人では、食欲不振、胃部不快感、腹痛、下痢の副作用が現れるおそれがあるため使用を避ける必要があります。また、のぼせが強く赤ら顔で体力の充実している人では、のぼせ、動悸等の副作用が現れやすい等、不向きとされます。

(3) 六味丸

体力中等度以下で、疲れやすくて尿量減少または多尿で、ときに手足のほてり、口渇があるものの排尿困難、残尿感、頻尿、むくみ、痒み、夜尿症、しびれに適すとされますが、胃腸が弱く下痢しやすい人では、胃部不快感、腹痛、下痢等の副作用が現れやすい等、不向きとされます。

(4) 猪苓湯

体力に関わらず使用でき、排尿異常があり、ときに口が渇くものの排尿困難、排尿痛、残尿感、頻尿、むくみに適すとされます。

(5) 竜胆瀉肝湯…カンゾウ含む

体力中等度以上で、下腹部に熱感や痛みがあるものの排尿痛、残尿感、尿の濁、こしけ（おりもの）、頻尿に適すとされますが、胃腸が弱く下痢しやすい人では、胃部不快感、下痢等の副作用が現れやすい等、不向きとされます。

確認テスト（○×問題）

問題3-5-26 ☑☑☑ ウワウルシは、ツツジ科のクマコケモモの葉を薬用部位として用いた生薬であり、経口的に摂取した後、尿中に排出される分解代謝物が抗菌作用を示し、膀胱の弛緩効果を期待して用いられる。

問題3-5-27 ☑☑☑ 牛車腎気丸は、泌尿器用薬として使用されることはない。

問題3-5-28 ☑☑☑ 八味地黄丸は、体力中等度以下で、疲れやすくて、四肢が冷えやすく、尿量減少または多尿でときに口渇があるものの下肢痛、腰痛、しびれ、高齢者のかすみ目、痒み、排尿困難、残尿感、夜間尿、頻尿、むくみ等に適すとされる。

問題3-5-29 ☑☑☑ 六味丸は、痔疾患に用いられる。

問題3-5-30 ☑☑☑ 猪苓湯は、体力に関わらず使用でき、排尿異常があり、ときに口が渇くものの排尿困難、排尿痛、残尿感、頻尿、むくみに適すとされる。

問題3-5-31 ☑☑☑ 排尿痛、残尿感の症状に適すとされる竜胆瀉肝湯は、構成生薬としてカンゾウを含む。

☞ 解答は別冊p.21

3-6　婦人用薬

適用対象となる体質・症状

　女性の月経は、子宮内膜が剥がれ落ち、血液と共に排出される生理現象です。月経周期は、約21日〜40日と個人差があります。種々のホルモンによって調節され、視床下部や下垂体で産生されるホルモンと、卵巣で産生される女性ホルモンが月経周期に関与します。

　加齢とともに卵巣からの女性ホルモンの分泌が減少していき、やがて月経が停止して、妊娠可能な期間が終了することを閉経といいます。閉経の前後に更年期（閉経周辺期）と呼ばれる移行的な時期があり、体内の女性ホルモンの量が大きく変動することがあります。そのため更年期では、月経周期が不規則になるほか、不定愁訴として血の道症（臓器・組織の形態的異常がなく、抑うつや寝つきが悪くなる、神経質、集中力の低下等の精神神経症状が現れる病態）の症状に加え、冷え症、腰痛、頭痛、頭重、ほてり、のぼせ、立ちくらみ等の症状が起こることがあり、これらを更年期障害といいます。

　血の道症は、月経、妊娠、分娩、産褥（分娩後、母体が通常の身体状態に回復するまでの期間）、更年期等の生理現象や、流産、人工妊娠中絶、避妊手術などを原因とする異常生理によって起こるとされ、年齢範囲は必ずしも更年期に限りません。特に、月経の約10〜3日前に現れ、月経開始と共に消失する腹部膨満感、頭痛、乳房痛などの身体症状や感情の不安定、抑うつなどの精神症状を主体とするものを、月経前症候群といいます。

　婦人薬は、月経および月経周期に伴って起こる症状を中心として、女性に現れる特有な諸症状（血行不順、自律神経系の働きの乱れ、生理機能障害等の全身的な不快症状）の緩和と、保健を主たる目的とする医薬品です。その効能・効果として、血の道症、更年期障害、月経異常およびそれらに随伴する冷え症、月経痛、腰痛、頭痛、のぼせ、肩こり、めまい、動悸、息切れ、手足のしびれ、こしけ（おりもの）、血色不良、便秘、むくみ等に用いられます。

② 婦人薬の代表的な配合成分

(1) 女性ホルモン成分

人工合成された女性ホルモンであるエチニルエストラジオールは、エストラジオールを補充するもので、膣粘膜または外陰部に塗擦するものがあります。これらの成分は適用部位から吸収されて循環血液中に移行します。

妊娠中の女性ホルモン成分の摂取によって、胎児の先天性異常の発生が報告されており、使用を避ける必要があります。また、吸収された成分が乳汁中に移行することが考えられるので、授乳中は使用を避けるべきです。

(2) 生薬成分

①サフラン、コウブシ

鎮静、鎮痛のほか、女性の滞っている月経を促す作用を期待して、サフラン(アヤメ科のサフランの柱頭を基原とする生薬)、コウブシ(カヤツリグサ科のハマスゲの根茎を基原とする生薬)等が配合されている場合があります。

②センキュウ、トウキ、ジオウ

センキュウ(セリ科のセンキュウの根茎を、通例、湯通ししたものを基原とする生薬)、トウキ(セリ科のトウキまたはホッカイトウキの根を、通例、湯通ししたものを基原とする生薬)、ジオウ(ゴマノハグサ科のアカヤジオウ等の根またはそれを蒸したものを基原とする生薬)は、血行を改善し血色不良や冷えの症状を緩和するほか、強壮、鎮静、鎮痛等の作用を期待して用いられます。

確認テスト (○×問題)

問題3-6-1 更年期症状を有する女性は、女性ホルモン成分(エストラジオール等)を含む婦人薬の使用を避ける必要がある。

問題3-6-2 エチニルエストラジオール、エストラジオールを含有する婦人薬は、内服薬のみが認められている。

問題3-6-3 サフランは、鎮静、鎮痛のほか、女性の滞っている月経を促す作用を期待して配合される場合がある。

問題3-6-4 コウブシ(カヤツリグサ科のハマスゲの根茎を基原とする生薬)は、鎮静、鎮痛のほか、女性の滞っている月経を促す作用を期待して配合されている場合がある。

問題3-6-5 センキュウ、トウキ、ジオウは、血行を改善し、血色不良や冷えの症状を緩和するほか、強壮、鎮静、鎮痛等の作用を期待して用いられる。

☛ 解答は別冊p.21

③その他、婦人薬に配合される生薬成分

・シャクヤク、ボタンピ：鎮痛・鎮痙作用

・サンソウニン、カノコソウ：鎮静作用

・カンゾウ：抗炎症作用

・オウレン、ソウジュツ、ビャクジュツ、ダイオウ：胃腸症状に対する効果

・モクツウ、ブクリョウ：利尿作用

(3) ビタミン成分

　疲労時に消耗しがちなビタミンの補給を目的として、ビタミンB_1（チアミン硝化物、チアミン塩化物塩酸塩等）、ビタミンB_2（リボフラビン、リボフラビンリン酸エステルナトリウム等）、ビタミンB_6（ピリドキシン塩酸塩等）、ビタミンB_{12}（シアノコバラミン）、ビタミンC（アスコルビン酸等）が配合されている場合があります。また、血行を促進する作用を目的として、ビタミンE（トコフェロールコハク酸エステル等）が配合されている場合もあります。

(4) その他

　滋養強壮作用を目的として、アミノエチルスルホン酸（タウリン）、グルクロノラクトン、ニンジン等が婦人薬に配合されている場合があります。

3　婦人薬としての漢方処方製剤

　女性の月経や更年期障害に伴う諸症状の緩和に用いられる主な漢方処方製剤として、温経湯、温清飲、加味逍遙散、桂枝茯苓丸、五積散、柴胡桂枝乾姜湯、四物湯、桃核承気湯、当帰芍薬散等があります。

　これらのうち、温経湯、加味逍遥散、五積散、柴胡桂枝乾姜湯、桃核承気湯は構成生薬としてカンゾウを含むので、長期間服用した場合の副作用に注意を払う必要があります。

(1) 温経湯…カンゾウ含む

　体力中等度以下で、手足がほてり、唇が乾くものの月経不順、月経困難、こしけ（おりもの）、更年期障害、不眠、神経症、湿疹、皮膚炎、足腰の冷え、しもやけ、手あれ（手の湿疹・皮膚炎）に適すとされます。胃腸の弱い人では、不向きとされます。

(2) 温清飲…カンゾウ含まない

　体力中等度で皮膚はかさかさして色つやが悪く、のぼせるものの月経不順、月経困難、血の道症、更年期障害、神経症、湿疹、皮膚炎に適すとされます。

胃腸が弱く下痢しやすい人では胃部不快感、下痢等の副作用が現れやすい等、不向きとされます。

> **重篤な副作用** 肝機能障害。

(3) 加味逍遙散…カンゾウ含む

　体力中等度以下で、のぼせ感があり、肩がこり、疲れやすく、精神不安やいらだちなどの精神神経症状、ときに便秘の傾向のあるものの冷え症、虚弱体質、月経不順、月経困難、更年期障害、血の道症、不眠症に適すとされます。胃腸の弱い人では悪心（吐き気）、嘔吐、胃部不快感、下痢等の副作用が現れやすい等、不向きとされます。

> **重篤な副作用** 肝機能障害、腸間膜静脈硬化症。

(4) 桂枝茯苓丸…カンゾウ含まない

　比較的体力があり、ときに下腹部痛、肩こり、頭重、めまい、のぼせて足冷えなどを訴えるものの、月経不順、月経異常、月経痛、更年期障害、血の道症、肩こり、めまい、頭重、打ち身（打撲症）、しもやけ、しみ、湿疹・皮膚炎、にきびに適すとされます。体の虚弱な人（体力の衰えている人、体の弱い人）では不向きとされます。

> **重篤な副作用** 肝機能障害。

確認テスト（○×問題）

問題3-6-6 鎮痛・鎮痙作用を期待して、シャクヤクやボタンピが婦人薬に配合されている場合がある。

問題3-6-7 温経湯は、女性の月経や更年期障害に伴う諸症状の緩和に用いられる漢方処方製剤であるが、カンゾウを含有する。

問題3-6-8 温清飲は、女性の月経や更年期障害に伴う諸症状の緩和に用いられる漢方処方製剤であるが、カンゾウを含有する。

問題3-6-9 加味逍遙散は、体力中等度以下でのぼせ感があり、肩がこり、疲れやすく、精神不安やいらだちなどの精神神経症状、ときに便秘の傾向のあるものの冷え症、虚弱体質、月経不順、月経困難、更年期障害、血の道症、不眠症に適すとされる。

問題3-6-10 桂枝茯苓丸は、女性の月経や更年期障害に伴う諸症状の緩和に用いられ、構成生薬としてカンゾウを含む。

☛ 解答は別冊p.21

(5) 五積散…カンゾウ、マオウ含む

　体力中等度またはやや虚弱で、冷えがあるものの胃腸炎、腰痛、神経痛、関節痛、月経痛、頭痛、更年期障害、感冒に適すとされます。体の虚弱な人（体力の衰えている人、体の弱い人）、胃腸の弱い人、発汗傾向の著しい人では、不向きとされます。

(6) 柴胡桂枝乾姜湯…カンゾウ含む

　体力中等度以下で、冷え症、貧血気味、神経過敏で、動悸、息切れ、ときに寝汗、頭部の発汗、口の渇きがあるものの更年期障害、血の道症、不眠症、神経症、動悸、息切れ、かぜの後期の症状、気管支炎に適すとされます。

重篤な副作用　間質性肺炎、肝機能障害。

(7) 四物湯…カンゾウ含まない

　体力虚弱で、冷え症で皮膚が乾燥、色つやの悪い体質で胃腸障害のないものの月経不順、月経異常、更年期障害、血の道症、冷え症、しもやけ、しみ、貧血、産後あるいは流産後の疲労回復に適すとされます。体の虚弱な人（体力の衰えている人、体の弱い人）、胃腸の弱い人、下痢しやすい人では、胃部不快感、腹痛、下痢等の副作用が現れやすい等、不向きとされます。

(8) 桃核承気湯…カンゾウ、ダイオウ含む

　体力中等度以上で、のぼせて便秘しがちなものの月経不順、月経困難症、月経痛、月経時や産後の精神不安、腰痛、便秘、高血圧の随伴症状（頭痛、めまい、肩こり）、痔疾、打撲症に適すとされます。体の虚弱な人（体力の衰えている人、体の弱い人）、胃腸が弱く下痢しやすい人では、激しい腹痛を伴う下痢等の副作用が現れやすい等、不向きとされます。

(9) 当帰芍薬散…カンゾウ含まない

　体力虚弱で、冷え症で貧血の傾向があり疲労しやすく、ときに下腹部痛、頭重、めまい、肩こり、耳鳴り、動悸などを訴えるものの月経不順、月経異常、月経痛、更年期障害、産前産後あるいは流産による障害（貧血、疲労倦怠、めまい、むくみ）、めまい・立ちくらみ、頭重、肩こり、腰痛、足腰の冷え症、しもやけ、むくみ、しみ、耳鳴りに適すとされます。胃腸の弱い人では、胃部不快感等の副作用が現れやすい等、不向きとされます。

④ 相互作用、受診勧奨

（1）相互作用

　婦人用薬は、通常、複数の生薬成分を含有しているため、ほかの婦人用薬や生薬含有製剤と併用すると含有生薬が重複して、効き目が強すぎたり、副作用が起こりやすくなるおそれがあります。ダイオウ、カンゾウを含む製剤との併用には特に注意することが必要です。

　一般の生活者においては「痔の薬」と「更年期障害の薬」等は影響し合わないとの誤った認識がなされることも考えられるので、登録販売者は適宜注意を促していくことが重要です。

　また、何らかの疾患のために医師の治療を受けている場合には、婦人薬の使用が治療中の疾患に悪影響を及ぼすことがあります。動悸や息切れ、めまい、のぼせ等の症状が、治療中の疾患に起因する可能性や、処方された薬剤の副作用である可能性も考えられます。

確認テスト（○×問題）

問題3-6-11 ☑☑☑ 五積散（ごしゃくさん）は、女性の月経や更年期障害に伴う諸症状の緩和に用いられる漢方製剤であるが、構成生薬としてダイオウを含む。

問題3-6-12 ☑☑☑ 四物湯（しもつとう）は、女性の月経や更年期障害に伴う諸症状の緩和に用いられる漢方処方製剤であるが、カンゾウを含有する。

問題3-6-13 ☑☑☑ 桃核承気湯（とうかくじょうきとう）は、女性の月経や更年期障害に伴う諸症状の緩和に用いられ、構成生薬としてカンゾウを含む。

問題3-6-14 ☑☑☑ 当帰芍薬散（とうきしゃくやくさん）は、女性の月経や更年期障害に伴う諸症状の緩和に用いられ、構成生薬としてカンゾウを含む。

問題3-6-15 ☑☑☑ 漢方処方製剤の婦人用薬を数日間服用したが、症状の改善がみられなかったので、別のタイプの婦人用薬に変更した。

問題3-6-16 ☑☑☑ 過度のストレスや、不適切なダイエット等による栄養摂取の偏りが、月経前症候群を悪化させる要因となることもある。

問題3-6-17 ☑☑☑ 漢方処方製剤の婦人用薬では、通常、特有な生薬成分が配合されており、ほかの生薬成分を含有する医薬品とは配合成分が異なるため、併用しても重複摂取になることはない。

☞ 解答は別冊p.21

3-7 内服アレルギー用薬 （鼻炎用内服薬を含む）

1 アレルギー症状が発生する仕組み

　アレルゲン(抗原)として、主なものとしては、小麦、卵、乳、そば、落花生、えび、かに等の食品、ハウスダスト(室内塵)、家庭用品が含有する化学物質や金属等が知られており、スギやヒノキ、ブタクサ等の花粉のように季節性のものもあります。

　アレルゲンが皮膚や粘膜から体内に入り込むと、その物質を特異的に認識した免疫グロブリン(抗体)によって肥満細胞が刺激され、細胞間の刺激の伝達を担う生理活性物質であるヒスタミンやプロスタグランジン等の物質が遊離します。肥満細胞から遊離したヒスタミンは、周囲の器官や組織の表面に分布する特定のタンパク質(受容体)と反応することで、血管拡張、血管透過性亢進(血漿タンパク質が組織中に漏出する)等の作用を起こします。

　なお、蕁麻疹についてはアレルゲンとの接触以外に、皮膚への物理的な刺激等によってヒスタミンが肥満細胞から遊離して生じるもの(寒冷蕁麻疹、日光蕁麻疹、心因性蕁麻疹など)も知られています。また、食品(特にサバなどの生魚)が傷むとヒスタミンに類似した物質(ヒスタミン様物質)が生成されることがあり、そうした食品を摂取することによって生じる蕁麻疹もあります。

2 アレルギー症状を抑える配合成分

(1) 抗ヒスタミン成分

　抗ヒスタミン成分は、肥満細胞から遊離したヒスタミンが受容体と反応するのを妨げることにより、ヒスタミンの働きを抑える作用を示す成分です。くしゃみ・鼻水を抑える成分として、クロルフェニラミンマレイン酸塩、カルビノキサミンマレイン酸塩、クレマスチンフマル酸塩、ジフェンヒドラミン塩酸塩、ジフェニルピラリン塩酸塩、ジフェニルピラリンテオクル酸塩、トリプロリジン塩酸塩、メキタジン、アゼラスチン、エメダスチン、ケトチフェンフマル酸塩、エピナスチン塩酸塩、フェキソフェナジン塩酸塩、ロラタジン等が用いられます。

> **重篤な副作用** メキタジンは、ショック(アナフィラキシー)、肝機能障害、血小板減少を生じることがある。

　抗ヒスタミン成分は、抗コリン作用も示すため、排尿困難や口渇、便秘等の副作用が現れることがあります。排尿困難がある人、緑内障の診断を受けた人では、治療を行っている医師または処方薬の調剤を行った薬剤師に相談すべきです。

> **注意** ジフェンヒドラミン塩酸塩、ジフェンヒドラミンサリチル酸塩、ジメンヒドリナート等のジフェンヒドラミンを含む成分については、吸収されたジフェンヒドラミンの一部が乳汁に移行して乳児に昏睡を生じるおそれがあるため、母乳を与える女性は使用を避けるか、使用する場合には授乳を避けること。

（2）抗炎症成分

　皮膚や鼻粘膜の炎症を和らげることを目的として、グリチルリチン酸二カリウム、グリチルリチン酸、グリチルリチン酸モノアンモニウム、トラネキサム酸等が配合されている場合があります。

確認テスト（○×問題）

問題3-7-1 カルビノキサミンマレイン酸塩は、交感神経系を刺激して、鼻粘膜の充血や腫れを和らげることを目的として用いられる。

問題3-7-2 クレマスチンフマル酸塩は、アレルギー用薬の配合成分であるが、まれに重篤な副作用としてショック（アナフィラキシー）、肝機能障害および血小板減少症を生じることがある。

問題3-7-3 アレルギー用薬（鼻炎用内服薬を含む）に用いられるジフェンヒドラミン塩酸塩は乳汁に移行しないため、この成分を含む製品は母乳を与える女性でも使用することができる。

問題3-7-4 メキタジンには、まれに重篤な副作用としてショック（アナフィラキシー）、肝機能障害、血小板減少を生じることがある。

問題3-7-5 メキタジンは、くしゃみや鼻汁を抑えることを目的として用いられる。

問題3-7-6 ジフェニルピラリンテオクル酸塩は、アレルギー用薬の配合成分であるが、まれに重篤な副作用としてショック（アナフィラキシー）、肝機能障害および血小板減少症を生じることがある。

問題3-7-7 抗ヒスタミン成分は、肥満細胞から遊離したヒスタミンが受容体と反応するのを妨げることにより、ヒスタミンの働きを抑える作用を示す成分である。

☞ 解答は別冊 p.22

(3) アドレナリン作動成分

　鼻炎用内服薬では、交感神経系を刺激して鼻粘膜の血管を収縮させることによって鼻粘膜の充血を和らげることを目的として、プソイドエフェドリン塩酸塩、フェニレフリン塩酸塩、メチルエフェドリン塩酸塩等のアドレナリン作動成分が配合されている場合があります。メチルエフェドリン塩酸塩については、血管収縮作用により痒みを鎮める効果を期待して、アレルギー用薬でも用いられることがあります。

> **注意** プソイドエフェドリン塩酸塩、メチルエフェドリン塩酸塩については、依存性がある。したがって、長期連用や乱用に注意すること。

> **副作用** ・ プソイドエフェドリン塩酸塩は、中枢神経系に対する作用が強く、副作用として不眠や神経過敏が現れることがあります。また、心臓病、高血圧、糖尿病または甲状腺機能障害の診断を受けた人、前立腺肥大による排尿困難の症状がある人では、症状を悪化させるおそれがあり、使用を避ける必要があります。
> ・ パーキンソン病の治療のため医療機関でセレギリン塩酸塩（モノアミン酸化酵素阻害剤）が処方されて治療を受けている人が、プソイドエフェドリン塩酸塩が配合された鼻炎用内服薬を使用した場合、体内でのプソイドエフェドリンの代謝が妨げられて、副作用が現れやすくなるおそれが高く、使用を避ける必要があります。

(4) 抗コリン成分

　鼻炎用内服薬では、鼻腔内の粘液分泌腺からの粘液の分泌を抑えるとともに、鼻腔内の刺激を伝達する副交感神経系の働きを抑えることによって、鼻汁分泌やくしゃみを抑えることを目的として、ベラドンナ総アルカロイド、ヨウ化イソプロパミド等の抗コリン成分が配合されている場合があります。ベラドンナは、ナス科の草本で、その葉や根に、副交感神経系から放出されるアセチルコリンの働きを抑える作用を示すアルカロイドを豊富に含んでいます。

(5) ビタミン成分

　皮膚や粘膜の健康維持・回復に重要なビタミンを補給することを目的として、ビタミンB_6（ピリドキサールリン酸エステル、ピリドキシン塩酸塩）、ビタミンB_2（リボフラビンリン酸エステルナトリウム等）、パンテノール、パントテン酸カルシウム等、ビタミンC（アスコルビン酸等）、ニコチン酸アミド等が配合されている場合があります。

（6）生薬成分

①シンイ

モクレン科のハクモクレン、タムシバ、コブシの蕾（つぼみ）を基原とする生薬で、鎮静、鎮痛の作用を期待して用いられます。

②サイシン

ウマノスズクサ科のケイリンサイシンまたはウスバサイシンの根および根茎を基原とする生薬で、鎮痛、鎮咳、利尿等の作用を有するとされ、鼻閉への効果を期待して用いられます。

③ケイガイ

シソ科のケイガイの花穂を基原とする生薬で、発汗、解熱、鎮痛等の作用を有するとされ、鼻閉（びへい）への効果を期待して用いられます。

確認テスト（○×問題）

問題3-7-8 プソイドエフェドリン塩酸塩は、鶏卵によるアレルギー症状を起こしたことがある人では、使用を避ける必要がある。

問題3-7-9 プソイドエフェドリン塩酸塩は、心臓病、高血圧等の診断を受けた人、前立腺肥大による排尿困難の症状がある人では、使用を避ける必要がある。

問題3-7-10 プソイドエフェドリン塩酸塩は、医療機関でパーキンソン病の治療を受け、セレギリン塩酸塩が処方されている人では、使用を避ける必要がある。

問題3-7-11 鼻炎内服薬に配合されるプソイドエフェドリン塩酸塩は、依存性がある成分であり、長期間に渡って連用された場合、薬物依存につながるおそれがある。

問題3-7-12 鼻炎用点鼻薬に用いられるフェニレフリン塩酸塩は、鼻粘膜を清潔に保ち、細菌による二次感染を防止することを目的として配合されている。

問題3-7-13 フェニレフリン塩酸塩は、アレルギー用薬（鼻炎用内服薬を含む）に用いられる抗ヒスタミン成分である。

問題3-7-14 アレルギー用薬（鼻炎用内服薬を含む）に用いられるベラドンナ総アルカロイドは、鼻汁分泌やくしゃみを抑えることを目的として用いられる。

問題3-7-15 シンイは、シソ科のケイガイの花穂を用いた生薬で、発汗、解熱、鎮痛等の作用を有するとされ、鼻閉への効果を期待して用いられる。

☞ 解答は別冊p.21

3　漢方処方製剤

　漢方の考え方に基づくと、生体に備わっている自然治癒の働きを整えることを目的とします。漢方処方製剤では、使用する人の体質と症状にあわせて漢方処方が選択されることが重要です。皮膚の症状を主とする人に適すとされるものとして、茵蔯蒿湯、十味敗毒湯、消風散、当帰飲子等が、鼻の症状を主とする人に適すとされるものとして、葛根湯加川芎辛夷、小青竜湯、荊芥連翹湯、辛夷清肺湯等があります。

　これらのうち茵蔯蒿湯、辛夷清肺湯を除き、いずれも構成生薬としてカンゾウを含み、また、葛根湯加川芎辛夷は、構成生薬としてマオウを含みます。

(1) 茵蔯蒿湯…ダイオウ含む

　体力中等度以上で口渇があり、尿量少なく、便秘するものの蕁麻疹、口内炎、湿疹・皮膚炎、皮膚の痒みに適すとされます。体の虚弱な人（体力の衰えている人、体の弱い人）、胃腸が弱く下痢しやすい人では、激しい腹痛を伴う下痢等の副作用が現れやすい等、不向きとされます。

(2) 十味敗毒湯…カンゾウ含む

　体力中等度なものの皮膚疾患で、発赤があり、ときに化膿するものの化膿性皮膚疾患・急性皮膚疾患の初期、蕁麻疹、湿疹・皮膚炎、水虫に適すとされます。体の虚弱な人（体力の衰えている人、体の弱い人）、胃腸が弱い人では不向きとされます。短期間の使用に限られるものではありませんが、化膿性皮膚疾患・急性皮膚疾患の初期、急性湿疹に用いる場合は、漫然と長期の使用は避け、1週間位使用して症状の改善がみられないときは、いったん使用を中止して専門家に相談がなされるなどの対応が必要です。

(3) 消風散…カンゾウ含む

　体力中等度以上の人の皮膚疾患で、痒みが強くて分泌物が多く、ときに局所の熱感があるものの湿疹・皮膚炎、蕁麻疹、水虫、あせもに適すとされます。体の虚弱な人（体力の衰えている人、体の弱い人）、胃腸が弱く下痢をしやすい人では、胃部不快感、腹痛等の副作用が現れやすい等、不向きとされます。

(4) 当帰飲子…カンゾウ含む

　体力中等度以下で冷え症で、皮膚が乾燥するものの湿疹・皮膚炎（分泌物の少ないもの）、痒みに適すとされますが、胃腸が弱く下痢をしやすい人では、胃部不快感、腹痛等の副作用が現れやすい等、不向きとされます。

(5) 葛根湯加川芎辛夷…マオウ、カンゾウ含む

比較的体力があるものの鼻づまり、蓄膿症（副鼻腔炎）、慢性鼻炎に適すとされます。体の虚弱な人（体力の衰えている人、体の弱い人）、胃腸が弱い人、発汗傾向の著しい人では、悪心、胃部不快感等の副作用が現れやすい等、不向きとされます。

(6) 荊芥連翹湯…カンゾウ含む

体力中等度以上で皮膚の色が浅黒く、ときに手足の裏に脂汗をかきやすく腹壁が緊張しているものの蓄膿症（副鼻腔炎）、慢性鼻炎、慢性扁桃炎、にきびに適すとされますが、胃腸の弱い人では、胃部不快感等の副作用が現れやすい等、不向きとされます。

> **重篤な副作用** 肝機能障害、間質性肺炎。

(7) 辛夷清肺湯

体力中等度以上で、濃い鼻汁が出て、ときに熱感を伴うものの鼻づまり、慢性鼻炎、蓄膿症（副鼻腔炎）に適すとされます。体の虚弱な人（体力の衰えている人、体の弱い人）、胃腸虚弱で冷え症の人では、胃部不快感等の副作用が現れやすいなど、不向きとされています。

> **重篤な副作用** 肝機能障害、間質性肺炎、腸間膜静脈硬化症。

4 相互作用、受診勧奨

(1) 相互作用

一般用医薬品のアレルギー用薬（鼻炎用内服薬を含む）は、複数の有効成分が配合されている場合が多く、ほかのアレルギー用薬（鼻炎用内服薬を含む）、抗ヒスタミン成分、アドレナリン作動成分または抗コリン成分が配合された医薬品（かぜ薬、睡眠補助薬、乗物酔い防止薬、鎮咳去痰薬、口腔咽喉薬、胃腸鎮痛鎮痙薬等）などが併用された場合、同じ成分または同種の作用を有する成分が重複摂取となり、効き目が強すぎたり、副作用が起こりやすくなるおそれがあります。一般の生活者は、「鼻炎の薬」と「蕁麻疹の薬」は影響し合わないと誤認することが考えられるので、医薬品販売の専門家である登録販売者は、適宜注意を促していくことが重要です。

　また、内服アレルギー用薬（鼻炎用内服薬を含む）と鼻炎用点鼻薬のように、内服薬と外用薬でも同種の成分が重複することもあるので、それらが併用されることのないよう注意が必要です。

(2) 受診勧奨

　蕁麻疹や鼻炎等のアレルギー症状に対する医薬品の使用は、基本的に対症療法です（原因を取り除くわけではない）。一般用医薬品のアレルギー用薬（鼻炎用内服薬を含む）は、一時的な症状の緩和に用いられるものであり、長期の連用は避け、5～6日間使用しても症状の改善がみられない場合には、医師の診療を受けるなどの対応が必要です。

　アレルギー症状を軽減するには、日常生活におけるアレルゲンの除去・回避といった根源的な対応が図られることが重要であり、何がアレルゲンとなって症状が生じているのかが見極められることが重要です。アレルゲンを厳密に特定するには医療機関における検査が必要で、その上で、アレルゲンに対して徐々に体を慣らしていく治療法（減感作療法）などもあります。

　皮膚症状が治まると喘息が現れるというように、種々のアレルギー症状が連鎖的に現れることがあります。このような場合、一般用医薬品によって一時的な対処を図るよりも、医療機関で総合的な診療を受けた方がよいでしょう。

　また、一般用医薬品（漢方処方製剤を含む）には、アトピー性皮膚炎による慢性湿疹等の治療に用いることを目的とするものはないことから、アトピー性皮膚炎が疑われる場合やその診断が確定している場合は、医師の受診を勧めることが重要です。

　皮膚感染症（たむし、疥癬等）により、湿疹やかぶれ等に似た症状が現れることがあります。その場合、アレルギー用薬によって一時的に痒み等の緩和を図ることは適当でなく、皮膚感染症そのものに対する対処を優先する必要があります。

　医薬品が原因となってアレルギー症状を生じることもあり、使用中に症状が悪化・拡大したような場合には、医薬品の副作用である可能性を考慮し、その医薬品の服用を中止して、医療機関を受診するなどの対応が必要です。特に、アレルギー用薬の場合、一般の生活者では、使用目的となる症状（蕁麻疹等）と副作用の症状（皮膚の発疹・発赤等の薬疹）が見分けにくいことがあり、医薬品販売の専門家である登録販売者が適宜注意を促していくことが重要です。

　鼻炎症状はかぜの随伴症状として現れることも多いのですが、高熱を伴って

いる場合には、かぜ以外のウイルス感染症やその他の重大な病気である可能性があり、医療機関を受診するなどの対応が必要です。

確認テスト（○×問題）

問題3-7-16 ☑☑☑
十味敗毒湯（じゅうみはいどくとう）は、内服アレルギー用薬（鼻炎用内服薬を含む）として用いられる漢方処方製剤であるが、マオウを含む。

問題3-7-17 ☑☑☑
内服のアレルギー用薬と外用の鼻炎用点鼻薬でも同じ成分が重複することもあり、それらは相互に影響し合わないとの誤った認識によって併用されることがないよう注意が必要である。

問題3-7-18 ☑☑☑
鼻炎用内服薬と鼻炎用点鼻薬において、同種の作用を有する成分が重複することがあるが、投与経路が違うので、併用しても特に問題はない。

問題3-7-19 ☑☑☑
アレルギー症状に対する一般用医薬品の使用は、基本的に対症療法であるため長期連用は避け、5〜6日間使用しても症状の改善がみられない場合は医師の診療を受けることが望ましい。

問題3-7-20 ☑☑☑
蕁麻疹や鼻炎等のアレルギー症状に対して、一般用医薬品のアレルギー用薬を、長期的な症状の緩和に用いてもよい。

問題3-7-21 ☑☑☑
アレルギー症状が現れる前から予防的にアレルギー用薬を使用することを、減感作療法という。

問題3-7-22 ☑☑☑
皮膚症状が治まると喘息が現れるなど、種々のアレルギー症状が連鎖的に現れるような場合は、一般用医薬品によって対処を図るよりも、医療機関で総合的な治療を受けた方がよい。

問題3-7-23 ☑☑☑
一般用医薬品には、アトピー性皮膚炎等による慢性湿疹、痒み等の症状に用いることを目的とするものはない。

問題3-7-24 ☑☑☑
医薬品の使用中に、アレルギー症状が悪化・拡大した場合には、医薬品の副作用である可能性を考慮し、その医薬品の服用を中止して医療機関を受診することが望ましい。

☞ 解答は別冊 p.22

3-8 鼻炎用点鼻薬

① 鼻炎とは

急性鼻炎は、鼻腔内に付着したウイルスや細菌が原因となって生じる鼻粘膜の炎症で、かぜの随伴症状として現れます。

アレルギー性鼻炎は、ハウスダストや花粉等のアレルゲンに対する過敏反応によって引き起こされる鼻粘膜の炎症で、スギ等の花粉がアレルゲンとなって生じるものは一般に「花粉症」と呼ばれます。

副鼻腔炎は、こうした鼻粘膜の炎症が副鼻腔にも及んだもので、慢性のものは一般に「蓄膿症」と呼ばれますが、一般用医薬品の適応ではありません。

② 鼻炎用点鼻薬

鼻炎用点鼻薬の多くは、スプレー式で鼻腔内に噴霧するものです。

> ● **スプレー式鼻炎用点鼻薬の注意事項**
> ・ 使用前に鼻をよくかんでおくこと。
> ・ 使用後、鼻に接した部分を清潔なティッシュペーパー等で拭くこと。
> ・ 他人と点鼻薬を共有しないこと。
> ・ 点鼻であっても、鼻粘膜から成分が吸収されて、たとえば眠気などの全身作用が現れることがある。

③ 代表的な配合成分

(1) アドレナリン作動成分

交感神経系を刺激して鼻粘膜の血管を収縮させて、充血や腫れを和らげることを目的として、ナファゾリン塩酸塩、フェニレフリン塩酸塩、テトラヒドロゾリン塩酸塩等が鼻炎用スプレーに配合されることがあります。

> **注意** 過度に使用すると鼻粘膜の血管が反応しなくなり、逆に血管が拡張して二次充血を招き、鼻づまりがひどくなることがあります。

(2) 抗ヒスタミン成分

ヒスタミンの働きを抑えることにより、症状の緩和することを目的として、クロルフェニラミンマレイン酸塩、ケトチフェンフマル酸塩等が配合されてい

る場合があります。

（3）ヒスタミンの遊離を抑える成分（抗アレルギー成分）

クロモグリク酸ナトリウムは、肥満細胞からヒスタミンの遊離を抑える作用を示し、花粉、ハウスダスト等による鼻アレルギー症状の緩和を目的として、通常、抗ヒスタミン成分と組み合わせて配合されます。

> **注意** アレルギー性でない鼻炎や副鼻腔炎に対しては効果がありません。

（4）局所麻酔成分

鼻粘膜の過敏性や痛みや痒みを抑えることを目的として、リドカイン、リドカイン塩酸塩等の局所麻酔成分が配合されている場合があります。

（5）殺菌消毒成分

鼻粘膜を清潔に保ち、細菌による二次感染を防止することを目的として、ベンザルコニウム塩化物、ベンゼトニウム塩化物、セチルピリジニウム塩化物のような殺菌消毒成分が配合されている場合があります。

（6）抗炎症成分

鼻粘膜の炎症を和らげることを目的として、グリチルリチン酸二カリウムが配合されている場合があります。

確認テスト（○×問題）

問題3-8-1 アドレナリン作動成分が配合された点鼻薬は、過度に使用されると、鼻づまりがひどくなりやすい。

問題3-8-2 ナファゾリン塩酸塩は、交感神経系を刺激して鼻粘膜の血管を収縮させることにより、鼻粘膜の充血や腫れを和らげる。

問題3-8-3 鼻粘膜の充血や腫れを和らげることを目的として、交感神経系を刺激して鼻粘膜を通っている血管を拡張させるために、テトラヒドロゾリン塩酸塩が用いられる。

問題3-8-4 ケトチフェンフマル酸塩は、鼻粘膜を清潔に保ち、細菌による二次感染を防止することを目的として配合される。

問題3-8-5 クロモグリク酸ナトリウムは、アレルギー性でない鼻炎や副鼻腔炎に対しては無効である。

問題3-8-6 ベンザルコニウム塩化物は、鼻粘膜を清潔に保ち、細菌による二次感染を防止する。

3-9 眼科用薬

① 点眼薬とは

　一般用医薬品の点眼薬は、その主たる配合成分から、人工涙液、一般点眼薬、抗菌性点眼薬、アレルギー用点眼薬に大別されます。

　人工涙液は、涙液成分を補うことを目的とするもので、目の疲れや乾き、コンタクトレンズ装着時の不快感等に用いられます。

　一般用点眼薬は、目の疲れや痒み、結膜充血等の症状を抑える成分が配合されているものです。

　アレルギー用点眼薬は、花粉、ハウスダスト等のアレルゲンによる目のアレルギー症状（流涙、目の痒み、結膜充血等）の緩和を目的とし、抗ヒスタミン成分や抗アレルギー成分が配合されているものです。

　抗菌性点眼薬は、抗菌成分が配合され、結膜炎（はやり目）やものもらい（麦粒腫）、眼瞼炎（まぶたのただれ）等に用いられるものです。

② 点眼薬における一般的な注意

（1）点眼方法

　点眼の際に容器の先端が眼瞼や睫毛に触れると、雑菌が薬液に混入して汚染を生じる原因となるため、触れないように注意しながら1滴ずつ正確に点眼します。1滴の薬液の量は約50 μL であるのに対して、結膜嚢の容積は30 μL 程度とされており、一度に何滴も点眼しても効果が増すわけではなく、むしろ薬液が鼻腔内に流れ込み、鼻粘膜や喉から吸収されて、副作用を起こしやすくなります。点眼後は、しばらく眼瞼（まぶた）を閉じて、薬液を結膜嚢内に行き渡らせます。その際、目頭を軽く押さえると、薬液が鼻腔内へ流れ込むのを防ぐことができます。

（2）保管および取り扱い上の注意

　点眼薬を共用することは避けることとされています。また、点眼薬の使用期限は、未開封の状態におけるものであり、容器が開封されてから長期間を経過した製品は、使用を避けるべきです。

（3）コンタクトレンズ使用時の点眼法

　コンタクトレンズをしたままでの点眼は、添付文書に使用可能と記載されて

いない限りすべきではありません。

（4）コンタクトレンズ装着液

　コンタクトレンズ装着液については、あらかじめ定められた範囲内の成分（アスパラギン酸カリウム、アミノエチルスルホン酸、塩化ナトリウム、ヒドロキシプロピルメチルセルロース、ポリビニルアルコール、ポリビニルピロリドン）で基準にあてはまるものは、医薬部外品として認められています。

3

主な医薬品とその作用

3　点眼薬の副作用

　局所性の副作用だけでなく、点眼薬であっても、全身性の副作用として、皮膚に発疹、発赤、痒み等が現れることがあります。

確認テスト（○×問題）

問題3-9-1 一般用医薬品の点眼薬は、一般点眼薬、抗菌性点眼薬、アレルギー用点眼薬に大別される。

問題3-9-2 点眼の際に容器の先端が眼瞼（まぶた）や睫毛（まつげ）に触れないように注意しながら1滴ずつ正確に点眼する。

問題3-9-3 点眼後は、しばらく、まぶたを閉じて薬液を結膜嚢内に行き渡らせる。その際、目頭を軽く押さえると薬液が鼻腔内へ流れ込むのを防ぐことができ、効果的である。

問題3-9-4 点眼薬1滴の薬液の量は、約50 μLであるのに対して、結膜嚢の容積は100 μL程度とされているので一度に2滴の点眼が必要である。

問題3-9-5 一度に何滴も点眼しても効果が増すわけではなく、むしろ鼻粘膜や喉から吸収されて、副作用を起こしやすくなる。

問題3-9-6 別の人が使用している点眼薬を共用することは避けることとされている。

問題3-9-7 点眼薬の容器に記載されている使用期限は、未開封の状態におけるものである。

問題3-9-8 点眼薬は、全身性の副作用が現れることはない。

問題3-9-9 コンタクトレンズをしたままでの点眼は、添付文書に使用可能と記載されていない限り行わないことが望ましい。

問題3-9-10 目のかすみが緑内障による症状であった場合、一般用医薬品の点眼薬では効果が期待できないばかりでなく、配合成分によっては、緑内障の悪化につながる場合がある。

☛ 解答は別冊p.23

眼科用薬

4　緑内障の場合

　一般用医薬品の点眼薬には、緑内障の症状を改善できるものはなく、目のかすみが緑内障による症状であった場合には効果が期待できないばかりでなく、配合されている成分によっては、緑内障の悪化につながるおそれがある場合があります。

5　点眼薬の配合成分

（1）目の調節機能を改善する配合成分

　神経伝達物質であるアセチルコリンは、毛様体に作用して、目の調節機能に関与しています。目を酷使すると、目の調節機能が低下し、目の疲れやかすみといった症状を生じます。ネオスチグミンメチル硫酸塩は、コリンエステラーゼを抑えて、毛様体におけるアセチルコリンの働きを助けることで、目の調節機能を改善します。

（2）目の充血、炎症を抑える配合成分

①アドレナリン作動成分

　結膜を通っている血管を収縮させて目の充血を除去することを目的として、ナファゾリン塩酸塩、ナファゾリン硝酸塩、エフェドリン塩酸塩、テトラヒドロゾリン塩酸塩等のアドレナリン作動成分が配合されている場合があります。

> **注意**・緑内障と診断された人では、眼圧の上昇をまねき、緑内障を悪化させ
> たり、その治療を妨げるおそれがある。
> ・5〜6日間使用して症状の改善がみられない場合には、漫然と使用を
> 継続することなく、眼科を受診する必要性を説明しよう。

②抗炎症成分

・グリチルリチン酸ニカリウム、ベルベリン硫酸塩

　抗炎症作用を示す成分として、グリチルリチン酸ニカリウムが用いられます。また、ベルベリン硫酸塩が配合されている場合もあります。

・イプシロン−アミノカプロン酸

　炎症の原因となる物質の生成を抑える作用を示し、目の炎症を改善する効果を期待して用いられます。

・プラノプロフェン

　非ステロイド性抗炎症成分であり、炎症の原因となる物質の生成を抑える作用を示し、目の炎症を改善する効果を期待して用いられます。

③組織修復成分

　炎症を生じた眼粘膜（がんねんまく）の組織修復を促す作用を期待して、アズレンスルホン酸ナトリウム（水溶性アズレン）やアラントインが配合されている場合があります。

④収斂成分

　眼粘膜のタンパク質と結合して皮膜を形成し、外部の刺激から保護する作用を期待して、硫酸亜鉛水和物が配合されている場合があります。

確認テスト（○×問題）

問題3-9-11 点眼薬に配合されるネオスチグミンメチル硫酸塩は、アドレナリンを分解する酵素の働きを抑える作用を示し、毛様体におけるアドレナリンの働きを助けることで、目の調節機能を改善する効果を目的として用いられる。

問題3-9-12 ナファゾリン塩酸塩は、血管を収縮させるとともに、眼圧を低下させる。

問題3-9-13 点眼薬に配合されるエフェドリン塩酸塩は、結膜を通っている血管を拡張させて目の充血を除去することを目的として用いられる。

問題3-9-14 テトラヒドロゾリン塩酸塩は、細菌感染による結膜炎等の化膿性の症状を改善することを目的として用いられる。

問題3-9-15 アドレナリン作動成分が配合されている場合、緑内障と診断された人に対して、眼圧の低下をまねき、緑内障を悪化させたり、その治療を妨げるおそれがある。

問題3-9-16 点眼薬中のグリチルリチン酸二カリウムは、比較的緩和な抗炎症作用を示す成分として用いられる。

問題3-9-17 イプシロン－アミノカプロン酸は、炎症の原因となる物質の生成を抑える作用を示し、目の炎症を改善する効果を期待して用いられる。

問題3-9-18 炎症を生じた眼粘膜の組織修復を促す作用を目的として、プラノプロフェンが配合されている場合がある。

問題3-9-19 点眼薬に含まれるアズレンスルホン酸ナトリウムは、目の痒みを和らげる。

問題3-9-20 点眼薬に配合されるアラントインは、炎症を生じた眼粘膜の組織修復を促す作用を期待して用いられる。

☞ 解答は別冊p.23

(3) 目の乾きを改善する配合成分

　角膜の乾燥を防ぐことを目的として、コンドロイチン硫酸ナトリウムや精製ヒアルロン酸ナトリウムが用いられます。同様の効果を期待して、ヒドロキシプロピルメチルセルロース、ポリビニルアルコール（部分けん化物）が配合されている場合もあります。

(4) 目の痒みを抑える配合成分

①抗ヒスタミン成分

　アレルギーによる目の痒みの発生には、生体内の伝達物質であるヒスタミンが関与しています。ヒスタミンの働きを抑えることにより、目の痒みを和らげることを目的として、ジフェンヒドラミン塩酸塩、クロルフェニラミンマレイン酸塩、ケトチフェンフマル酸塩等の抗ヒスタミン成分が配合されている場合があります。

> **注意** 鼻炎用点鼻薬と併用した場合には、眠気が現れることがあるため、乗物または機械類の運転操作を避ける必要がある。

②抗アレルギー成分

　クロモグリク酸ナトリウムは、肥満細胞からのヒスタミン遊離を抑えて、花粉やハウスダストによる目のアレルギー症状の緩和を目的として、通常、抗ヒスタミン成分と組み合わせて配合されます。

> **注意** アレルギー性でない結膜炎等に対しては無効。

(5) 抗菌作用を有する配合成分

①サルファ剤

　細菌感染（ブドウ球菌や連鎖球菌）による結膜炎やものもらい（麦粒腫）、眼瞼炎などの化膿性の症状の改善を目的として、スルファメトキサゾール、スルファメトキサゾールナトリウム等のサルファ剤が用いられます。

> **注意**　・ウイルスや真菌の感染に対する効果はない。
> 　　　　・サルファ剤によるアレルギーに注意すること。

②ホウ酸

　洗眼薬として用時水に溶解し、結膜嚢の洗浄・消毒に用いられます。また、その抗菌作用による防腐効果を期待して、点眼薬の添加物（防腐剤）として配合されていることもあります。

(6) その他の配合成分

①無機塩類

　涙液の主成分はナトリウムやカリウム等の電解質であるため、配合成分として塩化カリウム、塩化カルシウム、塩化ナトリウム、硫酸マグネシウム、リン酸水素ナトリウム、リン酸二水素カリウム等が用いられます。

②ビタミン成分

▼ビタミン成分と効用

ビタミン	効用
ビタミンA (パルミチン酸レチノール、酢酸レチノール)	視力調整
ビタミンB₂ (フラビンアデニンジヌクレオチドナトリウム)	角膜の酸素消費能を増加させ組織呼吸を亢進し、角膜炎の症状を改善
パンテノール、パントテン酸カルシウム	自律神経系の伝達物質の産生に重要な成分で、調節機能回復
ビタミンB₆ (ピリドキシン塩酸塩)	目の疲れ
ビタミンB₁₂ (シアノコバラミン)	調節機能回復
ビタミンE (トコフェロール酢酸エステル)	血流促進、結膜充血、疲れ目

確認テスト (○×問題)

問題3-9-21 ☑☑☑ 点眼薬に含まれるコンドロイチン硫酸ナトリウムは、結膜や角膜の乾燥を防ぐ。

問題3-9-22 ☑☑☑ ジフェンヒドラミン塩酸塩は、コリンエステラーゼの働きを抑える作用を示し、目の調節機能を改善する成分である。

問題3-9-23 ☑☑☑ 点眼薬中のクロモグリク酸ナトリウムは、目の調節機能を改善する目的で配合される成分である。

問題3-9-24 ☑☑☑ クロモグリク酸ナトリウムは、肥満細胞からのヒスタミン遊離を抑える作用を示し、通常、抗ヒスタミン成分と組み合わせて配合される。

問題3-9-25 ☑☑☑ 点眼薬に用いられるスルファメトキサゾールは、細菌感染による結膜炎等の化膿性の症状を改善することを目的として用いられる。

問題3-9-26 ☑☑☑ 15mL中、スルファメトキサゾールナトリウム0.60g・イプシロンアミノカプロン酸0.15g・グリチルリチン酸二カリウム0.15gを含む点眼薬の適応症として、花粉症が考えられる。

問題3-9-27 ☑☑☑ 点眼薬中に配合されるサルファ剤は、すべての細菌および真菌の感染に対する効果があるため、症状の改善がみられない場合でも、続けて使用することが望ましい。

☞ 解答は別冊 p.23

3

主な医薬品とその作用

眼科用薬

3-10 皮膚に用いる薬

1 外皮用薬

　外皮用薬は、皮膚表面に生じた創傷や症状、または皮膚の下にある毛根、血管、筋組織、関節等の症状を改善・緩和するため、外用局所に直接適用される医薬品です。

　外皮用薬を使用する際には、適用する皮膚表面に汚れや皮脂が多く付着していると有効成分の浸透性が低下するため、患部を清浄にしてから使用することが重要です（水洗に限らず、清浄綿を用いて患部を清拭する等の方法でもよい）。

　また、表皮の角質層が柔らかくなることで有効成分が浸透しやすくなることから、入浴後に用いるのが効果的とされています。

(1) 剤形による取扱い上の注意

①塗り薬（軟膏剤、クリーム剤）

　薬剤を容器から直接指に取ることを繰り返すと、容器内に雑菌が混入するおそれがあります。いったん手の甲などに必要量を取ってから患部に塗布するのが望ましいでしょう。

　また、塗布したあと手に薬剤が付着したままにしておくと、薬剤が目や口の粘膜に触れて刺激感等を生じるおそれがあるため、手についた薬剤は洗い流したほうがよいでしょう。

②貼付剤（テープ剤、パップ剤）

　患部やその周囲に汗や汚れ等が付着した状態で貼付すると、有効成分の浸透性が低下するほか、剥がれやすくもなるため十分な効果が得られません。また、同じ部位に連続して貼付すると、かぶれ等を生じやすくなります。

③スプレー剤、エアゾール剤

　強い刺激を生じるおそれがあるため、目の周囲や粘膜（口唇等）への使用は避けることとされています。また、至近距離から噴霧したり、同じ部位に連続して噴霧すると、凍傷^{とうしょう}を起こすことがあります。使用上の注意に従って、患部から十分離して噴霧し、また、連続して噴霧する時間は3秒以内とすることとされています。使用時に振盪^{しんとう}が必要な製品では、容器を振ってから噴霧します。吸い込んでしまうと、めまいや吐き気を生じることがあるので、できるだけ吸入しないようにすると同時に、周囲の人にも配慮^{はいりょ}して使用してください。

（2）外皮用薬に共通する主な副作用

　局所性の副作用として、適用部位に発疹・発赤、痒み等が現れることがあります。これらの副作用は、外皮用薬が適応とする症状と区別することが難しい場合があり、外皮用薬を一定期間使用しても症状の改善がみられない場合には、漫然と使用を継続することなく、副作用の可能性も考慮して、専門家に相談することが重要です。

2　きず口の殺菌消毒成分

（1）アクリノール

　黄色の色素で、連鎖球菌、黄色ブドウ球菌などの化膿菌に対する殺菌消毒作用を示しますが、真菌、結核菌、ウイルスに対しては効果がありません。比較的刺激性が低く、創傷患部にしみにくいという特徴があります。

（2）オキシドール（過酸化水素水）

　連鎖球菌、黄色ブドウ球菌などの化膿菌に対する殺菌消毒作用を示します。オキシドールの作用は、過酸化水素の分解によって発生する活性酸素や酸素によるものです。

> **注意**　・作用の持続性は乏しく、組織への浸透性も低い。
> 　　　　・刺激性があるため、目の周りへの使用はできない。

（3）ヨウ素系殺菌消毒成分

　ヨウ素による酸化作用により、結核菌を含む一般細菌類、真菌類、ウイルスに対して殺菌消毒作用を示します。外用薬として用いた場合でも、まれにショ

ック（アナフィラキシー）のような全身性の重篤な副作用を生じることがあります。ヨウ素に対するアレルギーがある人では、使用を避ける必要があります。

> **注意** 石けんで殺菌力低下（ヨウ素の殺菌力はアルカリ性になると低下するため）。

①ポビドンヨード

ヨウ素をポリビニルピロリドン（**PVP**）と呼ばれる担体に結合させて水溶性とし、徐々にヨウ素が遊離して殺菌作用を示すように工夫されたものです。

②ヨードチンキ

ヨウ素およびヨウ化カリウムをエタノールに溶解させたもので、皮膚刺激性が強く、粘膜（口唇等）や目の周りへの使用はできません。また、化膿している部位では、かえって症状を悪化させるおそれがあります。

（4）ベンザルコニウム塩化物、ベンゼトニウム塩化物、セチルピリジニウム塩化物

石けんとの混合によって殺菌消毒効果が低下してしまいます。

（5）クロルヘキシジングルコン酸塩、クロルヘキシジン塩酸塩

一般細菌類、真菌類に対して比較的広い殺菌消毒作用を示しますが、結核菌やウイルスに対する殺菌消毒作用はありません。

（6）エタノール（消毒用エタノール）

皮膚刺激性が強いため、患部表面を軽く清拭するにとどめるべきです。

▼殺菌消毒成分のまとめ（筆者調べ）

	一般細菌	真菌	結核菌	ウイルス	器具消毒
アクリノール	△	×	×	×	×
オキシドール	△	×	×	×	×
ポビドンヨード	○	○	○	○	×
ヨードチンキ	○	○	○	○	×
ベンザルコニウム類	○	△	×	×	○
クロルヘキシジン類	○	○	×	×	×
消毒用エタノール	○	○	○	○	○

（7）その他

イソプロピルメチルフェノール、チモール、フェノール、レゾルシンは、細菌や真菌類のタンパク質を変性させることにより殺菌消毒作用を示し、患部の化膿を防ぐことを目的として用いられます。レゾルシンについては、角質層を軟化させる作用もあり、にきび用薬やみずむし・たむし用薬などに配合されて

いる場合があります。

(8) 一般的な創傷への対応

出血の場合は、創傷部に清潔なガーゼやハンカチ等を当てて圧迫し、止血します（5分間程度は圧迫を続ける）。創傷部を心臓より高くして圧迫すると、止血効果が高くなります。

火傷（熱傷）の場合は、できるだけ早く、水道水などで熱傷部を冷やすことが重要です。

通常、人間の外皮には「皮膚常在菌」が存在して、化膿の原因となる黄色ブドウ球菌、連鎖球菌等の増殖を防いでいます。創傷部に殺菌消毒薬を繰り返し適用すると、皮膚常在菌が殺菌されてしまい、治りにくくなったり、状態を悪化させることがあります。

最近では、創傷面に浸出してきた液の中に表皮再生の元になる細胞を活性化させる成分が含まれているため乾燥させない方が早く治癒するという考えも広まってきており、創傷面を乾燥させない絆創膏も販売されています。

確認テスト (○×問題)

問題3-10-1 ☑☑☑ アクリノールは、赤色の色素で、真菌、結核菌、ウイルスに対する殺菌消毒作用を示す。

問題3-10-2 ☑☑☑ オキシドールは、手指、皮膚の消毒のほか、器具等の殺菌、消毒にも用いられる。

問題3-10-3 ☑☑☑ ポビドンヨードを含む製品は、ヨウ素に対するアレルギーの既往がある人では、使用を避ける必要がある。

問題3-10-5 ☑☑☑ ベンザルコニウム塩化物は、石けんとの混合によって殺菌消毒効果が増加する。

問題3-10-6 ☑☑☑ エタノール（消毒用エタノール）は、皮膚刺激性が強いため、患部表面を軽く清拭するにとどめ、脱脂綿やガーゼに浸して患部に貼付することは避けるべきとされている。

👉 解答は別冊p.24

③ 皮膚の痒み、腫れ、痛みを抑える配合成分

(1) ステロイド性抗炎症成分

　副腎皮質ホルモン（ステロイドホルモン）の持つ抗炎症作用に着目し、それと共通する化学構造（ステロイド骨格）を持つ化合物が人工的に合成され、抗炎症成分（ステロイド性抗炎症成分）として用いられます。主なステロイド性抗炎症成分としては、デキサメタゾン、プレドニゾロン吉草酸酢酸エステル、プレドニゾロン酢酸エステル、ヒドロコルチゾン、ヒドロコルチゾン酪酸エステル、ヒドロコルチゾン酢酸エステル等があります。

　外用の場合はいずれも末梢組織（患部局所）におけるプロスタグランジンなどの炎症を引き起こす物質の産生を抑える作用を示し、特に、痒みや発赤などの皮膚症状の抑えることを目的として用いられます。

　一方、好ましくない作用として末梢組織の免疫機能を低下させる作用も示し、細菌、真菌、ウイルス等による皮膚感染（水虫・たむし等の白癬症、にきび、化膿症状）や持続的な刺激感の副作用が現れることがあります。

> **注意** 水痘（水疱瘡）、みずむし、たむし等または化膿している患部については症状を悪化させるおそれがあり、使用を避ける必要がある。

　外皮用薬で用いられるステロイド性抗炎症成分は、広範囲に生じた皮膚症状や、慢性の湿疹・皮膚炎を対象とするものではありません。

　ステロイド性抗炎症成分をコルチゾンに換算して1gまたは1mL中0.025mgを越えて含有する製品では、特に長期連用を避ける必要があります。登録販売者は、まとめ買いや頻回に購入する購入者等に対して、注意を促していくことが重要です。

　短期間の使用であっても、患部が広範囲に渡っている人では、ステロイド性抗炎症成分を含有する医薬品が患部全体に使用されると、ステロイド性抗炎症成分の吸収量が相対的に多くなるため、適用部位を限る等、過度の使用を避けるための配慮が必要です。

(2) 非ステロイド性抗炎症成分

　分子内にステロイド骨格を持たず、プロスタグランジンの産生を抑える作用（抗炎症作用）を示す成分を、ステロイド性抗炎症成分に対し、非ステロイド性抗炎症薬（NSAIDs[※]）といいます。

①皮膚の炎症によるほてりや痒みの緩和を目的とする成分

・ウフェナマート

　炎症を生じた組織の細胞膜の安定化、活性酸素の生成抑制などの作用により、抗炎症作用を示すと考えられています。湿疹、皮膚炎、かぶれ、あせも等の緩和を目的として用いられますが、以下の副作用に注意してください。

> **注意** 刺激感（ヒリヒリ感）、熱感、乾燥感が現れることがある。

※NSAIDs：一般に"エヌセイズ"と呼ばれる。語尾のsは複数形を意味し、ステロイドではない抗炎症成分の総称。Non-Steroidal Anti-Inflammatory Drugs。

確認テスト（○×問題）

問題3-10-7 副腎皮質ホルモンと共通する化学構造（ステロイド骨格）を持つ化合物が、ステロイド性抗炎症成分として用いられ、主なステロイド性抗炎症成分として、デキサメタゾン、プレドニゾロン吉草酸酢酸エステル等がある。

問題3-10-8 ステロイド骨格を持たず、抗炎症作用を示す成分を、非ステロイド性抗炎症薬といい、ヒドロコルチゾン、プレドニゾロン酢酸エステル等がある。

問題3-10-9 外皮用薬に用いられるデキサメタゾンは、非ステロイド性抗炎症成分である。

問題3-10-10 外皮用薬に用いられるプレドニゾロン酢酸エステルは、非ステロイド性抗炎症成分である。

問題3-10-11 外皮用薬に用いられるヒドロコルチゾンは、非ステロイド性抗炎症成分である。

問題3-10-12 一般用医薬品として皮膚に用いられるステロイド性抗炎症成分は、広範囲に生じた皮膚症状や、慢性の湿疹・皮膚炎を対象とするものではない。

問題3-10-13 非ステロイド性抗炎症成分（NSAIDs）であるウフェナマートは、皮膚の炎症によるほてりや痒み等の緩和を目的として用いられる。

☞ 解答は別冊p.24

②鎮痛を目的として用いられる成分

　非ステロイド性抗炎症成分のうち、インドメタシン、ケトプロフェン、フェルビナク、ピロキシカム、ジクロフェナクナトリウムについては、皮膚の下層にある骨格筋や関節部まで浸透してプロスタグランジンの産生を抑える作用を示し、筋肉痛、関節痛、肩こりに伴う肩の痛み、腰痛、腱鞘炎、肘の痛み（テニス肘等）、打撲、捻挫に用いられます。

　内服で用いられる解熱鎮痛成分と同様、喘息の副作用を引き起こす可能性があるため、喘息を起こしたことがある人では、使用を避ける必要があります。

　小児への使用については有効性・安全性が確認されておらず、インドメタシンを主薬とする外皮用薬では、11歳未満の小児（インドメタシン含量1％の貼付剤では15歳未満の小児）、その他の成分を主薬とする外用鎮痛薬では、15歳未満の小児向けの製品はありません。

・インドメタシン

> **注意** 適用部位の皮膚に、腫れ、ヒリヒリ感、熱感、乾燥感が現れることがある。

　皮膚が弱い人がインドメタシン含有の貼付剤を使用する際には、あらかじめ1〜2cm角の小片を腕の内側等の皮膚の薄い部位に半日以上貼ってみて、皮膚に異常を生じないことを確認することが推奨されています（添付文書に記載あり）。

・ケトプロフェン

> **注意**
> ・オキシベンゾン、オクトクリレンのようなUV吸収剤でアレルギー感作された人は、それらと化学構造が類似しているケトプロフェンでもアレルギーを起こすおそれが大きい。
> ・紫外線により、使用中または使用後しばらくしてからでも光線過敏症が現れることがある。

> **副作用** アナフィラキシー、接触皮膚炎、光線過敏症。

・ピロキシカム

　今のところ重篤なものは知られていませんが、光線過敏症の副作用を生じることがあります。

③その他の鎮痛成分

・サリチル酸メチル、サリチル酸グリコール

　主として局所刺激により患部の血行を促し、また、末梢の知覚神経に軽い麻痺を起こすことにより、鎮痛作用をもたらすと考えられています。

・イブプロフェンピコノール

　イブプロフェンの誘導体ですが、外用での鎮痛作用はほとんど期待されず、にきび治療薬として用いられます。

(3) その他の配合成分

配合成分	医薬品名
穏やかな抗炎症成分	グリチルレチン酸、グリチルリチン酸二カリウムなど
局所麻酔成分	ジブカイン塩酸塩、リドカイン、アミノ安息香酸エチルなど
抗ヒスタミン成分	ジフェンヒドラミン、ジフェンヒドラミン塩酸塩、クロルフェニラミンマレイン酸塩、ジフェニルイミダゾール、イソチペンジル塩酸塩など
冷感刺激成分	メントール、カンフル、ハッカ油、ユーカリ油など
温感刺激成分	カプサイシン、ノニル酸ワニリルアミド、トウガラシなど
皮膚保護成分	酸化亜鉛、ピロキシリン（ニトロセルロース）など
血行促進成分	ヘパリン類似成分、ニコチン酸ベンジル、ビタミンEなど

確認テスト（○×問題）

問題3-10-14 ☑☑☑ ステロイド骨格を持たず、抗炎症作用を示す成分を、非ステロイド性抗炎症成分といい、ウフェナマート、インドメタシン等がある。

問題3-10-15 ☑☑☑ 外皮用薬に配合される非ステロイド性抗炎症成分であるインドメタシンは、筋肉痛、関節痛、肩こりに伴う肩の痛み、腰痛、打撲等の痛みの緩和に用いられる。

問題3-10-16 ☑☑☑ インドメタシンは、喘息の副作用を引き起こすことがある。

問題3-10-17 ☑☑☑ 外皮用薬に配合される非ステロイド性抗炎症成分であるケトプロフェンは、接触皮膚炎、痒み、かぶれ等の皮膚症状の緩和に用いられる。

問題3-10-18 ☑☑☑ ケトプロフェンは、ステロイド性抗炎症成分である（痛みを抑える）。

問題3-10-19 ☑☑☑ ピロキシカムは、末梢組織におけるプロスタグランジンなどの炎症を抑える物質を増加させ、痒みや発赤などの皮膚症状を抑える働きがある。

問題3-10-20 ☑☑☑ ピロキシカムは、外皮用薬に用いられるステロイド性抗炎症成分である。

問題3-10-21 ☑☑☑ イブプロフェンピコノールは、にきび治療薬に吹き出物（面皰）の拡張を抑える作用および抗炎症作用を目的として配合される。

☛ 解答は別冊 p.24

3

主な医薬品とその作用

皮膚に用いる薬

（4）漢方処方製剤
①紫雲膏

　ひび、あかぎれ、しもやけ、うおのめ、あせも、ただれ、外傷、火傷、痔核による疼痛、肛門裂傷、かぶれに適すとされていますが、湿潤、ただれ、火傷または外傷のひどい場合、傷口が化膿している場合、患部が広範囲の場合には不向きとされます。

②中黄膏

　急性化膿性皮膚疾患（腫れ物）の初期、打ち身、捻挫に用います。湿潤・火傷・外傷のひどい場合、傷口が化膿している場合、患部が広範囲の場合には不向きです。貼り薬（パップ剤）もあります。

4　肌の角質化、かさつき等を改善する配合成分

（1）角質軟化成分

　うおのめ、たこは、皮膚の一部に機械的刺激や圧迫が繰り返し加わったことにより、角質層が部分的に厚くなったものです。いぼは、表皮が隆起した小型の良性の腫瘍で、ウイルス性のいぼと老人性のいぼに大別されます。

①サリチル酸

　角質成分を溶解することにより角質軟化作用を示します。併せて抗菌、抗真菌、抗炎症作用も期待され、にきび用薬等に配合されている場合もあります。

②イオウ

　皮膚の角質層を構成するケラチンを変質させることにより、角質軟化作用を示します。併せて抗菌、抗真菌作用も期待され、にきび用薬等に配合されている場合もあります。

（2）保湿成分

　角質層の水分保持量を高め、皮膚の乾燥を改善することを目的として、グリセリン、尿素、白色ワセリン、オリブ油、ヘパリン類似物質等が用いられます。

5　抗菌作用を有する配合成分

　一般医薬品が適用される化膿性皮膚疾患は、にきびと吹き出物です。

　にきびは、皮膚に常在しているアクネ菌が繁殖してしまったものです。一方、黄色ブドウ菌などの化膿菌が毛穴から侵入して、皮脂線、汗腺で増殖して生じた吹き出物を毛嚢炎といいます。

①サルファ剤

スルファジアジン、ホモスルファミン、スルフイソキサゾール等のサルファ剤は、細菌のDNA合成を阻害することにより抗菌作用を示します。

②バシトラシン

細菌の細胞壁合成を阻害することにより抗菌作用を示します。

③フラジオマイシン硫酸塩、クロラムフェニコール

いずれも細菌のタンパク質合成を阻害することにより抗菌作用を示します。

3

参考 にきび、吹き出物の基礎的なケア

にきび、吹き出物は、最も一般的に生じる化膿性皮膚疾患（皮膚表面に細菌が感染して化膿する皮膚疾患）です。洗顔等により皮膚を清浄に保つことが基本とされます。吹き出物を潰したり無理に膿を出そうとすると、炎症を悪化させて皮膚の傷を深くして跡が残りやすくなります。

確認テスト (○×問題)

問題3-10-22 紫雲膏は、ひび、あかぎれ、しもやけ、うおのめ、あせも、ただれ、外傷、火傷、痔核による疼痛、肛門裂傷、かぶれに適すとされるが、湿潤、ただれ、火傷または外傷のひどい場合、傷口が化膿している場合、患部が広範囲の場合には不向きとされる。

問題3-10-23 サリチル酸は、角質成分を溶解することにより角質軟化作用を示す。

問題3-10-24 イオウは、皮膚の角質層を構成するケラチンを変質させることにより、角質軟化作用を示す。

問題3-10-25 白色ワセリンは、角質成分を溶解することにより角質軟化作用を示す。

問題3-10-26 尿素は、角質層の水分保持量を高め、皮膚の乾燥を改善する。

問題3-10-27 表皮の角質層が柔らかくなることで有効成分が浸透しやすくなることから、外皮用薬は入浴後に用いるのが効果的とされる。

問題3-10-28 サルファ剤は、真菌のDNA合成を阻害することにより、抗真菌作用を示す。

問題3-10-29 バシトラシンは、タンパク質合成を阻害することにより抗菌作用を示す。

問題3-10-30 フラジオマイシン硫酸塩は、細菌のタンパク質合成を阻害することにより抗菌作用を示す。

👉 解答は別冊 p.24

6　抗真菌作用を有する配合成分

　一般に、湿疹とみずむし等の初期症状は類似していて、感染性ではない湿疹に抗真菌作用を有する成分を使用すると、かえって湿疹の悪化を招くことがあるので注意が必要です。

①イミダゾール系抗真菌成分

　オキシコナゾール硝酸塩、ネチコナゾール塩酸塩、ビホナゾール、スルコナゾール硝酸塩、エコナゾール硝酸塩、クロトリマゾール、ミコナゾール硝酸塩、チオコナゾールなどは、イミダゾール系の抗真菌薬と呼ばれ、皮膚糸状菌の細胞膜を構成する成分の産生を妨げたり、細胞膜の透過性を変化させることにより、その増殖を抑えます。

> **副作用**　かぶれ、腫れ、刺激感等が現れることがある。

②アモロルフィン塩酸塩、ブテナフィン塩酸塩、テルビナフィン塩酸塩

　皮膚糸状菌の細胞膜を構成する成分の産生を妨げることにより、その増殖を抑えます。

③シクロピロクスオラミン

　皮膚糸状菌の細胞膜に作用して、その増殖・生存に必要な物質の輸送機能を妨げ、その増殖を抑えます。

④ウンデシレン酸、ウンデシレン酸亜鉛

　患部を酸性にすることで、皮膚糸状菌の発育を抑えます。

⑤ピロールニトリン

　菌の呼吸や代謝を妨げることで、皮膚糸状菌の増殖を抑えます。単独での抗真菌作用は弱いため、ほかの抗真菌成分と組み合わせて配合されます。

7　みずむし・たむし

(1) みずむし・たむしの原因

　みずむし、たむしは、皮膚糸状菌（白癬菌）という真菌類の一種が皮膚に寄生することによって起こる疾患（表在性真菌感染症）です。スリッパやタオルなどを介して、ほかの保菌者やペットから感染することも多く見られます。

(2) みずむし・たむしの基礎的なケア

　みずむしの場合、足を毎日石けんで洗って清潔に保ち、なるべく通気性をよ

くしておくことが重要です。みずむし・たむしには古くからさまざまな民間療法がありますが、それらの中には科学的根拠が見出されないものも多く、かえって症状を悪化させる場合があります。

(3) 剤形の選択

　一般的に、じゅくじゅくと湿潤している患部には、軟膏またはクリームが適します。皮膚が厚く角質化している部分には、浸透性が高い液剤が適していますが、強い刺激があります。また、2週間位使用しても症状がよくならない場合には、抗真菌成分に耐性を生じている可能性や、皮膚糸状菌による皮膚感染でない可能性もあります。漫然と使用せず、皮膚科の受診が望ましいでしょう。

確認テスト (○×問題)

問題3-10-31 ミコナゾール硝酸塩は、皮膚糸状菌の細胞膜の透過性を変化させることにより、その増殖を抑える。

問題3-10-32 みずむし・たむし用薬であるアモロルフィン塩酸塩は、皮膚糸状菌の細胞膜を構成する成分の産生を妨げることにより、その増殖を抑える。

問題3-10-33 ブテナフィン塩酸塩は、みずむし・たむし用薬に用いられる抗真菌成分である。

問題3-10-34 シクロピロクスオラミンは、患部を酸性にすることで、皮膚糸状菌の発育を抑える。

問題3-10-35 ウンデシレン酸は、患部をアルカリ性にすることで、皮膚糸状菌の発育を抑える。

問題3-10-36 ピロールニトリンは、菌の呼吸や代謝を妨げることにより、皮膚糸状菌の増殖を抑える。

問題3-10-37 みずむし、たむしなどは、アクネ菌の繁殖によって起こる疾患であり、みずむしの場合は、毎日石けんで洗う等して清潔に保ち、なるべく通気性をよくしておくことが重要である。

問題3-10-38 みずむし・たむし用薬は、一般的に、じゅくじゅくと湿潤している患部には、液剤が適している。

問題3-10-39 みずむし・たむし用薬を2週間位使用しても症状がよくならない場合には、別のみずむし・たむし用薬に切り換えて使用することとされている。

☞ 解答は別冊p.24

8　頭皮・毛根に作用する配合成分

　毛髪用薬は、脱毛の防止、育毛、ふけや痒みを抑えること等を目的として、頭皮に適用する医薬品です。

　毛髪用薬のうち、配合成分やその分量等にかんがみて人体に対する作用が緩和なものについては、医薬部外品（育毛剤、養毛剤）として製造販売されていますが、「壮年性脱毛症」「円形脱毛症」「粃糠性脱毛症」「瀰漫性脱毛症」等の疾患名を掲げた効能・効果は、医薬品にのみ認められています。

(1) カルプロニウム塩化物

　末梢組織（適用局所）においてアセチルコリンに類似した作用（コリン作用）を示し、頭皮の血管を拡張、毛根への血行を促すことによる発毛効果を期待して用いられています。

　アセチルコリンと異なり、コリンエステラーゼによる分解を受けにくく、作用が持続するとされています。副作用として、コリン作用による局所または全身性の発汗、それに伴う寒気、震え、吐き気が現れることがあります。

(2) エストラジオール安息香酸エステル

　脱毛は男性ホルモンの働きが過剰であることも一因とされているため、女性ホルモンによる脱毛抑制効果を期待して、女性ホルモン成分の一種であるエストラジオール安息香酸エステルが配合されている場合があります。

　毛髪用薬は頭皮における局所的な作用を目的とする医薬品ですが、女性ホルモン成分については、頭皮から吸収されて循環血流中に入る可能性を考慮し、妊婦または妊娠していると思われる女性では使用を避けるべきです。

(3) 頭皮等に用いられる生薬成分

①カシュウ

　タデ科のツルドクダミの塊根を基原とする生薬で、頭皮における脂質代謝を高めて、余分な皮脂を取り除く作用を期待して用いられます。

②チクセツニンジン

　ウコギ科のトチバニンジンの根茎を、通例、湯通ししたものを基原とする生薬で、血行促進、抗炎症などの作用を期待して用いられます。

③ヒノキチオール

　ヒノキ科のタイワンヒノキ、ヒバ等から得られた精油成分で、抗菌、抗炎症などの作用を期待して用いられます。

確認テスト (○×問題)

問題3-10-40 毛髪用薬は、脱毛の防止、育毛、ふけや痒みを抑えること等を目的としたものである。

問題3-10-41 「壮年性脱毛症」「円形脱毛症」等の疾患名を掲げた効能・効果は、医薬品においてのみ認められている。

問題3-10-42 毛髪用薬に配合されるカルプロニウム塩化物は、末梢組織において抗コリン作用を示し、頭皮の血管を拡張、毛根への血行を促すことによる発毛効果を期待して用いられる。

問題3-10-43 毛髪用薬に配合されるカルプロニウム塩化物の副作用として、局所または全身性の発汗、それに伴う寒気、震え、吐き気が現れることがある。

問題3-10-44 毛髪用薬に配合されるエストラジオール安息香酸エステルは、男性ホルモンの一種であり、脱毛抑制効果を期待して用いられる。

問題3-10-45 毛髪用薬として、女性ホルモン成分が配合されていることがある。

問題3-10-46 妊娠中の女性ホルモン成分の摂取によって、胎児の先天性異常が報告されており、妊婦または妊娠していると思われる女性は、エストラジオール安息香酸エステルの配合された毛髪薬の使用を避ける必要がある。

問題3-10-47 毛髪用薬に配合されるカシュウは、タデ科のツルドクダミの塊根を基原とする生薬で、頭皮における脂質代謝を高めて、余分な皮脂を取り除く作用を期待して用いられる。

問題3-10-48 チクセツニンジンは、血行促進、抗炎症などの作用を期待して用いられる。

問題3-10-49 毛髪用薬に配合されるヒノキチオールは、抗菌、抗炎症などの作用を期待して用いられる。

👈 解答は別冊 p.25

主な医薬品とその作用

皮膚に用いる薬

3-11 歯や口中に用いる薬

3-11-1 歯痛・歯槽膿漏用薬

1 歯痛薬（外用）の配合成分

(1) 歯痛薬とは

歯痛は、多くの場合、歯の齲蝕（むし歯）とそれに伴う歯髄炎によって起こります。歯痛薬は、歯の齲蝕による歯痛を応急的に鎮めることを目的とします。

(2) 局所麻酔成分

齲蝕により露出した知覚神経の伝達を遮断して痛みを鎮めることを目的として、アミノ安息香酸エチル、ジブカイン塩酸塩、テーカイン等の局所麻酔成分が用いられます。また、冷感刺激を与えて知覚神経を麻痺させることによる鎮痛・鎮痒の効果を期待して、メントール、カンフル、ハッカ油、ユーカリ油等の冷感刺激成分が配合されている場合もあります。

(3) 殺菌消毒成分

齲蝕部分の細菌の繁殖を抑えることを目的として、フェノール、歯科用フェノールカンフル、オイゲノール、セチルピリジニウム塩化物等の殺菌消毒成分が用いられます。粘膜刺激を生じることがあるため、歯以外の口腔粘膜や唇に付着しないように注意が必要です。

2 歯槽膿漏薬（外用）の配合成分

(1) 殺菌消毒成分

歯肉溝での細菌の繁殖を抑えることを目的として、セチルピリジニウム塩化物、クロルヘキシジングルコン酸塩、イソプロピルメチルフェノール、チモール等の殺菌消毒成分が配合されている場合があります。

(2) 抗炎症成分

歯周組織の炎症を和らげることを目的として、グリチルリチン酸二カリウム、グリチルレチン酸等が配合されている場合があります。

3

| 注意 | 口腔内に適用するため、ステロイド性抗炎症成分が配合されている場合には、その含有量によらず長期連用を避ける必要がある。 |

（3）止血成分

炎症を起こした歯周組織からの出血を抑える作用を期待して、カルバゾクロムが配合されている場合があります。

（4）組織修復成分

炎症を起こした歯周組織の修復を促す作用を期待して、アラントインが配合されている場合があります。

（5）生薬成分

カミツレ、ラタニア、ミルラ等が配合されている場合があります。カミツレはキク科のカミツレの頭花を基原とする生薬で、抗炎症、抗菌などの作用を期待して用いられます。ラタニアには抗炎症、ミルラには抗菌作用があります。

3 歯槽膿漏薬（内服）の配合成分

内服用には、グリチルリチン酸二カリウム（炎症を和らげる）、フィトナジオン（ビタミンK$_1$）とカルバゾクロム（出血防止）が配合されている場合があります。また、歯周組織の修復、口臭の抑制を期待して、銅クロロフィリンナトリウムが配合されている場合もあります。その他、ビタミンC（毛細血管の強化）、ビタミンE（血行促進）が配合されることがあります。

確認テスト（○×問題）

問題3-11-1 歯痛薬に用いられるテーカインは、歯の齲蝕を生じた部分の細菌の繁殖を抑えることを目的として用いられる。

問題3-11-2 歯痛薬に用いられるオイゲノールは、齲蝕の修復を目的として用いられる。

問題3-11-3 歯槽膿漏薬に用いるカルバゾクロムは、止血を目的とする。

問題3-11-4 歯槽膿漏薬に用いる銅クロロフィリンナトリウムは、殺菌消毒を目的とする。

問題3-11-5 歯槽膿漏薬に用いるフィトナジオンは、組織修復を目的とする。

☞ 解答は別冊 p.25

3-11-2 口内炎用薬

1 口内炎や舌炎の原因

　口内炎や舌炎は、発生の仕組みは必ずしも解明されていませんが、栄養摂取の偏り、ストレスや睡眠不足、唾液分泌の低下、口腔内の不衛生などが要因となって生じることが多いとされます。また、疱疹ウイルスの口腔内感染による場合や、医薬品の副作用として口内炎を生じる場合もあります。

　口内炎用薬は、口内炎、舌炎の緩和を目的として口腔内局所に適用される外用薬です。

2 代表的な配合成分

(1) 抗炎症成分

　口腔粘膜の炎症を和らげることを目的として、グリチルリチン酸二カリウム、グリチルレチン酸等の抗炎症成分が用いられます。また、口腔粘膜の組織修復を促す作用を期待して、アズレンスルホン酸ナトリウム（水溶性アズレン）が配合されている場合もあります。

> **注意** 口腔内に適用するため、ステロイド性抗炎症成分が配合されている場合には、その含有量によらず長期連用を避ける必要がある。

(2) 殺菌消毒成分

　患部からの細菌感染を防止することを目的として、セチルピリジニウム塩化物、クロルヘキシジン塩酸塩、クロルヘキシジングルコン酸塩、アクリノール、ポビドンヨード等が配合されている場合があります。

(3) 生薬成分

　シコンは、ムラサキ科のムラサキの根を基原とする生薬で、組織修復促進、抗菌などの作用を期待して用いられます。

3 漢方処方製剤

(1) 茵蔯蒿湯…ダイオウ含む

　体力中等度以上で口渇があり、尿量少なく、便秘するものの蕁麻疹、口内炎、

湿疹・皮膚炎、皮膚のかゆみに適すとされます。体の虚弱な人（体力の衰えている人、体の弱い人）、胃腸が弱く下痢しやすい人では、激しい腹痛を伴う下痢等の副作用が現れやすい等、不向きとされます。

重篤な副作用 肝機能障害。

④ 相互作用、受診勧奨

（1）相互作用

　口腔内を清浄にしてから使用することが重要であり、口腔咽喉薬、含嗽薬などを使用する場合には、十分な間隔を置くべきです。

（2）受診勧奨

　口内炎や舌炎は、通常であれば1～2週間で自然に治りますが、食事に支障を来たすほどの状態であれば、医療機関を受診することが望ましいでしょう。

　口内炎や舌炎の症状が長引いている場合には、口腔粘膜に生じた腫瘍である可能性もあります。また、再発を繰り返す場合には、ベーチェット病などの可能性も考えられるので、医療機関を受診するなどの対応が必要です。

　また、医薬品による副作用として口内炎等が現れることがあります。お客様によっては、副作用による症状と認識されていないことも考えられます。登録販売者によるもう一歩踏み込んだ対応に期待します。

確認テスト（○×問題）

問題3-11-6 口内炎は、栄養摂取の偏り、ストレス、口腔内の不衛生などが要因となって生じることが多いとされる。

問題3-11-7 口内炎用薬に用いられるグリチルレチン酸は、患部からの細菌感染を防止することを目的として用いられる。

問題3-11-8 歯や口中に用いる薬に配合されるアズレンスルホン酸ナトリウムは、細菌の繁殖を抑える。

問題3-11-9 口内炎用薬に用いられるアクリノールは、口腔粘膜の炎症を和らげることを目的として用いられる。

問題3-11-10 歯や口中に用いる薬に配合されるクロルヘキシジングルコン酸塩は、鎮静、鎮痛を目的とする。

問題3-11-11 口内炎用薬に用いられるシコンは、組織修復促進、抗菌などの作用を期待して用いられる。

☛ 解答は別冊p.25

3-12　禁煙補助剤

① 喫煙習慣とニコチン、禁煙

(1) ニコチン置換療法

　血中ニコチン濃度の低下によって、イライラ感、集中困難、落ち着かない等の禁断症状が現れ、喫煙習慣からの離脱(禁煙)が困難になります。禁煙を達成するには、本人の禁煙の意思に加えて、ニコチン離脱症状を軽減するニコチン置換療法が有効とされます。ニコチン置換療法は、ニコチンの摂取方法を喫煙以外に換えて離脱症状の軽減を図りながら徐々に摂取量を減らし、最終的にニコチン摂取をゼロにする方法です。

(2) 禁煙補助剤

　禁煙補助剤は、ニコチン置換療法に使用される、ニコチンを有効成分とする医薬品です。噛むことにより口腔内でニコチンが放出され、口腔粘膜から吸収されて循環血液中に移行する咀嚼剤と、1日1回皮膚に貼付することによりニコチンが皮膚を透過して血中に移行するパッチ製剤があります。添付文書に定められた期限を超える使用は避けるべきです。

　咀嚼剤は、菓子のガムのように噛むと唾液が多く分泌され、ニコチンが唾液とともに飲み込まれてしまい、口腔粘膜からの吸収が十分なされず、また、吐き気や腹痛等の副作用が現れやすくなるため、ゆっくりと断続的に噛むこととされています。なお、大量に使用しても禁煙達成が早まるものでなく、かえってニコチン過剰摂取による副作用のおそれがあるため、1度に2個以上の使用は避ける必要があります。顎の関節に障害がある人では、使用を避ける必要があります。口内炎や喉の痛み・腫れの症状がある場合には、口内・喉の刺激感等の症状が現れやすくなります。

(3) 使用を避けるべき人

①脳梗塞・脳出血等の急性期脳血管障害、重い心臓病等の基礎疾患がある人。

②うつ病と診断されたことのある人。

③妊婦または妊娠していると思われる女性、母乳を与える女性。

④非喫煙者。

(4) 相互作用

　咀嚼剤は、口腔内が酸性になるとニコチンの吸収が低下するため、コーヒー

や炭酸飲料など口腔内を酸性にする食品を摂取した後しばらくは使用を避けることとされています。

ニコチンは交感神経系を興奮させる作用を示し、アドレナリン作動成分が配合された医薬品（鎮咳去痰薬、鼻炎用薬、痔疾用薬等）との併用により、その作用を増強させるおそれがあります。

禁煙補助剤は、喫煙を完全に止めたうえ使用することとされており、特に、使用中または使用直後の喫煙は、血中のニコチン濃度が急激に高まるおそれがあり、避ける必要があります。また、ほかのニコチン含有製剤が併用された場合も、同様にニコチンの過剰摂取となるおそれがあります。

心臓疾患（心筋梗塞、狭心症、不整脈）、脳血管障害（脳梗塞、脳出血時等）、バージャー病（末梢血管障害）、高血圧、甲状腺機能障害、褐色細胞腫、糖尿病（インスリン製剤を使用している人）、咽頭炎、食道炎、胃・十二指腸潰瘍、肝臓病または腎臓病の診断を受けた人では、使用している治療薬の効果に影響を生じたり、症状を悪化させる可能性があります。

確認テスト（○×問題）

問題3-12-1 ☑☑☑ 禁煙補助剤は、噛むことにより、口腔内でニコチンが放出され、口腔粘膜から吸収されて循環血液中に移行する。

問題3-12-2 ☑☑☑ ニコチン置換療法は、ニコチンの摂取方法を喫煙以外に換えて、離脱症状の軽減を図りながら徐々に摂取量を減らし、最終的にニコチン摂取量をゼロにする方法である。

問題3-12-3 ☑☑☑ ニコチンを有効成分とする禁煙補助剤（咀嚼剤）は、一度に2、3個をまとめて噛むことが効果的である。

問題3-12-4 ☑☑☑ ニコチンガムは口腔内が酸性になると、ニコチンの吸収が促進されるため、コーヒーや炭酸飲料など口腔内を酸性にする食品を摂取した後、しばらくは使用を避けることとされている。

問題3-12-5 ☑☑☑ ニコチンガムは、菓子のガムのように噛むと、唾液が多く分泌され、ニコチンが唾液とともに口腔粘膜から十分に吸収されて循環血液中に移行するため、この咀嚼方法が推奨されている。

問題3-12-6 ☑☑☑ ニコチンを有効成分とする咀嚼剤は、3か月以内に心筋梗塞発作を起こした人や、重い狭心症や不整脈と診断された人は、使用を避ける必要がある。

☛ 解答は別冊 p.25

3-13 滋養強壮保健薬

1 医薬品として扱われる保健薬

　滋養強壮保健薬は、体調不良を生じやすい状態や体質の改善、特定の栄養素の不足による症状の改善または予防等を目的として、ビタミン成分、カルシウム、アミノ酸、生薬成分等が配合された医薬品です。

2 主な配合成分

（1）ビタミン成分

　ビタミン成分などは、多く摂取したからといって適用となっている症状の改善が早まるものではなく、むしろ脂溶性ビタミン（A、D、E、K）では過剰摂取により過剰症を生じるおそれがあります。

①ビタミンA

　ビタミンAは、夜間視力を維持したり、皮膚や粘膜の機能を正常に保つために重要な栄養素です。ビタミンA主薬製剤は、レチノール酢酸エステル、レチノールパルミチン酸エステル、ビタミンA油、肝油等が主薬として配合された製剤で、目の乾燥感、夜盲症（とり目、暗所での見えにくさ）の症状の緩和、また妊娠・授乳期、病中病後の体力低下時、発育期等のビタミンAの補給に用いられます。

> **注意**　一般用医薬品におけるビタミンAの1日分量は4000国際単位が上限となっているが、妊娠3か月前から妊娠3か月までの間にビタミンAを1日10000国際単位以上摂取した妊婦から生まれた新生児において先天異常の割合が上昇したとの報告がある。

②ビタミンD

　ビタミンDは、腸管でのカルシウム吸収および尿細管でのカルシウム再吸収を促して、骨の形成を助ける栄養素です。ビタミンD製剤は、エルゴカルシフェロールまたはコレカルシフェロールが主薬として配合された製剤で、骨歯の発育不良、くる病の予防、また妊娠・授乳期、発育期、老年期のビタミンDの補給に用いられます。ビタミンDの過剰症としては、高カルシウム血症、異常石灰化が知られています。

③ビタミンE

　ビタミンEは、体内の脂質を酸化から守り、細胞の活動を助ける栄養素であり、血流を改善させる作用もあります。ビタミンE製剤は、トコフェロール、トコフェロールコハク酸エステル、トコフェロール酢酸エステル等が主薬として配合された製剤で、末梢血管障害による肩・首すじのこり、手足のしびれ・冷え、しもやけの症状の緩和、更年期における肩・首すじのこり、冷え、手足のしびれ、のぼせ、ほてり、月経不順、また、老年期におけるビタミンEの補給に用いられます。

　ビタミンEは下垂体や副腎系に作用してホルモン分泌の調節に関与するとされており、ときに生理が早く来たり、経血量が多くなったりすることがあります。この現象は内分泌のバランス調整による一時的なものですが、出血が長く続く場合にはほかの原因による不正出血も考えられるため、医療機関を受診して専門医の診療を受けるなどの対応が必要です。

確認テスト（○×問題）

問題3-13-1　レチノールパルミチン酸エステルは、目の乾燥感、夜盲症の症状をやわらげる。

問題3-13-2　ビタミンAは、体内の脂質を酸化から守り、細胞の活動を助ける栄養素であり、血流を改善させる作用を有する。

問題3-13-3　滋養強壮保健薬中のレチノール酢酸エステルは、眼精疲労、脚気の症状の緩和を主な作用とする。

問題3-13-4　ビタミンDの欠乏症として、高カルシウム血症、異常石灰化が知られている。

問題3-13-5　ビタミンDは、腸管でのカルシウム吸収および尿細管でのカルシウム再吸収を促して、骨の形成を助ける栄養素である。

問題3-13-6　滋養強壮保健薬に用いられるビタミンD主薬製剤は、エルゴカルシフェロールまたはコレカルシフェロールが主薬として配合された製剤である。

問題3-13-7　ビタミンEは、体内の脂質を酸化から守り、細胞の活動を助ける栄養素であり、血流を改善させる作用を有する。

問題3-13-8　滋養強壮保健薬中のトコフェロールは、夜盲症の症状の緩和を主な作用とする。

問題3-13-9　滋養強壮保健薬に用いられるビタミンEは、皮膚におけるメラニンの生成を抑え、排出を促す働きがある。

☛ 解答は別冊 p.26

④ビタミンB$_1$

ビタミンB$_1$は、炭水化物からのエネルギー産生に不可欠な栄養素で、神経の正常な働きを維持する作用があります。また、腸管運動を促進する働きもあります。チアミン塩化物塩酸塩、チアミン硝化物、ビスチアミン硝酸塩、チアミンジスルフィド、フルスルチアミン塩酸塩、ビスイブチアミン等が主薬として配合された製剤で、神経痛、筋肉痛・関節痛（肩・腰・肘・膝痛、肩こり、五十肩など）、手足のしびれ、便秘、眼精疲労（慢性的な目の疲れ、目のかすみ・目の奥の痛み）、脚気、また、肉体疲労時、妊娠・授乳期、病中病後の体力低下時におけるビタミンB$_1$の補給に用いられます。

⑤ビタミンB$_2$

ビタミンB$_2$は、脂質の代謝に関与し、皮膚や粘膜の機能を正常に保つ栄養素です。リボフラビン酪酸エステル、フラビンアデニンジヌクレオチドナトリウム、リボフラビンリン酸エステルナトリウム等が主薬として配合された製剤で、口角炎、口唇炎、口内炎、舌の炎症、湿疹、皮膚炎、かぶれ、ただれ、にきび、吹き出物、肌あれ、赤ら顔に伴う顔のほてり、目の充血、目の痒みの症状の緩和、また、肉体疲労時、妊娠・授乳期、病中病後の体力低下時におけるビタミンB$_2$の補給に用いられます。

> **注意** 尿が黄色くなることがあるが、心配なし。

⑥ビタミンB$_6$

ビタミンB$_6$は、タンパク質の代謝に関与し、皮膚や粘膜の健康維持、神経機能の維持に働く栄養素です。ピリドキシン塩酸塩またはピリドキサールリン酸エステルが主薬として配合された製剤で、口角炎、口唇炎、口内炎、舌の炎症、湿疹、皮膚炎、かぶれ、ただれ、にきび、吹き出物、肌あれ、手足のしびれの症状の緩和、また、妊娠・授乳期、病中病後の体力低下時におけるビタミンB$_6$の補給に用いられます。

⑦ビタミンB$_{12}$

ビタミンB$_{12}$は、赤血球の形成を助け、また、神経機能を正常に保つ栄養素です。シアノコバラミン、ヒドロキソコバラミン塩酸塩等として、ビタミン製剤、貧血用薬等に配合されています。

⑧ビタミンC

ビタミンC（アスコルビン酸）は、体内の脂質を酸化から守る作用（抗酸化作用）を示し、皮膚や粘膜の機能を正常に保つために重要な栄養素です。メラニ

ンの産生を抑える働きもあるとされています。

⑨その他のビタミン成分

皮膚や粘膜の機能を維持することを助ける栄養素として、ナイアシン（ニコチン酸、ニコチン酸アミド）、パントテン酸カルシウム、ビオチンなどが配合されている場合があります。

同様にビタミン等の補給を目的とするものとして医薬部外品の保健薬がありますが、それらの効能・効果の範囲は、滋養強壮、虚弱体質の改善、病中・病後の栄養補給等に限定されています。神経痛、筋肉痛、関節痛、しみ・そばかす等のような特定部位の症状に対する効能・効果については、医薬品においてのみ認められています。

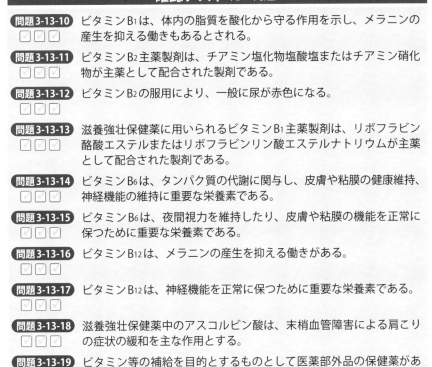

確認テスト（○×問題）

問題3-13-10 ビタミンB1は、体内の脂質を酸化から守る作用を示し、メラニンの産生を抑える働きもあるとされる。

問題3-13-11 ビタミンB2主薬製剤は、チアミン塩化物塩酸塩またはチアミン硝化物が主薬として配合された製剤である。

問題3-13-12 ビタミンB2の服用により、一般に尿が赤色になる。

問題3-13-13 滋養強壮保健薬に用いられるビタミンB1主薬製剤は、リボフラビン酪酸エステルまたはリボフラビンリン酸エステルナトリウムが主薬として配合された製剤である。

問題3-13-14 ビタミンB6は、タンパク質の代謝に関与し、皮膚や粘膜の健康維持、神経機能の維持に重要な栄養素である。

問題3-13-15 ビタミンB6は、夜間視力を維持したり、皮膚や粘膜の機能を正常に保つために重要な栄養素である。

問題3-13-16 ビタミンB12は、メラニンの産生を抑える働きがある。

問題3-13-17 ビタミンB12は、神経機能を正常に保つために重要な栄養素である。

問題3-13-18 滋養強壮保健薬中のアスコルビン酸は、末梢血管障害による肩こりの症状の緩和を主な作用とする。

問題3-13-19 ビタミン等の補給を目的とするものとして医薬部外品の保健薬があるが、それらの効能効果は、滋養強壮、虚弱体質の改善のほか、神経痛、しみ・そばかすの症状についても認められている。

☞ 解答は別冊 p.26

3

主な医薬品とその作用

滋養強壮保健薬

(2) カルシウム成分

　カルシウムは骨や歯の形成に必要な栄養素であり、筋肉の収縮、血液凝固、神経機能にも関与します。カルシウム主薬製剤は、クエン酸カルシウム、グルコン酸カルシウム、乳酸カルシウム、沈降炭酸カルシウム等が主薬として配合された製剤で、虚弱体質、腺病質における骨歯の発育促進、妊娠・授乳期の骨歯の脆弱（もろくて弱い）予防に用いられます。

　カルシウムを含む成分は、胃腸薬等、カルシウムの補給を目的としない医薬品においても配合されており、併用によりカルシウムの過剰摂取を生じることのないよう留意する必要があります。

> **注意**　カルシウムの過剰摂取（高カルシウム血症）に注意。

(3) アミノ酸成分

①システイン

　髪や爪、肌などに存在するアミノ酸の一種で、メラニンの生成を抑え、しみ・そばかす・日焼けなどの色素沈着症、全身倦怠、二日酔い、にきび、湿疹、蕁麻疹、かぶれ等の症状の緩和に用いられます。また、肝臓においてアルコールを分解する酵素の働きを助け、アセトアルデヒドの代謝を促す働きがあるとされます。

②アミノエチルスルホン酸（タウリン）

　筋肉や脳、心臓、目、神経等、体のあらゆる部分に存在し、細胞の機能が正常に働くために必要な物質です。肝臓機能を改善する働きもあります。

③アスパラギン酸ナトリウム

　生体におけるエネルギーの産生効率を高め、骨格筋にたまった乳酸の分解を促す等の働きを期待して用いられます。

④カルニチン塩化物

　生体内に存在する有機酸の一種で、胃液分泌を促す、胃の運動を高めるなどの働きがある一方で、脂肪酸などをミトコンドリア内へ運搬する役割もあります。最近では、健康食品のダイエット素材としても注目されています。

(4) その他の成分

①ヘスペリジン

　ビタミン様物質の一つで、ビタミンCの吸収を助ける等の作用があるとされ、滋養強壮保健薬のほか、かぜ薬等にも配合されている場合があります。

②コンドロイチン硫酸

軟骨組織の主成分で、軟骨成分を形成および修復する働きがあります。コンドロイチン硫酸ナトリウムとして関節痛、筋肉痛等の改善を促す作用を期待してビタミンB_1等と組み合わせて配合されている場合があります。

③グルクロノラクトン

肝臓の働きを助け、肝血流を促進する働きがあり、全身倦怠感や疲労時の栄養補給を目的として配合されている場合があります。

④ガンマ-オリザノール

米油および米胚芽油から見出された抗酸化作用を示す成分で、ビタミンE等と組み合わせて配合されている場合があります。

確認テスト（○×問題）

問題3-13-20 カルシウムは骨や歯の形成に必要な栄養素であり、筋肉の収縮、血液凝固、神経機能にも関与する。

問題3-13-21 滋養強壮保健薬に配合されるシステインは、髪や爪等に存在するアミノ酸の一種で、皮膚におけるメラニンの生成を抑える。

問題3-13-22 滋養強壮保健薬に用いられるシステインは、肝臓においてアルコールを分解する酵素の働きを助け、アセトアルデヒドの代謝を促す働きがあるとされる。

問題3-13-23 アミノエチルスルホン酸は、タウリンとも呼ばれている。

問題3-13-24 滋養強壮保健薬に配合されるアスパラギン酸ナトリウムは、髪や爪等に存在するアミノ酸の一種で、皮膚におけるメラニンの生成を抑える。

問題3-13-25 ヘスペリジンは、米油および米胚芽油から見出された抗酸化作用を示す成分である。

問題3-13-26 コンドロイチン硫酸ナトリウムは、ビタミン様物質の一つで、ビタミンCの吸収を助ける作用があるとされる。

問題3-13-27 滋養強壮保健薬に配合されるグルクロノラクトンは、髪や爪等に存在するアミノ酸の一種で、皮膚におけるメラニンの生成を抑える。

問題3-13-28 ガンマ-オリザノールは、軟骨組織の主成分で、軟骨成分を形成および修復する働きがあるとされる。

☛ 解答は別冊 p.26

3　生薬成分

(1) 生薬主薬保健薬

　ニンジン、ジオウ、トウキ、センキュウが既定値以上配合されている生薬主薬保健薬については、虚弱体質、肉体疲労、病中病後（または、病後の体力低下）のほか、胃腸虚弱、食欲不振血色不良、冷え症における滋養強壮の効能が認められています。生薬成分については、医薬品においてのみ認められています。

　生薬をアルコールで抽出した薬用酒は、アルコールを含有するため、服用後は乗り物または機械類の運転操作等を避ける必要があります。また、血行を促進させるので、手術や出産の直後など、出血しやすい人では使用を避ける必要があります。

(2) ニンジン

　ウコギ科のオタネニンジンの細根を除いた根またはこれを軽く湯通ししたものを基原とする生薬で、オタネニンジンの根を蒸したものを基原とする生薬をコウジンということもあります。別名を高麗人参、朝鮮人参とも呼ばれ、神経系の興奮や副腎皮質の機能亢進等の作用により、外界からのストレス刺激に対する抵抗力や新陳代謝を高めるとされています。

(3) ジオウ、トウキ、センキュウ

　婦人薬に配合される生薬成分です。

(4) ゴオウ、ロクジョウ

　強心薬に配合される生薬成分です。

(5) インヨウカク、ハンピ

　インヨウカク（メギ科のホザキイカリソウ、キバナイカリソウ、イカリソウ、トキワイカリソウ等の地上部を基原とする生薬）、ハンピ（ニホンマムシ等の皮および内臓を取り除いたものを基原とする生薬）は、強壮、血行促進、強精（性機能の亢進）等の作用を期待して用いられます。

(6) ヨクイニン

　イネ科のハトムギの種皮を除いた種子を基原とする生薬で、肌荒れやいぼに用いられます。ビタミンB_2主薬製剤やビタミンB_6主薬製剤、瀉下薬等の補助成分として配合されている場合もあります。

(7) その他

　強壮作用を期待して、次の生薬成分が配合されている場合があります。

▼その他の生薬

生薬	説明
タイソウ	クロウメモドキ科のナツメの果実を基原とする生薬
ゴミシ	マツブサ科のチョウセンゴミシの果実を基原とする生薬
サンシュユ	ミズキ科のサンシュユの偽果の果肉を基原とする生薬
サンヤク	ヤマノイモ科のヤマノイモまたはナガイモの周皮を除いた根茎（担根体）を基原とする生薬
オウギ	マメ科のキバナオウギまたはナイモウオウギ等の根を基原とする生薬
カシュウ	タデ科のツルドクダミの塊根を基原とする生薬

4 漢方処方製剤

(1) 十全大補湯…カンゾウ含む

体力虚弱な人の病後・術後の体力低下、疲労倦怠、食欲不振、ねあせ、手足の冷え、貧血に適すとされますが、胃腸の弱い人では、胃部不快感の副作用が現れやすい等、不向きとされます。

重篤な副作用 肝機能障害。

(2) 補中益気湯…カンゾウ含む

体力虚弱で元気がなく、胃腸の働きが衰えて、疲れやすいものの虚弱体質、疲労倦怠、病後・術後の衰弱、食欲不振、ねあせ、感冒に適すとされます。

重篤な副作用 間質性肺炎、肝機能障害。

確認テスト（○×問題）

問題3-13-29 カシュウ、ゴオウ、ゴミシ、ジオウ、ロクジョウ等の生薬成分は、医薬部外品に配合される生薬成分である。

問題3-13-30 数種類の生薬をアルコールで抽出した薬用酒は、血行を促進させる作用があることから、手術や出産の直後等で出血しやすい人では使用を避ける必要がある。

問題3-13-31 ニンジンは、神経系の興奮や副腎皮質の機能亢進等の作用により、外界からのストレス刺激に対する抵抗力や新陳代謝を高めるとされる。

問題3-13-32 十全大補湯は、滋養強壮に用いられる漢方処方製剤である。

問題3-13-33 補中益気湯は、滋養強壮に用いられる漢方処方製剤である。

👉 解答は別冊 p.27

主な医薬品とその作用

滋養強壮保健薬

3-14 漢方処方製剤・生薬製剤

3-14-1 漢方処方製剤

1 漢方の特徴・漢方薬使用における基本的な考え方

　漢方薬は、漢方医学で用いる薬剤全体を概念的に広く表現する時に用いる言葉で、漢方医学の考え方に沿うように、基本的に生薬を組み合わせて構成された漢方処方に基づく漢方処方製剤（漢方方剤）として存在しています。

　注意しなくてはならないのは、現代中国で利用されている中医学に基づく薬剤は、漢方薬ではなく、中薬と呼ばれ、漢方薬とは明らかに別物です。また、韓国の伝統医学は韓医学と呼ばれ、同様にそこで用いられている薬剤は、韓方薬で、これもわが国の漢方薬とは区別されています。

　なお、漢方医学の考え方に基づかない、生薬を使用した日本の伝統薬も存在し、漢方処方製剤と合わせて、生薬製剤と呼ばれます。

　漢方薬を使用する場合、漢方独自の病態認識である「証」に基づいて用いることが、有効性および安全性を確保するために重要です。漢方の病態認識には虚実、陰陽、気血水、五臓などがあります。一般用に用いることができる漢方処方は、現在300処方程度です。平成20年の厚生労働省医薬食品局の審査管理課長通知により「証」の考え方が取り入れられましたが、一般用であることを考慮して、「証」という漢方の専門用語を使用することを避け、「しばり」（使用制限）として記載が行われています。

　たとえば、虚実の概念は次のように表現しています。

①実の病態が適応となるものには　……………………………体力が充実して
②虚実の尺度で中間の病態が適応となるものには　………体力中等度で
③虚の病態が適応となるものには　……………………………体力虚弱で
④虚実に関わらず幅広く用いられるものについては　……体力に関わらず

　また、陰陽の概念で、「陽」の病態を適応とするものは「のぼせぎみで顔色が赤く」などの熱症状として表現され、また「陰」の病態は「疲れやすく冷えやすいものの」などの寒性を示す表現がされています。

さらに、五臓の病態は漢方でいう「脾胃虚弱^{※1}」の病態が適応となるものには「胃腸虚弱で」と記されており、「肝陽上亢^{※2}」のような肝の失調状態が適応となるものには「いらいらして落ち着きのないもの」などと表現されます。また、気血水についても、「口渇があり、尿量が減少するもの」(水毒)、「皮膚の色つやが悪く」(血虚)などの表現を用いて適宜「しばり」に組み入れられています。

　登録販売者として、購入者の「証」にあった漢方処方を選択することができるよう、漢方処方製剤の理解を深めてください。

　一般には、「漢方薬はすべからく作用が穏やかで、副作用が少ない」などという誤った認識がなされていることがありますが、間質性肺炎や肝機能障害のような重篤な副作用が起きることがあり、また、証に適さない漢方処方製剤が使用されたために、症状の悪化や副作用を引き起こす場合もあります。

　なお、漢方処方製剤は、用法用量において適用年齢の下限が設けられていない場合でも、生後3か月未満の乳児には使用しないこととされています。

※1　脾胃虚弱：気が不足している状態。気は脾と胃で作られるという漢方の考え方がある。

※2　肝陽上亢：ストレスなどによって肝にたまった熱が上昇して降りてこれない状態。

確認テスト (○×問題)

問題3-14-1
☑ ☑ ☑
漢方薬は、使用する人の体質や症状その他の状態に適した処方を既成の処方の中から選択して用いられる。

問題3-14-2
☑ ☑ ☑
漢方処方製剤を使用しようとする人の証(体質および症状)を理解し、その証にあった漢方処方を選択することが重要である。

問題3-14-3
☑ ☑ ☑
漢方処方製剤は、長期にわたって服用されるものであり、作用が穏やかで、重篤な副作用が起きることはない。

問題3-14-4
☑ ☑ ☑
漢方処方製剤の用法用量においては、適用年齢の下限が設けられていないので生後1か月の乳児にも安心して使用できる。

☞ 解答は別冊p.26

2 代表的な漢方処方製剤

3-1節〜 3-13節に記載された以外の代表的な漢方処方製剤を挙げます。

(1) 黄連解毒湯
おうれんげどくとう

　体力中等度以上で、のぼせぎみで顔色赤く、いらいらして落ち着かない傾向のあるものの鼻出血、不眠症、神経症、胃炎、二日酔い、血の道症、めまい、動悸、更年期障害、湿疹・皮膚炎、皮膚のかゆみ、口内炎に適すとされますが、体の虚弱な人（体力の衰えている人、体の弱い人）では不向きとされます。

　鼻出血、二日酔いの場合には漫然と長期の使用は避け、5 〜 6回使用しても症状の改善がみられないときは、いったん使用を中止して専門家に相談すること。

> **重篤な副作用** 肝機能障害、間質性肺炎、腸間膜静脈硬化症。

(2) 防已黄耆湯…カンゾウ含む
ぼういおうぎとう

　体力中等度以下で、疲れやすく、汗のかきやすい傾向があるものの肥満に伴う関節の腫れや痛み、むくみ、多汗症、肥満症（筋肉にしまりのない、いわゆる水ぶとり）に適すとされます。

> **重篤な副作用** 肝機能障害、間質性肺炎、偽アルドステロン症。

(3) 防風通聖散…カンゾウ、マオウ、ダイオウ含む
ぼうふうつうしょうさん

　体力充実して、腹部に皮下脂肪が多く、便秘がちなものの高血圧や肥満に伴う動悸・肩こり・のぼせ・むくみ・便秘、蓄膿症（副鼻腔炎）、湿疹・皮膚炎、ふきでもの（にきび）肥満症に適すとされますが、体の虚弱な人、胃腸が弱く下痢しやすい人、発汗傾向の著しい人では、激しい腹痛を伴う下痢等の副作用が現れやすい等、不向きとされます。

- ほかの瀉下薬との併用は避けること。
- 便秘に用いる場合は、漫然と長期の使用は避け、1週間位使用しても症状の改善がみられないときは、いったん使用を中止して専門家に相談すること。
- 小児に対する適用はない。

> **重篤な副作用** 肝機能障害、間質性肺炎、偽アルドステロン症、腸間膜静脈硬化症。

(4) 大柴胡湯…ダイオウ含む
だいさいことう

　体力が充実して脇腹からみぞおちあたりにかけて苦しく、便秘の傾向があるものの胃炎、常習便秘、高血圧や肥満に伴う肩こり・頭痛・便秘、神経症、肥

満症に適すとされます。体の虚弱な人、胃腸が弱く下痢しやすい人では、激しい腹痛を伴う下痢等の副作用が現れやすい等、不向きとされます。

　常習便秘、高血圧に伴う便秘に用いられる場合には、漫然と長期の使用は避け、1週間位使用しても症状の改善がみられないときは、いったん使用を中止して専門家に相談するなどの対応が必要です。

重篤な副作用 肝機能障害、間質性肺炎。

（5）清上防風湯（せいじょうぼうふうとう）…カンゾウ含む

　体力中等度以上で、赤ら顔でときにのぼせがあるもののにきび、顔面・頭部の湿疹・皮膚炎、赤鼻（酒さ）に適すとされますが、胃腸の弱い人では食欲不振、胃部不快感の副作用が現れやすい等、不向きとされます。

重篤な副作用 肝機能障害、偽アルドステロン症、腸間膜静脈硬化症。

確認テスト（○×問題）

問題3-14-5
☑ ☑ ☑
黄連解毒湯（おうれんげどくとう）は、体力中等度以下で、疲れやすく、汗のかきやすい傾向があるものの肥満に伴う関節の腫れや痛み、むくみ、多汗症、肥満症（筋肉にしまりのない、いわゆる水ぶとり）に適すとされる。

問題3-14-6
☑ ☑ ☑
防已黄耆湯（ぼういおうぎとう）は、構成生薬としてダイオウを含む。

問題3-14-7
☑ ☑ ☑
防風通聖散（ぼうふうつうしょうさん）は、瀉下薬（しゃげ）との併用は避けることとされている。

問題3-14-8
☑ ☑ ☑
大柴胡湯（だいさいことう）は、体力が充実して脇腹からみぞおちあたりにかけて苦しく、便秘の傾向があるものの胃炎、常習便秘、高血圧や肥満に伴う肩こり・頭痛・便秘、神経症、肥満症に適すとされる。

問題3-14-9
☑ ☑ ☑
清上防風湯（せいじょうぼうふうとう）は、体力充実して、腹部に皮下脂肪が多く、便秘がちなものの高血圧や肥満に伴う動悸・肩こり・のぼせ・むくみ・便秘、蓄膿症（副鼻腔炎）、湿疹・皮膚炎、ふきでもの、肥満症に適すとされるが、体の虚弱な人（体力の衰えている人、体の弱い人）、胃腸が弱く下痢しやすい人、発汗傾向の著しい人では、激しい腹痛を伴う下痢等の副作用が現れやすい等、不向きとされる。また、小児に対する適用はない。また、本剤を使用するときには、他の瀉下薬との併用は避けることとされている。

☞ 解答は別冊p.27

3-14-2　その他の生薬製剤

① 生薬製剤

　生薬製剤は、一見、漢方薬的に見えますが、漢方処方製剤のように、使用する人の体質や症状その他の状態に基づくものでなく、個々の有効成分（生薬成分）の薬理作用を主に考えて、それらが相加的に配合された、西洋医学的な基調の上に立つものであり、定まった処方というものはありません。

　生薬全形や粉末として販売されるものは、カビ、昆虫等による汚損物または混在物およびその他の異物を避け、清潔かつ衛生的に取り扱うことが必要です。

　また、生薬は、茎と根のように薬用部位とその他の部位、または類似した基原植物を取り違えると、期待する効果が得られないことがあります。

② 代表的な生薬成分

　3-1節～ 3-13節に記載した以外の、代表的な生薬成分を以下に示します。

▼代表的な生薬成分

生薬	説明
ブシ	キンポウゲ科のハナトリカブトまたはオクトリカブトの塊根を減毒加工して製したものを基原とする生薬であり、心筋の収縮力を高めて血液循環を改善する作用を持つ。血液循環が高まることによる利尿作用を示すほか、鎮痛作用を示すが、アスピリン等と異なり、プロスタグランジンを抑えないことから、胃腸障害等の副作用は示さない。なお、ブシは生のままでは毒性が高いことから、その毒性を減らし有用な作用を保持する処理を施して使用される。
カッコン	マメ科のクズの周皮を除いた根を基原とする生薬で、解熱、鎮痙等の作用を期待して用いられる。
サイコ	セリ科のミシマサイコの根を基原とする生薬で、抗炎症、鎮痛等の作用を期待して用いられる。
ボウフウ	セリ科のボウフウの根および根茎を基原とする生薬で、発汗、解熱、鎮痛、鎮痙等の作用を期待して用いられる。
ショウマ	キンポウゲ科のサラシナショウマ、フブキショウマ、コライショウマまたはオオミツバショウマの根茎を基原とする生薬で、発汗、解熱、解毒、消炎等の作用を期待して用いられる。

生薬	説明
ブクリョウ	サルノコシカケ科のマツホドの菌核で、通例、外層をほとんど除いたものを基原とする生薬で、利尿、健胃、鎮静等の作用を期待して用いられる。
レンギョウ	モクセイ科のレンギョウの果実を基原とする生薬で、鎮痛、抗菌等の作用を期待して用いられる。
サンザシ	バラ科のサンザシの偽果をそのまま、または縦切もしくは横切したものを基原とする生薬で、健胃、消化促進等の作用を期待して用いられる。同属植物であるセイヨウサンザシの葉は、血行促進、強心等の作用を期待して用いられる。

3

主な医薬品とその作用

確認テスト（○×問題）

問題3-14-10 ☑☑☑ ブシ（生薬）は、キンポウゲ科のハナトリカブトまたはオクトリカブトの全草を減毒加工して製したものを基原とする生薬であり、心筋の収縮力を高めて血液循環を改善する作用を持つ。

問題3-14-11 ☑☑☑ カッコンは、マメ科のクズの周皮を除いた根を基原とする生薬で、解熱、鎮痙等の作用を期待して用いられる。

問題3-14-12 ☑☑☑ サイコは、セリ科のミシマサイコの根を基原とする生薬で、抗炎症、鎮痛等の作用を期待して用いられる。

問題3-14-13 ☑☑☑ ボウフウは、セリ科のボウフウの根および根茎を基原とする生薬で、主に心筋の収縮力を高めて血液循環を改善する作用を期待して用いられる。

問題3-14-14 ☑☑☑ ショウマは、血液循環が高まることによる利尿作用を示すほか、鎮痛作用を示すが、アスピリン等と異なり、プロスタグランジンを抑えないことから、胃腸障害等の副作用は示さない。

問題3-14-15 ☑☑☑ ブクリョウは、サルノコシカケ科のマツホドの菌核で、通例、外層をほとんど除いたものを基原とする生薬で、利尿、健胃、鎮静等の作用を期待して用いられる。

問題3-14-16 ☑☑☑ レンギョウは、モクセイ科のレンギョウまたはシナレンギョウの果実を基原とする生薬で、鎮痛、抗菌等の作用を期待して用いられる。

問題3-14-17 ☑☑☑ サンザシは、サルノコシカケ科のマツホドの菌核で、通例、外層をほとんど除いたものを基原とする生薬で、利尿、健胃、鎮静等の作用を期待して用いられる。

生薬製剤

☞ 解答は別冊 p.27

3-15 公衆衛生用薬

3-15-1 消毒薬

感染症は、病原性のある細菌、寄生虫やウイルスなどが体に侵入することによって起こる望ましくない反応です。特に食中毒は、手指や食品、調理器具等に付着した細菌、寄生虫やウイルスが、経口的に体内に入って増殖することで生じます。一般に、夏は細菌による食中毒が、冬はウイルスによる食中毒が発生することが多いといわれています。

殺菌・消毒は生存する微生物の数を減らすために行われる処置であり、滅菌とはすべての微生物を殺滅または除去することを意味します。

1 消毒薬の選択

消毒薬によっては、殺菌消毒できない微生物が存在しますし、生息条件が整えば消毒薬の中でも生存する微生物もいます。殺菌・消毒の対象となる微生物を考慮して、適切な選択と適正な使用が重要です。

2 代表的な殺菌消毒成分・取扱い上の注意

(1) 手指・皮膚の消毒のほか、器具等の殺菌・消毒にも用いられる成分
①クレゾール石ケン液

結核菌を含む一般細菌類、真菌類に対して比較的広い殺菌消毒作用を示しますが、大部分のウイルスに対する殺菌消毒作用はありません。

原液を水で希釈して用いますが、刺激性が強いため、原液が直接皮膚に付着しないようにする必要があります。付着した場合には直ちに石けん水と水で洗い流し、炎症等を生じたときには医師の診療を受けるなどの対応が必要です。

②エタノール、イソプロパノール

アルコール分が微生物のタンパク質を変性させ、それらの作用を消失させることから、結核菌を含む一般細菌類、真菌類、ウイルスに対する殺菌消毒作用を示します。ただし、イソプロパノールでは、ウイルスに対する不活性効果はエタノールよりも低いとされています。脱脂による肌荒れを起こしやすく、皮

膚へ繰り返して使用する場合には適しません。

③クロルヘキシジングルコン酸塩

　一般細菌類、真菌類に対して比較的広い殺菌消毒作用を示しますが、結核菌やウイルスに対する殺菌消毒作用はありません。手指・皮膚の消毒用であり、器具等の消毒には用いません。

(2) 専ら器具、設備等の殺菌・消毒に用いられる成分

①塩素系殺菌消毒成分

　次亜塩素酸ナトリウムやサラシ粉は、強い酸化力により細菌類、真菌類、ウイルス全般に対する殺菌消毒作用がありますが、皮膚刺激性が強いため、通常人体には用いられません。また、次亜塩素酸ナトリウムは、酸性の洗剤・洗浄剤と反応して有毒な塩素ガスを発生します。

　金属腐食性があるとともに、プラスチックやゴム製品を劣化させます。漂白剤にも用いられますが、毛、絹、ナイロン、アセテート、ポリウレタン、色・柄物等には使用を避ける必要があります。

②有機塩素系殺菌消毒成分

　ジクロロイソシアヌル酸ナトリウム、トリクロロイソシアヌル酸等の有機塩素系殺菌消毒成分は、塩素臭や刺激性、金属腐食性が比較的抑えられており、プール等の大型設備の殺菌・消毒に多く用いられています。

参考　**誤用・事故等による中毒への対処**

　基本的に応急処置の後は、速やかに医療機関を受診すべきです。

● **誤って飲み込んだ場合**

　一般的な家庭における応急処置として、通常は多量の牛乳などを飲ませますが、手元に何もないときはまず水を飲ませます。原末や濃厚液などの誤飲の場合には、安易に吐き出させるべきではありません。

● **誤って目に入った場合**

　まずは、流水で十分に（15分間以上）洗眼します。

確認テスト（○×問題）

問題3-15-1 クレゾール石ケン液は、ウイルスに対する殺菌消毒作用がエタノールより強い。

問題3-15-2 エタノールは、結核菌を含む一般細菌類、真菌類に対して比較的広い殺菌消毒作用を示すが、ウイルスに対する殺菌消毒作用はない。

問題3-15-3 イソプロパノールは、脱脂による肌荒れを起こしやすく、皮膚へ繰り返して使用する場合には適さない。

問題3-15-4 クロルヘキシジングルコン酸塩は、専ら器具等の殺菌・消毒に用いられ、手指・皮膚の消毒には用いられない。

問題3-15-5 次亜塩素酸ナトリウムは、皮膚刺激性が強いため、人体の消毒には用いられない。

問題3-15-6 消毒薬を誤って飲み込んだ場合、一般的な家庭における応急処置として、通常は多量の牛乳などを飲ませるが、手元に何もないときは、まず水を飲ませる。なお、消毒薬の濃厚液を飲み込んだ場合、自己判断で安易に吐き出させることは避ける。

問題3-15-7 消毒薬が誤って目に入った場合は、酸はアルカリで、アルカリは酸で中和する。

確認テスト

問題3-15-8

感染症の防止と消毒薬に関するに関する記述の正誤について、正しい組み合わせを1つ選びなさい。　　　　　　　　　　　　　　　　　（平成29年　奈良）

a 感染症は、病原性のある細菌、寄生虫やウイルスなどが体に侵入することによって起こる望ましくない反応である。

b 滅菌は、生存する微生物の数を減らすために行われる処置である。

c 消毒薬が微生物を死滅させる仕組み及び効果は、殺菌消毒成分の種類、濃度、温度、時間、消毒対象物の汚染度、微生物の種類や状態などによって異なる。

d 消毒薬によっては、殺菌消毒効果が十分得られない微生物が存在し、さらに、生息条件が整えば消毒薬の溶液中で生存、増殖する微生物もいる。

	a	b	c	d
1	正	誤	正	正
2	正	正	誤	正
3	正	誤	正	誤
4	誤	正	正	誤
5	誤	正	誤	正

 解答は別冊p.28

3-15-2　殺虫剤・忌避剤

1　殺虫剤・忌避剤とは

　殺虫剤・忌避剤のうち、人体に対する作用が緩和なものについては医薬部外品として扱われますが、原液を希釈して用いるものや、劇薬に該当するものなどは医薬品として扱われます。

2　衛生害虫

　疾病を媒介したり、物を汚染するなどして、保健衛生上の害を及ぼす昆虫等を衛生害虫といいます。ここでは代表的なものを示します。なお、ハチ、ドクガ、ドクグモ、サソリは人体に危害を加える可能性がありますが、衛生害虫ではありません。

衛生害虫	説明
ハエ	赤痢、チフス、コレラ、O-157など、病原菌・病原体を媒介。人の体内や皮膚などに幼虫（ウジ）が潜り込み、健康被害を与えるハエ蛆症もある。ハエの防除の基本は、ウジの防除。ウジの防除法としては、通常、有機リン系殺虫成分が用いられる
蚊	日本脳炎、マラリア、黄熱、デング熱等の重篤な病気を媒介。蚊は、水のある場所に産卵し、幼虫（ボウフラ）となって繁殖する。ボウフラが成虫にならなければ保健衛生上の有害性はない。ボウフラの防除では水系に殺虫剤を投入することになるため、生態系への配慮が必要
ゴキブリ	食中毒の原因となる菌を媒介。燻蒸処理を行う場合、ゴキブリの卵の殻が固く医薬品が浸透しないため、3週間位おいて再度燻蒸する必要がある
シラミ	宿主ごとに寄生するシラミが決まっている。シラミの医薬品による防除は、フェノトリンが配合されたシャンプーやてんか粉が用いられる
トコジラミ	シラミでなくカメムシ目に属する昆虫、別名ナンキンムシ
ノミ	ペットに寄生するノミの被害がしばしば発生している
イエダニ	ネズミを宿主として移動し生息場所を広げている
屋内塵性ダニ	屋内塵性ダニ（ツメダニ類、ヒョウヒダニ類、ケナガコナダニ等）は、一定程度まで生息数を抑えれば保健衛生上の害は生じない。ヒョウヒダニ類やケナガコナダニについては、ヒトを刺すことはないが、ダニの糞や死骸がアレルゲンとなる。湿度がダニの増殖の要因になるため、水で希釈する薬剤の使用は避け、エアゾール、粉剤が望ましい
ツツガムシ	ツツガムシ病リケッチアを媒介するダニの一種。野外に生息

③ 代表的な殺虫成分

(1) 有機リン系殺虫成分

　ジクロルボス、ダイアジノン、フェニトロチオン、フェンチオン、トリクロルホン、クロルピリホスメチル、プロペタンホス等があります。殺虫作用は、アセチルコリンを分解する酵素と不可逆的に結合してその働きを阻害することによります。ウジの防除などに使いますが、哺乳類では速やかに分解排泄され、毒性は低いとされています。

(2) ピレスロイド系殺虫成分

　除虫菊の成分から開発された成分です。ペルメトリン、フェノトリン、フタルスリン等があり、フェノトリンは、殺虫成分で唯一人体に直接適用されるものです（シラミの駆除を目的とするシャンプー等）。

(3) カーバメイト系殺虫成分、オキサジアゾール系殺虫成分

　プロポクスル、メトキサジアゾンなど。殺虫作用は、アセチルコリンを分解する酵素（コリンエステラーゼ）と可逆的に結合してその働きを阻害することによります。ピレスロイド系殺虫成分に抵抗性を示す害虫の駆除に用いられます。有機リン系殺虫成分に比べて毒性は低い。

(4) 有機塩素系殺虫成分

　有機塩素系殺虫成分を代表するDDTは、かつて広く使用され、感染症の撲滅に大きな効果を上げましたが、残留性や体内蓄積性の問題から、現在ではオルトジクロロベンゼンがウジ・ボウフラの防除の目的で使用されているのみです。殺虫作用は、ピレスロイド系と同様、神経細胞に対する作用に基づくものです。

(5) 昆虫成長阻害成分

　直接の殺虫作用ではなく、昆虫の脱皮や変態を阻害する作用を有する成分で、メトプレン、ピリプロキシフェン、ジフルベンズロン等があります。

(6) 忌避成分

　ディートは、医薬品または医薬部外品の忌避剤の有効成分として用いられ、最も効果的で、効果の持続性も高いとされています。また、イカリジンは、年齢による使用制限がない忌避成分で、蚊やマダニなどに対して効果を発揮します。

確認テスト（○×問題）

問題3-15-9 ハチは、衛生害虫である。

問題3-15-10 ハエの防除の基本はウジの防除であり、ウジの防除法としては、通常、有機リン系殺虫成分が配合された殺虫剤を使用する。

問題3-15-11 殺虫成分のジクロルボスは、有機リン系である。

問題3-15-12 殺虫成分のフェニトロチオンは、有機塩素系である。

問題3-15-13 ペルメトリンは、シラミの駆除を目的として人体に直接適用される唯一の殺虫成分である。

問題3-15-14 フェノトリンは、シラミの駆除を目的として人体に直接適用されるピレスロイド系殺虫成分である。

問題3-15-15 プロポクスルは、殺虫補助成分である。

確認テスト

問題3-15-16

殺虫剤・忌避剤及び衛生害虫に関する次の記述の正誤について、正しい組合せはどれか。　　　　　　　　　　（平成29年　茨城、栃木、群馬、山梨、長野、新潟）

a 殺虫剤・忌避剤は人体に対する作用が緩和なため、医薬品として扱われることはなく、すべて医薬部外品として扱われる。

b ハエ蛆症とは、人の体内や皮膚などに幼虫（ウジ）が潜り込み、組織や体液や消化器官内の消化物を食べて直接的な健康被害を与える症状のことである。

c シラミの防除には、殺虫成分としてフェノトリンが配合されたシャンプーやてんか粉が用いられる。

d ツメダニ類等の屋内塵性ダニに対して殺虫剤を散布する場合は、エアゾール、粉剤の使用は避け、水で希釈する薬剤を用いることが望ましい。

	a	b	c	d
1	正	正	誤	誤
2	誤	正	正	誤
3	正	誤	正	正
4	誤	正	誤	正

 解答は別冊p.28

4 殺虫剤の主な剤形、用法

(1) スプレー剤

医薬品を空間中に噴霧するタイプのものです。

(2) 燻蒸剤

容器中の医薬品を煙状または霧状にして一度に全量放出させるもの。燻蒸処理が完了するまで、部屋を締め切って退出すること。処理後は換気を十分に行い、ダニやゴキブリの死骸を取り除くために掃除機をかけることも重要です。

(3) 毒餌剤（誘因殺虫剤）

殺虫成分とともに、対象とする衛生害虫（主にゴキブリ）を誘引する成分を配合し、マット状、ペレット状、ペースト状等にしたものです。

(4) 蒸散剤

殺虫成分を基剤に混ぜて整形し、加熱したときまたは常温で徐々に揮散するようにしたものです。

(5) 粉剤・粒剤

粉剤は、殺虫成分を粉体に吸着させたもので、主にダニやシラミ、ノミの防除において散布されます。粒剤は、殺虫成分を基剤に混ぜて粒状にしたもので、ボウフラの防除において、ボウフラが生息する水系に投入して使用されるものがあります。

(6) 乳剤・水和剤

原液を水で希釈して使用するものです。

(7) 油剤

湿気を避ける必要がある場所でも使用できますが、噴射器具を必要とし、包装単位が大きい製品が多いため、一般の家庭において使用することはほとんどありません。

5 殺虫剤を使用する際の一般的な留意事項

殺虫剤を噴霧・散布する際は、なるべく防護ゴーグル、マスク、手袋、肌の露出度の低い衣服を着用し、定められた用法・用量を厳守して使用します。医薬品が皮膚に付着した場合には、直ちに石けん水で洗い流し、目や口に入らないようにします。

6　忌避剤を使用する際の一般的な留意事項

スプレー剤を使用した場合も塗りむらがあると忌避効果が落ちるため、手で塗り拡げるなどして、必要以上に使用しないことです。

粘膜刺激性があるため、創傷面、目の周囲、粘膜等に薬剤が触れないようにします。

ディートについては、外国において動物実験（ラット皮膚塗布試験）で神経毒性が示唆されているため、ディートを含有する忌避剤（医薬品および医薬部外品）は、生後6か月未満の乳児への使用を避けることとされています。また、生後6か月から12歳未満までの小児については、顔面への使用を避け、1日の使用限度（6か月以上2歳未満：1日1回、2歳以上12歳未満：1日1～3回）を守って使用する必要があります。

確認テスト

問題3-15-17　☑ ☑ ☑

下記の記述は衛生害虫の防除法の主な用法に関するものである。下記の記述に該当する剤形として正しいものを一つ選びなさい。

空間噴射の殺虫剤のうち、容器中の医薬品を煙状または霧状にして一度に全量放出させるものである。霧状にして放出するものは、煙状にするものに比べて、噴射された粒子が微小であるため短時間で部屋の隅々まで行き渡るというメリットがある。処理が完了するまでの間、部屋を締め切って退出する必要がある。処理後は換気を十分に行い、ダニ等の死骸を取り除くために掃除機をかけることも重要である。

1　粉剤・粒剤　　　2　燻蒸剤　　　3　スプレー剤　　　4　蒸散剤

確認テスト（○×問題）

問題3-15-18　☑ ☑ ☑
ディートは、蚊、ノミ等が人体に取り付くことを防止するために、人体に直接使用する忌避剤の有効成分として用いられる。

問題3-15-19　☑ ☑ ☑
ディートを含有する忌避剤（医薬品および医薬部外品）は、生後6か月未満の乳児に使用を避けることとされている。

問題3-15-20　☑ ☑ ☑
忌避剤は、虫さされによるかゆみや腫れなどの症状を和らげる効果がある。

　解答は別冊p.28

3

主な医薬品とその作用

殺虫剤・忌避剤

3-16 一般用検査薬

1 一般用検査薬とは

　疾病の診断を目的する医薬品のうち、人体に直接使用されることのないものを体外診断用医薬品といいます。体外診断用医薬品の多くは医療用医薬品に該当しますが、一般用検査薬については、薬局または医薬品の販売業（店舗販売業、配置販売業）において取り扱うことが認められています。

　一般用検査薬は、一般の生活者が正しく用いて健康状態を把握し、速やかな受診につなげることで疾病を早期発見するためのものです。

　一般用の検査に用いる検体は、尿、糞便、鼻汁、唾液、涙液など採取に際して侵襲（採血や穿刺等）のないものです。検査項目は、学術的な評価が確立しており、情報の提供により結果に対する適切な対応ができるものであり、健康状態を把握し、受診につなげていけるものです。なお、悪性腫瘍、心筋梗塞や遺伝性疾患など重大な疾患の診断に関係するものは一般用検査薬の対象外です。

【販売時の留意点】

- 専門的診断におきかわるものでないことについてわかりやすく説明する。
- 検査薬の使い方や保管上の注意についてわかりやすく説明する。
- 検体の採取時間とその意義をわかりやすく説明する。
- 妨害物質および検査結果に与える影響をわかりやすく説明する。
- 検査薬の性能についてわかりやすく説明する。
- 検査結果の判定についてわかりやすく説明する。
- 適切な受診勧奨を行う。特に、医療機関を受診中の場合は、通院治療を続けるよう説明する。
- その他購入者等からの検査薬に関する相談には積極的に応じること。

【検出感度、偽陰性・偽陽性】

　検体中の対象物質の濃度が極めて低い場合には検出反応が起こりません。検出反応が起こるための最低限の濃度を検出感度（または検出限界）といいます。検体中に存在しているにもかかわらず、その濃度が検出感度以下であったり、検出反応を妨害するほかの物質の影響等によって、検査結果が陰性となった場合を偽陰性といいます。逆に、検体中に存在していないにもかかわらず、検査

対象外の物質と非特異的な反応が起こって検査結果が陽性となった場合を偽陽性といいます。

　生体から採取された検体には予期しない妨害物質や化学構造がよく似た物質が混在することがあり、いかなる検査薬においても偽陰性・偽陽性を完全に排除することは困難です。

　また、検査薬が高温になる場所に放置されたり、冷蔵庫内に保管されていたりすると、設計どおりの検出感度を発揮できなくなるおそれがあります。

2 尿糖・尿タンパク検査薬

　泌尿器系が正常で、血糖値が正常であれば、糖やタンパク質は腎臓の尿細管で再吸収されるのでほとんど検出されません。尿糖値の異常は、一般に高血糖が多いものの、腎性糖尿のように高血糖を伴わない場合もあります。尿中タンパク値の異常は、腎臓機能障害による腎炎やネフローゼ、尿路に異常が生じたことによる尿路感染症、尿路結石、膀胱炎等があります。

　尿糖値は160～180mg/dL程度、尿タンパク値は15mg/dL以下が正常値です。

確認テスト（○×問題）

問題3-16-1　一般用検査薬は、薬局や店舗販売業等において取り扱うことが認められている。
☑ ☑ ☑

問題3-16-2　検査に用いる検体は、尿、糞便、鼻汁、唾液、涙液など採取に際して
☑ ☑ ☑　侵襲（採血や穿刺等）のないものである。

問題3-16-3　一般用検査薬の対象には、悪性腫瘍、心筋梗塞や遺伝性疾患等、重大
☑ ☑ ☑　な疾患の診断に関係するものが含まれる。

問題3-16-4　検体中に存在しているにもかかわらず、その濃度が検出感度以下であ
☑ ☑ ☑　ったり、検出反応を妨害する他の物質の影響等によって、検査結果が
　　　　　陰性となった場合を偽陰性という。

問題3-16-5　尿糖値に異常を生じる要因は、一般に高血糖と結びつけて捉えられる
☑ ☑ ☑　ことが多いが、腎性糖尿等のように高血糖を伴わない場合もある。

☞ 解答は別冊p.28

(1) 採尿のタイミング

尿糖・尿タンパク同時検査の場合、早朝尿（起床直後の尿）を検体とします。尿糖が検出された場合には、食後の尿について改めて検査して判断する必要があります。採取した尿を放置すると、雑菌の繁殖等によって尿中の成分の分解が進み、検査結果に影響を与えるおそれがあります。

(2) 採尿のしかた

出始めの尿では、尿道に付着した細菌や分泌物が混入することがあるため、中間尿を採取するのが基本です。

(3) 食事等の影響

通常、尿は弱酸性ですが、食事その他の影響で中性〜弱アルカリ性に傾くと、正確な検査結果が得られなくなることがあります。

(4) 検査結果の判断

尿糖・尿タンパク検査薬は、尿中の糖やタンパク質の有無を調べるものであり、その結果をもって直ちに疾患の有無や種類を判断することはできません。

確認テスト（○×問題）

問題3-16-6 採取した尿を放置すると、雑菌の繁殖等によって尿中の成分の分解が進み、検査結果に影響を与えるおそれがある。

問題3-16-7 正確な尿糖の検査のためには出始めの尿ではなく中間尿を採取することが望ましい。

問題3-16-8 通常、尿は弱アルカリ性であるが、食事その他の影響で酸性側に傾くと、正確な検査結果が得られなくなることがある。

問題3-16-9 尿糖・尿タンパク検査薬の結果により、直ちに疾患の有無や種類を判断することができる。

問題3-16-10 尿糖・尿タンパク検査薬は、検出する部分を長い間、尿に浸すほど、正確な検査結果が得られる。

☞ 解答は別冊 p.28

③ 妊娠検査薬

（1）何を調べるのか

　妊娠検査薬は、尿中のヒト絨毛性性腺刺激ホルモン（hCG）の有無を調べるものであり、通常、実際に妊娠が成立してから4週目前後の尿中hCG濃度を検出感度としています。一般的な妊娠検査薬は、月経予定日が過ぎておおむね1週目以降の検査が推奨されています。

（2）採尿のタイミング

　検体としては、尿中hCGが検出されやすい早朝尿（起床直後の尿）が向いていますが、尿が濃すぎると、正確な結果が得られないこともあります。

（3）検査薬の取り扱い、検出反応が行われる環境

　尿中hCGの検出反応は、hCGと特異的に反応する抗体や酵素を用いた反応であるため、温度の影響を受けることがあります。検査薬が高温になる場所に放置されたり、冷蔵庫内に保管されていたりすると、設計どおりの検出感度を発揮できなくなるおそれがあります。

　また、高濃度のタンパク尿や糖尿の場合、非特異的な反応が生じて偽陽性を示すことがあります。

（4）ホルモン分泌の変動

　絨毛細胞が腫瘍化している場合には、妊娠していなくてもhCGが分泌され、検査結果が陽性となることがあります。また、経口避妊薬や更年期障害治療薬などのホルモン剤を使用している人では、妊娠していなくても尿中hCGが検出されることがあります。

（5）検査結果の判断

　妊娠の確定診断には、尿中のホルモン検査だけでなく、専門医による問診や超音波検査などの結果から総合的に妊娠の成立を見極める必要があります。

確認テスト（○×問題）

問題3-16-11 一般用検査薬を用いた妊娠検査は、月経予定日が過ぎておおむね1
☑☑☑ 週目以降の検査が推奨されている。

問題3-16-12 妊娠検査薬の検体としては、尿中のヒト絨毛性性腺刺激ホルモン
☑☑☑ （hCG）が検出されやすい早朝尿（起床直後の尿）が向いているが、尿
が濃すぎると、かえって正確な結果が得られないこともある。

問題3-16-13 尿中hCGの検出反応は、hCGと特異的に反応する抗体や酵素を用い
☑☑☑ た反応であり、温度の影響を受けることはない。

問題3-16-14 妊娠検査薬は、その検出感度を維持するため、開封するまで冷蔵庫
☑☑☑ 内で保管し、開封後速やかに使用するのが望ましい。

問題3-16-15 妊娠検査薬に関して、採取した尿は、なるべく採尿後速やかに検査
☑☑☑ がなされることが望ましい。

問題3-16-16 経口避妊薬や更年期障害治療薬などのホルモン剤を使用している人
☑☑☑ では、妊娠していなくても検査結果が陽性となることがある。

☞ 解答は別冊p.29

想定外のことをされるお客さまがいらっしゃいます。
店舗では、購入者と使用者が一致しないケースが多くありますが、
ひとこと使用者の確認と用法用量の確認をお願いします。

第 **4** 章

薬事関係法規・制度

　医薬品医療機器等法の改正に伴って、厚生労働省「試験問題の作成に関する手引き」令和4年3月版では、第4章の改訂箇所がたくさんあります。

　また、登録販売者の実務とは直接関係しませんが、法改正により、「地域連携薬局」「専門医療機関連携薬局」「健康サポート薬局」という薬局の新たな機能分類について加筆されました（p.288）。今後の試験に出題される可能性が高いので、違いを覚えましょう。

4-1 医薬品の分類・取扱い等

4-1-1 法の目的

1 医薬品医療機器等法

一般用医薬品の販売に関連する法令のうち、最も重要な法令は、「医薬品、医療機器等の品質、有効性及び安全性の確保等に関する法律」です。本書では、単に「法」と表記しています[※1]。

法第1条において、次のように法の目的を定めています。

● **目的（法第1条）**

この法律は、医薬品、医薬部外品、化粧品、医療機器及び再生医療等製品の品質、有効性及び安全性の確保並びにこれらの使用による保健衛生上の危害の発生及び拡大の防止のために必要な規制を行うとともに、指定薬物の規制に関する措置を講ずるほか、医療上特にその必要性が高い医薬品、医療機器及び再生医療等製品の研究開発の促進のために必要な措置を講ずることにより、保健衛生の向上を図ることを目的とする。

また、医薬品等関連事業者等の責務を次のように定めています。

● **医薬品等関連事業者等の責務**

（法第1条の4）

医薬品等の製造販売、製造（小分けを含む）、販売、貸与若しくは修理を業として行う者、第4条第1項の許可を受けた者（薬局開設者）又は病院、診療所若しくは飼育動物診療施設（略）の開設者は、その相互間の情報交換を行うことその他の必要な措置を講ずることにより、医薬品等の品質、有効性及び安全性の確保並びにこれらの使用による保健衛生上の危害の発生及び拡大の防止に努めなければならない。

（法第1条の5）

医師、歯科医師、薬剤師、獣医師その他の医薬関係者は、医薬品等の有効性及び安全性その他これらの適正な使用に関する知識と理解を深めるととも

に、これらの使用の対象者（略）及びこれらを購入し、又は譲り受けようとする者に対し、これらの適正な使用に関する事項に関する正確かつ適切な情報の提供に努めなければならない。

　以上の法の趣旨をふまえて、登録販売者は、購入者等に対して正確かつ適切な情報提供が行えるよう、日々最新の情報の入手、自らの研鑽に努める必要があります※2。さらに、法第1条の6において、国民に対しても、「国民は、医薬品等を適正に使用するとともに、これらの有効性及び安全性に関する知識と理解を深めるよう努めなければならない。」とされており、購入者が求める知識、理解に応えることが求められています。

※1　2014年11月25日をもって、「薬事法」という名称が廃止され、「医薬品、医療機器等の品質、有効性及び安全性の確保等に関する法律」に変わりました。厚生労働省は、「医薬品医療機器等法」を略称として用いていますが、一部マスコミでは「薬機法」などという表現もみられます。
※2　薬局開設者ならびに店舗販売業者および配置販売業者は、登録販売者に対し研修を適切に行うことに加え、外部の研修実施機関が行う研修（外部研修）を受講させることが求められています。

確認テスト

問題4-1-1

　医薬品医療機器等法第1条の記述について、（　　　）の中に入れるべき字句の正しい組み合わせはどれか。

第一条
　この法律は、医薬品、医薬部外品、化粧品、医療機器及び再生医療等製品（以下「医薬品等」という。）の品質、有効性及び安全性の確保並びにこれらの（　a　）による保健衛生上の危害の発生及び拡大の防止のために必要な規制を行うとともに、（　b　）の規制に関する措置を講ずるほか、医療上特にその必要性が高い医薬品、医療機器及び再生医療等製品の研究開発の促進のために必要な措置を講ずることにより、（　c　）を図ることを目的とする。

（令和元年　静岡、岐阜、愛知、三重、富山、石川）

	a	b	c
1	販売	毒物及び劇物	健康の保持増進
2	使用	毒物及び劇物	保健衛生の向上
3	使用	指定薬物	健康の保持増進
4	販売	指定薬物	保健衛生の向上
5	使用	指定薬物	保健衛生の向上

解答は別冊 p.29

263

② 登録販売者

(1) 登録販売者試験の合格と登録

　試験に合格したのち、販売に従事するには、さらに都道府県知事の登録が必要です。

(2) 販売従事登録の申請

　従事する薬局または店舗の所在地の都道府県知事（配置販売業の場合は、配置しようとする区域を含む都道府県の知事）に申請します。ただし、法第5条第3号に該当する場合は、その登録を受けることができないとされています。

　販売従事登録の申請書類については、医薬品医療機器等法律施行規則第159条の7において次のように規定されています。

1. 登録販売者試験に合格したことを証する書類

2. 申請者の戸籍謄本、戸籍抄本等

3. 申請者が精神の機能の障害により業務を適正に行うに当たって必要な認知、判断および意思疎通を適切に行うことができないおそれがある者である場合は、当該申請者に係る精神の機能の障害に関する医師の診断書

4. 申請者が薬局開設者または医薬品の販売業者でないときは、雇用契約書の写しその他薬局開設者または医薬品の販売業者の申請者に対する使用関係を証する書類

※ 二以上の都道府県において販売従事登録を受けようと申請した者は、当該申請を行った都道府県知事のうちいずれか一の都道府県知事の登録しか受けることができません。

※「精神の機能の障害により登録販売者の業務を適正に行うに当たって必要な認知、判断および意思疎通を適切に行うことができない者」は登録を受けることができません。

(3) 都道府県の登録販売者名簿

　販売従事登録を行うため、都道府県に登録販売者名簿を備えなければなりません（規則第159条の8第1項）。登録事項は以下の通りです。

1. 登録番号および登録年月日

2. 本籍地都道府県名（日本国籍を有していない者は国籍）、氏名、生年月日および性別

3. 登録販売者試験合格の年月および試験施行地都道府県名

4. その他都道府県知事が必要と認める事項

(4) 登録証の交付

都道府県知事は、販売従事登録を行ったときは、登録証を交付しなければならないとされています（規則第159条の8第2項）。

なお、登録販売者は、登録事項に変更を生じたときは、30日以内に、その旨を届けなければなりません

(5) 登録の抹消

登録販売者は、一般用医薬品の販売または授与に従事しようとしなくなったときは、30日以内に、名簿の登録の消除の申請が必要で（規則第159条の10第1項）、登録販売者が死亡し、または失踪の宣告を受けたときは、戸籍法による死亡または失踪の届出義務者が、30日以内に、登録販売者名簿の登録の消除を申請しなければなりません（規則第159条の10第2項）。

さらに、登録販売者が精神の機能の障害を有する状態となり登録販売者の業務の継続が著しく困難になったときは、遅滞なく、登録を受けた都道府県知事にその旨を届け出なければなりません（規則第159条の10第4項）。

その他、登録販売者の登録が消除される事例は次の通りです。

- 禁固刑以上の刑に処せられた者
- 麻薬および向精神薬取締法など薬事に関する法令で処分された者
- 麻薬、大麻、あへんまたは覚醒剤の中毒者
- 偽りその他不正の手段により販売従事登録を受けたことが判明したとき

4

薬事関係法規・制度

法の目的

確認テスト（○×問題）

問題4-1-2 登録販売者の合格通知があれば、一般用医薬品の販売に従事できる。
☑☑☑

問題4-1-3 登録販売者は、登録事項に変更を生じたときは、6か月以内に、その旨を届けなければならない。
☑☑☑

問題4-1-4 登録販売者は、一般用医薬品の販売または授与に従事しなくなったとき、特に届出は必要ない。
☑☑☑

☞ 解答は別冊p.29

4-1-2 医薬品の定義と範囲

1 医薬品の定義

　医薬品の定義は、法第2条第1項において次のように規定されています。登録販売者は、一般用医薬品を取り扱う専門家として、この医薬品の定義は完全に頭に入れておかなければなりません。毎回、試験でも問われる重要なポイントです。

> ● **法第2条第1項による医薬品の定義**
> 一　日本薬局方に収められている物
> 二　人又は動物の疾病の診断、治療又は予防に使用されることが目的とされている物であつて、機械器具等（機械器具、歯科材料、医療用品、衛生用品並びにプログラム等（電子計算機に対する指令であつて、一の結果を得ることができるように組み合わされたものをいう。以下同じ。）及びこれを記録した記録媒体をいう。以下同じ。）でないもの（医薬部外品及び再生医療等製品を除く。）
> 三　人又は動物の身体の構造または機能に影響を及ぼすことが目的とされている物であつて、機械器具等でないもの（医薬部外品、化粧品及び再生医療等製品を除く。）

　第1号の日本薬局方は、「日局」と表記されることが多く、法第41条第1項の規定に基づいて、厚生労働大臣が医薬品の性状および品質の適正を図るため、薬事・食品衛生審議会の意見を聴いて、保健医療上重要な医薬品（有効性および安全性に優れ、医療上の必要性が高く、国内外で広く使用されているもの）について、必要な規格・基準および標準的試験法等を定めたものです。

　第2号はいわゆる「医薬品」と認識される物の多くがこれに該当します。これには検査薬や殺虫剤、器具用消毒薬のように、人の身体に直接使用されない医薬品も含まれます。

　第3号は人の身体の構造または機能に影響を及ぼすことが目的とされている物のうち、第1号および第2号に規定されている物以外のものが広く含まれます。これに該当するものとしては、「やせ薬」を標榜したもの等、「無承認・無許可医薬品」が含まれます。

2　医薬品の製造販売

　医薬品は、厚生労働大臣により「製造業」の許可を受けた者でなければ製造をしてはならないとされており（法第13条第1項）、厚生労働大臣により「製造販売業」の許可を受けた者でなければ製造販売をしてはならないとされています（法第12条第1項）。

　医薬販売業において、不正表示医薬品および次の不良医薬品は、販売、授与、製造、輸入、貯蔵、陳列してはなりません（法第55条、第56条）。

【不良医薬品の定義】

(a) 局方品であって、その性状、品質が局方の定める基準に適合しないもの

(b) 体外診断用医薬品で、性状・品質・性能が基準に適合しないもの

(c) 厚生労働大臣が指定した医薬品であって、承認・認証と異なるもの

(d) 法第42条1により定められた医薬品であって、基準に適合しないもの

(e) 不潔な物質、変質・変敗した物質から成っている医薬品

(f) 異物が混入し、または付着している医薬品

(g) 病原微生物により汚染、または汚染された可能性がある医薬品

(h) 厚生労働省令で定めるタール色素以外の色素が使用されている医薬品

確認テスト（○×問題）

問題4-1-5 日本薬局方に収められている物はすべて医薬品に該当する。
☐ ☐ ☐

問題4-1-6 日本薬局方に収載されている医薬品には、一般用医薬品として販売されているものはない。
☐ ☐ ☐

問題4-1-7 医薬品には、検査薬や殺虫剤のように、人の身体に直接使用されないものもある。
☐ ☐ ☐

問題4-1-8 器具用消毒薬のように、人の身体に直接使用されないものは、医薬品には含まれない。
☐ ☐ ☐

問題4-1-9 人の疾病の治療に使用されることが目的とされている衛生用品は、医薬品に該当する。
☐ ☐ ☐

問題4-1-10 人の疾病の診断または予防に使用されることが目的とされているプログラムは、医薬品に該当する。
☐ ☐ ☐

問題4-1-11 医薬品成分が含まれていないものは、「やせ薬」等と標榜していても医薬品には含まれない。
☐ ☐ ☐

☞ 解答は別冊p.29

③ 販売・製造・輸入・陳列できない医薬品

また同様に、次に該当する医薬品も、販売し、授与し、または販売もしくは
授与の目的で製造し、輸入し、もしくは陳列してはならないとされています（法
第57条）。

(a) 医薬品は、その全部もしくは一部が有毒もしくは有害な物質からなってい
　るために、その医薬品を保健衛生上危険なものにするおそれがある物とと
　もに収められている

(b) 医薬品は、その全部もしくは一部が有毒もしくは有害な物質からなってい
　るために、その医薬品を保健衛生上危険なものにするおそれがある容器も
　しくは被包（内包を含む）に収められている

(c) 医薬品の容器または被包は、その医薬品の使用方法を誤らせやすい

　これらの規定に触れる医薬品（不良医薬品）の製造、輸入、販売等を行った者
については、「3年以下の懲役もしくは300万円以下の罰金に処し、またはこれ
を併科する」（法第84条第18号から第20号および第22号）こととされています。

　また、この規定は、製造元の製薬企業、製造業者のみならず、薬局および医
薬品の販売業にも適用されるので、販売・授与のため陳列する際に適正な品質
が保たれるよう十分留意しなければなりません。

④ 一般用医薬品、要指導医薬品と医療用医薬品

(1) 一般用医薬品の定義（法第4条第5項第4号）

　一般用医薬品とは、「医薬品のうち、その効能及び効果において人体に対す
る作用が著しくないものであつて、薬剤師その他の医薬関係者から提供された
情報に基づく需要者の選択により使用されることが目的とされているもの」で
す（要指導医薬品を除く）。

(2) 要指導医薬品の定義（法第4条第5項第3号）

　要指導医薬品とは、「次のイからニまでに掲げる医薬品（専ら動物のために使
用されることが目的とされているものを除く）のうち、その効能及び効果にお
いて人体に対する作用が著しくないものであつて、薬剤師その他の医薬関係者
から提供された情報に基づく需要者の選択により使用されることが目的とされ
るものであり、かつ、その適正な使用のために薬剤師の対面による情報の提供
及び薬学的知見に基づく指導が行われることが必要なものとして、厚生労働大

臣が薬事・食品衛生審議会の意見を聴いて指定するもの」です。

イ　その製造販売の承認の申請に際して法第14条第11項に該当するとされた医薬品であつて、当該申請に係る承認を受けてから厚生労働省令で定める期間を経過しないもの

ロ　その製造販売の承認の申請に際してイに掲げる医薬品と有効成分、分量、用法、用量、効能、効果等が同一性を有すると認められた医薬品であつて、当該申請に係る承認を受けてから厚生労働省令で定める期間を経過しないもの

ハ　法第44条第1項に規定する毒薬

ニ　法第44条第2項に規定する劇薬

　なお、要指導医薬品は、厚生労働省令で定める期間を経過し、薬事・食品衛生審議会において、一般用医薬品として取り扱うことが適切であると認められたものについては、一般用医薬品に分類されることになります。

(3) 医療用医薬品

　医療用医薬品は、医師もしくは歯科医師によって使用され、またはこれらの者の処方箋もしくは指示によって使用されることを目的として供給される医薬品です。なお、医療用医薬品の販売は、薬局および卸売販売業者に限られます。

確認テスト（○×問題）

問題4-1-12　☑☑☑　その全部もしくは一部が有毒もしくは有害な物質からなっているために、その医薬品を保健衛生上危険なものにするおそれがある物とともに収められている医薬品は、販売し、授与し、または販売もしくは授与の目的で製造し、輸入し、もしくは陳列してはならないとされている。

問題4-1-13　☑☑☑　その医薬品の使用方法を誤らせやすい容器または被包の医薬品は、販売し、授与し、または販売もしくは授与の目的で製造し、輸入し、もしくは陳列してはならないとされている。

問題4-1-14　☑☑☑　法において、一般用医薬品は、「医薬品のうち、その効能及び効果において人体 に対する作用が著しくないものであつて、薬剤師その他の医薬関係者から提供された情報に基づく需要者の選択により使用されることが目的とされているもの（要指導医薬品を除く。）をいう。」と規定されている。

問題4-1-15　☑☑☑　患者が自己注射や自己採血を行う医薬品は、要指導医薬品として製造販売されている。

☞ 解答は別冊p.29

(4) 一般用医薬品および要指導医薬品の特性

一般用医薬品および要指導医薬品の特性は次のとおりです。

①注射等の侵襲性の高い使用方法は用いられない。

②採取にリスクを伴う（血液を検体とする等）検査薬は認められていない。

③あらかじめ定められた用量に基づき使用すべきもので、勝手に判断しない。

④誰でも判断できる症状（胃痛、胸やけ、むかつき、もたれ等）で示される。

⑤医師の診療によらなければ治癒が期待できない疾患（たとえば、がん、心臓病等）に対する効能効果は、認められていない。

(5) 販売の規制等

店舗販売業は、一般用医薬品および要指導医薬品以外の医薬品の販売等は認められず（法第27条）、配置販売業者は一般用医薬品（経年変化が起こりにくいことその他の厚生労働大臣の定める基準に適合するものに限る）以外の医薬品の販売は認められていません（法第31条）。

5 毒薬・劇薬

▼容器等への表示

 毒薬…黒地に白枠、品名・「毒」の文字が白。

 劇薬…白地に赤枠、品名・「劇」の文字が赤。

毒薬と劇薬は、法第44条の規定に基づいて、毒性が強いものあるいは劇性が強いものとして厚生労働大臣が薬事・食品衛生審議会の意見を聴いて指定する医薬品をいいます。

毒薬または劇薬は、他の物と区別して貯蔵、陳列しなければならず、特に毒薬を貯蔵、陳列する場所については、鍵を施さなければならないとされています。なお、毒薬または劇薬は、要指導医薬品に該当することはありますが、現在のところ、一般用医薬品で毒薬・劇薬であるものはありません。

> ● **毒薬・劇薬の販売規制**（法第46条・47条・45条）
> ・当該医薬品を譲り受ける者から、品名、数量、使用目的、譲渡年月日、譲受人の氏名、住所および職業が記入され、署名捺印された文書の交付を受けなければならない。
> ・14歳未満の者、安全な取り扱いに不安のある者（「睡眠薬の乱用」「不当使用」等が懸念される購入希望者）への交付は禁止。

- 店舗管理者が薬剤師である店舗販売業者または営業所管理者が薬剤師である卸売販売業者以外の医薬品の販売業者は、開封して販売等してはならない。

確認テスト（○×問題）

問題4-1-16 要指導医薬品は、患者の容態にあわせて処方量を決めて交付するもののため、薬剤師の対面による情報の提供および薬学的知見に基づく指導が必要である。

問題4-1-17 人体に直接使用されない検査薬において、検体の採取に身体への直接のリスクを伴うものは、一般用医薬品又は要指導医薬品としては認められていない。

問題4-1-18 一般用医薬品および要指導医薬品は、あらかじめ定められた用量に基づき、適正使用することによって効果を期待するものである。

問題4-1-19 一般用医薬品の効能効果の表現は、診断疾患名（たとえば、胃炎、胃・十二指腸潰瘍等）で示される。

問題4-1-20 医師等の診療によらなければ一般に治癒が期待できない疾患（たとえば、がん、心臓病等）に対する効能効果は、一般用医薬品および要指導医薬品において認められていない。

問題4-1-21 劇薬については、容器等に白地に赤枠、赤字をもって、当該医薬品の品名および「劇」の文字が記載されていなければならない。

問題4-1-22 毒薬については、それを収める直接の容器または直接の被包に、黒地に白枠、白字をもって、当該医薬品の品名および「毒」の文字を記載するよう努めることとなっている。

問題4-1-23 業務上、毒薬または劇薬を取り扱う者は、毒薬または劇薬を他の物と区別して貯蔵、陳列しなければならない。

問題4-1-24 劇薬を貯蔵、陳列する場所については、法第48条の規定に基づき、必ず鍵を施さなければならない。

問題4-1-25 要指導医薬品で劇薬に該当するものはあるが、一般用医薬品で劇薬に該当するものはない。

問題4-1-26 劇薬は、18歳未満の者その他安全な取扱いに不安のある者に交付することは禁止されている。

問題4-1-27 店舗管理者が薬剤師である店舗販売業者および営業所管理者が薬剤師である卸売販売業者以外の医薬品の販売業者は、毒薬または劇薬を開封して、販売等してはならない。

☞ 解答は別冊p.29

6 生物由来製品

生物由来製品は、法第2条第10項において次のように定義されています。

● **法第2条第10項における生物由来製品の定義**

　人その他の生物（植物を除く。）に由来するものを原料または材料として製造をされる医薬品、医薬部外品、化粧品または医療機器のうち、保健衛生上特別の注意を要するものとして、厚生労働大臣が薬事・食品衛生審議会の意見を聴いて指定するもの

　生物由来製品は、製品の使用による感染症の発生リスクに着目して指定されたものです。一般用医薬品または要指導医薬品においても、生物由来の原材料が用いられているものは少なくありませんが、現在のところ、生物由来製品として指定された一般用医薬品または要指導医薬品はありません。また、医薬部外品、化粧品においても同様に生物由来製品に該当するものはありません。

確認テスト（○×問題）

問題4-1-28 医療機器は、生物由来製品の指定の対象とならない。
☑ ☑ ☑

問題4-1-29 生物由来の原料が用いられている一般用医薬品には、生物由来製品として指定されているものがある。
☑ ☑ ☑

問題4-1-30 現在のところ、生物由来製品として指定された一般用医薬品または要指導医薬品はない。
☑ ☑ ☑

☛ 解答は別冊 p.30

確認テスト

問題4-1-31 ☑☑☑

医薬品に関する次の記述の正誤について、正しい組合せはどれか。

（令和3年　千葉、東京、神奈川、埼玉）

a 要指導医薬品とは、その効能および効果において人体に対する作用が著しいものであって、適正な使用のために薬剤師の対面による情報の提供および薬学的知見に基づく指導が行われることが必要なものである。

b 要指導医薬品は、あらかじめ定められた用量に基づき、適正使用することによって効果を期待するものである。

c 医薬品は、製造販売業の許可を受けた者でなければ製造をしてはならない。

d 店舗販売業において、管理者が薬剤師であれば、医療用医薬品の販売または授与が可能である。

```
    a    b    c    d
1   誤   正   誤   誤
2   誤   誤   正   誤
3   正   誤   誤   正
4   正   誤   正   誤
5   正   正   誤   正
```

問題4-1-32 ☐☐☐

毒薬および劇薬に関する次の記述の正誤について、正しい組合せはどれか。

（令和3年　茨城、栃木、群馬、山梨、長野、新潟）

a 毒薬とは、毒性が強いものとして厚生労働大臣が薬事・食品衛生審議会の意見を聴いて指定する医薬品をいう。

b 毒薬は、それを収める直接の容器または被包に、白地に赤枠、赤字をもって、当該医薬品の品名および「毒」の文字が記載されていなければならない。

c 劇薬を18歳未満の者に交付してはならない。

d 劇薬を一般の生活者に対して販売または譲渡する際には、当該医薬品を譲り受ける者から、品名、数量、使用目的、譲渡年月日、譲受人の氏名、住所および職業が記入され、署名または記名押印された文書もしくは一定の条件を満たした電子的ファイルに記録したものの交付を受けなければならない。

```
    a    b    c    d
1   誤   正   正   正
2   誤   誤   正   誤
3   正   誤   誤   正
4   正   誤   正   誤
5   正   正   誤   誤
```

☞ 解答は別冊 p.30

7　一般用医薬品のリスク区分

　一般用医薬品は、その保健衛生上のリスクに応じて、次のように区分されます（法第36条の7第1項）。

● **法第36条の7における一般用医薬品のリスク区分**

一　第1類医薬品　その副作用等により日常生活に支障を来す程度の健康被害が生ずるおそれがある医薬品のうちその使用に関し特に注意が必要なものとして厚生労働大臣が指定するもの及びその製造販売の承認の申請に際して第14条第8項に該当するとされた医薬品であつて当該申請に係る承認を受けてから厚生労働省令で定める期間を経過しないもの

二　第2類医薬品　その副作用等により日常生活に支障を来す程度の健康被害が生ずるおそれがある医薬品（第1類医薬品を除く。）であつて厚生労働大臣が指定するもの

三　第3類医薬品　第1類医薬品及び第2類医薬品以外の一般用医薬品

　一般用医薬品の製造販売を行う製薬企業は、購入者がそのリスクの程度について判別しやすいよう、各製品の外箱等に、リスク区分ごとに定められた事項を記載することが義務づけられています。

　また、薬局開設者、店舗販売業者または配置販売業者が、一般用医薬品を陳列する場合には、各区分ごとに陳列しなければなりません（法第57条の2）。

①第1類医薬品

　医療用医薬品として使用されていた有効成分を一般用医薬品に初めて配合したもの（スイッチOTC）や、既存の医薬品と明らかに異なる有効成分が配合されたもの（ダイレクトOTC）は要指導医薬品として承認され、販売から原則3年を経過後に評価を受けて、一般用医薬品に移されたものが第1類医薬品です。

　さらに、第1類医薬品に移行してから原則1年間で最終評価を行い、リスク区分の変更が行われることがあります。

②第2類医薬品

　保健衛生上のリスクが比較的高い一般用医薬品です。第2類医薬品のうち、「特別の注意を要するものとして厚生労働大臣が指定するもの」を「指定第2類医薬品」としています（指定第2類医薬品の表示例：第②類医薬品）。

③第3類医薬品

リスクが比較的低い一般用医薬品です。ただし、日常生活に支障を来す程度ではなくても、副作用等により身体の変調・不調が起こるおそれはあります。

新規の有効成分が配合された一般用医薬品は、承認後の一定期間、第1類医薬品に分類されますが、副作用の発生やその他情報を収集して、第2類医薬品または第3類医薬品に分類されることがあります。また、第3類医薬品が副作用の発生等により第2類医薬品、第1類医薬品に変更されることもあります。

4 薬事関係法規・制度

確認テスト（○×問題）

問題4-1-33 一般用医薬品の製造販売業者は、各製品の外箱等に、その一般用医薬品が分類されたリスク区分ごとに定められた事項を記載することが義務づけられている。

問題4-1-34 第1類医薬品と第2類医薬品を混在して陳列してはならない。

問題4-1-35 店舗販売業者は、一般用医薬品を第1類医薬品、第2類医薬品または第3類医薬品の区分ごとに陳列しなければならない。

問題4-1-36 第1類医薬品に分類された新一般用医薬品は、副作用等に関する情報を評価した結果に基づいて、一定期間を経た後に、第2類医薬品または第3類医薬品へ指定が変更されることがある。

問題4-1-37 第1類医薬品および第2類医薬品の指定は、一般用医薬品に配合されている成分またはその使用目的等に着目して行われている。

問題4-1-38 第2類医薬品は、その副作用等により日常生活に支障を来す程度の健康被害が生ずるおそれがある医薬品（第3類医薬品を除く。）であって厚生労働大臣が指定するものである。

問題4-1-39 第3類医薬品とは、第1類医薬品および第2類医薬品以外の一般用医薬品で、副作用等により身体の変調・不調が起こるおそれがないものである。

問題4-1-40 第3類医薬品は、副作用が起こるおそれがない医薬品であり、保健衛生上のリスクはない。

問題4-1-41 第1類医薬品に分類された一般用医薬品であっても、その後、第2類医薬品に分類が変更されることがある。

☞ 解答は別冊p.30

医薬品の定義と範囲

275

4-1-3 容器・外箱等への記載事項、添付文書等への記載事項

1 容器・外箱等への記載事項

通常、法第44条第1項および第2項、第50条ならびに第51条の規定に基づく記載を総称して法定表示といい、各記載事項を法定表示事項といいます。

● **一般用医薬品および要指導医薬品に関連する法定表示事項**

(a) 製造販売業者等の氏名または名称および住所

(b) 名称（日局に収載されている医薬品では日局において定められた名称、また、その他の医薬品で一般的名称があるものではその一般的名称）

(c) 製造番号または製造記号

(d) 重量、容量または個数等の内容量

(e) 日局に収載されている医薬品については「日本薬局方」の文字等

(f) 「要指導医薬品」の文字

(g) 一般用医薬品のリスク区分を示す字句

(h) 日局に収載されている医薬品以外の医薬品における有効成分の名称およびその分量

(i) 誤って人体に散布、噴霧等された場合に健康被害を生じるおそれがあるものとして厚生労働大臣が指定する医薬品（殺虫剤等）における「注意－人体に使用しないこと」の文字

(j) 適切な保存条件の下で3年を超えて性状および品質が安定でない医薬品等、厚生労働大臣の指定する医薬品における使用の期限

(k) 配置販売品目以外の一般用医薬品にあっては、「店舗専用」の文字

(l) 指定第2類医薬品にあっては、枠の中に「2」の数字

2 添付文書への記載事項

要指導医薬品、一般用医薬品は、これに添付する文書または容器等もしくは外箱等のいずれかに、用法用量その他使用および取り扱い上必要な注意等が記載されていなければならないこととされています（法第52条第2項）。他の文字、記事、図画、または図案に比較して見やすい場所にされていなければなら

ず、かつ、購入者等が読みやすく理解しやすい用語による正確なものでなければならないこととされており（法第53条）、特に明瞭に記載され（規則第217条）、かつ邦文でされていなければならない（規則第218条）とされています。

3 記載禁止事項

一方、医薬品には、記載してはならない事項があります（法第54条）。

● **医薬品の記載禁止事項（法第54条）**
1　当該医薬品に関し虚偽または誤解を招くおそれのある事項
2　承認を受けていない効能または効果
3　保健衛生上危険がある用法、用量または使用期間

確認テスト（○×問題）

問題4-1-42 製造業者の氏名または名称および住所は、一般用医薬品の直接の容器または直接の被包に記載が義務付けられていない。

問題4-1-43 製造番号または製造記号は、一般用医薬品の直接の容器または直接の被包に記載が義務付けられていない。

問題4-1-44 重量、容量または個数等の内容量は、一般用医薬品の直接の容器または直接の被包に記載が義務付けられていない。

問題4-1-45 リスク区分を示す識別表示は、一般用医薬品の直接の容器または直接の被包に記載が義務付けられていない。

問題4-1-46 医薬品の効能効果の表示は、一般用医薬品の直接の容器または直接の被包に記載が義務付けられていない。

問題4-1-47 要指導医薬品にあっては、要指導医薬品の文字が医薬品医療機器等法第50条に基づき、医薬品の直接の容器または直接の被包に記載されていなければならない。

問題4-1-48 配置販売品目以外の一般用医薬品にあっては、「店舗専用」の文字は、一般用医薬品の直接の容器または直接の被包に記載が義務付けられていない。

問題4-1-49 医薬品の用法用量は、必ず外箱に記載されていなければならない。

問題4-1-50 当該医薬品に関し誇大または誤解を招くおそれのある事項は、医薬品に添付する文書、その容器等または外箱等に記載されてはならない。

問題4-1-51 承認を受けていない効能または効果は、医薬品に添付する文書、その容器等または外箱等に記載されてはならない。

☛ 解答は別冊p.30

4-1-4 医薬部外品、化粧品、保健機能食品等

① 医薬部外品

医薬部外品は、法第2条第2項において次のように定義されています。

● **法第2条第2項による医薬部外品の定義**

一　次のイからハまでに掲げる目的のために使用される物［これらの使用目的のほかに、併せて前項（p.266 法第2条第1項の）第二号又は第三号に規定する目的のために使用される物を除く］であつて機械器具等でないもの

　イ　吐き気その他の不快感又は口臭若しくは体臭の防止

　ロ　あせも、ただれ等の防止

　ハ　脱毛の防止、育毛又は除毛

二　人又は動物の保健のためにするねずみ、はえ、蚊、のみその他これらに類する生物の防除の目的のために使用される物（これらの使用目的のほかに、併せて前項第二号または第三号に規定する目的のために使用される物を除く）であつて機械器具等でないもの

三　前項（p.266）第二号又は第三号に規定する目的のために使用される物（前二号に掲げる物を除く）のうち、厚生労働大臣が指定するもの

　医薬部外品は、その効能効果があらかじめ定められた範囲内であって、成分や用法等に照らして人体に対する作用が緩和であることを要件として、医薬品的な効能効果を表示・標榜することが認められています。「医薬部外品の効能効果の範囲」については、p.334の別表4-1を参照してください。

　また、使用目的を化粧品とする製品について、医薬品的な効能効果を表示・標榜しようとする場合には、その効能効果があらかじめ定められた範囲内であって、人体に対する作用が緩和であるものに限り、医薬部外品の枠内で、薬用化粧品、薬用石けん、薬用歯みがき等として承認されています。

　医薬部外品を製造販売する場合には、原則として、製造販売業の許可が必要であり、品目ごとに承認を得る必要があります。また、医薬部外品の直接の容器または直接の被包には、「医薬部外品」の文字の表示その他定められた事項の

表示が義務付けられています（法第59条）。

　一方、医薬部外品の販売については、医薬品のような販売業の許可は必要なく、一般小売店において販売することができます。

　医薬部外品のうち、①衛生害虫類（ねずみ、はえ、蚊、のみ、その他これらに類する生物）の防除のため使用される製品群（「防除用医薬部外品」の表示のある製品群）、②かつては医薬品であったが医薬部外品へ移行された製品群（「指定医薬部外品」の表示のある製品群）については、用法用量や使用上の注意を守って適正に使用することが他の医薬部外品と比べてより重要であるため、各製品の容器や包装等に識別表示が要求されています（規則第219条の2）。

　なお、医薬部外品にあっても、医薬品と同様に、不良医薬部外品および不正表示医薬部外品の販売は禁止されています（法第60条に基づく第56条および57条の準用）。

確認テスト（○×問題）

問題4-1-52 □□□　あせも、ただれ等の防止のために使用される物であって機械器具等でないものは、医薬部外品である。

問題4-1-53 □□□　医薬部外品の直接の容器または直接の被包には、「医薬部外品」の文字の表示が義務付けられている。

問題4-1-54 □□□　医薬部外品を製造販売する場合には、医薬部外品製造販売業の承認が必要であり、品目ごとに許可を得る必要がある。

問題4-1-55 □□□　医薬部外品を販売する場合には、医薬部外品販売業の届出が必要である。

問題4-1-56 □□□　医薬部外品で、人の疾病の治療に使用されることを目的とするものはない。

問題4-1-57 □□□　かつては医薬品であったが、医薬部外品へ移行された製品群がある。

問題4-1-58 □□□　医薬品から医薬部外品へ移行された製品群には、「指定医薬部外品」の表示が義務付けられている。

問題4-1-59 □□□　「壮年性脱毛症、円形脱毛症」は、医薬部外品には認められない効能効果である。

☛ 解答は別冊p.31

② 化粧品

化粧品は、法第2条第3項において次のように定義されています。

> ● **法第2条における化粧品の定義**
> 　人の身体を清潔にし、美化し、魅力を増し、容貌を変え、又は皮膚若しくは毛髪を健やかに保つために、身体に塗擦、散布その他これらに類似する方法で使用されることが目的とされている物で、人体に対する作用が緩和なもの

　人の疾病の診断・治療・予防に使用されるもの、人の身体の構造や機能に影響を及ぼすことを目的とするものは化粧品に含まれません。

　化粧品は、上記定義の範囲内においてのみ効果を表示・標榜することが認められるもので、医薬品的な効能効果を表示・標榜することは一切認められていません。「化粧品の効能効果の範囲」については、p.339の別表4-2を参照してください。

　一方、医薬品については、過度の消費や乱用等を助長するおそれがあるため、承認された効能効果を除き、化粧品的な効果を表示・標榜することは、適当でないとされています。なお、医薬部外品に、化粧品的効能効果を標榜することは、前項で記したように「薬用化粧品」、「薬用石けん」、「薬用はみがき」等が認められています。

　化粧品の成分本質（原材料）についても、原則として医薬品の成分を配合してはならないこととされており、配合が認められる場合にあっても、添加物として使用されているなど、薬理作用が期待できない量以下に制限されています。

　化粧品を業として製造販売する場合には、製造販売業の許可を受けた者が、あらかじめ品目ごとの届出を行う必要があります（法第12条第1項、第14条の9）。ただし、厚生労働大臣が指定する成分を含有する化粧品である場合は、品目ごとの承認を得る必要があります（法第14条第1項）。

　また、化粧品を販売する場合には、医薬品のような販売業の許可は必要なく、一般小売店において販売することができます。

　化粧品が、医薬品的な効能効果の表示・標榜がなされた場合には、法第66条第1項により禁止される虚偽または誇大な広告に該当するほか、その標榜内容等によっては医薬品または医薬部外品とみなされ、無承認無許可医薬品または無承認無許可医薬部外品として法第55条に基づく取締りの対象となります。

　化粧品にあっても、医薬品と同様に、不良化粧品および不正表示化粧品の販売は禁止されています。

　薬局や医薬品販売業において、医薬品と併せて、食品(保健機能食品を含む)、医薬部外品、化粧品の販売を行う場合には、医薬品と他の物品を区別して貯蔵または陳列することが求められています(法第57条)。

　また、薬局開設者、店舗販売業者、配置販売業者は、販売にあたって消費者に医薬品でない製品(食品、医薬部外品、化粧品等)について医薬品的な誤認を与えることのないよう、十分配慮しなければなりません。

4 薬事関係法規・制度

確認テスト(○×問題)

問題4-1-60 化粧品は、人の身体を清潔にし、美化し、魅力を増し、容貌を変え、または皮膚もしくは毛髪を健やかに保つために、身体に塗擦、散布その他これらに類似する方法で使用されることが目的とされている物で、人体に対する作用が緩和なものである。

問題4-1-61 人の疾病の診断、治療もしくは予防に使用されること、または人の身体の構造もしくは機能に影響を及ぼすことを目的とするものは化粧品に含まれない。

問題4-1-62 化粧品を業として製造販売する場合には、製造販売業の許可は必要なく、届出を行うだけでよい。

問題4-1-63 店舗販売業者は、医薬品と化粧品を区別して貯蔵し、または陳列しなければならない。

注意 以下の問題は、p.334の別表4-1とp.339の別表4-2を読んでから解答してください。

問題4-1-64 化粧品の効能効果として、「皮膚の清浄・殺菌・消毒、体臭・汗臭及びにきびを防ぐ」がある。

問題4-1-65 「ひび、あかぎれの改善」は、化粧品の効能効果の範囲に含まれる。

問題4-1-66 「カミソリまけを防ぐ」は、化粧品の効能効果の範囲に含まれる。

問題4-1-67 「ムシ歯を防ぐ(使用時にブラッシングを行う歯みがき類)」は、化粧品の効能効果の範囲に含まれる。

化粧品

☞ 解答は別冊p.31

3　保健機能食品等の食品

　食品とは、医薬品医療機器等法に規定する医薬品、医薬部外品および再生医療等製品を除くすべての飲食物をいいます（食品安全基本法第2条、食品衛生法第4条第1項）。

　食品として販売されている製品であっても、その成分本質、効能効果の標榜内容等に照らして医薬品とみなされる場合には、無承認無許可医薬品として、法第55条第2項に基づく取締りの対象となります。

> ● **医薬品に該当する要素**
>
> 1. 成分本質（原材料）が、専ら医薬品として使用される成分本質を含むこと（食品添加物と認められる場合を除く）。
> 2. 医薬品的な効能効果が標榜または暗示されていること（製品表示や添付文書によるほか、チラシ、パンフレット、刊行物、インターネット等の広告宣伝物等による場合も含む）。
> 3. アンプル剤や舌下錠、口腔用スプレー等、医薬品的な形状であること。
> 4. 服用時期、服用間隔、服用量等の医薬品的な用法用量の記載があること（調理のために使用方法、使用量等を定めている場合を除く）。

　食品のうち、健康増進法（平成14年法律第103号）第43条第1項の規定に基づく許可または同法第第63条第1項の規定に基づく承認を受けた内容を表示する特別用途食品（特定保健用食品を含む）については、原則として、一般の生活者が医薬品と誤認することはないとされています。

　ただし、特別用途食品（特定保健用食品を含む）以外の食品において、特定の保健の用途に適する旨の効果が表示・標榜されている場合には、医薬品の効能効果を暗示させるものとみなされます。

（1）保健機能食品

　①特定保健用食品、②栄養機能食品、③機能性表示食品を総称して「保健機能食品」といいます。これらはあくまで食生活を通じた健康の保持増進を目的として摂取されるものです。

　なお、①②③および「（2）特別用途食品（特定保健用食品を除く）」のいずれであっても、食品として販売に供するものについて、虚偽または誇大な表示をすることは禁止されています（健康増進法第65条）。

4

①特定保健用食品（トクホ）

　健康増進法第の規定に基づく承認を受けて、食生活において特定の保健の目的で摂取をする者に対し、その摂取により当該保健の目的が期待できる旨の表示（本書別表4-3）をする食品です。特定の保健の用途を表示するには、個別に生理的機能や特定の保健機能を示す有効性や安全性等に関する審査を受け、許可または承認を取得することが必要です。現行の特定保健用食品の許可の際に必要とされる有効性の科学的根拠のレベルに達しないものの、一定の有効性が確認されるものについては、限定的な科学的根拠である旨の表示をすることを条件として許可されています。この条件で許可された特定保健用食品を「条件付き特定保健用食品」と区分しています。

　特定保健用食品および条件付き特定保健用食品にも、それぞれ消費者庁の許可等のマークが付されています。

特定保健用食品の標識

条件付き特定保健用食品の標識

特別用途食品の標識

確認テスト（○×問題）

問題4-1-68 食品とは、医薬品以外のすべての飲食物をいう。

問題4-1-69 医薬品的な効能効果をパンフレット等の広告宣伝物に記載しただけでは医薬品とみなされることはない。

問題4-1-70 錠剤、カプセル剤の形状の物は、食品である旨が明示されていたとしても、すべて医薬品とみなされる。

問題4-1-71 特別用途食品とは、乳児、幼児、妊産婦または病者の発育または健康の保持もしくは回復の用に供することが適当な旨を医学的・栄養学的表現で記載し、かつ、用途を限定したものである。

問題4-1-72 特定保健用食品とは、健康増進法の規定に基づき許可または承認を受けて、食生活において特定の保健の目的で摂取をする者に対し、その摂取により当該保健の目的が期待できる旨の表示をする食品である。

解答は別冊p.32

②栄養機能食品

　1日当たりの摂取目安量に含まれる栄養成分の量が、基準に適合しており、栄養表示しようとする場合には、食品表示基準第2条第1項第11号の規定に基づき、その栄養成分の機能の表示を行わなければなりません（本書別表4-4）。

　栄養成分の機能表示に関しては、消費者庁長官の許可は必要ありませんが、その表示と併せて、当該栄養成分を摂取する上での注意事項を適正に表示することが求められています。また、消費者庁長官の個別の審査を受けたものではない旨の表示も義務づけられています。

③機能性表示食品

　機能性表示食品は、食品表示法第4条第1項の規定に基づく食品表示基準（平成27年内閣府令第10号）に規定されている食品です。事業者の責任において、科学的根拠に基づいた機能性を表示し、販売前に安全性および機能性の根拠に関する情報などが消費者庁長官へ届け出られたものです。特定の保健の目的が期待できる（健康の維持および増進に役立つ）という食品の機能性を表示することはできますが、特定保健用食品とは異なり、消費者庁長官の個別の許可を受けたものではありません。

(2) 特別用途食品（特定保健用食品を除く）

　乳児、幼児、妊産婦または病者の発育または健康の保持もしくは回復の用に供することが適当な旨を医学的・栄養学的表現で記載し、かつ、用途を限定したもので、健康増進法第43条第1項の規定に基づく許可または同法第63条第1項の規定に基づく承認を受け、「特別の用途に適する旨の表示」をする食品であり、消費者庁の許可等のマークが付されています（p.283のマークを参照）。

▼規制上の関係図

広義の特別用途食品	狭義の特別用途食品…（2）		・病者用食品 ・妊産婦、授乳婦用 ・乳児用 ・えん下困難者用
	保健機能食品…（1）	特定保健用食品…（1）①※	特定保健用食品
			条件付き特定保健用食品
		栄養機能食品　…（1）②	
		機能性表示食品…（1）③	

※特定保健用食品は、特別用途食品制度と保健機能食品制度の両制度に位置付けられている。

(3) その他「いわゆる健康食品」

　健康食品という単語は、法令で定義された用語ではありませんが、一般に用いられている単語です。栄養補助食品、サプリメント、ダイエット食品等と呼ばれることもあります。薬機法や食品衛生法等における取扱いは、保健機能食品以外の一般食品と変わりません。

　いわゆる健康食品の中には、特定の保健の用途に適する旨の効果等が表示・標榜（ひょうぼう）されている場合があり、それらについては、医薬品の効能効果を暗示するものとみなされます。また、製品中に医薬品成分が検出される場合もあり、いずれも無承認無許可医薬品として、法に基づく取締りの対象となります。

　これまでにそうした無承認無許可医薬品の摂取によって 重篤な健康被害が発生した事例も知られており、厚生労働省、消費者庁や都道府県等では、因果関係が完全に解明されていなくとも、広く一般に対して注意を喚起して健康被害の拡大防止を図るため、製品名等を公表しています。

確認テスト（○×問題）

問題4-1-73 栄養機能食品は、栄養成分の機能表示に関して、消費者庁長官の許可は要さない。

問題4-1-74 栄養機能食品には、1日当たりの摂取目安量に含まれる栄養成分の量が、基準に適合しており、栄養表示しようとする場合には、その栄養成分の機能の表示を行わなければならない。

問題4-1-75 栄養成分である亜鉛は、栄養機能食品の注意喚起表示に「多量に摂取すると軟便（下痢）になることがあります。」との記載が必要である。

問題4-1-76 機能性表示食品とは、事業者の責任において、科学的根拠に基づいた機能性を表示し、販売前に安全性および機能性の根拠に関する情報などが消費者庁長官へ届け出られたものである。

問題4-1-77 機能性表示食品は、販売前に安全性および機能性に関する審査を受け、消費者庁長官の 許可を取得することが必要である。

問題4-1-78 「健康食品」は、健康の維持、増進に有用な食品として、食品衛生法により定義されている。

問題4-1-79 食品として販売等されている製品であっても、効能効果または用法用量の標榜内容等に照らして医薬品とみなされる場合には、無承認無許可医薬品として取締りの対象となる。

問題4-1-80 特定保健用食品、特別用途食品、機能性表示食品を総称して「保健機能食品」という。

☛ 解答は別冊p.32

4-2 医薬品の販売業の許可

4-2-1 許可の種類

1 医薬品の販売業の許可

● **法第24条による医薬品の販売業の許可**

薬局開設者又は医薬品の販売業の許可を受けた者でなければ、業として、医薬品を販売し、授与し、又は販売若しくは授与の目的で貯蔵し、若しくは陳列（配置することを含む。）してはならない。

「医薬品の販売業の許可を受けた者」とは、店舗販売業、配置販売業、卸売販売業の三つがあります。このうち卸売販売業は、医薬品を薬局や医療機関に対して販売する業態であり、一般の消費者に対して直接医薬品の販売を行うことは認められていません。なお、薬局における医薬品の販売行為は、薬局の業務に付随して行われる行為なので、医薬品の販売業の許可は必要としません。また、これらの許可は、6年ごとに、その更新を受けなければ、その期間の経過によって、その効力を失います（法第24条第2項）。

薬局、店舗販売業および卸売販売業では、特定の購入者の求めに応じて医薬品の包装を開封して分割販売（「量り売り」、「零売」と呼ばれることもある）することができます。

分割販売する場合には、法第50条の規定に基づく容器等への記載事項、法第52条の規定に基づく添付文書等への記載事項について、分割販売する薬局開設者または医薬品の販売業者の責任において、それぞれ表示または記載しなければなりません。その記載事項には、「分割販売を行う者の氏名または名称ならびに分割販売を行う薬局、店舗または営業所の名称および所在地」も含まれます。ただし、医薬品をあらかじめ小分けし、販売する行為は、無許可製造、無許可製造販売に該当するため、認められません。

2　薬局

● **法第2条における薬局の定義**

　薬局は、薬剤師が販売又は授与の目的で調剤の業務並びに薬剤及び医薬品の適正な使用に必要な情報の提供及び薬学的知見に基づく指導の業務を行う場所（その開設者が併せ行う医薬品の販売業に必要な場所を含む）をいう。

● **法第4条における薬局の開設**

　薬局は、その所在地の都道府県知事の許可を受けなければ、開設してはならない。

（1）薬局の許可が与えられない場合

　薬局の許可が、与えられないことがあります（法第5条）。

・ 調剤や医薬品の販売等を行うために必要な構造設備を備えていないとき

・ 医薬品の調剤および販売または授与の業務を行う体制が整っていないとき

・ 申請者が薬事に関する法令等に違反し一定期間を経過していないとき

（2）薬局の開設者と管理者

ポイント

薬局の開設者➡薬剤師でなくても、個人でも、法人（会社）でも可。
薬局の管理者➡薬剤師に限定。

　薬局の開設の許可を受けた事業者（薬局開設者）は、自らが薬剤師であるときは、その薬局を実地に管理しなければならず、自ら管理しない場合には、その薬局で実務に従事する薬剤師のうちから管理者を指定して実地に管理させなければなりません（法第7条第1項）。

確認テスト（○×問題）

問題4-2-1　医薬品の販売業の許可は、店舗販売業の許可および卸売販売業の2種類に分けられている。

問題4-2-2　薬剤師でなければ薬局の開設許可を受けることができない。

問題4-2-3　調剤と一般用医薬品の販売を併せて行う場合は、薬局と店舗販売業の許可を両方受けなければならない。

👉 解答は別冊p.32

　この薬局の管理者は、薬局に関する必要な業務を遂行し、必要な事項を遵守するために必要な能力および経験を有する者でなければならないこととされています（法第7条第3項）。なお、薬局の管理者は、その薬局の所在地の都道府県知事の許可を受けた場合を除き、その薬局以外の場所で業として薬局の管理その他薬事に関する実務に従事する者であってはならないこととされています（法第7条第4項）。

　さらに、薬局の管理者は、保健衛生上支障を生ずるおそれがないよう、その薬局に勤務するその他の従業者を監督するなど、薬局の業務につき、必要な注意をしなければならず、薬局開設者に対して必要な意見を書面により述べなければなりません（法第8条）。一方、薬局開設者は、その管理者の意見を尊重するとともに、法令遵守のために措置を講ずる必要があるときは、当該措置を講じ、かつ、講じた措置の内容措置を講じない場合にあっては、その旨およびその理由を記録し、これを適切に保存しなければなりません（法第9条第2項）。

　加えて、薬局開設者は、薬局の管理に関する業務その他の薬局開設者の業務を適正に遂行することにより、薬事に関する法令の規定の遵守を確保するために、必要な措置を講じるとともに、その措置の内容を記録し、適切に保存なければならないこととされています（法第9条の2）。

（3）地域連携薬局

　薬局であって、その機能が、医師もしくは歯科医師または薬剤師が診療または調剤に従事する他の医療提供施設と連携し、地域における薬剤および医薬品の適正な使用の推進および効率的な提供に必要な情報の提供および薬学的知見に基づく指導を実施するために一定の必要な機能を有する薬局は、その所在地の都道府県知事の認定を受けて地域連携薬局と称することができることとされています（法 第6条の2第1項）。

（4）専門医療機関連携薬局

　薬局であって、その機能が、医師もしくは歯科医師または薬剤師が診療または調剤に従事する他の医療提供施設と連携し、薬剤の適正な使用の確保のために専門的な薬学的知見に基づく指導を実施するために必要な機能を有する薬局は、傷病の区分ごとに、その所在地の都道府県知事の認定を受けて専門医療機関連携薬局と称することができます（法第6条の3第1項）。

(5) 健康サポート薬局

　患者が継続して利用するために必要な機能および個人の主体的な健康の保持増進への取組を積極的に支援する機能を有する薬局を健康サポート薬局といいます（規則第1条第2項第6号）。

　薬局開設者は、健康サポート薬局である旨を表示するときは、その薬局を、厚生労働大臣が定める基準に適合させなければなりません（規則第15条の11）。

(6) 薬剤師不在時間

　薬局の開店時間のうち、調剤に従事する薬剤師がやむを得ず、かつ、一時的に不在となる時間を薬剤師不在時間といいます（規則第1条第2項第3号）。

　たとえば、緊急時の在宅対応や急遽日程の決まった退院時カンファレンスへの参加のため、一時的に薬剤師が不在となる時間が該当するものであり、学校薬剤師の業務やあらかじめ予定されている定期的な業務によって恒常的に薬剤師が不在となる時間は認められず、従来どおり、調剤応需体制を確保する必要があります。

　薬局開設者は、薬剤師不在時間内は、調剤室を閉鎖するとともに、薬剤師が不在のため調剤に応じることができない旨、薬局内の見やすい場所および薬局の外側の見やすい場所に掲示しなければなりません（規則第14条の3第3項、規則第15条の16）。

確認テスト（○×問題）

問題4-2-4　その所在地の市区町村長の認定を受けて地域連携薬局と称することができる。

問題4-2-5　薬局であって、その機能が、医師もしくは歯科医師または薬剤師が診療または調剤に従事する他の医療提供施設と連携し、薬剤の適正な使用の確保のために専門的な薬学的知見に基づく指導を実施するために必要な機能を有する薬局は、薬局の規模ごとに、その所在地の都道府県知事の認定を受けて専門医療機関連携薬局と称することができる。

問題4-2-6　患者が継続して利用するために必要な機能および個人の主体的な健康の保持増進への取組を積極的に支援する機能を有する薬局を健康機能薬局という。

問題4-2-7　薬局開設者は、薬剤師不在時間は、調剤室を閉鎖しなければならない。

☞ 解答は別冊 p.32

また、体制省令において、「薬剤師不在時間内は、法第7条第1項又は第2項の規定による薬局の管理を行う薬剤師が、薬剤師不在時間内に当該薬局において勤務している従事者と連絡ができる体制を備えて」いなければなりません（薬局ならびに店舗販売業および配置販売業の業務を行う体制を定める

▼薬剤師が不在のため調剤に応じることができない旨の掲示

○○薬局

只今の時間、薬剤師が不在のため調剤に応じることができません

省令第1条第1項第1号、第7号、第8号、第9号、同条第2項第6号）。

薬剤師不在時間内に、登録販売者が販売できる医薬品は、第2類医薬品または第3類医薬品です。

薬局開設者は、調剤室の閉鎖に加え、要指導医薬品陳列区画または第1類医薬品陳列区画を閉鎖しなければなりません。ただし、鍵をかけた陳列設備に要指導医薬品または第1類医薬品を陳列する場合は、この限りではありません（規則第14条の3第2項、構造設備規則第1条第1項第11号、第12号）。

3　店舗販売業

薬局と異なり、薬剤師が従事していても調剤を行うことはできず、要指導医薬品または一般用医薬品以外の医薬品の販売は認められていません（法第27条）。違反した者については、「3年以下の懲役若しくは300万円以下の罰金に処し、またはこれを併科する」（法第84条第10項）という罰則規定があります。

（1）店舗管理者

店舗販売業の店舗管理者は、次の区分に応じて、その店舗において医薬品の販売または授与に従事しているものでなければなりません（規則第140条第1項）。

▼店舗販売業の店舗管理者

	店舗の種類	店舗管理者
1	要指導医薬品または第1類医薬品を販売し、授与する店舗	薬剤師
2	第2類医薬品または第3類医薬品を販売し、授与する店舗	薬剤師または登録販売者

（2）店舗管理者になるには

なお、登録販売者が店舗管理者になるためには、薬局、店舗販売業または配置販売業において、過去5年間のうち、

①一般従事者（その薬局、店舗または区域において実務に従事する薬剤師または登録販売者以外の者）として薬剤師または登録販売者の管理および指導の下に実務に従事した期間

4

確認テスト（○×問題）

問題4-2-8 ☑☑☑ 薬局の開店時間のうち、当該薬局において調剤に従事する薬剤師が学校薬剤師の業務やあらかじめ予定されている定期的な業務を行うため、恒常的に薬剤師が不在となる時間を薬剤師不在時間という。

問題4-2-9 ☑☑☑ 薬剤師不在時間内に、登録販売者が販売できる医薬品は、要指導医薬品、第1類医薬品、第2類医薬品および第3類医薬品である。

確認テスト

問題4-2-10 ☑☑☑

医薬品医療機器等法施行規則で規定している薬局の薬剤師不在時間に関する以下の記述の正誤について、正しい組み合わせを下から1つ選びなさい。

（令和3年　福岡、佐賀、長崎、熊本、大分、宮崎、鹿児島、沖縄）

ア 薬剤師不在時間は、開店時間のうち、当該薬局において調剤に従事する薬剤師が当該薬局以外の場所においてその業務を行うため、やむを得ず、かつ、一時的に当該薬局に薬剤師が不在となる時間のことである。

イ 薬局ならびに店舗販売業および配置販売業の業務を行う体制を定める省令において、薬剤師不在時間内は、医薬品医療機器等法の規定による薬局の管理を行う薬剤師が、薬剤師不在時間内に当該薬局において勤務している従事者と連絡ができる体制を備えることとされている。

ウ 薬剤師不在時間内は、調剤室を閉鎖し、調剤に従事する薬剤師が不在のため調剤に応じることができない旨、当該薬局内外の見やすい場所に掲示しなければならない。

エ 薬剤師不在時間内に限り、登録販売者でも第1類医薬品を販売することができる。

	ア	イ	ウ	エ
1	正	正	正	正
2	正	正	正	誤
3	正	誤	誤	正
4	誤	正	誤	誤
5	誤	誤	正	誤

☞ 解答は別冊 p.32

②登録販売者として業務（店舗管理者または区域管理者としての業務を含む）
　に従事した期間

が通算して2年以上（従事期間が月単位で計算して、1か月に80時間以上従事
した月が24か月以上、または、従事期間が通算して2年以上あり、かつ、過去
5年間において合計1,920時間以上）あることが必要です。

　ただし、これらの従事期間が通算して2年以上であり、かつ、過去に店舗管
理者等として業務に従事した経験がある場合も店舗管理者となれることとされ
ています。

　第1類医薬品を販売し、授与する店舗において薬剤師を店舗管理者とするこ
とができない場合には、要指導医薬品もしくは第1類医薬品を販売し、もしく
は授与する薬局、薬剤師が店舗管理者である要指導医薬品もしくは第一類医
薬品を販売し、もしくは授与する店舗販売業または薬剤師が区域管理者であ
る第一類医薬品を配置販売する配置販売業において登録販売者として3年以上
（従事期間が月単位で計算して、1か月に80時間以上従事した月が36か月以
上、または、従事期間が通算して3年以上あり、かつ、過去5年間において合
計2,880時間以上）業務に従事した者であって、その店舗において医薬品の販
売または授与に関する業務に従事するものを店舗管理者にすることができます
（規則第140条第2項）。

(3) 店舗管理者と店舗販売業者の役割

　この場合には、店舗管理者を補佐する薬剤師を置かなければなりません（規
則第141条）。なお、店舗管理者は、その店舗の所在地の都道府県知事の許可
を受けた場合を除き、その店舗以外の場所で業として店舗の管理その他薬事に
関する実務に従事することはできません（法第28条第4項）。

　さらに、店舗管理者は、保健衛生上支障を生ずるおそれがないよう、その店
舗に勤務するほかの従事者を監督するなど、その店舗の業務につき、必要な注
意をしなければならず、また、店舗販売業者に対して必要な意見を書面により
述べなければならないこととされています（法第29条）。

　一方、店舗販売業者は、その店舗管理者の意見を尊重するとともに、法令遵
守のために措置を講ずる必要があるときは、当該措置を講じ、かつ、講じた
措置の内容 措置を講じない場合にあっては、その旨およびその理由を記録し、
これを適切に保存しなければならないこととされています（法第29条の2第2項）。

　加えて、店舗販売業者は、店舗の管理に関する業務その他の店舗販売業者の

業務を適正に遂行することにより、薬事に関する法令の規定の遵守を確保するために、必要な措置を講じるとともに、その措置の内容を記録し、適切に保存しなければならないこととされています（法第29条の3）。

> **ポイント**
>
> 店舗販売業の許可　➡店舗ごとに、店舗の所在地の都道府県知事
> 店舗販売業の事業者　➡薬剤師、登録販売者に限らず誰でも可
> 店舗販売業の管理者　➡要指導医薬品または第1類医薬品を販売・授与する店舗は「薬剤師」
> 　　➡第2類医薬品または第3類医薬品を販売・授与する店舗は「薬剤師または登録販売者」
> 　　➡第1類医薬品を販売・授与する店舗において薬剤師を店舗管理者にできない場合、「規則に定める業務従事期間が3年以上である登録販売者」（補佐する「薬剤師」は必置）

確認テスト（○×問題）

問題4-2-11 薬剤師が従事している店舗販売業では、調剤を行うことができる。

問題4-2-12 店舗販売業の許可は、店舗ごとに、申請者の住所地の都道府県知事が与える。

問題4-2-13 店舗販売業の許可を申請する者は、薬剤師または登録販売者でなければならない。

問題4-2-14 薬剤師が従事している店舗販売業では、一般用医薬品を含むすべての医薬品を販売することができる。

問題4-2-15 薬剤師が従事していない店舗においては、第2類医薬品の販売を行うことができない。

問題4-2-16 医薬品医療機器等法第29条第1項の2に「店舗管理者は、保健衛生上支障を生ずるおそれがないように、その店舗の業務につき、その他の従業者に対し必要な意見を述べなければならない。」とある。

問題4-2-17 店舗販売業者は、その店舗において薬剤師が従事している場合には、薬局開設許可を受けることなく、その店舗に「薬局」の名称を付することができる。

問題4-2-18 店舗販売業において、店舗管理者は、店舗の管理に支障がないと店舗販売業者が判断した場合に限り、他の店舗で従事することができる。

☞ 解答は別冊p.33

▼薬局と店舗販売業の名称

薬局の開設許可を受けなければ、
薬局の名称を付してはならない
（法第6条）

○○ドラッグ　・くすりの△△　・△○薬舗 etc.
「薬局」の名称は使用できないが、店舗名に
制限はない。

【薬局ならびに店舗販売業および配置販売業の業務を行う体制を定める省令】
より要約

（薬局の業務を行う体制）

- 薬局の開店時間内は、常時、調剤に従事する薬剤師が勤務していること。
- 一日の平均処方箋40枚に1人の薬剤師を配置すること。
- 要指導医薬品または第1類医薬品を販売する場合、常時、薬剤師が勤務していること。
- 第2類医薬品または第3類医薬品を販売する場合、常時、薬剤師または登録販売者が勤務していること。
- 要指導医薬品を販売する場合、要指導医薬品を販売する時間の一週間の総和が、開店時間の一週間の総和の1/2以上であること。
- 第1類医薬品を販売する場合、第1類医薬品を販売する時間の一週間の総和が、開店時間の一週間の総和の1/2以上であること。
- 適正な管理を確保するため、指針の策定、従事者に対する研修（特定販売を行う薬局にあっては、特定販売に関する研修を含む。）の実施その他必要な措置が講じられていること。

（店舗販売業の業務を行う体制）

- 要指導医薬品または第1類医薬品を販売する場合、要指導医薬品または第1類医薬品を販売する営業時間内は、常時、薬剤師が勤務していること。
- 第2類医薬品または第3類医薬品を販売する営業時間内は、常時、薬剤師または登録販売者が勤務していること。
- 営業時間または営業時間外で相談を受ける時間内は、情報の提供または指導を行うための体制を備えていること。
- 要指導医薬品または一般用医薬品の販売または授与に従事する薬剤師および登録販売者の週当たり勤務時間数の総和が、要指導医薬品または一般用医薬

品を販売し、または授与する開店時間の一週間の総和以上であること。

- 要指導医薬品または一般用医薬品を販売する開店時間の一週間の総和が、当該店舗の開店時間の一週間の総和の1/2以上であること。
- 要指導医薬品を販売する場合、要指導医薬品を販売する開店時間の一週間の総和が、要指導医薬品または一般用医薬品を販売する開店時間の一週間の総和の1/2以上であること。
- 第1類医薬品を販売する場合、第1類医薬品を販売する開店時間の一週間の総和が、要指導医薬品または一般用医薬品を販売する開店時間の一週間の総和の総和の1/2以上であること。
- 適正な管理を確保するため、指針の策定、従事者に対する研修（特定販売を行う店舗にあっては、特定販売に関する研修を含む。）の実施その他必要な措置が講じられていること。

確認テスト

問題4-2-19 ☑ ☑ ☑

店舗販売業に関する以下の記述のうち、正しいものを1つ選びなさい。
（令和3年　福岡、佐賀、長崎、熊本、大分、宮崎、鹿児島、沖縄）

1 薬剤師が従事していれば、調剤を行うことができる。
2 店舗管理者が薬剤師である店舗販売業者は、その店舗に「薬局」の名称を付すことができる。
3 店舗管理者として、登録販売者が従事する場合、過去5年間のうち、登録販売者として業務に従事した期間が2年あることが必要であり、一般従事者としての従事期間は含まれない。
4 店舗管理者は、その店舗の所在地の都道府県知事（その店舗の所在地が保健所設置市または特別区の区域にある場合においては、市長または区長。）の許可を受けた場合を除き、その店舗以外の場所で業として店舗の管理その他薬事に関する実務に従事する者であってはならない。

 解答は別冊p.33

❹ 配置販売業

(1) 許可

　配置販売業の許可は、一般用医薬品を、配置により販売または授与する業務について（法第25条第2号）、配置しようとする区域をその区域に含む都道府県ごとに、その都道府県知事が与えることとされています（法第30条第1項）。

　都道府県知事は、許可を受けようとする区域において適切に医薬品の配置販売をするために必要な基準（「体制省令第3条」）が整っていないとき、または申請者が薬事に関する法令等に違反し一定期間を経過していないときなどには、許可を与えないことができます（法第30条第2項）。

(2) 先用後利

　また、配置販売業は、購入者の居宅等に医薬品をあらかじめ預けておき、購入者が使用した後でなければ代金請求権が生じない（「先用後利」という）といった販売形態であるため、一般用医薬品のうち経年変化が起こりにくいこと等の基準［配置販売品目基準（平成21年厚生労働省告示第26号）］に適合するもの以外の医薬品を販売等してはならないこととされています（法第31条）。この規定に違反した者については、「3年以下の懲役若しくは300万円以下の罰金に処し、又はこれを併科する」（法第84条第11号）という罰則規定があります。

(3) 販売と授与

　第1類医薬品の配置販売については、配置販売業の許可を受けた事業者（以下「配置販売業者」という）は、薬剤師により販売または授与させなければならないこととされており、第2類医薬品または第3類医薬品の配置販売については、薬剤師または登録販売者に販売または授与させなければならないこととされています（法第36条の9）。このため、薬剤師が配置販売に従事していない場合には、第1類医薬品の販売または授与を行うことができません。

　この規定に違反した者については、都道府県知事は、「その許可を取り消し、又は期間を定めてその業務の全部若しくは一部の停止を命ずることができる」（法第75条第1項）と定められています。

(4) 区域管理者

　配置販売業においても、薬局や店舗販売業と同様、医薬品が保健衛生上遺漏なく販売等されるよう、その業務を適正に運営するための仕組みが設けられています。

　まず、配置販売業者は、「その業務に係る都道府県の区域を、自ら管理し、又は当該都道府県の区域において配置販売に従事する配置員のうちから指定したものに管理させなければならない」(法第31条の2第1項)と規定されていて、その区域を管理する者(「区域管理者」)については、第1類医薬品を販売し、授与する区域においては薬剤師、第2類医薬品または第3類医薬品を販売し、授与する区域においては薬剤師または登録販売者でなければなりません。区域管理者は、区域に関する必要な業務を遂行し、必要な事項を遵守するために必要な能力および経験を有する者でなければなりません(法第31条の2第33項)。

4

薬事関係法規・制度

確認テスト (○×問題)

問題4-2-20 ☑☑☑ 配置販売業の許可は、配置しようとする区域をその区域に含む都道府県ごとに、その都道府県知事が与える。

問題4-2-21 ☑☑☑ 配置販売業者は、医薬品を購入者の居宅で購入者が使用した後でなければ代金の請求はできない。

問題4-2-22 ☑☑☑ 配置販売業者は、一般用医薬品のうち、経年変化が起こりにくい医薬品など厚生労働大臣が定める基準に適合した医薬品を販売することができる。

問題4-2-23 ☑☑☑ 配置販売業者は、薬剤師を区域管理者に指定したときは、すべての一般用医薬品を店舗において販売することができる。

問題4-2-24 ☑☑☑ 配置販売業の区域管理者は、薬剤師または登録販売者でなければならない。

配置販売業

☞ 解答は別冊p.33

(5) 区域管理者になるには

　登録販売者が区域管理者になるためには、薬局、店舗販売業または配置販売業において、過去5年間のうち、

①一般従事者（その薬局、店舗または区域において実務に従事する薬剤師または登録販売者以外の者）として薬剤師または登録販売者の管理および指導の下に実務に従事した期間

②登録販売者として業務（店舗管理者または区域管理者としての業務を含む）に従事した期間

が通算して2年以上（従事期間が月単位で計算して、1か月に80時間以上従事した月が24か月以上、または、従事期間が通算して2年以上あり、かつ、過去5年間において合計1,920時間以上）あることが必要です（法第31条の2第2項、規則第149条の2）。

　ただし、これらの従事期間が通算して2年以上であり、かつ、過去に店舗管理者等として業務に従事した経験がある場合も区域管理者となることができます。

ポイント

配置販売業の許可 ➡ 配置しようとする区域の都道府県知事
配置販売業の管理 ➡ 区域管理者
区域管理者の資格 ➡ 第1類医薬品を販売・授与する区域は「薬剤師」
　　　　　　　　　➡ 第2類医薬品または第3類医薬品を販売・授与する区域は「薬剤師または登録販売者」

　区域管理者は、保健衛生上支障を生ずるおそれがないように、その業務に関し配置員を監督するなど、その区域の業務につき、必要な注意をしなければならず、また、配置販売業者に対して必要な意見を述べなければなりません（法第31条の3）。

(6) 配置販売業・配置販売に従事する者の届出

　配置販売業はいわゆる行商という業態による販売であることから、配置販売業者の氏名および住所、配置販売に従事する者の氏名および住所、配置販売に従事する区域およびその期間を、あらかじめ配置販売に従事しようとする区域の都道府県知事に届け出なければなりません（法第32条）。

　さらに、「配置販売業者またはその配置員は、その住所地※の都道府県知事が

発行する身分証明書の交付を受け、かつ、これを携帯しなければ、医薬品の配置販売に従事してはならない」（法第33条第1項）とされています。

（※ 住所地：住民票のある場所）

　薬局開設者または店舗販売業者が、配置による販売または授与の方法で医薬品を販売等しようとする場合には、別途、配置販売業の許可を受ける必要があります。一方、配置販売業者が、店舗による販売または授与の方法で医薬品を販売等しようとする場合には、別途、薬局の開設または店舗販売業の許可を受ける必要があります。

　また、配置販売業では、医薬品を開封して分割販売すること（いわゆる量り売り）は禁止されていますが、薬局と店舗販売業では、特定の購入者の求めに応じて分割販売することができます。ただし、あらかじめ分包しておくことはできません。

4
薬事関係法規・制度

配置販売業

確認テスト（○×問題）

問題4-2-25 配置販売業者またはその配置員は、その氏名、配置販売に従事しようとする区域その他厚生労働省令で定める事項を、医薬品の配置販売に従事してから30日以内に、配置販売する区域の都道府県知事に届け出なくてはならない。

問題4-2-26 配置販売業者またはその配置員は、配置販売に従事しようとする区域の都道府県知事が発行する身分証明書の交付を受け、かつ、これを携帯しなければ、配置販売に従事できない。

問題4-2-27 配置販売業者は、区域管理者を指定したときは、保健衛生上の観点から述べられた区域管理者の意見を尊重しなければならない。

問題4-2-28 配置販売業者は、特定の購入者の求めに応じて、医薬品を開封して分割販売することができる。

問題4-2-29 薬局開設者が配置による販売または授与の方法で医薬品を販売または授与する場合は、別途、配置販売業の許可を受ける必要はない。

☛ 解答は別冊 p.34

4-2-2 リスク区分に応じた販売従事者、情報提供および陳列等

1 リスク区分に応じた販売従事者等

(1) 要指導医薬品の販売

薬局開設者または店舗販売業者が、要指導医薬品を販売し、授与する場合には、次に掲げる方法により、薬剤師に、販売または授与させなければなりません（法第36条の5、規則第158条の11）。

(a) 要指導医薬品の購入者が、使用者本人であることを確認すること。

(b) 他の薬局開設者または店舗販売業者からの購入状況を確認すること。

(c) (b)の確認事項を勘案し、適正な数量に限り、販売すること。

(d) 指導を受けた者が内容を理解したことを確認した後に、販売すること。

(e) 要指導医薬品を購入しようとする者から相談があった場合は、情報の提供または指導を行った後に、販売すること。

(f) 要指導医薬品を販売した薬剤師の氏名、当該薬局または店舗の名称、当該薬局または店舗の電話番号その他連絡先を、購入者に伝えること。

(2) 第1類医薬品の販売

薬局開設者、店舗販売業者または配置販売業者は、第1類医薬品を販売し、授与し、または配置するに当たっては、次に掲げる方法により、薬剤師に販売させ、または授与させなければなりません（法第36条の9、規則第159条の14第1項）。

(a) 指導を受けた者が内容を理解したことを確認した後に、販売すること。

(b) 第1類医薬品を購入しようとする者から相談があった場合には、情報の提供を行った後に、販売すること。

(c) 第1類医薬品を販売した薬剤師の氏名、当該薬局または店舗の名称、当該薬局または店舗の電話番号その他連絡先を、購入者に伝えること。

(3) 第2類医薬品・第3類医薬品の販売

薬局開設者、店舗販売業者または配置販売業者は、第2類医薬品または第3類医薬品を販売し、または授与するに当たっては、次に掲げる方法により、薬剤師または登録販売者に販売させ、または授与させなければなりません（法第36条の9、規則第159条の14第2項）。

（a）第2類医薬品または第3類医薬品を購入しようとする者から相談があった場合には、情報の提供を行った後に、販売すること。

（b）第2類医薬品または第3類医薬品を販売した薬剤師または登録販売者の氏名、当該薬局または店舗の名称および当該薬局、店舗または配置販売業者の電話番号その他連絡先を、購入しようとする者に伝えること。

（4）要指導医薬品・第1類医薬品販売時の記録

要指導医薬品および第1類医薬品の販売時には、次に掲げる事項を書面に記載し、2年間保存しなければなりません（義務）（施行規則第14条の2と3）。

（a）品名

（b）数量

（c）販売、授与、配置した日時

（d）販売、授与、配置した薬剤師の氏名、情報提供を行った薬剤師の氏名

（e）医薬品の購入者等が情報提供の内容を理解したことの確認の結果

また、薬局開設者、店舗販売業者または配置販売業者は第2類医薬品または第3類医薬品を販売し、授与し、または配置したときは、上記（a）～（e）の事項を書面に記載し、保存するよう努めなければなりません（努力義務）。[（e）は第2類のみで、第3類は不要]

確認テスト（○×問題）

問題4-2-30 要指導医薬品を販売した薬剤師の氏名、当該薬局または店舗の名称および当該薬局または店舗の電話番号その他連絡先を、当該要指導医薬品を購入しようとする者のうち、当該情報の提供を希望する者のみに対して伝えさせる。

問題4-2-31 要指導医薬品を購入し、または譲り受けようとする者が、当該要指導医薬品を使用しようとする者であることを確認させる。

問題4-2-32 要指導医薬品を販売させる方法として、適正な使用のために必要と認められる数量に限り、販売させる。

問題4-2-33 購入者の年齢および性別は、第1類医薬品を販売した際に書面に記載しなければならない。

解答は別冊p.34

301

2　要指導医薬品の情報提供

　薬局開設者または店舗販売業者は、要指導医薬品を販売または授与する場合には、次の(1)および(2)により、その薬局または店舗において医薬品の販売または授与に従事する薬剤師に、購入者等に対して、対面により、書面(規則第158条の12第2項に定める事項)を用いて、必要な情報を提供させ、必要な薬学的知見に基づく指導を行わせなければなりません(法第36条の6)。

　特に、当該要指導医薬品を使用しようとする者がお薬手帳を所持しない場合はその所持を勧奨し、お薬手帳を所持する場合は、必要に応じ、当該お薬手帳を活用した情報の提供および指導を行わせることとされており、お薬手帳には、要指導医薬品についても記録することが重要です。

(1) 要指導医薬品を販売または授与する場合に行われる情報提供および指導

【確認事項】　　　　　　　　　　　　　　　　　　　　(規則第158条の12第4項)

ⅰ) 年齢　　　　　　　　　ⅱ) 他の薬剤または医薬品の使用の状況

ⅲ) 性別　　　　　　　　　ⅳ) 症状

ⅴ) ⅳ)の症状に関して医師または歯科医師の診断を受けたか否かの別および診断を受けたことがある場合にはその診断の内容

ⅵ) 現にかかっている他の疾病がある場合は、その病名

ⅶ) 妊娠しているか否かおよび妊娠中である場合は妊娠週数

ⅷ) 授乳しているか否か

ⅸ) 当該要指導医薬品に係る購入、譲受けまたは使用の経験の有無

ⅹ) 調剤された薬剤または医薬品の副作用その他の事由によると疑われる疾病にかかったことがあるか否か、かかったことがある場合はその症状、その時期、当該薬剤または医薬品の名称、有効成分、服用した量および服用の状況

ⅺ) その他情報の提供を行うために確認することが必要な事項

【情報提供および指導の方法】　　　　　　　　　　　(規則第158条の12第1項)

① 当該薬局または店舗内の情報提供および指導を行う場所で行わせること

② 当該要指導医薬品の特性、用法、用量、使用上の注意、当該要指導医薬品との併用を避けるべき医薬品その他の当該要指導医薬品の適正な使用のため必要な情報を、状況に応じて個別に提供させ、必要な指導を行わせること

③ 当該要指導医薬品の副作用その他の事由によるものと疑われる症状が発生した場合の対応について説明させること

④情報の提供および指導を受けた者が当該情報の提供および指導の内容を理解したことおよび更なる質問の有無について確認させること

⑤必要に応じて当該要指導医薬品に代えて他の医薬品の使用を勧めさせること

⑥必要に応じて医師または歯科医師の診断を受けることを勧めさせること

⑦情報の提供および指導を行った薬剤師の氏名を伝えさせること

【情報提供の事項】　　　　　　　　　　　　（規則第158条の12第2項）

①当該要指導医薬品の名称

②当該要指導医薬品の有効成分の名称およびその分量

③当該要指導医薬品の用法および用量

④当該要指導医薬品の効能または効果

⑤保健衛生上の危害の発生を防止するために必要な事項

⑥その他薬剤師がその適正な使用のために必要と判断する事項

(2) 販売時に購入者側から、または事後において購入者もしくはその医薬品の使用者から相談があった場合の対応

　相談があった場合には、規則第159条の規定により、その薬局または店舗において医薬品の販売または授与に従事する薬剤師に、必要な情報を提供させ、または必要な薬学的知見に基づく指導を行わせなければなりません。

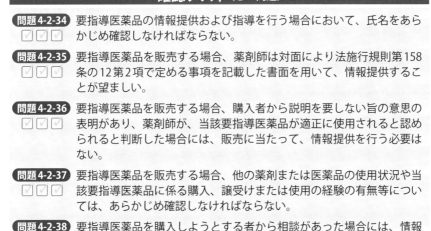

確認テスト (○×問題)

問題4-2-34　要指導医薬品の情報提供および指導を行う場合において、氏名をあらかじめ確認しなければならない。

問題4-2-35　要指導医薬品を販売する場合、薬剤師は対面により法施行規則第158条の12第2項で定める事項を記載した書面を用いて、情報提供することが望ましい。

問題4-2-36　要指導医薬品を販売する場合、購入者から説明を要しない旨の意思の表明があり、薬剤師が、当該要指導医薬品が適正に使用されると認められると判断した場合には、販売に当たって、情報提供を行う必要はない。

問題4-2-37　要指導医薬品を販売する場合、他の薬剤または医薬品の使用状況や当該要指導医薬品に係る購入、譲受けまたは使用の経験の有無等については、あらかじめ確認しなければならない。

問題4-2-38　要指導医薬品を購入しようとする者から相談があった場合には、情報の提供または指導を行った後に、当該要指導医薬品を販売させること。

☞ 解答は別冊p.34

3　一般用医薬品の情報提供

　薬局開設者、店舗販売業者または配置販売業者は、一般用医薬品を販売または授与する場合には、その分類されたリスク区分に応じて、次の(1)〜(4)により、その薬局または店舗において医薬品の販売または授与に従事する薬剤師または登録販売者に、購入者等に対して、必要な情報を提供させなければならない(法第36条の10)と規定されています。

　特に、当該第一類医薬品を使用しようとする者がお薬手帳を所持する場合は、必要に応じ、お薬手帳を活用した情報の提供を行わせることとされており、要指導医薬品と同様にお薬手帳には、一般用医薬品についても記録することが重要です。

(1) 第1類医薬品の情報提供

　法第36条の10第1項において、薬局開設者または店舗販売業者が第1類医薬品を販売または授与する場合には、規則第159条の15第1項で定めるところにより、その薬局または店舗において医薬品の販売または授与に従事する薬剤師に、規則第159条の15第2項で定める事項を記載した書面を用いて、必要な情報を提供させなければなりません。また、法第36条の10第2項において、薬局開設者または店舗販売業者は、情報の提供を行わせるに当たっては、薬剤師に、あらかじめ、次に掲げる事項を確認させなければなりません。

【確認事項】　　　　　　　　　　　　　　　（規則第159条の15第4項）

ⅰ）年齢

ⅱ）他の薬剤または医薬品の使用の状況

ⅲ）性別　　　　　ⅳ）症状

ⅴ）ⅳ）の症状に関して医師または歯科医師の診断を受けたか否かの別および診断を受けたことがある場合にはその診断の内容

ⅵ）現にかかっている疾病がある場合は、その病名

ⅶ）妊娠しているか否かおよび妊娠中である場合は妊娠週数

ⅷ）授乳しているか否か

ⅸ）当該第1類医薬品に係る購入、譲受けまたは使用の経験の有無

ⅹ）調剤された薬剤または医薬品の副作用その他の事由によると疑われる疾病にかかったことがあるか否か、かかったことがある場合はその症状、その時期、当該薬剤または医薬品の名称、有効成分、服用した量および服用の状況

ⅺ）その他情報の提供を行うために確認することが必要な事項

【情報提供の方法】　　　　　　　　　　　　　（規則第159条の15第1項）

①当該薬局または店舗内の情報提供を行う場所で行わせること

②当該第1類医薬品の特性、用法、用量、使用上の注意、当該第1類医薬品との併用を避けるべき医薬品その他の当該第1類医薬品の適正な使用のため必要な情報を、状況に応じて個別に提供させること

③当該第1類医薬品の副作用その他の事由によるものと疑われる症状が発生した場合の対応について説明させること

④情報の提供を受けた者が当該情報の提供の内容を理解したことおよび更なる質問の有無について確認させること

⑤必要に応じて、医師または歯科医師の診断を受けることを勧めさせること

⑥情報の提供を行った薬剤師の氏名を伝えさせること

【情報提供の事項】　　　　　　　　　　　　　（規則第159条の15第2項）

①当該第1類医薬品の名称

②当該第1類医薬品の有効成分の名称およびその分量

③当該第1類医薬品の用法および用量

④当該第1類医薬品の効能または効果

⑤当該第1類医薬品に係る使用上注意のうち、保健衛生上の危害の発生を防止するために必要な事項

⑥その他当該第1類医薬品を販売し、または授与する薬剤師がその適正な使用のために必要と判断する事項

確認テスト（○×問題）

問題4-2-39 第1類医薬品を販売するときは、薬剤師または登録販売者が、書面を用いて、その適正な使用のために必要な情報を提供することが義務付けられている。

問題4-2-40 店頭での第1類医薬品の購入者からのその使用に係る相談には、薬剤師だけが対応することができる。

問題4-2-41 店舗販売業者は、第1類医薬品の販売にあたって、購入者から説明を要しない旨の意思表明があった場合を除き、書面を用いての情報提供が義務付けられている。

問題4-2-42 配置販売業については、第1類医薬品を配置する場合は、配置販売に従事する薬剤師が口頭で情報提供を行えば、書面による情報提供を省略することができる。

☞ 解答は別冊p.34

（2）第2類医薬品の情報提供

　薬局開設者または店舗販売業者が第2類医薬品を販売または授与する場合には、規則第159条の16の規定により、医薬品の販売または授与に従事する薬剤師または登録販売者に、必要な情報を提供させるよう努めなければならないと規定されています。また、情報の提供に当たっては、あらかじめ、p.304の（1）のⅰ）～ⅺ）に掲げる事項を確認させるよう努めなければなりません。

　配置販売業者については、その業務に係る都道府県の区域において第2類医薬品を配置する場合には、医薬品の配置販売に従事する薬剤師または登録販売者に、必要な情報を提供させるよう努めなければなりません。

　なお、第2類医薬品に分類された医薬品のうち、特定の使用者（小児、妊婦等）や相互作用に関して使用を避けるべき注意事項があり、それに該当する使用がなされた場合に重大な副作用を生じる危険性が高まる成分、または依存性・習慣性がある成分が配合されたもの（指定第2類医薬品）については、薬剤師または登録販売者による積極的な情報提供の機会がより確保されるよう、陳列方法を工夫する等の対応が求められます。

　また、指定第2類医薬品の販売または授与する場合には、当該指定第2類医薬品を購入しようとする者等が、禁忌事項を確実に確認できるようにするために必要な措置を講じなければなりません。

（3）第3類医薬品の情報提供

　薬局開設者、店舗販売業者または配置販売業者が、第3類医薬品に区分された医薬品を販売または授与する場合には、薬剤師または登録販売者に、必要な情報提供をさせることが望ましいとされています（法上の規定は特になし）。

（4）購入者から相談があった場合の対応

　薬局もしくは店舗において一般用医薬品を購入し、使用する者から相談があった場合には、規則第159条の17の規定により、医薬品の販売または授与に従事する薬剤師または登録販売者をして、必要な情報を提供させなければなりません。相談があった場合には、すべてのリスク区分において情報提供は義務となります。

　配置販売業者については、医薬品の配置販売に従事する薬剤師または登録販売者に、必要な情報を提供させなければなりません。

　薬局開設者、店舗販売業者または配置販売業者は、一般用医薬品を購入し、または譲り受けようとする者から相談があった場合には、情報の提供を行った

後に、販売または授与しなければならないとされています。

　以上を要約すると次表のとおりとなります。

▼リスク区分と情報提供

リスク区分	対応する専門家	購入者側から質問等がなくても行う積極的な情報提供	情報提供を行う場所	購入者側から相談があった場合の情報提供
要指導医薬品	薬剤師	対面により、書面を用いた情報提供および薬学的知見に基づく指導を義務付け	情報提供を行う場所（配置販売の場合は医薬品を配置する場所）	義務
第1類医薬品		書面を用いた情報提供を義務付け		
第2類医薬品	薬剤師または登録販売者	努力義務		
第3類医薬品		（法上の規定は特になし）		

_{4 薬事関係法規・制度}

確認テスト（○×問題）

問題4-2-43 店舗販売業者は、指定第2類医薬品を販売または授与する場合には、当該指定第2類医薬品を購入しようとする者等が、禁忌事項を確実に確認できるようにするために必要な措置を講じなければならない。

問題4-2-44 第2類医薬品について購入者から相談があった場合には、適正な使用のために必要な情報を提供させなければならない。

問題4-2-45 店舗販売業者は、その店舗において第3類医薬品を購入した者から相談があった場合には、医薬品の販売または授与に従事する薬剤師または登録販売者をして、その適正な使用のために必要な情報を提供させるよう努めなければならない。

問題4-2-46 薬局開設者または店舗販売業者は、第3類医薬品を販売する場合には、薬剤師または登録販売者にその適正な使用のために必要な情報を提供させることが望ましいものの、特に法律上の規定は設けられていない。

☞ 解答は別冊 p.34

_{情報提供}

④　リスク区分に応じた陳列等

　薬局開設者または店舗販売業者は、法第57条の2第1項の規定により、医薬品を他の物と区別して貯蔵し、または陳列しなければなりません。

（1）薬局および店舗販売業

①第1類医薬品は、第1類医薬品陳列区画（構造設備規則に規定する第1類医薬品陳列区画をいう）の内部の陳列設備に陳列しなければなりません（規則第218条の4第1項第1号、構造設備規則第1条第1項第12号、第2条第11号）。ただし、次の場合を除きます。

（ⅰ）鍵をかけた陳列設備に陳列する場合

（ⅱ）第1類医薬品を購入しようとする者等が直接手の触れられない陳列設備に陳列する場合

②指定第2類医薬品は、構造設備規則に規定する「情報提供を行うための設備」から7メートル以内の範囲に陳列しなければなりません。ただし、次の場合を除きます（規則第218条の4第1項第2号）。

（ⅰ）鍵をかけた陳列設備に陳列する場合

（ⅱ）指定第2類医薬品を陳列する陳列設備から1.2 メートルの範囲に、医薬品を購入しようとする者等が進入することができないよう必要な措置が取られている場合

③第1類医薬品、第2類医薬品および第3類医薬品を混在しないように陳列しなければなりません（規則第218条の4第1項第3号）。

▼リスク区分による棚の陳列例

（同一薬効でリスク区分の混在は不可）

（薬効ごと・リスク区分ごとに陳列）

（2）配置販売業

　配置販売業者は、法第57条の2第1項の規定により、医薬品を他の物と区別

して貯蔵し、または陳列しなければならないこととされています。また、配置販売業者は、一般用医薬品を陳列する場合は、第1類医薬品、第2類医薬品、第3類医薬品の区分ごとに陳列しなければならないとされており、第1類医薬品、第2類医薬品および第3類医薬品を混在させないように配置しなければなりません（規則第218条の4第2項）。

5 要指導医薬品および一般用医薬品を陳列する場合

①要指導医薬品は、要指導医薬品陳列区画（構造設備規則に規定する要指導医薬品陳列区画をいう）の内部の陳列設備に陳列しなければなりません（規則第218条の3第1号、構造設備規則第1条第1項第11号、第2条第10号）。ただし、次の場合を除きます。

（ⅰ）鍵をかけた陳列設備に陳列する場合

（ⅱ）要指導医薬品を購入しようとする者等が直接手の触れられない陳列設備に陳列する場合

②要指導医薬品および一般用医薬品を混在しないように陳列しなければなりません（規則第218条の3第2号）。

▼リスク区分に応じた陳列

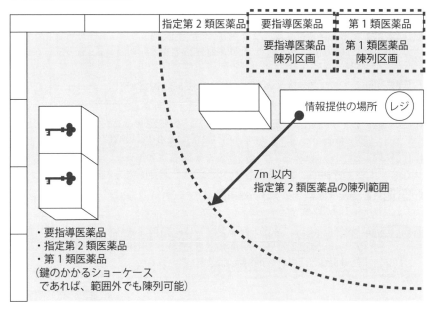

6 陳列、交付場所の閉鎖

　薬局開設者または店舗販売業者は、要指導医薬品または一般用医薬品を販売し、または授与しない営業時間は、要指導医薬品または一般用医薬品を通常陳列し、または交付する場所を閉鎖しなければなりません。

　要指導医薬品または第1類医薬品を販売し、または授与する薬局開設者または店舗販売業者は、要指導医薬品または第1類医薬品を販売し、または授与しない時間は、要指導医薬品陳列区画または第1類医薬品陳列区画を閉鎖しなければなりません。ただし、鍵をかけた陳列設備に要指導医薬品または第1類医薬品を陳列している場合は、この限りではありません（規則第14条の3第2項、第147条第2項）。

　薬局や医薬品の販売業において、医薬品を販売する店舗と同一店舗で併せて、食品（保健機能食品を含む）、医薬部外品、化粧品等の販売が行われる場合には、医薬品と他の物品を区別して貯蔵または陳列することが求められます（法第57条の2第1項）。

確認テスト（○×問題）

問題4-2-47 医薬品を他の物と区別して貯蔵し、または陳列しなければならない。

問題4-2-48 一般用医薬品を陳列する場合、第1類医薬品、第2類医薬品および第3類医薬品について、効能効果が同一の場合に限り、混在させることが認められている。

問題4-2-49 第1類医薬品は、必ず鍵をかけた陳列設備に陳列しなければならない。

問題4-2-50 第1類医薬品を薬局等構造設備規則に規定する「情報提供を行うための設備」から7メートル以内の範囲に陳列しなければならない。

問題4-2-51 配置販売業者は、一般用医薬品を陳列する場合は、第1類医薬品、第2類医薬品、第3類医薬品の区分ごとに陳列しなければならない。

問題4-2-52 要指導医薬品および一般用医薬品を混在させないように陳列しなければならない。

問題4-2-53 薬局開設者は、要指導医薬品または一般用医薬品を販売し、または授与しない時間は、要指導医薬品または一般用医薬品を通常陳列し、または交付する場所を閉鎖しなければならない。

☞ 解答は別冊 p.35

7　掲示板等について

（1）薬局または店舗における掲示

（法第9条の5および第29条の4、規則第15条の15、規則第147条の12、別表第1の2）

　リスク区分に応じた情報提供または相談対応の実効性を高めるため、薬局開設者または店舗販売業者は、当該薬局または店舗を利用するために必要な情報を、当該薬局または店舗の見やすい位置に掲示板で掲示しなければなりません。

【薬局または店舗の管理および運営に関する事項】

①許可の区分の別

②開設者等の氏名または名称、許可証の記載事項

③管理者の氏名

④勤務する薬剤師または規則第15条第2項本文に規定する登録販売者※以外の登録販売者もしくは同項本文に規定する登録販売者の別、その氏名および担当業務

⑤取り扱う要指導医薬品および一般用医薬品の区分

⑥薬局、店舗に勤務する者の名札等による区別に関する説明

⑦営業時間、営業時間外で相談できる時間および営業時間外で医薬品の購入、譲受けの申込みを受理する時間

⑧相談時および緊急時の電話番号その他連絡先

※ **規則第15条第2項本文に規定する登録販売者**

　過去5年間のうち薬局、店舗販売業または配置販売業において一般従事者（その薬局、店舗または区域において実務に従事する薬剤師または登録販売者以外の者をいう。）として薬剤師または登録販売者の管理および指導の下に実務に従事した期間および登録販売者として業務（店舗管理者または区域管理者としての業務を含む。）に従事した期間が通算して2年に満たない登録販売者。

【薬局製造販売医薬品、要指導医薬品、一般用医薬品の販売制度に関する事項】

①要指導医薬品、第1類医薬品、第2類医薬品および第3類医薬品の定義ならびにこれらに関する解説

②要指導医薬品、第1類医薬品、第2類医薬品および第3類医薬品の表示に関する解説

③ 要指導医薬品、第1類医薬品、第2類医薬品および第3類医薬品の情報の提供に関する解説

④薬局製造販売医薬品を調剤室以外の場所に陳列する場合にあっては、薬局製

造販売医薬品の定義およびこれに関する解説ならびに表示、情報の提供およ
び陳列に関する解説

⑤要指導医薬品の陳列に関する解説

⑥指定第2類医薬品の陳列等に関する解説

⑦指定第2類医薬品を購入し、または譲り受けようとする場合は、当該指定第
2類医薬品の禁忌を確認することおよび当該指定第2類医薬品の使用につい
て薬剤師または登録販売者に相談することを勧める旨

⑧一般用医薬品の陳列に関する解説

⑨医薬品による健康被害の救済制度に関する解説

⑩個人情報の適正な取扱いを確保するための措置

⑪その他必要な事項

（2）配置販売業者は情報を書面で提供

（法第31条の4第1項、規則第149条の10、別表第1の4）

【区域の管理および運営に関する事項】

①許可の区分の別

②配置販売業者の氏名または規則名称、営業の区域その他の許可証の記載事項

③区域管理者の氏名

④当該区域に勤務する薬剤師または規則第15条第2項本文に規定する登録販
売者以外の登録販売者もしくは同項本文に規定する登録販売者の別、その氏
名および担当業務（p.311）

⑤取り扱う一般用医薬品の区分

⑥当該区域に勤務する者の名札等による区別に関する説明

⑦営業時間、営業時間外で相談できる時間および営業時間外で医薬品の購入、
譲受けの申込みを受理する時間

⑧相談時および緊急時の電話番号その他連絡先

【一般用医薬品の販売制度に関する事項】

①第1類医薬品、第2類医薬品および第3類医薬品の定義ならびにこれらに関
する解説

②第1類医薬品、第2類医薬品および第3類医薬品の表示に関する解説

③第1類医薬品、第2類医薬品および第3類医薬品の情報の提供に関する解説

④指定第2類医薬品の定義等に関する解説

⑤指定第2類医薬品を購入し、または譲受けようとする場合は、当該指定第2

類医薬品の禁忌を確認することおよび当該指定第2類医薬品の使用について
薬剤師または登録販売者に相談することを勧める旨

⑥一般用医薬品の陳列に関する解説

⑦医薬品による健康被害の救済制度に関する解説

⑧個人情報の適正な取扱いを確保するための措置

⑨その他必要な事項

4

薬事関係法規・制度

確認テスト（○×問題）

問題4-2-54 □□□ リスク区分に応じた情報提供または相談対応の実効性を高めるため、店舗販売業者は、当該店舗を利用するために必要な情報を、当該店舗の見やすい場所に掲示しなければならない。

問題4-2-55 ☑☑☑ 店舗に勤務する者の名札等による区別に関する説明は、医薬品医療機器等法に基づき、店舗販売業者が掲示しなければならない事項である。

問題4-2-56 ☑☑☑ 店舗に勤務する登録販売者の実務経験年数および研修の受講履歴は、医薬品医療機器等法に基づき、店舗販売業者が掲示しなければならない事項である。

問題4-2-57 □□□ 管理および運営に関する事項として、相談時および緊急時の電話番号その他連絡先を掲示しなければならない。

問題4-2-58 □□□ 管理および運営に関する事項として、薬局開設者または店舗販売業者の住所および氏名、許可証の記載事項を掲示しなければならない。

問題4-2-59 ☑☑☑ 販売制度に関する事項として、個人情報の適正な取扱いを確保するための措置を掲示しなければならない。

問題4-2-60 ☑☑☑ 販売制度に関する事項として、要指導医薬品を販売しない場合、要指導医薬品の表示に関する解説を掲示する必要はない。

確認テスト

問題4-2-61 □□□

　店舗販売業者が、当該店舗の見やすい位置に掲示板で掲示しなければならない事項として、正しいものの組合せを一つ選べ。　（令和元年　関西広域連合）

a　店舗の管理者の氏名

b　店舗に勤務する者の名札等による区別に関する説明

c　第3類医薬品を除く、要指導医薬品、第1類医薬品及び第2類医薬品の定義及びこれらに関する解説

d　健康食品による健康被害の救済制度に関する解説

1（a、b）　　　　2（a、c）　　　3（b、d）　　　4（c、d）

掲示

☞ 解答は別冊 p.35

8 特定販売

「その薬局又は店舗以外の場所にいる者に対する一般用医薬品又は薬局製造販売医薬品（毒薬及び劇薬であるものを除く）の販売又は授与」を「特定販売」といいます（規則第1条第2項第3号）。

(1) 特定販売を行う条件

（法第9条第1項、第29条の2第1項、規則第15条の6、第147条の7、別表第1の2および第1の3）

①当該薬局または店舗に貯蔵し、または陳列している一般用医薬品または薬局製造販売医薬品を販売し、または授与すること。

②インターネットを利用する場合はホームページに、その他の広告方法を用いる場合は当該広告に、次項（2）に掲げる情報を、見やすく表示すること。

③広告をするときは、第1類医薬品、指定第2類医薬品、第2類医薬品、第3類医薬品および薬局製造販売医薬品の区分ごとに表示すること。

④インターネットを利用して広告をするときは、都道府県知事（その薬局または店舗の所在地が保健所を設置する市は特別区の区域にある場合においては、市長または区長）および厚生労働大臣が容易に閲覧することができるホームページで行うこと。

　特定販売を行う場合であっても、購入しようとする者から、対面または電話により相談応需の希望があった場合には、薬局開設者または店舗販売業者は、その薬局または店舗において、医薬品の販売または授与に従事する薬剤師または登録販売者に、対面または電話により情報提供を行わせなければなりません（規則第159条の17第2項）。

(2) インターネットを利用する場合の表示すべき事項

【薬局または店舗の管理および運営に関する事項】

①許可の区分の別

②開設者等の氏名または名称、許可証の記載事項

③管理者の氏名

④勤務する薬剤師または規則第15条第2項本文に規定する登録販売者以外の登録販売者もしくは同項本文に規定する登録販売者の別、その氏名および担当業務（p.311）

⑤取り扱う要指導医薬品および一般用医薬品の区分

⑥薬局、店舗に勤務する者の名札等による区別に関する説明

⑦営業時間、営業時間外で相談できる時間および営業時間外で医薬品の購入、譲受けの申し込みを受理する時間

⑧相談時および緊急時の電話番号その他連絡先

【薬局製造販売医薬品、要指導医薬品、一般用医薬品の販売制度に関する事項】

　p.311の「(1)薬局または店舗における掲示」の【薬局製造販売医薬品、要指導医薬品、一般用医薬品の販売制度に関する事項】①〜⑪の項目と同じ。

【特定販売に伴う事項】

①薬局または店舗の主要な外観の写真

②薬局製造販売医薬品または一般用医薬品の陳列の状況を示す写真

③現在勤務している薬剤師または規則第15条第2項本文に規定する登録販売者以外の登録販売者もしくは同項本文に規定する登録販売者の別およびその氏名（p.311）

④開店時間と特定販売を行う時間が異なる場合にあっては、その開店時間および特定販売を行う時間

⑤特定販売を行う薬局製造販売医薬品または一般用医薬品の使用期限

4

薬事関係法規・制度

確認テスト（○×問題）

問題4-2-62　規則第1条第2項第3号で規定されている特定販売とは、その薬局または店舗におけるその薬局または店舗以外の場所にいる者に対する一般用医薬品または薬局製造販売医薬品（毒薬および劇薬であるものを除く。）の販売または授与をいう。

問題4-2-63　特定販売を行うことについてインターネットを利用して広告をするときは、都道府県知事および厚生労働大臣が容易に閲覧することができるホームページで行わなければならない。

問題4-2-64　特定販売を行うことについてインターネットを利用して広告するときは、医薬品による健康被害の救済制度に関する解説を見やすく表示しなければならない。

問題4-2-65　特定販売を行うことについてインターネットを利用して広告するときは、一般用医薬品の区分ごとの陳列の状況を示す写真を見やすく表示しなければならない。

特定販売

☞ 解答は別冊p.35

9 医薬品の購入等に関する記録等

（医薬品を購入したとき、他の薬局・病院・診療所・動物病院に販売したときに必要な記録）

（1）薬局

　薬局開設者は、医薬品を購入し、または譲り受けたときおよび薬局開設者、医薬品の製造販売業者、製造業者もしくは販売業者または病院、診療所もしくは飼育動物診療施設の開設者に販売し、または授与したときは、次に掲げる事項を書面に記載しなければなりません。

　ただし、④（氏名または名称以外の事項に限る）および⑤については、薬局開設者と医薬品を購入もしくは譲り受けた者または販売もしくは授与した者（以下「購入者等」という）が常時取引関係にある場合を除きます。また、⑥については、購入者等が自然^{（注）}人であり、かつ、購入者等自らが医薬品の取引の任に当たる場合を除きます（規則第14条）。

　①品名
　②数量
　③購入もしくは譲受けまたは販売もしくは授与の年月日
　④購入者等の氏名または名称、住所または所在地、および電話番号その他の連絡先
　⑤④の事項を確認するために提示を受けた資料
　⑥医薬品の取引の任に当たる自然人^{（注）}が、購入者等と雇用関係にあることまたは購入者等から取引の指示を受けたことを示す資料
　（著者注：自然人とは法律用語で法人に対比して個人を意味する）

　また、薬局開設者は、購入者等が常時取引関係にある場合を除き、①から⑥までの事項を書面に記載する際に、購入者等から、薬局開設、医薬品の製造販売業、製造業もしくは販売業または病院、診療所もしくは飼育動物診療施設の開設の許可に係る許可証の写しその他の資料の提示を受けることで、購入者等の住所または所在地、電話番号その他の連絡先を確認しなければなりません。なお、この確認ができない場合は、医薬品の譲受および譲渡を行ってはいけません。

医療用医薬品※1については、①から⑥までの事項に加え、ロット番号※2および使用の期限を記載する必要があり、ロット番号※2および使用の期限については、医療用医薬品※1以外の医薬品（つまり「一般用医薬品」）についても、偽造医薬品の流通防止に向けた対策の観点から、併せて記載することが望ましいとされています。

※1　体外診断用医薬品を除く。
※2　ロットを構成しない医薬品については製造番号または製造記号。

（2）店舗販売業

店舗販売業者は、医薬品を購入し、または譲り受けたときおよび薬局開設者、医薬品の製造販売業者、製造業者もしくは販売業者または病院、診療所もしくは飼育動物診療施設の開設者に販売し、または授与したときは、次に掲げる事項を書面に記載しなければなりません。

ただし、④（氏名または名称以外の事項に限る）および⑤については、店舗販売業者と購入者等が常時取引関係にある場合を除きます。また、⑥については、購入者等が自然人であり、かつ、購入者等自らが医薬品の取引の任に当たる場合を除きます（規則第146条）。

①品名
②数量
③購入等の年月日
④購入者等の氏名または名称、住所または所在地、および電話番号その他の連絡先
⑤④の事項を確認するために提示を受けた資料
⑥購入者等が自然人であり、かつ、購入者等以外の者が医薬品の取引の任に当たる場合および購入者等が法人である場合は、医薬品の取引の任に当たる自然人が、購入者等と雇用関係にあることまたは購入者等から医薬品の取引に係る指示を受けたことを示す資料

　また、店舗販売業者は、購入者等が常時取引関係にある場合を除き、①から⑥までの事項を書面に記載する際に、購入者等から、許可証の写しその他の資料の提示を受けることで、購入者等の住所または所在地、電話番号その他の連絡先を確認しなければなりません。なお、この確認ができない場合は、医薬品の譲受および譲渡を行ってはいけません。

　ロット番号[※1]および使用の期限については、一般用医薬品等についても、偽造医薬品の流通防止に向けた対策の観点から、併せて記載することが望ましいとされています。

(3) 配置販売業

　配置販売業者は、医薬品を購入し、または譲り受けたときは、次に掲げる事項を書面に記載しなければなりません。ただし、④（氏名または名称以外の事項に限る）および⑤については、配置販売業者と当該配置販売業者に対して医薬品を販売または授与した者（販売者等）が常時取引関係にある場合を除きます。また、⑥については、販売者等が自然人であり、かつ、販売者等自らが医薬品の取引の任に当たる場合を除きます（規則149条の5）。

　①品名
　②数量
　③購入または譲受けの年月日
　④販売者等の氏名または名称、住所または所在地、および電話番号その他の
　　連絡先
　⑤④の事項を確認するために提示を受けた資料
　⑥医薬品の取引の任に当たる自然人が、販売者等と雇用関係にあることまた
　　は販売者等から取引の指示を受けたことを表す資料

　また、配置販売業者は、販売者等が常時取引関係にある場合を除き、①から⑥までの事項を書面に記載する際に、販売者等から、許可証の写しその他の資料の提示を受けることで、販売者等の住所または所在地、電話番号その他の連絡先を確認しなければなりません。なお、この確認ができない場合は、医薬品の譲受を行ってはいけません。

　また、ロット番号[※1]および使用の期限については、一般用医薬品等についても、偽造医薬品の流通防止に向けた対策の観点から、併せて記載することが望ましいとされます。

(4) 複数の事業所について許可を受けている場合

　法に基づく許可を受けて医薬品を業として販売または授与する者（許可事業者）が、複数の事業所について許可を受けている場合には、異なる事業所間の医薬品の移転であっても、その移転に係る記録について許可を受けた事業所ごとに記録することを明確化するため、移転先および移転元のそれぞれの事業所ごとに、次の①から⑤までの事項を記録しなければなりません。

　ただし、②および③については、医療用医薬品[※2]に限ります。

　なお、②および③については、一般用医薬品等についても、偽造医薬品の流通防止に向けた対策の観点から、併せて記載することが望ましいとされます。

①品名
②ロット番号[※1]
③使用の期限
④数量
⑤移転先および移転元の場所ならびに移転の年月日

　また、許可事業者は、①から⑤までの事項を記録した書面を、許可を受けて業務を行う事業所ごとに、記載の日から3年間保存しなければなりません。

※1　ロットを構成しない医薬品については製造番号または製造記号。
※2　体外診断用医薬品を除く。

(5) 貯蔵設備を設ける区域

　薬局および店舗販売業の店舗の構造設備に係る基準として、「医薬品の貯蔵設備を設ける区域が、他の区域から明確に区別されていること」が規定されています（構造設備規則第1条第1項第9号、第2条第9号）。

　また、薬局開設者および店舗販売業者が講じなければならない措置として「医薬品の貯蔵設備を設ける区域に立ち入ることができる者の特定」が規定されています（体制省令第1条第2項第3号、第2条第2項第2号）。

確認テスト（○×問題）

問題4-2-66　薬局開設者は、医療用医薬品（体外診断用医薬品を除く。）を購入したとき、購入した医薬品のロット番号（ロットを構成しない医薬品については製造番号または製造記号）を書面に記載しなければならない。

問題4-2-67　店舗販売業者が、医薬品を購入し、または譲り受けたときおよび薬局開設者または医薬品販売業者等に販売または授与したときに書面に記載しなければならない（ただし、購入者等が常時取引関係にある場合を除く。）ものとして、購入者等の氏名または名称、住所または所在地、および電話番号その他連絡先がある。

問題4-2-68　店舗販売業者が、事業者から一般用医薬品を購入した場合、書面に記載しなければならない事項としてロット番号は求められていない。

問題4-2-69　店舗販売業者は、購入者の氏名、住所および電話番号その他連絡先を確認するために提示を受けた資料を書面に記載し、記載の日から5年間保存しなければならない。

問題4-2-70　店舗販売業者が、複数の事業所について許可を受けている場合、当該許可事業者の異なる事業所間の医薬品の移転であれば、その移転に係る記録をする必要はない。

問題4-2-71　店舗販売業者が講じなければならない措置として、医薬品の貯蔵設備を設ける区域に立ち入ることができる者の特定が規定されている。

☞ 解答は別冊p.35

10　その他の遵守事項等

（1）名札の装着

　薬局開設者、店舗販売業者または配置販売業者は、その薬局、店舗または区域において医薬品の販売等に従事する薬剤師、登録販売者または一般従事者であることが容易に判別できるようその薬局、店舗または区域に勤務する者に名札を付けさせることその他必要な措置を講じなければなりません。

　なお、この名札については、薬局、店舗販売業または配置販売業において、過去5年間のうち薬局、店舗販売業または配置販売業において、一般従事者※として薬剤師または登録販売者の管理および指導の下に実務に従事した期間および登録販売者として業務（店舗管理者または区域管理者としての業務を含む）に従事した期間が通算して2年（従事期間が月単位で計算して、1か月に80時間以上従事した月が24か月、または、従事期間が通算して2年以上、かつ、過去5年間において合計1,920時間）に満たない登録販売者である場合については、「登録販売者（研修中）」などの容易に判別できるような表記をすることが必要です。

　また、薬局開設者、店舗販売業者または配置販売業者は、この登録販売者については、薬剤師または登録販売者（前述の過去5年間のうち業務に従事した期間が2年に満たない場合を除く）の管理および指導の下に実務に従事させなければなりません（規則第15条、第147条の2、第149条の6）。

　ただし、従事期間が通算して2年以上であり、かつ、過去に店舗管理者等として業務に従事した経験がある場合はこれらの規定は適用されません。

※　一般従事者とは、その薬局、店舗または区域において実務に従事する薬剤師または登録販売者以外の者のこと。

（2）濫用のおそれのあるものの販売

　薬局開設者、店舗販売業者または配置販売業者は、一般用医薬品のうち、濫用等のおそれのあるものとして厚生労働大臣が指定するものを販売し、または授与するときは、次の方法により行わなければならないこととされています（規則第15条の2、第147条の3、第149条の7）。

①薬局、店舗または区域において医薬品の販売または授与に従事する薬剤師または登録販売者に、次に掲げる事項を確認させること。

　ⅰ）若年者の場合、氏名および年齢

　ⅱ）他の店舗等からの購入・譲受けの状況

　ⅲ）必要数量を超える場合、その理由

　ⅳ）その他適正な購入であることを確認するために必要な事項

②薬局において医薬品の販売または授与に従事する薬剤師または登録販売者に、

　①の規定により確認した事項を勘案し、適正な使用のため必要と認められる

　数量に限り、販売し、または授与させること。

　濫用等のおそれのあるものとして厚生労働大臣が指定する医薬品（平成26年厚生労働省告示第252号）は、次に掲げるもの、その水和物およびそれらの塩類を有効成分として含有する製剤とされており、対象の医薬品を販売する際には確認を行ったうえで適正に使用されるよう販売する必要があります。

> ● **濫用等のおそれのあるものとして厚生労働大臣が指定する医薬品**
>
> 　ⅰ）エフェドリン
> 　ⅱ）コデイン（鎮咳去痰薬に限る）
> 　ⅲ）ジヒドロコデイン（鎮咳去痰薬に限る）
> 　ⅳ）ブロモバレリル尿素
> 　ⅴ）プソイドエフェドリン
> 　ⅵ）メチルエフェドリン（鎮咳去痰薬のうち、内用液剤に限る）

（3）使用期限を超過した医薬品の陳列、販売の禁止

　薬局開設者、店舗販売業者または配置販売業者は、医薬品の直接の容器または直接の被包に表示された使用の期限を超過した医薬品を、正当な理由なく、販売し、授与し、販売もしくは授与の目的で貯蔵し、もしくは陳列し、または広告してはいけません（規則第15条の3、第147条の4、第149条の8）。

（4）医薬品の競売の禁止

　薬局開設者または店舗販売業者は、医薬品を競売に付してはいけません（規則第15条の4、第147条の5）。

（5）不適切な販売勧誘の禁止

　薬局開設者、店舗販売業者または配置販売業者は、販売しようとする医薬品について広告するときは、当該医薬品を購入し、使用した者による当該医薬品に関する意見その他医薬品の使用が不適正なものとなるおそれのある事項を表示してはならないこととされており、また、医薬品の購入、譲受けの履歴、ホームページの利用の履歴等の情報に基づき、自動的に特定の医薬品の購入、譲受けを勧誘する方法などの医薬品の使用が不適正なものとなるおそれのある方

法により医薬品を広告してはならないこととされています（規則第15条の5、第147条の6、第149条の9）。

確認テスト（○×問題）

問題4-2-72 濫用のおそれのあるものとして厚生労働大臣が指定している医薬品を販売する場合、当該医薬品を購入し、または譲り受けようとする者および当該医薬品を使用しようとする者の他の薬局開設者、店舗販売業者または配置販売業者からの当該医薬品および当該医薬品以外の濫用等のおそれのある医薬品の購入または譲受けの状況を薬剤師または登録販売者に確認させなければならない。

問題4-2-73 濫用等のおそれのあるものとして厚生労働大臣が指定する医薬品を、購入し、または譲り受けようとする者が、適正な使用のために必要と認められる数量を超えて当該医薬品を購入し、または譲り受けようとする場合は、その理由を確認することとされている。

問題4-2-74 濫用等のおそれのあるものとして厚生労働大臣が指定する医薬品を、販売し、または授与するときの確認は、必ず薬剤師が行うこととされている。

問題4-2-75 ブロモバレリル尿素を有効成分として含有する製剤は、濫用等のおそれのあるものとして厚生労働大臣が指定する医薬品である。

問題4-2-76 店舗販売業者は、医薬品の直接の容器または直接の被包に表示された使用の期限を超過した医薬品を、正当な理由なく、販売してはならない。

問題4-2-77 店舗販売業者は、医薬品を競売に付してはならない。

問題4-2-78 薬局開設者は、医薬品を広告する方法として、医薬品の購入の履歴、ホームページの利用の履歴等の情報に基づき、自動的に特定の医薬品の購入を勧誘することが認められている。

確認テスト

問題4-2-79

濫用等のおそれのあるものとして厚生労働大臣が指定する医薬品（平成26年厚生労働省告示第252号）に該当する有効成分として、正しいものの組合せはどれか。

（令和元年　茨城、栃木、群馬、山梨、長野、新潟）

a　ブロモバレリル尿素
b　インドメタシン
c　プレドニゾロン
d　エフェドリン

1 (a、b)　　　　2 (a、d)　　　　3 (b、c)　　　　4 (c、d)

☛ 解答は別冊p.36

4-3 医薬品販売に関する法令遵守

4-3-1 適正な販売広告

1 販売広告

　医薬品の販売広告に関しては、医薬品医療機器等法による保健衛生上の観点からの規制のほか、不当な表示による顧客の誘引を防止するため、「不当景品類及び不当表示防止法」や「特定商取引に関する法律」でも規制されています。

● **誇大広告等（法第66条）**

1 何人も、医薬品、医薬部外品、化粧品、医療機器又は再生医療等製品の名称、製造方法、効能、効果又は性能に関して、明示的であると暗示的であるとを問わず、虚偽又は誇大な記事を広告し、記述し、又は流布してはならない。

2 医薬品、医薬部外品、化粧品、医療機器又は再生医療等製品の効能、効果又は性能について、医師その他の者がこれを保証したものと誤解されるおそれがある記事を広告し、記述し、又は流布することは、前項に該当するものとする。

3 何人も、医薬品、医薬部外品、化粧品、医療機器又は再生医療等製品に関して堕胎を暗示し、又はわいせつにわたる文書又は図画を用いてはならない。

　また、未承認の医薬品の名称、製造方法、効能、効果または性能に関する広告も禁止されています（法第68条）。

　第66条と第68条は、広告の依頼主だけでなく、その広告に関与するすべての人が対象となります。

　一般用医薬品の販売広告は、テレビCMのほか、薬局や店舗での販売促進のためのチラシやダイレクトメール（電子メールを含む）、店頭POP広告も含まれます。①顧客を誘引する意図が明確である、②特定の医薬品の商品名（販売名）が明らかにされている、③一般人が認知できる状態である、このすべてを満た

すと広告とみなされます。

2　違反広告に係る措置命令等

厚生労働大臣または都道府県知事（薬局または店舗販売業にあっては、その薬局または店舗の所在地が保健所設置市または特別区の区域にある場合においては、市長または区長）が法第66条第1項または第68条の規定に違反して広告等を行った者に対してその行為の中止、再発防止等の措置命令を行うことができます（法第72条の5）。

3　課徴金制度

厚生労働大臣が医薬品、医療機器等の名称、製造方法、効能、効果または性能に関する虚偽・誇大な広告を行った者に対して、違反を行っていた期間中における対象商品の売上額×4.5％の課徴金を納付させる命令を行う課徴金制度があります（法第75条の5の2）。

4　医薬品等適正広告基準

この基準においては、購入者等に対して、医薬品について事実に反する認識を得させるおそれがある広告のほか、過度の消費や乱用を助長するおそれがある広告についても不適正なものとされています。

（1）事実に反する認識を得させるおそれがある広告

一般用医薬品では、一般の生活者が医薬品を選択する際に販売広告が一つの判断要素となるので、広告の方法や内容、表現において、医薬品の効能効果や安全性等について事実に反する認識を生じさせることのないよう、また、その医薬品が適正に使用されるよう、正確な情報の伝達が重要です。

一般の生活者が事実に反する認識を得るおそれがある広告については、医薬品の販売元の製薬企業等が取得している承認の範囲を超える内容が表現されている場合、特にその効能効果について、承認された内容に合致しない表現がなされている場合が多いようです。

漢方処方製剤等では、使用する人の体質等を限定した上で特定の症状等に対する改善を目的として、効能効果に一定の前提条件（いわゆる「しばり表現」）が付されていることが多いのですが、そうしたしばり表現を省いて広告するこ

4

薬事関係法規・制度

特定販売

とは原則として認められていません。なお、漢方処方製剤の効能効果は、配合されている個々の生薬成分が相互に作用しているため、それらの構成生薬の作用を個別に挙げて説明することも不適当です。

> **参考** しばり表現（色文字の部分）
> ● 葛根湯（p.116）　「体力中等度以上のものの感冒の初期…」

　一般用医薬品と同じ有効成分を含有する医療用医薬品の効能効果をそのまま標榜することも、承認されている内容を正確に反映した広告といえません。

　一般用医薬品は、医療機関を受診するほどではない体調の不良や疾病の初期段階において使用されるものが多く、医師による診断・治療によらなければ一般に治癒が期待できない疾患（たとえば、がん、糖尿病、心臓病等）について自己治療が可能であるかの広告表現は認められません。

　医薬品の有効性または安全性について、それが確実であることを保証するような表現がなされた広告は、明示的・暗示的を問わず、虚偽または誇大な広告とみなされます（法第66条第1項）。

　また、使用前・使用後に関わらず図画・写真等を掲げる際には、こうした効能効果等の保証表現となるものは認められません。

　このほか、医薬品の効能効果または安全性について、最大級の表現またはこれに類する表現等を行うことも不適当とされています。

　なお、チラシやパンフレット等の同一紙面に、医薬品と、食品、化粧品、雑貨類等の医薬品ではない製品を併せて掲載すること自体は問題ありませんが、医薬品でない製品について医薬品的な効能効果があるように見せかけ、一般の生活者に誤認を与えるおそれがある場合には、必要な承認等を受けていない医薬品の広告とみなされることがあり、その場合には法第68条の違反となります。

（2）過度の消費や乱用を助長するおそれのある広告

　医薬品は、何らかの保健衛生上のリスクを有し、人の生命や健康に影響を与える生命関連製品であるため、過度の消費や乱用が助長されることのないよう、また、生命関連製品としての信用や品位が損なわれることのないよう、その広告については節度ある適切な内容や表現が求められます。

　販売広告に価格の表示や特定商品の名称と価格が特記表示されていることをもって直ちに不適当とみなされることはありませんが、たとえば、商品名を連呼する音声広告や、生活者の不安を煽って購入を促す広告等、医薬品が不必要

な人にまで使用を促したり、安易な使用を促すおそれがあったりするものについては、保健衛生上の観点から必要な監視指導が行われています。

また、「天然成分を使用しているので副作用がない」「いくら飲んでも副作用がない」といった事実に反する広告表現は、過度の消費や乱用を助長するおそれがあるだけでなく、虚偽誇大な広告にも該当します。

さらに、医薬関係者、医療機関、公的機関、団体等が、公認、推薦、選用等している旨の広告については、一般の生活者の当該医薬品に対する認識に与える影響が大きいことにかんがみて、仮に事実であったとしても、原則として不適当とされています。ただし、市町村が行う衛生害虫類駆除事業に際して特定の殺虫剤・殺そ剤の使用を住民に推薦するときのような、特別な場合を除きます。

なお、チラシやパンフレット等において、医薬品について食品的または化粧品的な用法が強調されているような場合には、生活者に安易または過度な医薬品の使用を促すおそれがある不適正な広告とみなされることがあるため注意が必要です。

確認テスト（○×問題）

問題4-3-1　一般用医薬品の広告では、心臓病について自己治療が可能であることの広告表現が認められている。

問題4-3-2　医師が推薦している旨の広告については、仮に事実であったとしても、原則として不適当とされる。

問題4-3-3　医薬品の過度な消費や乱用を助長する広告は、適正な広告とはいえない。

問題4-3-4　「天然成分を使用しているので副作用がない」という広告表現は、過度の消費や乱用を助長するおそれがあり不適当である。

問題4-3-5　承認されている効能効果の一部のみを強調して広告することは適当である。

問題4-3-6　製薬会社または医薬品販売業者以外の者が虚偽誇大な広告を行った場合は、医薬品医療機器等法の規定による罰則は適用されない。

問題4-3-7　使用する人の体質等を限定するなど効能効果に一定の条件、いわゆる「しばり表現」が付された漢方処方製剤において、その表現を省いて広告しても問題ない。

問題4-3-8　医師が効能、効果等について保証したものであれば、承認前の医薬品でも広告することができる。

☛ 解答は別冊p.36

4-3-2　適正な販売方法

1　販売方法

　薬局または医薬品の販売業において、一般用医薬品の販売等が法令を遵守して適正に行われるためには、販売広告のほか、その許可の種類に応じた許可行為の範囲、対面販売の原則、一般用医薬品のリスク区分およびリスク区分に応じた情報提供ならびに法定表示事項等へ留意した販売方法について、注意することが重要です（規則第159条の14から第159条の17、構造設備規則第1条第1項第13号、構造設備規則第2条第12号）。

2　不適正な販売方法

　消費者に医薬品の過度の消費や乱用を助長するおそれがある販売方法については、販売広告と同様に、保健衛生上の観点から必要な監視指導が行われています。

　キャラクターグッズ等の景品類を提供して販売することに関しては、不当景品類及び不当表示防止法の限度内であれば認められていますが、医薬品を懸賞や景品として授与することは、原則として認められていません。

　購入者の利便性のため、異なる複数の医薬品または医薬品と他の物品を組み合わせて販売または授与する場合には、組み合わせた医薬品について、購入者に対して情報提供を十分に行える程度の範囲内であって、かつ、組み合わせることに合理性が認められるものでなければなりません。したがって、効能効果が重複する組合せや、相互作用等により保健衛生上の危害を生じるおそれのある組合せは不適当となります。

　なお、組み合わせた個々の医薬品等の外箱等に記載された法に基づく法定表示が、組み合わせ販売のため使用される容器の外から明瞭に見えるようになっている必要があります（法第51条）。

　薬局および店舗販売業において、許可を受けた薬局または店舗以外の場所に医薬品を貯蔵または陳列し、そこを拠点として販売等に供するような場合、また、配置販売業において、医薬品を先用後利によらず現金売りを行うことは、いずれも法第37条第1項の規定に違反するものとして取締りの対象となります。

　なお、購入者がその購入した医薬品を業として他者に提供することが推定される場合において、購入者の求めるままに医薬品を販売すると、法第24条第1項の規定に違反する行為（医薬品の無許可販売）に便宜を与えることにつながるおそれがあります（p.286参照）。登録販売者は、積極的に事情を尋ねるなど慎重に対処し、状況によっては販売を差し控えることが望まれます。

> **参考**　医薬品等の販売広告に関しては、医薬品医療機器等法による規制のほか、「不当景品類及び不当表示防止法」や「特定商取引に関する法律」でも規制されています。

4

薬事関係法規・制度

確認テスト（○×問題）

問題4-3-9　医薬品を懸賞の賞品とすることは原則として認められていない。
☑ ☑ ☑

問題4-3-10　キャラクターグッズ等の景品類を提供して一般用医薬品を販売することは、いかなる場合であっても認められない。
☑ ☑ ☑

問題4-3-11　一般用医薬品を組み合わせて販売する場合は、購入者に対して情報提供を十分に行える範囲で、かつ、組み合わせることに合理性が認められるものでなければならない。
☑ ☑ ☑

問題4-3-12　効能が同じ医薬品を組合わせて販売することは適当であるとされている。
☑ ☑ ☑

問題4-3-13　風邪薬と体温計をセットにして販売することは認められていない。
☑ ☑ ☑

問題4-3-14　一般用医薬品を景品として授与することは、サンプル品を提供するような場合を除き、原則認められない。
☑ ☑ ☑

問題4-3-15　販売者の都合による在庫処分の目的で、医薬品を組み合わせて販売を行うことは、厳に認められない。
☑ ☑ ☑

問題4-3-16　店舗販売業者は、許可を受けた店舗以外の出張所に一般用医薬品を授与の目的で貯蔵することが認められている。
☑ ☑ ☑

問題4-3-17　配置販売業の許可を取得すれば、医薬品を現金売り（現金行商）することが可能である。
☑ ☑ ☑

適正な販売方法

🔗 解答は別冊 p.36

4-3-3　行政の監視指導

1　薬事監視員

　厚生労働大臣、都道府県知事、保健所を設置する市（保健所設置市）の市長および特別区の区長は、その職員のうちから薬事監視員を命じ（法第76条の3第1項）、監視指導を行わせています。

　薬局および医薬品の販売業に関する監視指導に関しては、許可を与えた所管の都道府県または保健所設置市もしくは特別区の薬事監視員が行っています。

● **薬事監視員の職務権限（立入検査等）**

・現場に立ち入り、その構造設備もしくは帳簿書類等を検査すること。
・従業員その他の関係者に質問すること。
・無承認無許可医薬品、不良医薬品または不正表示医薬品等の疑いのある物を、試験のため必要な最少分量に限り、収去すること。

2　罰則

　これらの行政庁の監視指導に対して、薬局開設者や医薬品の販売業者が、命ぜられた報告を怠ったり、虚偽の報告をした場合、薬事監視員による立入検査や収去を拒んだり、妨げたり、忌避した場合、また、薬剤師や登録販売者を含む従業員が、薬事監視員の質問に対して正当な理由なく答弁しなかったり、虚偽の答弁を行った場合には、50万円以下の罰金に処せられます（法第87条）。

3　行政庁による処分

　行政庁の監視指導の結果、厚生労働大臣、都道府県知事等が必要があると認めるときには、次の処分を命じることができます。

(1) 改善命令

　都道府県知事（保健所設置市長または特別区長）は、薬局開設者または医薬品の販売業者（配置販売業者を除く）に対して、その構造設備が基準に適合せず、またはその構造設備によって不良医薬品を生じるおそれがある場合においては、

その構造設備の改善を命じ、またはその改善がなされるまでの間当該施設の全部もしくは一部の使用を禁止することができます（法第72条第4項の規定に基づく改善命令、施設の使用禁止処分）。

また、一般用医薬品の販売等を行うための業務体制が基準（体制省令）に適合しなくなった場合において、その業務態勢の整備を命ずることができます（法第72条の2に基づく命令）。

このほか、薬事に関する法令に違反する行為があった場合において、保健衛生上の危害の発生または拡大を防止するため必要があると認めるとき、さらに、許可の際に付された条件に違反する行為があったときは、必要な措置を採るべきことを命ずることができます（法第72条の4第2項に基づく改善措置命令）。

加えて、管理者として不適当であると認めるときは、その薬局開設者または医薬品の販売業者に対して、その変更を命ずることができます（法第73条の規定に基づく管理者の変更命令）。

確認テスト（○×問題）

問題4-3-18 薬事監視員は、医薬品の販売業者に対して必要な報告をさせることができる。

問題4-3-19 薬事監視員は、不正医薬品の疑いのある物を、試験のために必要な最少分量収去することができる。

問題4-3-20 薬事監視員は、薬局開設者が医薬品を業務上取り扱う場所に立ち入り、帳簿書類を検査することができる。

問題4-3-21 薬事監視員は、医薬品医療機器等法違反が明らかとなった者を逮捕することができる。

問題4-3-22 薬事監視員による立入検査は、業務が多忙で対応できない場合は断ることができる。

問題4-3-23 都道府県知事は、薬局開設者に対して、その構造設備が厚生労働省令で定める基準に適合しない場合、その構造設備の改善を命じなければならない。

問題4-3-24 厚生労働大臣、都道府県知事、保健所を設置する市の市長または特別区の区長は、不正医薬品の疑いのある物を、試験のために必要な最小分量収去することができる。

問題4-3-25 薬局開設者および医薬品の販売業者が、監視指導に対し虚偽の報告を行った場合、50万円以下の罰金に処せられることがある。

🔵 解答は別冊p.37

（2）業務停止命令

　都道府県知事は、配置販売業の配置員が、その業務に関し、法もしくはこれに基づく命令、またはこれらに基づく処分に違反する行為があったときは、その配置販売業者に対して、期間を定めてその配置員による配置販売の業務の停止を命ずることができます（法第74条の規定に基づく業務停止命令）。命令に違反した者は「1年以下の懲役もしくは100万円以下の罰金」です（法第86条第1項第21号）。

　さらに、都道府県知事（保健所設置市長または特別区長）は、薬局開設者または医薬品の販売業者について、薬事に関する法令またはこれに基づく処分に違反する行為があったとき、その許可を取り消し、または期間を定めてその業務の全部もしくは一部の停止を命ずることができます（法第75条第1項の規定に基づく許可の取消し、業務停止命令）。命令に違反した者は「2年以下の懲役もしくは200万円以下の罰金」です（法第85条第6号）。

（3）廃棄・回収命令

　厚生労働大臣または都道府県知事（保健所設置市長または特別区長）は、医薬品を業務上取り扱う者（薬局開設者、医薬品の販売業者を含む）に対し、不正表示医薬品、不良医薬品、無承認無許可医薬品等について、廃棄、回収その他公衆衛生上の危険の発生を防止するに足りる措置を採るべきことを命ずることができます（法第70条第1項の規定に基づく廃棄等の命令）。

　また、厚生労働大臣、都道府県知事、保健所設置市の市長または特別区の区長は、本命令を受けた者がその命令に従わないとき、または緊急の必要があるときは、その職員（薬事監視員）に、その不正表示医薬品等を廃棄させ、もしくは回収させ、またはその他の必要な処分をさせることができます（法第70条第2項）。命令に違反し、またはその廃棄その他の処分を拒み、妨げ、もしくは忌避した者については、「3年以下の懲役もしくは300万円以下の罰金に処し、またはこれを併科する」（法第84条第19号）こととされています。

（4）苦情相談窓口

　一般用医薬品について、行政には、生活者からの苦情や相談が寄せられています。その苦情等の内容から、薬事に関する法令への違反、不遵守につながる情報が見出された場合には、立入検査等によって事実関係を確認のうえ、問題とされた薬局開設者または医薬品の販売業者等に対して、必要な指導、処分等を行っています。

　また、そのような生活者からの苦情などは、独立行政法人国民生活センター、各地区の消費生活センターまたは消費者団体等の民間団体にも寄せられています。それらの機関、団体等では、生活者へのアドバイスのほか、必要に応じて行政庁への通報や問題提起を行っています。

確認テスト（○×問題）

問題4-3-26 行政庁による店舗販売業者に対する処分のうち、「業務停止命令」は命令することができない。

問題4-3-27 行政庁による店舗販売業者に対する処分のうち、「廃棄・回収命令」は命令することができない。

問題4-3-28 厚生労働大臣または都道府県知事は、医薬品を業務上取り扱う者に対して、不良医薬品等の廃棄、回収その他公衆衛生上の危険の発生を防止するに足りる措置を採るべきことを命じることができる。

問題4-3-29 配置販売業の配置員が、その業務に関し、医薬品医療機器等法またはこれに基づく処分に違反する行為があったときは、その配置販売業者に対して、期間を定めてその配置員による配置販売の業務の停止を命ずることができる。

問題4-3-30 行政庁による店舗販売業者に対する処分のうち、「店舗管理者の解雇命令」は命令することができない。

問題4-3-31 医薬品医療機器等法の規定に違反したときは、期間を定めてその業務の全部または一部の停止を命じられることがある。

問題4-3-32 医薬品医療機器等法の規定に違反しても、懲役に処せられることはない。

問題4-3-33 医薬品に関する苦情相談が寄せられ、立入検査等により違反の事実が確認された場合、行政庁は必要に応じて、許可の取消等の処分を行うことがある。

問題4-3-34 一般用医薬品の販売等に関する相談窓口は、行政庁のみに設置されている。

問題4-3-35 消費生活センターには薬事監視員が配属されていないため、医薬品に関する相談は受けていない。

問題4-3-36 独立行政法人国民生活センターは、生活者へのアドバイスを行うほか、必要に応じて行政への通報を行っている。

☞ 解答は別冊p.37

別表

▼別表4-1　医薬部外品の効能効果の範囲

(1) 衛生害虫類の防除のため使用される医薬部外品	効能効果の範囲
殺鼠剤：保健のためにするねずみの防除を目的とする製剤	殺鼠、ねずみの駆除、殺滅または防止
殺虫剤：衛生のためにするはえ、蚊、のみ等の衛生害虫の防除を目的とする製剤	殺虫、はえ、蚊、のみ等の駆除または防止
忌避剤（虫除け薬）：はえ、蚊、のみ等の衛生害虫の忌避を目的とする外用剤	蚊成虫、ブユ（ブヨ）、サシバエ、ノミ、イエダニ、トコジラミ（ナンキンムシ）等の忌避

(2) 医薬品から医薬部外品へ移行した製品群	効能効果の範囲
平成16年に医薬品から移行した新範囲医薬部外品	
健胃薬：胃のもたれ、食欲不振、食べすぎ、飲みすぎ等の諸症状を改善することを目的とする内用剤（煎じて使用するものを除く）	食欲不振（食欲減退）、胃弱、胃部膨満感・腹部膨満感、消化不良、食べすぎ、飲みすぎ、胸やけ、胃もたれ、胸つかえ、吐き気、胃のむかつき、むかつき（二日酔い、悪酔い時を含む）、嘔気、悪心、嘔吐、栄養補給（妊産婦、授乳婦、虚弱体質者を含む）、栄養障害、健胃
整腸薬：腸内の細菌叢を整え、腸運動を調節することを目的とする内用剤（煎じて使用するものを除く）	整腸、便通を整える、腹部膨満感、便秘、軟便（腸内細菌叢の異常による症状を含む）
消化薬：消化管内の食物等の消化を促進することを目的とする内用剤	消化促進、消化不良、食欲不振（食欲減退）、食べすぎ（過食）、もたれ（胃もたれ）、胸つかえ、消化不良による胃部膨満感・腹部膨満感
健胃消化薬：食欲不振、消化促進、整腸等の複数の胃腸症状を改善することを目的とする内用剤	食欲不振（食欲減退）、胃弱、胃部膨満感・腹部膨満感、消化不良、消化促進、食べすぎ（過食）、飲みすぎ、胸やけ、もたれ（胃もたれ）、胸つかえ、健胃、むかつき（二日酔い、悪酔い時を含む）、嘔気、悪心、嘔吐、吐き気、栄養補給（妊産婦、授乳婦、虚弱体質者を含む）、栄養障害、整腸、便通を整える、便秘、軟便（腸内細菌叢の異常による症状を含む）
瀉下薬：腸内に滞留・膨潤することにより、便秘等を改善することを目的とする内用剤	便通を整える（整腸）、軟便、腹部膨満感、便秘、痔、下痢軟便の繰り返し、便秘に伴う頭重・のぼせ・肌あれ・吹き出物・食欲不振（食欲減退）・腹部膨満感、腸内異常発酵

ビタミン含有保健薬：ビタミン、アミノ酸その他身体の保持等に必要な栄養素の補給等を目的とする内用剤	滋養強壮、虚弱体質、次の場合の栄養補給：胃腸障害、栄養障害、産前産後、小児・幼児の発育期、偏食児、食欲不振、肉体疲労、妊娠授乳期、発熱性消耗性疾患、病後の体力低下、病中病後
カルシウム含有保健薬：カルシウムの補給等を目的とする内用剤（用時調整して使用するものを除く）	妊娠授乳期・老年期・発育期のカルシウム補給、虚弱体質の場合の骨歯の発育促進、骨歯の脆弱防止（妊娠授乳期）、カルシウム不足、カルシウム補給（栄養補給、妊娠授乳期）、腺病質、授乳期及び小児発育期のカルシウム補給源
生薬主剤保健薬：虚弱体質、肉体疲労、食欲不振、発育期の滋養強壮等を目的とする生薬配合内用剤（煎じて使用するものを除く）	虚弱体質、肉体疲労、病中病後・病後の体力低下、胃腸虚弱、食欲不振、血色不良、冷え症、発育期の滋養強壮
鼻づまり改善薬：胸またはのど等に適用することにより、鼻づまりやくしゃみ等のかぜに伴う諸症状の緩和を目的とする外用剤（蒸気を吸入して使用するものを含む）	鼻づまり、くしゃみ等のかぜに伴う諸症状の緩和
殺菌消毒薬：手指及び皮膚の表面または創傷部に適用することにより、殺菌すること等を目的とする外用剤（絆創膏を含む）	手指・皮膚の殺菌・消毒、外傷の消毒・治療・殺菌作用による傷の化膿の防止、一般外傷・擦傷、切傷の殺菌・消毒、傷面の殺菌・消毒、切り傷・すり傷・さし傷・かき傷・靴ずれ・創傷面の殺菌・消毒・被覆
しもやけ・あかぎれ用薬：手指、皮膚または口唇に適用することにより、しもやけや唇のひびわれ・ただれ等を改善することを目的とする外用剤	ひび、あかぎれ、手指のひび、皮膚のあれ、皮膚の保護、手指のひらのあれ、ひじ・ひざ・かかとのあれ、かゆみ、かゆみどめ、しもやけ、口唇のひびわれ・ただれ、口唇炎、口角炎
含嗽薬：口腔内またはのどの殺菌、消毒、洗浄等を目的とするうがい用薬（適量を水で薄めて用いるものに限る）	口腔内・のど（咽頭）の殺菌・消毒・洗浄、口臭の除去
コンタクトレンズ装着薬：ソフトコンタクトレンズまたはハードコンタクトレンズの装着を容易にすることを目的とするもの	ソフトコンタクトレンズまたはハードコンタクトレンズの装着を容易にする
いびき防止薬：いびきの一時的な抑制・軽減を目的とする点鼻剤	いびきの一時的な抑制・軽減
口腔咽喉薬：のどの炎症による痛み・はれの緩和等を目的とするトローチ剤、口腔用スプレー剤・塗布剤	のどの炎症によるのどの痛み・のどのはれ・のどの不快感・のどのあれ・声がれ、口腔内の殺菌・消毒・清浄、口臭の除去
平成11年に医薬品から移行した新指定医薬部外品	
のど清涼剤：のどの不快感を改善することも目的とする内用剤（トローチ剤及びドロップ剤）	たん、のどの炎症による声がれ、のどのあれ、のどの不快感、のどの痛み、のどのはれ

健胃清涼剤：胃の不快感の改善を目的とする内用剤（カプセル剤、顆粒剤、丸剤、散剤、舐剤、錠剤、内用液剤）	食べすぎまたは飲みすぎによる胃部不快感及び吐き気（むかつき、胃のむかつき、二日酔い・悪酔いのむかつき、嘔気、悪心）
きず消毒保護剤：すり傷、切り傷、さし傷、かき傷、靴ずれまたは創傷面の消毒及び保護を目的とする外用剤（外用液剤、絆創膏類）	すり傷、切り傷、さし傷、かき傷、靴ずれ、創傷面の消毒・保護（被覆）
外皮消毒剤：すり傷、切り傷、さし傷、かき傷、靴ずれ、創傷面等の洗浄または消毒を目的とする外用剤（外用液剤、軟膏剤）	・すり傷、切り傷、さし傷、かき傷、靴ずれ、創傷面の洗浄・消毒 ・手指・皮膚の洗浄・消毒
ひび・あかぎれ用剤：ひび、あかぎれ等の改善を目的とする外用剤（軟膏剤に限る）	・**クロルヘキシジン主剤製剤**：ひび、あかぎれ、すり傷、靴ずれ ・**メントール・カンフル主剤製剤**：ひび、しもやけ、あかぎれ ・**ビタミンAE主剤製剤**：ひび、しもやけ、あかぎれ、手足のあれの緩和
あせも・ただれ用剤：あせも、ただれの改善を目的とする外用剤（外用液剤、軟膏剤）	あせも、ただれの緩和・防止
うおのめ・たこ用剤：うおのめ、たこの改善を目的とする絆創膏	うおのめ、たこ
かさつき・あれ用剤：手足のかさつきまたはあれの改善を目的とする外用剤（軟膏剤に限る）	手足のかさつき・あれの緩和
ビタミン剤：1種類以上のビタミンを主体とした製剤であって、肉体疲労時、中高年期等における当該ビタミンの補給に用いることを目的とする内用剤（カプセル剤、顆粒剤、丸剤、散剤、舐剤、錠剤、ゼリー状ドロップ剤、内用液剤）	・**ビタミンE剤**：中高年期のビタミンEの補給 ・**ビタミンC剤**：肉体疲労時、妊娠・授乳期、病中病後の体力低下時または中高年期のビタミンCの補給 ・肉体疲労時、病中病後の体力低下時または中高年期のビタミンECの補給
カルシウム補給剤：1種類以上のカルシウムを主体とした製剤であって、妊娠授乳期、発育期等におけるカルシウムの補給に用いることを目的とする内用剤（カプセル剤、顆粒剤、散剤、錠剤、内用液剤）	妊娠・授乳期・発育期・中高年期のカルシウムの補給
ビタミン含有保健剤：1種類以上のビタミンを配合した製剤であって、滋養強壮、虚弱体質等の改善及び肉体疲労などの場合における栄養補給に用いることを目的とする内用剤（カプセル剤、顆粒剤、丸剤、散剤、錠剤、内用液剤）	滋養強壮、虚弱体質、肉体疲労・病中病後（または病後の体力低下）・食欲不振（または胃腸障害）・栄養障害・発熱性消耗性疾患、妊娠授乳期（または産前産後）等の場合の栄養補給

平成8年に医薬品から移行した医薬部外品	
ソフトコンタクトレンズ用消毒剤：ソフトコンタクトレンズの消毒に用いられる化学消毒剤	ソフトコンタクトレンズの消毒

(3) その他の医薬部外品	効能効果の範囲
口中清涼剤：吐き気その他の不快感の防止を目的とする内用剤	溜飲、悪心・嘔吐、乗物酔い、二日酔い、宿酔、口臭、胸つかえ、気分不快、暑気あたり
腋臭防止剤：体臭の防止を目的とする外用剤	わきが（腋臭）、皮膚汗臭、制汗
てんか粉類：あせも、ただれ等の防止を目的とする外用剤	あせも、おしめ（おむつ）かぶれ、ただれ、股ずれ、カミソリまけ
育毛剤（養毛剤）：脱毛の防止及び育毛を目的とする外用剤	育毛、薄毛、かゆみ、脱毛の予防、毛生促進、発毛促進、ふけ、病後・産後の脱毛、養毛
除毛剤：除毛を目的とする外用剤	除毛
生理処理用ナプキン：経血を吸収処理することを目的とする綿類（紙綿類を含む）	生理処理用
清浄用綿類：塩化ベンザルコニウム水溶液またはクロルヘキシジングルコン酸塩水溶液を有効成分とする、衛生上の用に供されることを目的とする綿類（紙綿類を含む）	・乳児の皮膚または口腔の清浄または清拭 ・授乳時の乳首または乳房の清浄または清拭 ・目、性器または肛門の清浄または清拭
染毛剤（脱色剤、脱染剤を含む）：毛髪の染色[(1)]、脱色または脱染を目的とする外用剤	染毛、脱色、脱染
パーマネント・ウェーブ用剤：毛髪のウェーブ等を目的とする外用剤	・毛髪にウェーブをもたせ、保つ。 ・くせ毛、ちぢれ毛またはウェーブ毛髪をのばし、保つ
薬用石けん（洗顔料を含む）：化粧品としての使用目的を併せて有する石けん類似の剤形の外用剤	・**殺菌剤主剤製剤**：皮膚の清浄・殺菌・消毒、体臭・汗臭及びにきびを防ぐ ・**消炎剤主剤製剤**：皮膚の清浄、にきび・カミソリまけ及び肌あれを防ぐ

4

薬事関係法規・制度

別表

337

薬用歯みがき類：化粧品としての使用目的を併せて有する歯みがきと類似の剤形の外用剤、洗口することを目的とするもの（洗口液）	①ブラッシングにより歯を磨くことを目的とするもの：歯周炎（歯槽膿漏）の予防、歯肉（齦）炎の予防、歯石の形成および沈着を防ぐ、むし歯の発生および進行の予防、口臭またはその発生の防止、タバコのやに除去、歯がしみるのを防ぐ、歯を白くする、口中を浄化する、口中を爽快にする、むし歯を防ぐ ②口に含みすすいで、吐き出した後ブラッシングにより歯を磨くことを目的とするもの：歯周炎（歯槽膿漏）の予防、歯肉（齦）炎の予防、むし歯の発生および進行の予防、口臭またはその発生の防止、歯を白くする、口中を浄化する、口中を爽快にする、むし歯を防ぐ ③洗口することを目的とするもの：口臭またはその発生の防止、口中を浄化する、口中を爽快にする
薬用化粧品類：化粧品としての使用目的[(2)] を併せて有する化粧品類似の剤形の外用剤	・シャンプー・リンス：ふけ・かゆみを防ぐ、毛髪・頭皮の汗臭を防ぐ、毛髪・頭皮を清浄にする、毛髪の水分・脂肪を補い保つ、裂毛・切毛・枝毛を防ぐ、毛髪・頭皮をすこやかに保つまたは毛髪をしなやかにする ・化粧水・クリーム・乳液・化粧用油、パック：肌あれ、あれ性、あせも・しもやけ・ひび・あかぎれ・にきびを防ぐ、油性肌、カミソリまけを防ぐ、日やけによるシミ・そばかすを防ぐ、日やけ・雪やけ後のほてり、肌をひきしめる、肌を清浄にする、肌を整える、皮膚をすこやかに保つ、皮膚にうるおいを与える、皮膚を保護する、皮膚の乾燥を防ぐ ・ひげそり用剤：カミソリまけを防ぐ、皮膚を保護し、ひげを剃りやすくする ・日やけ止め剤：日やけ・雪やけによる肌あれを防ぐ、日やけ・雪やけを防ぐ、日やけによるシミ・そばかすを防ぐ、皮膚を保護する
浴用剤：原則としてその使用法が浴槽中に投入して用いられる外用剤（浴用石けんを除く）	あせも、荒れ性、打ち身、肩の凝り、くじき、神経痛、湿疹、しもやけ、痔、冷え症、腰痛、リウマチ、疲労回復、ひび、あかぎれ、産前産後の冷え症、にきび

（1）毛髪を単に物理的に染色するものは含まない。
（2）人の身体を清潔にし、美化し、魅力を増し、容貌を変え、または皮膚もしくは毛髪を健やかに保つために使用される目的（法第2条第3項）

▼別表4-2　化粧品の効能効果の範囲

(1) 頭皮、毛髪を清浄にする。	(31) 肌にツヤを与える。
(2) 香りにより毛髪、頭皮の不快臭を抑える。	(32) 肌を滑らかにする。
(3) 頭皮、毛髪をすこやかに保つ。	(33) ひげを剃りやすくする。
(4) 毛髪にはり、こしを与える。	(34) ひげそり後の肌を整える。
(5) 頭皮、頭髪にうるおいを与える。	(35) あせもを防ぐ (打粉)。
(6) 頭皮、毛髪のうるおいを保つ。	(36) 日やけを防ぐ。
(7) 毛髪をしなやかにする。	(37) 日やけによるシミ、ソバカスを防ぐ。
(8) クシどおりをよくする。	(38) 芳香を与える。
(9) 毛髪のつやを保つ。	(39) 爪を保護する。
(10) 毛髪につやを与える。	(40) 爪をすこやかに保つ。
(11) フケ、カユミがとれる。	(41) 爪にうるおいを与える。
(12) フケ、カユミを抑える。	(42) 口唇の荒れを防ぐ。
(13) 毛髪の水分、油分を補い保つ。	(43) 口唇のキメを整える。
(14) 裂毛、切毛、枝毛を防ぐ。	(44) 口唇にうるおいを与える。
(15) 髪型を整え、保持する。	(45) 口唇をすこやかにする。
(16) 毛髪の帯電を防止する。	(46) 口唇を保護する。口唇の乾燥を防ぐ。
(17) (汚れをおとすことにより) 皮膚を清浄にする。	(47) 口唇の乾燥によるカサツキを防ぐ。
	(48) 口唇を滑らかにする。
(18) (洗浄により) ニキビ、アセモを防ぐ (洗顔料)。	(49) ムシ歯を防ぐ (使用時にブラッシングを行う歯みがき類)。
(19) 肌を整える。	(50) 歯を白くする (使用時にブラッシングを行う歯みがき類)。
(20) 肌のキメを整える。	
(21) 皮膚をすこやかに保つ。	(51) 歯垢を除去する (使用時にブラッシングを行う歯みがき類)。
(22) 肌荒れを防ぐ。	
(23) 肌をひきしめる。	(52) 口中を浄化する (歯みがき類)。
(24) 皮膚にうるおいを与える。	(53) 口臭を防ぐ (歯みがき類)。
(25) 皮膚の水分、油分を補い保つ。	(54) 歯のやにを取る (使用時にブラッシングを行う歯みがき類)。
(26) 皮膚の柔軟性を保つ。	
(27) 皮膚を保護する。	(55) 歯石の沈着を防ぐ (使用時にブラッシングを行う歯みがき類)。
(28) 皮膚の乾燥を防ぐ。	
(29) 肌を柔らげる。	(56) 乾燥による小ジワを目立たなくする。
(30) 肌にはりを与える。	

注1) たとえば、「補い保つ」は「補う」または「保つ」との効能でも可とする。
注2) 「皮膚」と「肌」の使い分けは可とする。
注3) ( ) 内は、効能には含めないが、使用形態から考慮して、限定するものである。

　このほかに、「化粧くずれを防ぐ」、「小じわを目立たなくみせる」、「みずみずしい肌に見せる」等のメーキャップ効果及び「清涼感を与える」、「爽快にする」等の使用感等を表示し、広告することは事実に反しない限り認められている。

4

薬事関係法規・制度

別表

▼別表4-3　特定保健用食品：これまでに認められている主な特定の保健の用途

表示内容	保健機能成分
おなかの調子を整える等	各種オリゴ糖、ラクチュロース、ビフィズス菌、各種乳酸菌、食物繊維（難消化性デキストリン、ポリデキストロース、グアーガム分解物、サイリウム種皮等）
血糖値が気になる方に適する、食後の血糖値の上昇を緩やかにする等の血糖値関係	難消化性デキストリン、小麦アルブミン、グアバ葉ポリフェノール、L-アラビノース等
血圧が高めの方に適する等の血圧関係	ラクトトリペプチド、カゼインドデカペプチド、杜仲葉配糖体（ベニポシド酸）、サーデンペプチド等
コレステロールが高めの方に適する等のコレステロール関係	キトサン、大豆たんぱく質、低分子化アルギン酸ナトリウム
歯の健康維持に役立つ等の歯関係	パラチノース、マルチトール、エリスリトール等
コレステロール＋おなかの調子、中性脂肪＋コレステロール等	低分子化アルギン酸ナトリウム、サイリウム種皮等
骨の健康維持に役立つ等の骨関係	大豆イソフラボン、MBP（乳塩基性たんぱく質）等
カルシウム等の吸収を高める等のミネラルの吸収関係	クエン酸リンゴ酸カルシウム、カゼインホスホペプチド、ヘム鉄、フラクトオリゴ糖等
食後の血中中性脂肪が上昇しにくいまたは身体に脂肪がつきにくい等の中性脂肪関係	中性脂肪酸等

（参考）主な情報入手先
（独）国立健康・栄養研究所
「健康食品」の安全性・有効性情報　　　https://hfnet.nih.go.jp/

▼別表4-4　栄養機能食品：栄養機能表示と注意喚起表示

栄養成分	栄養機能表示	注意喚起表示
亜鉛	亜鉛は、味覚を正常に保つのに必要な栄養素です。 亜鉛は、皮膚や粘膜の健康維持を助ける栄養素です。 亜鉛は、たんぱく質・核酸の代謝に関与して、健康の維持に役立つ栄養素です。	本品は、多量摂取により疾病が治癒したり、より健康が増進するものではありません。亜鉛の摂りすぎは、銅の吸収を阻害するおそれがありますので、過剰摂取にならないよう注意してください。1日の摂取の目安を守ってください。 乳幼児・小児は本品の摂取を避けてください。
カルシウム	カルシウムは、骨や歯の形成に必要な栄養素です。	本品は、多量摂取により疾病が治癒したり、より健康が増進するものではありません。1日の摂取目安量を守ってください。
鉄	鉄は、赤血球を作るのに必要な栄養素です。	
銅	銅は、赤血球の形成を助ける栄養素です。 銅は、多くの体内酵素の正常な働きと骨の形成を助ける栄養素です。	本品は、多量摂取により疾病が治癒したり、より健康が増進するものではありません。1日の摂取目安量を守ってください。 乳幼児・小児は本品の摂取を避けてください。
マグネシウム	マグネシウムは、骨の形成や歯の形成に必要な栄養素です。 マグネシウムは、多くの体内酵素の正常な働きとエネルギー産生を助けるとともに、血液循環を正常に保つのに必要な栄養素です。	本品は、多量摂取により疾病が治癒したり、より健康が増進するものではありません。多量に摂取すると軟便(下痢)になることがあります。1日の摂取目安量を守ってください。 乳幼児・小児は本品の摂取を避けてください。
ナイアシン	ナイアシンは、皮膚や粘膜の健康維持を助ける栄養素です。	本品は、多量摂取により疾病が治癒したり、より健康が増進するものではありません。1日の摂取目安量を守ってください。
パントテン酸	パントテン酸は、皮膚や粘膜の健康維持を助ける栄養素です。	
ビオチン	ビオチンは、皮膚や粘膜の健康維持を助ける栄養素です。	
ビタミンA	ビタミンAは、夜間の視力の維持を助ける栄養素です。 ビタミンAは、皮膚や粘膜の健康維持を助ける栄養素です。	本品は、多量摂取により疾病が治癒したり、より健康が増進するものではありません。1日の摂取目安量を守ってください。 妊娠3か月以内または妊娠を希望する女性は過剰摂取にならないよう注意してください。
β-カロテン[3] (ビタミンAの前駆体)	β-カロテンは、夜間の視力の維持を助ける栄養素です。 β-カロテンは、皮膚や粘膜の健康維持を助ける栄養素です。	本品は、多量摂取により疾病が治癒したり、より健康が増進するものではありません。1日の摂取目安量を守ってください。

ビタミンB_1	ビタミンB_1は、炭水化物からのエネルギー産生と皮膚と粘膜の健康維持を助ける栄養素です。	本品は、多量摂取により疾病が治癒したり、より健康が増進するものではありません。1日の摂取目安量を守ってください。
ビタミンB_2	ビタミンB_2は、皮膚や粘膜の健康維持を助ける栄養素です。	
ビタミンB_6	ビタミンB_6は、たんぱく質からのエネルギーの産生と皮膚や粘膜の健康維持を助ける栄養素です。	
ビタミンB_{12}	ビタミンB_{12}は、赤血球の形成を助ける栄養素です。	
ビタミンC	ビタミンCは、皮膚や粘膜の健康維持を助けるとともに、抗酸化作用を持つ栄養素です。	
ビタミンD	ビタミンDは、腸管のカルシウムの吸収を促進し、骨の形成を助ける栄養素です。	
ビタミンE	ビタミンEは、抗酸化作用により、体内の脂質を酸化から守り、細胞の健康維持を助ける栄養素です。	
葉酸	葉酸は、赤血球の形成を助ける栄養素です。葉酸は、胎児の正常な発育に寄与する栄養素です。	本品は、多量摂取により疾病が治癒したり、より健康が増進するものではありません。1日の摂取目安量を守ってください。本品は、胎児の正常な発育に寄与する栄養素ですが、多量摂取により胎児の発育が良くなるものではありません。

(3) ビタミンAの前駆体であるβ-カロテンは、ビタミンA源の栄養機能食品として、ビタミンAと同様に栄養機能表示が認められている。β-カロテンはビタミンAに換算して1/12であるため、「妊娠3か月以内または妊娠を希望する女性は過剰摂取にならないように注意してください。」旨の注意喚起表示は不要とされている。

第5章

医薬品の
適正使用・安全対策

　いよいよ集大成の章となります。
　これまで学んできた個別の医薬品の有効性や安全性・副作用などの情報を踏まえた上で、店頭での実践に活かさなければなりません。購入者の安全を守り、わが国のセルフメディケーションを支えるのは、登録販売者を目指すあなたの仕事なのですから。

■5章のポイント
- 医薬品の添付文書、製品表示等について、記載内容を的確に理解し、購入者への適切な情報提供や相談対応に活用できること
- 副作用報告制度、副作用被害救済制度に関する基本的な知識を持つこと
- 医薬品の副作用等に関する厚生労働大臣への必要な報告を行えること
- 購入者等に対し、副作用被害救済の制度につき紹介し、基本的な制度の仕組みや申請窓口等につき説明できること

5-1 医薬品の適正使用情報

5-1-1 適正使用情報とは

1 適正使用情報の理解と活用

　医薬品は、効能・効果、用法・用量、起こり得る副作用等、その適正な使用のために必要な情報（適正使用情報）を伴って初めて医薬品としての機能を発揮するものです。

　要指導医薬品または一般用医薬品の場合、その医薬品のリスク区分に応じた販売または授与する者その他の医薬関係者から提供された情報に基づき、一般の生活者が購入し、自己の判断で使用するものであるため、添付文書や製品表示に記載されている適正使用情報は、特に重要なものです。

　したがって、一般の人々に理解しやすい平易な表現で書かれていますが、その内容は一般的・網羅的なものとならざるをえません。

　小児用のかぜ薬であっても、一般的な注意事項はすべて記載されています。たとえば、「してはいけないこと」の項目に、「服用後、乗り物または機械類の運転をしないでください。」あるいは「相談すること」の項目に「妊婦または妊娠していると思われる人」などと網羅的に記載されています。

　そのため、登録販売者は、購入者に対して添付文書や製品表示に記載されている内容を的確に理解した上で、個々の生活者の状況に応じて、記載されている内容から、積極的な情報提供が必要と思われる事項に焦点を絞って、効果的に伝えなければなりません。

2 添付文書

　法第52条第2項の規定により、要指導医薬品、一般用医薬品および薬局製造販売医薬品には、その添付文書またはその容器もしくは被包装に、「用法、用量その他使用および取扱い上の必要な注意」の記載が義務づけられています。

試験では、成分から「使用上の注意」の内容を問う問題も出題されます。

別表5-1（p.388）と別表5-2（p.396）の「主な使用上の注意の記載とその対象成分・薬効群等」の「してはいけないこと」「相談すること」等に記載された医薬品名は必ず覚えてください。

▼添付文書のイメージ

服用前にこの説明書を必ずお読みください。
また、必要な時に読めるように保管してください。

総合カゼグスリＡ錠　　第２類医薬品

──────⚠️使用上の注意──────

🚫 **してはいけないこと**

① 次の人は服用しないでください。
　本剤または鶏卵にアレルギー症状を起こしたことがある人。
② 服用後、乗り物または機械類の運転操作をしないでください。
　（眠気があらわれることがあります）

📖 **相談すること**

① 次の人は服用する前に医師または薬剤師に相談してください。
　（1）医師または歯科医師の治療を受けている人。
　（2）妊婦または妊娠していると思われる人。

5
医薬品の適正使用・安全対策

確認テスト（○×問題）

問題5-1-1　医薬品は、効能・効果、用法・用量、起こり得る副作用等、その適正な使用のために必要な情報（適正使用情報）を伴って初めて医薬品としての機能を発揮する。

問題5-1-2　要指導医薬品は、登録販売者から提供された情報に基づき、一般の生活者が購入し、自己の判断で使用するものである。

問題5-1-3　添付文書や製品表示に記載されている適正使用情報は、一般の生活者に理解しやすい平易な表現でなされているが、その内容は一般的・網羅的なものとならざるをえない。

問題5-1-4　添付文書や製品表示に記載されている適正使用情報は、その適切な選択、適正な使用を図る上で特に重要である。

☞ 解答は別冊 p.37

適正使用情報とは

■添付文書の書式（1）

独立行政法人医薬品医療機器総合機構のホームページ（https://www.pmda.go.jp/）に掲載されている、「太田胃散」の添付文書です。

項目	内容
医薬品区分	一般用医薬品
薬効分類	制酸・健胃・消化・整腸を2以上標榜するもの
承認販売名	
製品名	太田胃散
製品名（読み）	オオタイサン
製品の特徴	
使用上の注意	■してはいけないこと（守らないと現在の症状が悪化したり，副作用が起こりやすくなります） 　1．透析療法を受けている人は服用しないでください 　2．長期連用しないでください ■相談すること 　1．次の人は服用前に医師、薬剤師又は登録販売者に相談してください 　　（1）医師の治療を受けている人。 　　（2）薬などによりアレルギー症状を起こしたことがある人。 　　（3）腎臓病、甲状腺機能障害の診断を受けた人。 　2．服用後、皮膚に発疹・発赤、かゆみの症状があらわれた場合は副作用の可能性があるので、直ちに服用を中止し、この説明書を持って医師、薬剤師又は登録販売者に相談してください 　3．2週間位服用しても症状がよくならない場合は服用を中止し、この説明書を持って医師、薬剤師又は登録販売者に相談してください
効能・効果	飲み過ぎ、胸やけ、胃部不快感、胃弱、胃もたれ、食べ過ぎ、胃痛、消化不良、消化促進、食欲不振、胃酸過多、胃部・腹部膨満感、吐き気（胃のむかつき、二日酔・悪酔のむかつき、悪心）、嘔吐、胸つかえ、げっぷ、胃重
効能関連注意	
用法・用量	成人（15歳以上）1回1.3g、8〜14歳1回0.65g、1日3回食後又は食間に服用してください。（添付のさじはすり切り1杯で約1.3gです。中ぶた裏のすり切り板をご使用ください。食間とは食後2〜3時間のことをいいます。）
用法関連注意	水又はぬるま湯で服用してください。 小児に服用させる場合には、保護者の指導監督のもとに服用させてください。
成分分量	1.3g中 <table><tr><td>成分</td><td>分量</td></tr><tr><td>ケイヒ</td><td>92mg</td></tr><tr><td>ウイキョウ</td><td>24mg</td></tr><tr><td>ニクズク</td><td>20mg</td></tr><tr><td>チョウジ</td><td>12mg</td></tr><tr><td>チンピ</td><td>22mg</td></tr><tr><td>ゲンチアナ</td><td>15mg</td></tr><tr><td>ニガキ末</td><td>15mg</td></tr><tr><td>炭酸水素ナトリウム</td><td>625mg</td></tr><tr><td>沈降炭酸カルシウム</td><td>133mg</td></tr><tr><td>炭酸マグネシウム</td><td>26mg</td></tr><tr><td>合成ケイ酸アルミニウム</td><td>273.4mg</td></tr><tr><td>ビオヂアスターゼ</td><td>40mg</td></tr></table>
添加物	l-メントール
保管及び取扱い上の注意	（1）直射日光の当たらない湿気の少ない涼しい所に保管してください。 （2）小児の手の届かない所に保管してください。
消費者相談窓口	株式会社太田胃散「お客様相談室」 電話：（03）3944-1311（代表） 受付時間：9：30〜17：00（土、日、祝日等を除く）
製造販売会社	株式会社太田胃散 添付文書情報： J0601002825_04_A.pdf 東京都文京区千石2-3-2
販売会社	
剤形	散剤
リスク区分	第2類医薬品

■添付文書の書式（2）

　株式会社太田胃散がホームページで提供している、実際に製品に封入されている「太田胃散」の添付文書です。「使用上の注意」のマークは覚えてください。

服用に際しては、この説明書を必ずお読みください。
また、必要な時に読めるよう大切に保管してください。

第2類医薬品　芳香性健胃消化薬　**太田胃散**

⚠️ **使用上の注意**

❌ してはいけないこと （守らないと現在の症状が悪化したり、副作用が起こりやすくなります）1. 透析療法を受けている人は服用しないでください 2. 長期連用しないでください

🗣 相談すること 1. 次の人は服用前に医師、薬剤師又は登録販売者に相談してください（1）医師の治療を受けている人。（2）薬などによりアレルギー症状を起こしたことがある人。（3）腎臓病、甲状腺機能障害の診断を受けた人。2. 服用後、皮膚に発疹・発赤、かゆみの症状があらわれた場合は副作用の可能性があるので、直ちに服用を中止し、この説明書を持って医師、薬剤師又は登録販売者に相談してください 3. 2週間位服用しても症状がよくならない場合は服用を中止し、この説明書を持って医師、薬剤師又は登録販売者に相談してください

■効能・効果　飲みすぎ、胸やけ、胃部不快感、胃弱、胃もたれ、食べすぎ、胃痛、消化不良、消化促進、食欲不振、胃酸過多、胃部・腹部膨満感、はきけ（胃のむかつき、二日酔・悪酔のむかつき、悪心）、嘔吐、胸つかえ、げっぷ、胃重 ■用法・用量 成人（15歳以上）1回1.3g、8〜14歳 1回0.65g、1日3回食後又は食間に服用してください。（添付のさじはすり切り1杯で約1.3gです。中ぶた裏のすり切り板をご使用ください。食間とは食後2〜3時間のことをいいます。）＜用法・用量に関連する注意＞水又はぬるま湯で服用してください。小児に服用させる場合には、保護者の指導監督のもとに服用させてください。■成分（1.3g中）ケイヒ92mg、ウイキョウ24mg、ニクズク20mg、チョウジ12mg、チンピ22mg、ゲンチアナ15mg、ニガキ末15mg、炭酸水素ナトリウム625mg、沈降炭酸カルシウム133mg、炭酸マグネシウム26mg、合成ケイ酸アルミニウム273.4mg、ビオヂアスターゼ40mg〔添加物〕l-メントール ■保管及び取扱い上の注意 （1）直射日光の当たらない湿気の少ない涼しい所に保管してください。（2）小児の手の届かない所に保管してください。

＜製品のお問い合わせ先＞お客様相談室 ☎（03）3944-1311
受付時間9：30〜17：00（土、日、祝日等を除く）
製造販売元 **株式会社 太 田 胃 散**
東京都文京区千石2-3-2

画像提供：株式会社太田胃散（https://ohta-isan.co.jp/）

5-1-2 添付文書の読み方

一般用医薬品の添付文書の記載項目について順を追って解説します。

1 改訂年月

医薬品の添付文書の内容は不変なものではなく、必要に応じて随時改訂されています。重要な内容が変更された場合には、改訂年月と改訂された箇所を明示することになっています。改訂がない場合は省略されます。

2 添付文書の必読および保管に関する事項

添付文書の販売名の上部に、「使用にあたって、この説明文書を必ず読むこと。また、必要なときに読めるよう大切に保存すること」等の文言が記載されています。

添付文書は開封時に一度目を通されれば十分というものでなく、実際に使用する人やそのときどきの状態によって留意すべき事項が異なってくるため、必要なときにいつでも取り出して読むことができるように保管することを勧めましょう。

また、一般用医薬品を使用した人が医療機関を受診する際には、その添付文書を持参し、医師や薬剤師に見せるようにアドバイスしてください。

3 販売名、薬効名およびリスク区分（人体に直接使用しない検査薬では「販売名および使用目的」）

通常の医薬品では、承認を受けた販売名が記載されています。

薬効名とは、その医薬品の薬効または性質（主たる有効成分など）が簡潔なわかりやすい表現で示されたもので、販売名に薬効名が含まれているような場合には（たとえば、「○○○胃腸薬」など）、薬効名の記載は省略されることがあります。

4 製品の特徴

医薬品を使用する人に、その製品の概要をわかりやすく説明することを目的として、効能・効果、用法・用量または成分・分量等からみた特徴が記載（概要を知るために必要な内容を簡潔に記載）されることがあります。ただし、必須事項ではありません。

5 ⚠️使用上の注意

　「使用上の注意」は、「してはいけないこと」、「相談すること」および「その他の注意」から構成されています。各項目の見出しには、それぞれ統一された標識的マークが付されています。p.354の「5-1-3 使用上の注意」でくわしく解説しますので、参照してください。

5

医薬品の適正使用・安全対策

確認テスト（○×問題）

問題 5-1-5 医薬品の添付文書の内容は、確実な情報である必要があり、改訂は許されない。

問題 5-1-6 医薬品の添付文書には、重要な内容が変更された場合、改訂年月が記載され、改訂された箇所が明示されている。

問題 5-1-7 「使用にあたっては添付文書をよく読むこと」は、添付文書中の「保管および取り扱い上の注意」欄に記載される注意事項である。

問題 5-1-8 添付文書には、販売名の上部に「使用にあたって、この説明文を必要に応じて読むこと」の記載をしなければならない。

問題 5-1-9 販売名が記載されている上部に、「使用にあたって、この説明文書を必ず読むこと。また、必要なときに読めるよう大切に保存すること」等の文言が記載されている。

問題 5-1-10 医薬品の販売に従事する専門家は、医薬品の購入者等に対してその医薬品を使い終わるまで、添付文書などは必要なときにいつでも取り出して読むことができるよう、大切に保管することを説明することが必要である。

問題 5-1-11 通常の医薬品では、承認を受けた販売名が記載されている。

問題 5-1-12 薬効名とは、その医薬品の薬効または性質（たとえば、主たる有効成分など）が示されたものであり、添付文書には必ず記載しなければならない。

問題 5-1-13 「販売名および薬効名」の記載において、販売名に薬効名が含まれているような場合（「○○○胃腸薬」など）には、「薬効名」の記載は省略されることがある。

問題 5-1-14 「製品の特徴」は、医薬品を使用する人に、その製品の概要をわかりやすく説明することを目的として、効能・効果、用法・用量または成分・分量等からみた特徴が記載されることがある。

👉 解答は別冊 p.37

添付文書の読み方

6 効能または効果（一般用検査薬では「使用目的」）

　一般の方が自ら判断できる症状、用途等が示されています。なお、「適応症」として記載されている場合もあります。このほか、効能または効果に関連する注意事項がある場合には、効能は効果の項目に続けて、これと区別して記載されることがあります。

7 用法および用量（一般用検査薬では「使用方法」）

　年齢区分、1回用量、1日の使用回数等について一般の方にわかりやすく、表形式で示されるなど工夫して記載されています。特に注意事項がある場合には、用法および用量の項目に続けて、区別して記載されることがあります。また、小児の使用年齢の制限がある場合は、当該年齢区分に当たる小児に使用させない旨が記載されます。

8 成分および分量（一般用検査薬では「キットの内容および成分・分量」）

　有効成分の名称（一般的名称のあるものについては、その一般的名称。有効成分が不明なものにあっては、その本質および製造方法の要旨）および分量が記載されています。

　併せて、添加物として配合されている成分も記載されます（人体に直接使用しない検査薬等を除く）。医薬品の添加物は、薬効を期待するものでなく、製剤としての品質、有効性および安全性を高めることを目的として配合されていますが、アレルギーの原因となるものもあり、その成分に対するアレルギーの既往歴がある人では使用を避ける必要があります。添加物の記載にあたり、商取引上の機密に当たるものについては、「その他 n 成分」（n は記載から除いた添加物の成分数）として記載されている場合もあります。また、添加物によっては、「香料」「pH 調整剤」「等張化剤」のように用途名で記載される場合もあります。

　このほか、尿や便が着色することがある旨の注意や、服用後、尿や便の検査値に影響を与えることがある場合の注意等、配合成分（有効成分および添加物）に関連した使用上の注意事項がある場合には、成分および分量の項目に続けて、これと区別して記載されています。

9 病気の予防・症状の改善につながる事項（いわゆる「養生訓」）

その医薬品の適用となる症状等に関連して、医薬品の使用のみに頼ることなく、日常生活上、どのようなことに心がけるべきかなど、症状の予防・改善につながる事項について一般の生活者にわかりやすく記載されていることがあります（必須記載ではありません）。

確認テスト（○×問題）

問題5-1-15　「効能または効果」に示されている症状、用途などは専門的な情報であり、一般の生活者が自ら判断できるものではない。
☑☑☑

問題5-1-16　「効能または効果」は、「適応症」と記載されていることもある。
☑☑☑

問題5-1-17　「効能または効果」は、一般用検査薬では「使用目的」と記載されている。
☑☑☑

問題5-1-18　使用年齢の制限がある医薬品であっても、年齢区分について記載されていない。
☑☑☑

問題5-1-19　医薬品の有効成分が明らかな場合、有効成分の名称が記載されている。
☑☑☑

問題5-1-20　添加物として配合されている成分の記載にあたり、商取引上の機密に当たるものについては、「その他n成分」（nは記載から除いた添加物の成分数）として記載されている場合もある。
☑☑☑

問題5-1-21　香料、pH調整剤等の添加物として医薬品に配合されている成分については記載されていない。
☑☑☑

問題5-1-22　尿や便が着色することがある旨の注意等、配合成分に関連した使用上の注意事項がある場合には、用法および用量の項目に続けて、これと区別して記載されている。
☑☑☑

問題5-1-23　病気の予防・症状の改善につながる事項（いわゆる「養生訓」）は、添付文書の必須記載項目ではない。
☑☑☑

☞ 解答は別冊 p.38

10 保管および取り扱い上の注意

(1)【直射日光の当たらない涼しい場所に保管すること】など

　シロップ剤は変質しやすいため、開封後は冷蔵庫への保管が望ましいとされていますが、効力が減弱する場合があるので凍結させてはいけません。なお、錠剤、カプセル剤、散剤などは、取り出したときに室温との急な温度差で湿気を帯びるおそれがあるため、冷蔵庫内での保管は不適当です。

(2)【小児の手の届かないところに保管すること】

　乳幼児は好奇心が強く、すぐ手を出して口の中に入れてしまうことがあります。

(3)【他の容器に入れ替えないこと】

　旅行や勤め先等へ携行するために別の容器へ移し替えると、日時の経過で中身がわからなくなってしまうことがあり、誤用の原因となるおそれがあります。また、移し替えた容器が湿っていたり、汚れていたりした場合、医薬品として適切な品質が保持できなくなるおそれがあります。

(4)【他の人と共用しないこと】

　たとえば、目薬を複数で使い回すと、万一、薬液に細菌汚染があった場合に、別の使用者に感染するおそれがあります。

(5) その他

　可燃性ガスを噴射剤としているエアゾール製品や消毒用アルコール等、危険物に該当する製品における消防法に基づく注意事項や、エアゾール製品に対する高圧ガス保安法に基づく注意事項については、それぞれ法律上、その容器への表示が義務づけられていますが、添付文書において「保管および取り扱い上の注意」としても記載されています。

　また、添付文書の記載事項ではありませんが、家庭における誤飲事故等を避けるため、医薬品は食品と区別して、誰にもわかるように保管することも重要です。

11 消費者相談窓口

　製造販売元の製薬企業において購入者等からの相談に応じるための窓口担当部門の名称、電話番号、受付時間等が記載されています。

12 製造販売業者の名称および所在地

　製造販売業の許可を受け、その医薬品について製造責任を有する製薬企業の名称および所在地が記載されています。販売を他社に委託している場合には、販売を請け負っている販社等の名称および所在地も併せて記載されることがあります。

確認テスト（○×問題）

問題 5-1-24 シロップ剤は変質しやすいため、開封後は冷蔵庫内に保管されるのが望ましい。

問題 5-1-25 シロップ剤は変質しやすいため、開封後は冷凍庫内で凍結して保管されることが望ましい。

問題 5-1-26 錠剤は、取り出したときに室温との急な温度差で湿気を帯びるおそれがあるため、冷蔵庫内での保管は不適当である。

問題 5-1-27 保管および取扱い上の注意で、「直射日光の当たらない（湿気の少ない）涼しい場所に（密栓して）保管すること」と記載されている場合には、その剤形に関わらず冷蔵庫で保管することが望ましい。

問題 5-1-28 小児用医薬品については、すぐに服用できるよう、小児の手の届くところに保管する。

問題 5-1-29 誤飲事故等を避けるため、医薬品は食品と区別して保管すべきである。

問題 5-1-30 医薬品を旅行先へ携行するために別の容器に移し替えると、その容器が湿っていたり、汚れていたりした場合、適切な品質が保持できなくなるおそれがあるため、他の容器に入れ替えない。

問題 5-1-31 点眼薬については、開封後速やかに使い切ることが望ましいため、他の人と共用してもよい。

問題 5-1-32 消費者相談窓口は、一般用医薬品の添付文書に記載する項目として、含まれない。

問題 5-1-33 可燃性ガスを噴射剤としているエアゾール製品は、医薬品医療機器等法の規定により「火気厳禁」の表示事項が義務づけられている。

☞ 解答は別冊 p.38

5-1-3 ⚠ 使用上の注意

　「使用上の注意」は、「してはいけないこと」、「相談すること」および「その他の注意」から構成されています。枠囲い、文字の色やポイントを替えるなどほかの記載事項と比べて目立つように記載されています。各項目の見出しには、それぞれ統一された標識的マークが付されています。p.388の別表5-1に具体的な医薬品が一覧となっているので、よく理解しておきましょう。

1 使用上の注意【してはいけないこと】 ⊗してはいけないこと

（1）【次の人は使用（服用）しないこと】

　重篤な副作用として、ショック（アナフィラキシー）、皮膚粘膜眼症候群、中毒性表皮壊死融解症、喘息等が掲げられている医薬品では、アレルギーの既往歴がある人は使用しないことと記載されています。

　小児が使用した場合に特異的な有害作用のおそれがある成分を含有する医薬品では、通常、「次の人は使用（服用）しないこと」の項に「15歳未満の小児」、「6歳未満の小児」等として記載されています。

（2）【次の部位には使用しないこと】

　局所に適用する医薬品は、使用を避けるべき患部の状態、適用部位等に分けて、簡潔に記載されています。

（3）【本剤を使用（服用）している間は、次の医薬品を使用（服用）しないこと】

　併用すると作用の増強、副作用等のリスクの増大が予測されるものについて注意を喚起しています。

（4）その他してはいけないこと

　小児では、「運転」など当てはまらない内容もありますが、小児用医薬品においても、その配合成分に基づく一般的な注意事項として記載されています。

【服用後、乗物または機械類の運転操作をしないこと】

　その医薬品に配合されている成分の作用によって眠気や異常なまぶしさ等が引き起こされると、重大な事故につながるおそれがあります。

【授乳中の人は本剤を服用しないか、本剤を服用する場合は授乳を避けること】

　体に吸収されると一部が乳汁中に移行して、乳児に悪影響を及ぼすおそれが

あることが知られている成分が配合された医薬品において記載されています。

【服用時は飲酒しないこと】

　摂取されたアルコールによって、医薬品の作用の増強、副作用を生じる危険性の増大等が予測される場合に記載されています。

【長期連用しないこと】【○日以上（継続して）使用（服用）しないこと】

【症状があるときのみの使用にとどめ、連用しないこと】

　連用すると副作用等が現れやすくなる成分、効果が減弱して医薬品に頼りがちになりやすい成分または比較的作用の強い成分が配合されている場合に記載されます。症状が改善したか否かによらず、漫然と使用し続けることは避ける必要があります。

　「一般用黄体形成ホルモンキットに係る情報提供の徹底について」（平成30年5月31日付け薬生総発0531第1号、薬生安発0531第1号、薬生機審発0531第1号厚生労働省医薬・生活衛生局総務課長、医薬品安全対策課長及び医療機器審査課長連名通知）において、一般用黄体形成ホルモンキットでは、検査結果が陰性であっても確実に避妊できるものではないので、避妊目的で使用できないことを周知徹底するよう求めています。

確認テスト（○×問題）

問題5-1-34　一般用医薬品の添付文書における使用上の注意で、「してはいけないこと」には、守らないと症状が悪化する事項、副作用または事故等が起こりやすくなる事項について記載されている。

問題5-1-35　重篤な副作用として皮膚粘膜眼症候群、中毒性表皮壊死融解症があげられている医薬品では、「次の人は使用（服用）しないこと」の項に「本剤によるアレルギー症状を起こしたことがある人」と記載されている。

問題5-1-36　小児が使用した場合に特異的な有害作用のおそれがある成分を含有する医薬品では、通常、「次の人は使用（服用）しないこと」の項に「6歳未満の小児」等として記載される。

問題5-1-37　添付文書の「次の部位には使用しないこと」の項には、使用を避けるべき患部の状態、適用部位等に分けて、簡潔に記載されている。

問題5-1-38　使用上の注意「してはいけないこと」に関して、小児用のかぜ薬には、飲酒や車の運転に関する記載を省略できる。

問題5-1-39　「服用時は飲酒しないこと。」は、添付文書の「保管および取扱い上の注意」の項目に記載される。

問題5-1-40　連用すると副作用等が現れやすくなる成分等が配合されている場合に「長期連用しないこと」等と記載される。

☞ 解答は別冊 p.38

② 使用上の注意【相談すること】 👤 相談すること（使用前）

その医薬品を使用する前に、添付文書で「相談すること」とされる項目に、次のようなものがあります。p.396の別表5-2に具体的な医薬品が一覧となっているので、よく理解しておきましょう。

(1)【医師（または歯科医師）の治療を受けている人】

何らかの薬剤の投与が考えられ、その人の自己判断で要指導医薬品または一般用医薬品が使用されると、治療の妨げとなったり、医師または歯科医師から処方された薬剤（医療用医薬品）と同種の有効成分の重複や相互作用等を生じることがあります。

(2)【妊婦または妊娠していると思われる人】

胎児への影響や妊娠という特別な身体状態を考慮して、一般的に、医薬品の使用には慎重を期す必要があります。すでに妊娠が判明し、定期的な産科検診を受けている場合には、担当医師に相談するよう説明すべきです。

(3)【授乳中の人】

摂取した医薬品の成分の一部が乳汁中に移行することが知られていますが、「授乳を避けること」として記載するほどではない場合に「相談すること」として記載されています（別表5-2）。購入者等から相談があったときには、乳汁中に移行する成分やその作用等について、適切な説明をしなければなりません。

(4)【高齢者】

使用上の注意における「高齢者」とは、おおよその目安として65歳以上を指します。一般に高齢者では、加齢に伴い副作用等を生じるリスクが高まる傾向にあり、また、何らかの持病（基礎疾患）を抱えていることも考えられます。しかし、年齢のみから一概に判断することは難しく、専門家に相談しながら個々の状態に応じて、その医薬品の使用の判断がなされるべきです。

(5)【薬などによりアレルギー症状を起こしたことがある人】

その医薬品でアレルギー症状を起こしたことはなくても、他の医薬品でアレルギーの既往歴がある人や、アレルギー体質の人は、一般にアレルギー性の副作用を生じるリスクが高く、注意が必要です。

(6)【次の症状がある人】

専門家に相談しながら、個々の状態に応じて慎重判断がなされるべきですが、症状の内容や程度によっては、要指導医薬品または一般用医薬品の使用に

よらず、医療機関の受診を勧めるべきです。

(7)【次の診断を受けた人】

　現に医師の治療を受けているか否かによらず、その医薬品が使用されると状態の悪化や副作用等を招きやすい基礎疾患等が示されています。その医薬品の使用の適否について、専門家に相談しながら、個々の状態に応じて慎重な判断をすべきです

▼「相談すること」マーク

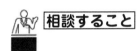

5

医薬品の適正使用・安全対策

確認テスト（○×問題）

問題5-1-41 摂取した医薬品の成分の一部が乳汁中に移行することが知られているが、「してはいけないこと」の項で「授乳中の人は本剤を使用しないか、本剤を服用する場合は授乳を避けること」として記載するほどではない場合に、「相談すること」の項に「授乳中の人」と記載されている。

問題5-1-42 医薬品の使用上の注意等において「高齢者」という場合には、おおよその目安として70歳以上を指す。

問題5-1-43 高齢者は、持病（基礎疾患）を抱えていることが多く、一般用医薬品の使用によって基礎疾患の症状が悪化したり、治療の妨げとなる場合があるほか、複数の医薬品が長期間にわたって使用される場合には、副作用を生じるリスクも高い。

問題5-1-44 添付文書の「相談すること」の【本人または家族がアレルギー体質の人】について、本人または家族がアレルギー体質の人では、一般にアレルギー性の副作用を生じるリスクが高い。

問題5-1-45 家族がアレルギー体質の人であっても、本人が過去にアレルギー症状を起こしていなければ、アレルギー性の副作用を生じるリスクは低く、「相談すること」には当たらない。

問題5-1-46 使用上の注意には、現に医師の治療を受けている人について、その医薬品が使用されると状態の悪化や副作用等を招きやすい基礎疾患が示されている。

👉 解答は別冊 p.39

使用上の注意

③ 使用上の注意【相談すること】 👤 相談すること（使用後）

その医薬品を使用したあとに、副作用と考えられる症状等を生じた場合、薬理作用から発現が予測される軽微な症状がみられた場合や、症状の改善がみられない場合には、いったん使用を中止した上で適切な対応が図られるよう、次のような記載がされています。

(1) 副作用と考えられる症状を生じた場合に関する記載

　①「使用（服用）後、次の症状が現れた場合」

　②「まれに下記の重篤な症状が現れることがあります。その場合はただちに医師の診療を受けること」

　副作用については、i）まず一般的な副作用について関係部位別に症状が記載され、そのあとに続けて、ii）まれに発生する重篤な副作用について副作用名ごとに症状が記載されます。一般的な副作用については、重篤ではないものの、そのまま使用を継続すると状態の悪化を招いたり、回復が遅れるおそれのあるものです。また、一般的な副作用として記載されている症状であっても、発疹や発赤などのように、重篤な副作用の初期症状である可能性があるものも含まれているので、軽んじることのないよう説明することが重要です。副作用の重大な結果につながることを回避するため、その初期段階において速やかに医師の診療を受けられるように情報提供を心がけてください。

(2) 薬理作用等から発現が予測される軽微な症状がみられた場合に関する記載

　各医薬品の薬理作用等から発現が予測され、容認される軽微な症状（たとえば、抗ヒスタミン薬の眠気等）であっても、症状の持続または増強がみられた場合には、いったん使用を中止した上で専門家に相談する旨が記載されています。

(3) 一定期間または一定回数使用したあとに症状の改善がみられない場合に関する記載

　その医薬品の適用範囲でない疾患による症状や、合併症が生じている可能性等が考えられ、また、その医薬品の適用となる症状の性質にかんがみて、要指導医薬品または一般用医薬品で対処できる範囲を超えており、医師の診療を受けることが必要な場合もあります。

　漢方処方製剤では、ある程度の期間継続して使用されることにより効果が得られるとされているものが多いのですが、長期連用する場合には、専門家に相

談する旨が記載されています（この記載がない漢方処方製剤は、短期の使用に限られるものです）。

　一般用検査薬では、検査結果が陰性であっても何らかの症状がある場合は、再検査するかまたは医師に相談する旨が記載されています。

確認テスト（○×問題）

問題5-1-47 重篤な副作用が現れた場合については、ただちに医師の診療を受けることの旨の記載があるが、一般用医薬品で入院相当以上の健康被害につながることはない。

問題5-1-48 各医薬品の薬理作用等から発現が予測され、容認される軽微な症状（たとえば、抗ヒスタミン薬の眠気等）の場合は、症状の持続または増強がみられても、使用の中止や専門家へ相談する必要がない旨が記載されている。

問題5-1-49 一般用医薬品を一定期間もしくは一定回数使用しても症状の改善がみられないまたは悪化したときには、医療機関を受診して医師の診療を受ける必要がある。

問題5-1-50 漢方処方製剤では、ある程度の期間継続して使用されることにより効果が得られるとされているものが多いが、長期連用する場合には、専門家に相談する旨が記載されている。

問題5-1-51 漢方処方製剤においては、長期連用する場合、医薬品の販売等に従事する専門家に相談する旨が記載されている。一方、本記載がない漢方処方製剤は、短期の使用に限られるものである。

問題5-1-52 一般的な副作用として記載されている症状、例えば発疹や発赤は、医薬品の薬理作用等から発現が予想される軽微な症状であるため、医薬品の販売等に従事する専門家は、購入者に対し、特に説明する必要はない。

問題5-1-53 漢方処方製剤では、ある程度の期間継続して使用されることにより効果が得られるとされているものが多いが、長期連用する場合には、専門家に相談する旨が記載されており、専門家に相談する旨の記載がない漢方処方製剤は、短期の使用に限られるものである。

問題5-1-54 副作用については、まず、一般的な副作用について副作用名ごとに症状が記載され、そのあとに続けて、まれに発生する重篤な副作用について発現部位別に症状が記載されている。

☛ 解答は別冊p.39

5-1-4 製品表示の読み方（外箱等）

　外箱等には、毒薬、劇薬、要指導医薬品に該当する表示や、一般用医薬品の
リスク区分を示す識別表示等の法定表示事項のほかにも、適切な医薬品の選択
や適正な使用ができるようにさまざまな情報が記載されています。

　医薬品によっては添付文書の形でなく、法第52条第2項の規定に基づく「用
法、用量その他使用および取扱い上必要な注意」等の記載を、外箱に行ってい
る場合もあります。

(1) 使用上の注意「してはいけないこと」の項において記載されている内容

　「次の人は使用（服用）しないこと」、「次の部位には使用しないこと」、「授乳
中は本剤を服用しないか本剤を服用する場合は授乳を避けること」、「服用後、
乗物または機械類の運転操作をしないこと」等、副作用や事故等が起きる危険
性を回避するため記載されている内容です。

　これに関連して、1回服用量中0.1mLを超えるアルコールを含有する内
服液剤（滋養強壮を目的とするもの）については、たとえば「アルコール含有
○○mL以下」のように、アルコールを含有する旨およびその分量が記載され
ています。

(2)「使用にあたって添付文書をよく読むこと」等、添付文書の必読に関する事項

　包装中に封入されている医薬品（内袋を含む）だけが取り出され、添付文書
が読まれないといったことのないように記載されています。

(3) 専門家への相談勧奨に関する事項

　症状、体質、年齢等からみて、副作用による危険性が高い場合、もしくは医
師または歯科医師の治療を受けている人であって、一般使用者の判断のみで使
用することが不適当な場合について記載されています。記載スペースが狭い場
合には、「使用が適さない場合があるので、使用前には必ず医師、歯科医師、
薬剤師または登録販売者に相談してください」等と記載されています。

(4)「保管および取扱い上の注意」の項のうち、医薬品の保管に関する事項

　添付文書を見なくても適切な保管がなされるよう、その容器や包装にも、保
管に関する注意事項が記載されています。

（5）使用期限の表示

　適切な保存条件の下で製造後3年を超えて性状および品質が安定であることが確認されている医薬品は使用期限の表示義務はありませんが、流通管理等の便宜上、外箱等に記載されるのが通常となっています（配置用は「配置期限」）。使用期限は、未開封状態で保管された場合に品質が保持される期限であり、開封してしまうと期日まで品質が保証されない場合があります。

（6）その他の法令に基づく製品表示

- 可燃性ガスを噴射剤としているエアゾール製品や消毒用アルコール等、危険物に該当する製品に対する消防法に基づく注意事項（「火気厳禁」等）
- エアゾール製品に対する高圧ガス保安法に基づく注意事項（「高温に注意」、使用ガスの名称等）
- 資源の有効な利用の促進に関する法律に基づく、容器包装の識別（「プラ」等の識別マーク）

確認テスト（○×問題）

問題5-1-55 医薬品によっては、「用法、用量その他使用および取扱い上必要な注意」等の記載を添付文書でなく、外箱等に行っている場合がある。

問題5-1-56 1回服用量中0.1mLを超えるアルコールを含有する滋養強壮を目的とした内服液剤については、アルコールを含有する旨およびその分量が記載されている。

問題5-1-57 購入者によっては、購入後すぐ開封せずにそのまま保管する場合や持ち歩く場合があるため、添付文書を見なくても適切な保管がなされるよう、その容器や包装にも、保管に関する注意事項が記載されている。

問題5-1-58 適切な保存条件の下で製造後3年を超えて性状および品質が安定であることが確認されている医薬品であっても、外箱に使用期限を表示することが医薬品医療機器等法で定められている。

問題5-1-59 医薬品の添付文書や外箱等には、エアゾール製品では、高圧ガス保安法に基づいた注意事項として、使用ガスの名称や「高温に注意」などの注意事項が記載されている。

☞ 解答は別冊p.39

5-1-5 安全性情報

　法第68条の2の5第1項の規定により、医薬品の製造販売業者等は、医薬品の有効性および安全性に関する事項、その他医薬品の適正な使用のために必要な情報を収集し、検討するとともに、薬局開設者、店舗販売業者、配置販売業者およびそこに従事する薬剤師や登録販売者に対して、情報を提供するよう努めなければならないこととされています。

1 緊急安全性情報

　緊急安全性情報は、医薬品、医療機器または再生医療等製品について緊急かつ重大な注意喚起や使用制限に係る対策が必要な状況にある場合に、厚生労働省からの命令、指示、製造販売業者の自主決定等に基づいて作成されます。

　緊急安全性情報は、製造販売業者および行政当局による報道発表、独立行政法人医薬品医療機器総合機構（以下「総合機構」）による医薬品医療機器情報配信サービスによる配信（PMDAメディナビ）、製造販売業者から医療機関や薬局等への直接配布、ダイレクトメール、ファックス、電子メール等による情報提供（1か月以内）等により情報伝達されるもので、A4サイズの黄色地の印刷物で、イエローレターとも呼ばれます。

　医療用医薬品や医家向け医療機器についての情報伝達である場合が多いのですが、小柴胡湯による間質性肺炎に関する緊急安全性情報（平成8年3月）のように、一般用医薬品にも関係する緊急安全性情報が発出されたこともあります。

2 安全性速報

　安全性速報は、医薬品、医療機器または再生医療等製品について一般的な使用上の注意の改訂情報よりも迅速な注意喚起や適正使用のための対応が必要な場合に、厚生労働省からの命令、指示、製造販売業者の自主決定等に基づいて作成されます。

　安全性速報は、総合機構による医薬品医療機器情報配信サービスによる配信（PMDAメディナビ）、製造販売業者から医療機関や薬局等への直接の配布、ダイレクトメール、ファクシミリ、電子メール等による情報提供（1か月以内）等により情報伝達されるもので、A4サイズの青色地の印刷物で、ブルー

レターとも呼ばれます。

▼緊急安全性情報（イエローレター）と安全性速報（ブルーレター）の例

緊急安全性情報	
平成19年3月20日	タミフル服用後の異常行動について
平成15年9月10日	経口腸管洗浄剤による腸管穿孔及び腸閉塞について
平成15年3月7日	ガチフロ錠100mg投与による低血糖及び高血糖について

など

安全性速報	
令和3年6月1日	ジョイクル関節注30mgによるショック、アナフィラキシーについて
令和元年5月17日	ベージニオ錠50mg、100mg、150mgによる重篤な間質性肺疾患について
平成27年2月4日	ラミクタール錠小児用2mg、同錠小児用5mg、同錠25mg及び同錠100mgによる重篤な皮膚障害について
平成26年10月24日	ソブリアード®カプセル100mgによる高ビリルビン血症について

など

「独立行政法人 医薬品医療機器総合機構」ホームページを参考に作成
https://www.pmda.go.jp/safety/info-services/drugs/calling-attention/
esc-rsc/0001.html

5

医薬品の適正使用・安全対策

安全性情報

確認テスト（○×問題）

問題5-1-60 「緊急安全性情報」は、医薬品または医療機器について、緊急かつ重大な注意喚起や使用制限に係る対策が必要な状況にある場合に、発出されるものである。

問題5-1-61 「緊急安全性情報」は、都道府県からの指示に基づいて、製造販売業者等から医療機関や薬局等に対して配布される。

問題5-1-62 「緊急安全性情報」は、A4サイズの黄色地の印刷物で、イエローレターとも呼ばれる。

問題5-1-63 「緊急安全性情報」は、厚生労働省が作成し、医薬関係者に直接配布される。

問題5-1-64 一般用医薬品に関係する緊急安全性情報が発出されたことがある。

問題5-1-65 安全性速報は、A4サイズの青色地の印刷物で、ブルーレターとも呼ばれ、3か月以内に情報伝達される。

👉 解答は別冊 p.39

③ 医薬品・医療機器等安全性情報

　厚生労働省は、医薬品（一般用医薬品を含む）、医療機器等による重要な副作用、不具合等に関する情報をとりまとめ、「医薬品・医療機器等安全性情報」として、広く医薬関係者向けに情報提供を行っています。

　その内容は、医薬品の安全性に関する解説記事や、「使用上の注意の改訂内容」、主な対象品目、参考文献（重要な副作用等に関する改訂については、その根拠となった症例の概要も紹介）等が掲載されます。

　「医薬品・医療機器等安全性情報」は、各都道府県、保健所設置市および特別区、関係学会等への冊子の送付のほか、厚生労働省ホームページおよび総合機構ホームページへ掲載されるとともに、医学・薬学関係の専門誌等にも転載されます。

【総合機構ホームページ】
https://www.pmda.go.jp/

　総合機構（PMDA）ホームページでは、添付文書情報、厚生労働省より発行される「医薬品・医療機器等安全性情報」のほか、要指導医薬品および一般用医薬品に関連した以下のような情報が掲載されています。

- ・厚生労働省が製造販売業者等に指示した緊急安全性情報、「使用上の注意」の改訂情報
- ・製造販売業者等や医療機関等から報告された、医薬品による副作用が疑われる症例情報
- ・医薬品の承認情報
- ・医薬品等の製品回収に関する情報
- ・一般用医薬品・要指導医薬品の添付文書情報
- ・患者向医薬品ガイド
- ・その他、厚生労働省が医薬品等の安全性について発表した資料

　総合機構では、医薬品・医療機器の安全性に関する特に重要な情報が発出されたときに、ホームページに掲載するとともに、その情報を電子メールによりタイムリーに配信する医薬品医療機器情報配信サービス（PMDAメディナビ）を提供しています。ホームページの閲覧とメールサービスは誰でも利用可能で、最新の情報を入手することができます。

【医薬品医療機器情報配信サービス（PMDAメディナビ）の利用について】
https://www.pmda.go.jp/safety/info-services/medi-navi/0007.html

▼医薬品・医療機器等安全性情報

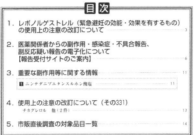

厚生労働省
医薬・生活衛生局発行

令和4年（2022年）4月
厚生労働省医薬・生活衛生局

5

医薬品の適正使用・安全対策

確認テスト（○×問題）

問題 5-1-66 総合機構のホームページを閲覧できるのは、医薬関係者に限定されている。

問題 5-1-67 総合機構のホームページには、「使用上の注意」の改訂情報が掲載されている。

問題 5-1-68 総合機構のホームページには、医薬品の承認情報が掲載されている。

問題 5-1-69 総合機構のホームページには、医薬品等の製品回収に関する情報が掲載されている。

問題 5-1-70 医薬品・医療機器の安全性に関する特に重要な情報が発出されたときに、総合機構のホームページへ掲載するとともに、その情報を電子メールによりタイムリーに配信する医薬品医療機器情報配信サービスが行われている。

☞ 解答は別冊 p.40

安全性情報

5-1-6 購入者に対する情報の提供

　法第68条の2では、薬局開設者、店舗販売業者、配置販売業者および医薬品の販売に従事する薬剤師や登録販売者においては、医薬品の適正な使用を確保するため、相互の密接な連携の下に、製造販売業者等から提供される情報の活用、その他必要な情報の収集、検討および利用を行うことに努めなければならないとしています。

1 添付文書情報の活用

　令和3年8月1日から、医療用医薬品への紙の添付文書の同梱を廃止し、注意事項等情報は電子的な方法により提供されることになりました。具体的には医薬品の容器または被包に当該情報を入手するために必要な符号（バーコードまたは二次元コード）を記載することが求められています。

　この符号をアプリケーションで読み取ることで、総合機構のホームページで公表されている最新の添付文書等の情報にアクセスすることが可能となります。

　一方で、一般用医薬品等の消費者が直接購入する製品は、使用時に添付文書情報の内容を直ちに確認できる状態を確保する必要があるため、引き続き紙の添付文書が同梱されます。

　医薬品の販売等に従事する専門家においては、総合機構に掲載されている最新の添付文書情報等から、医薬品の適切な選択、適正な使用が図られるよう、購入者等に対して情報提供を行うことが可能です。

　一般的には、「してはいけないこと」の項に記載された内容のうち、その医薬品を実際に使用する人（購入者本人とは限らない）に当てはまると思われる事項や、「相談すること」の項に記載された内容のうち、その医薬品を実際に使用する人における副作用の回避、早期発見につながる事項等が、積極的な情報提供のポイントとなります。また、購入者等が抱く疑問等に対する答えは添付文書に記載されていることも多く、そうした相談への対応においても、添付文書情報は有用です。

　なお、購入者等への情報提供の実効性を高める観点からも、購入後、その医薬品を使い終わるまで、添付文書等は必要なときいつでも取り出して読むことができるよう大切に保存する必要性につき説明することも重要です。

2 製品の表示情報の活用

要指導医薬品ならびに一般用医薬品のリスク区分のうち第1類・第2類医薬品は、その副作用等により日常生活に支障を来す程度の健康被害が生ずるおそれがあるものです。第3類医薬品についても、適正に使用された場合であっても身体の変調・不調が起こり得ます。

製品表示等もうまく利用して、購入者にあくまでも「医薬品」であることの認識を持っていただきましょう。

3 その他の適正使用情報の活用

インターネットの発達によって多くの情報を入手できるようになりました。その一方で、断片的で正確でない情報として伝わっている場合も多く、登録販売者には、購入者に対して科学的な根拠に基づいた正確なアドバイスを与え、セルフメディケーションを適切に支援することが期待されているのです。

確認テスト（○×問題）

問題5-1-71 登録販売者は、購入者等に対して、常に最新の知見に基づいた適切な情報提供を行うため、得られる情報を積極的に収集し、専門家としての資質向上に努めることが求められる。

問題5-1-72 添付文書は通常外箱等に封入されていることから、開封しなければ製品の情報が判断できないため、添付文書集を販売店舗に備えておくよう法律で定められている。

問題5-1-73 医薬品を実際に使用する人と購入者は異なる場合があり、使用する人における副作用の回避、早期発見につながる事項等が積極的な情報提供のポイントとなる。

問題5-1-74 第3類医薬品は、他の医薬品と併用しても身体の変調・不調を引き起こすことはないため、購入者等に対し、医療用医薬品との併用について注意する必要はない。

問題5-1-75 医薬品の使用者は、購入時に医薬品の販売等に従事する専門家から必要な情報提供を受けていれば、購入した医薬品を使い終わるまで、添付文書等を保管しておく必要はない。

問題5-1-76 総合機構のホームページには、要指導医薬品や一般用医薬品の添付文書情報は掲載されていない。

☞ 解答は別冊 p.40

医薬品の適正使用・安全対策

情報の提供

5-2 医薬品の安全対策

5-2-1 医薬品の副作用情報等の収集、評価および措置

1 副作用情報等の収集

1961年に起こったサリドマイド薬害事件を契機として、1968年、世界保健機関（WHO）加盟各国を中心に、WHO国際医薬品モニタリング制度を確立することになりました。

(1) 医薬品・医療機器等安全性情報報告制度

法第68条の10第2項の規定により、医薬関係者は、医薬品の副作用等によるものと疑われる健康被害の発生を知った場合、保健衛生上の危害の発生または拡大を防止するため必要があると認めるときは、その旨を厚生労働大臣に報告しなければなりません。

この制度は、1967年3月より、約3,000の医療機関をモニター施設に指定して、厚生省（当時）が直接副作用報告を受ける医薬品副作用モニター制度としてスタートしました。また、一般用医薬品による副作用等の情報を収集するため、1978年8月より、約3,000のモニター薬局で把握した副作用事例等について、定期的に報告が行われるようになりました。その後、1997年7月に「医薬品等安全性情報報告制度」として拡充し、2002年7月には薬事法が改正され、医師や薬剤師等の医薬関係者による副作用等の報告を義務化しました。2006年6月の登録販売者制度の導入に伴い、登録販売者も報告義務を負う医薬関係者として位置づけられました。

(2) 企業からの副作用等の報告制度

製造販売業者等は、その副作用によるものと疑われる健康被害の発生、感染症の発生等を知ったときは、厚生労働大臣に報告することが義務づけられています（法第68条の10第1項）。また、1979年に創設された副作用・感染症報告制度において、医薬品等との関連が否定できない感染症に関する症例情報の報告や研究論文等について、製造販売業者等に対して国への報告義務を課しています。報告の種類と報告期限については、表「企業からの副作用等の報告」に掲載しましたので、ご覧ください。

▼企業からの副作用等の報告

○副作用症例報告			報告期限	
		重篤性	国内事例	外国事例
医薬品によるものと疑われる副作用症例の発生	使用上の注意から予測できないもの	死亡	15日以内	
		重篤（死亡を除く）	15日以内	
		非重篤	定期報告	
	使用上の注意から予測できるもの	死亡	15日以内	
		重篤（死亡を除く）：新有効成分含有医薬品として承認後2年以内	15日以内	
		市販直後調査などによって得られたもの	15日以内	
		重篤（死亡を除く）：上記以外	30日以内	
		非重篤		
	発生傾向が使用上の注意等から予測することが出来ないもの	重篤（死亡含む）	15日以内	
	発生傾向の変化が保健衛生上の危害の発生又は拡大のおそれがあるもの	重篤（死亡含む）	15日以内	

○感染症症例報告			報告期限	
		重篤性	国内事例	外国事例
医薬品によるものと疑われる感染症症例の発生	使用上の注意から予測できないもの	重篤（死亡を含む）	15日以内	
		非重篤	15日以内	
	使用上の注意から予測できるもの	重篤（死亡を含む）	15日以内	
		非重篤		

○外国での措置報告	報告期限	
外国における製造、輸入又は販売の中止、回収、廃棄その他の保健衛生上の危害の発生又は拡大を防止するための措置の実施		15日以内

○研究報告	報告期限
副作用・感染症により、癌その他の重大な疾病、障害もしくは死亡が発生するおそれがあることを示す研究報告	30日以内
副作用症例・感染症の発生傾向が著しく変化したことを示す研究報告	30日以内
承認を受けた効能もしくは効果を有しないことを示す研究報告	30日以内

5

医薬品の適正使用・安全対策

情報の提供

　2003年7月からは、その前年に行われた薬事法改正により、血液製剤等の生物由来製品を製造販売する企業に対して、当該企業が製造販売する生物由来製品の安全性について評価し、その成果を定期的に国へ報告する制度を導入しています。

　なお、薬局開設者、医療施設の開設者、医薬品の販売業者または医師、歯科医師、薬剤師その他の医薬関係者（登録販売者を含む）は、法第68条の2の5第2項により、製造販売業者等が行う情報収集に協力しなければなりません。

　一般用医薬品に関しても、既存の医薬品と明らかに異なる有効成分が配合されたもの（ダイレクトOTC）については、10年を超えない範囲で厚生労働大臣が承認時に定める一定期間（おおむね8年）、承認後の使用成績等を製造販売業者等が集積し厚生労働省へ提出する制度（再審査制度）が適用されます。

　また、医療用医薬品で使用されていた有効成分を一般用医薬品で初めて配合したもの（スイッチOTC）については、承認条件として承認後の一定期間（おおむね3年）、安全性に関する調査および調査結果の報告が求められています。要指導医薬品にも、同様に調査結果の報告（おおむね3年）が求められています。

2　副作用情報等の評価および処置

　収集された副作用等の情報は、その医薬品の製造販売業者等において評価・検討され、必要な安全対策が図られます。また、総合機構（PMDA）においても専門委員の意見を聴きながら調査検討が行われ、厚生労働大臣は、薬事・食品衛生審議会の意見を聴いて、使用上の注意の改訂の指示や、効能・効果や用法・用量の一部変更、調査・実験の実施の指示、製造・販売の中止、製品の回収等の安全対策上必要な行政措置を講じています。

3　健康危機管理体制の整備

　1997年に厚生省（当時）は、血液製剤によるHIV感染被害を深く反省し、国民の信頼を回復するためには健康危機管理、すなわち、医薬品、食中毒、感染症、飲料水等に起因する、国民の生命、健康の安全を脅かす事態に対して、健康被害の発生予防、拡大防止等の対策を迅速に講じる体制を整備しました。

確認テスト（○×問題）

問題 5-2-1 ☑☑☑ 医薬品・医療機器等安全性情報報告制度は、スモン事件をきっかけに 1979年に、「医薬品副作用モニター制度」としてスタートした。

問題 5-2-2 ☑☑☑ 登録販売者を含む医薬関係者は、医薬品の副作用等によるものと疑われる健康被害の発生を知った場合において保健衛生上の危害の発生または拡大を防止するため必要があると認めるときは、その旨を厚生労働大臣に報告しなければならない。

問題 5-2-3 ☑☑☑ 既存の医薬品と明らかに異なる有効成分を配合した一般用医薬品は、承認後の3年間を超えない範囲で、厚生労働大臣が承認時に定める一定期間、安全性に関する報告が求められている。

問題 5-2-4 ☑☑☑ 収集された副作用等の情報は、その医薬品の製造販売を行っている企業において評価・検討され、必要な安全性対策が図られる。

問題 5-2-5 ☑☑☑ 収集された副作用の情報については、厚生労働省において調査検討が行われ、その結果に基づき、PMDAが製品の回収等の安全対策上必要な行政措置を講じる。

問題 5-2-6 ☑☑☑ 血液製剤の安全確保対策として検査や献血時の問診の充実が図られるとともに、薬事行政組織の再編、情報公開の推進、健康危機管理体制の確立等がなされた。

確認テスト

問題 5-2-7 ☐☐☐

医薬品医療機器等法第68条の10第1項の規定に基づき、医薬品の製造販売業者が、その製造販売した医薬品について行う副作用等の報告において、15日以内に厚生労働大臣に報告することとされている事項のうち、正しいものの組み合わせを1つ選びなさい。　　　　　　　　　　　　　　　　　　　　　　　（平成28年　奈良）

a 医薬品によるものと疑われる副作用症例のうち、使用上の注意から予測できないもので、死亡に至った事例
b 副作用症例・感染症の発生傾向が著しく変化したことを示す研究報告
c 医薬品によるものと疑われる副作用症例のうち、発生傾向の変化が保健衛生上の危害の発生又は拡大のおそれがあるもので、重篤（死亡を含む）な事例
d 医薬品によるものと疑われる副作用症例のうち、使用上の注意から予測できるもので、非重篤な事例

1（a、b）　　　　2（a、c）　　　　3（b、d）　　　　4（c、d）

 解答は別冊p.40

5

医薬品の適正使用・安全対策

情報の提供

5-2-2 医薬品による副作用を報告する方法

法第68条の10第2項の規定に基づく医薬品の副作用等報告では、保健衛生上の危害の発生または拡大を防止するためとの趣旨に鑑みて、医薬品等によるものと疑われる、身体の変調・不調、日常生活に支障を来す程度の健康被害（死亡を含む）について報告が求められています。

なお、医薬品との因果関係が必ずしも明確でない場合であっても報告の対象となります。また、安全対策上必要があると認めるときは、医薬品の過量使用や誤用等によるものと思われる健康被害についても報告が必要です。

副作用の症状がその医薬品の適応症状と見分けがつきにくい場合（かぜ薬による間質性肺炎など）もあります。したがって、登録販売者に対して日常求められる姿勢として、購入者からの訴えに素直に耳を傾け、あるいはそのような副作用があるのでないかという、真摯な対応がなされることが重要です。

また、医薬部外品または化粧品による健康被害についても、自発的な情報協力が要請されています。なお、無承認無許可医薬品または健康食品によると疑われる健康被害については、最寄りの保健所に連絡することとなっています。

報告書の様式は、総合機構のホームページ（https://www.pmda.go.jp/）の「各種様式ダウンロード」から入手できます。企業からの報告・医療従事者からの報告・患者の皆様からの副作用報告と三つのコーナーが用意されていて、患者さん自身が報告することも可能です。

▼独立行政法人医薬品医療機器総合機構のホームページ

報告様式はp.404の別表5-3「医薬品安全情報報告書」をご覧ください。

報告様式のすべてに記入する必要はなく、登録販売者は、購入者等（健康被害を生じた本人に限らない）から把握可能な範囲で報告がなされればよいことになっています。なお、複数の専門家が医薬品の販売に携わっている場合であっても、当該薬局または医薬品の販売業において販売された医薬品の副作用に

よると疑われる健康被害の情報に直接接した専門家1名から提出されれば十分です。

　報告期限は特に定められていませんが、保健衛生上の危害の発生または拡大防止の観点から、報告の必要性を認めた場合は、速やかに、郵送、ファクシミリまたは電子メールにより、報告書を総合機構に送付することとされています。報告者に対しては、安全性情報受領確認書が交付されます。なお、本報告は、令和3年4月から、ウェブサイトに直接入力することによる電子的な報告が可能となっています。

> **参考　副作用報告受付サイト**
> まず、報告者の新規登録から
> https://www.estrigw.pmda.go.jp/Iryo/Agree

確認テスト（○×問題）

問題 5-2-8　報告すべき副作用は、使用上の注意に記載されているものに限定される。
☐ ☐ ☐

問題 5-2-9　副作用の症状が、その医薬品の適応症状と見分けがつきにくい場合は、報告の対象とはなっていない。
☐ ☐ ☐

問題 5-2-10　登録販売者を含む医薬関係者は、医薬部外品または化粧品による健康被害についても、自発的な情報提供が要請されている。
☐ ☐ ☐

問題 5-2-11　無承認無許可医薬品または健康食品によると疑われる健康被害については、最寄りの保健所に連絡することとなっている。
☐ ☐ ☐

問題 5-2-12　副作用の報告様式は、総合機構のホームページより入手できる。
☐ ☐ ☐

問題 5-2-13　副作用の報告様式の記入欄すべてに記入がなされる必要はない。
☐ ☐ ☐

問題 5-2-14　副作用の報告様式の記入事項は、健康被害を生じた本人から直接聴取した事項でなければならない。
☐ ☐ ☐

問題 5-2-15　複数の専門家が医薬品の販売等に携わっている場合であっても、当該薬局または医薬品の販売業において販売等された医薬品の副作用等によると疑われる健康被害の情報に直接接した専門家1名からの報告書が提出されれば十分である。
☐ ☐ ☐

☞ 解答は別冊 p.40

5

医薬品の適正使用・安全対策

医薬品による副作用を報告する方法

5-2-3 医薬品の副作用等による健康被害の救済

多くの薬害の悲劇を踏まえて、医薬品副作用被害救済制度が創設されました。

1 医薬品副作用被害救済制度

　医薬品副作用被害救済制度は、製薬企業の社会的責任に基づく公的制度として1980年5月より運営が開始されました。健康被害を受けた本人（または家族）の給付請求を受けて、その健康被害が医薬品の副作用によるものかどうか、医薬品が適正に使用されたかどうかなど、医学的薬学的判断を要する事項について薬事・食品衛生審議会の諮問・答申を経て、厚生労働大臣が判定した結果に基づいて、各種給付が行われます。

　救済給付業務に必要な費用は、給付費については、独立行政法人医薬品医療機器総合機構法第19条の規定に基づいて、製造販売業者から年度ごとに納付される拠出金が充てられるほか、事務費については、その2分の1相当額は国庫補助により賄われています。

【生物由来製品感染等被害救済制度】

　2004年4月1日以降に生物由来製品を適正に使用したにもかかわらず、感染等による疾病、障害、死亡した場合に、給付を行う救済制度が創設されています。

2 医薬品副作用被害救済制度の内容

（1）給付の種類

　給付の種類は、医療費、医療手当、障害年金、障害児養育年金、遺族年金、遺族一時金および葬祭料です。給付の種類によって請求期限が定められています。

　請求期限は、医療費、医療手当が5年以内（原則は入院治療を必要とする程度の場合）、遺族年金、遺族一時金、葬祭料が死亡から5年以内です。また障害年金、障害児養育年金は請求期限がありません。

（2）支給対象範囲

　医薬品の不適正な使用による健康被害については、救済給付の対象となりません。また、殺虫剤・殺鼠剤、殺菌消毒剤（人体に直接使用するものを除く）、一般用検査薬、一部の日局収載医薬品（精製水、ワセリン等）も給付対象とな

りません。このほか、製品不良など、製薬企業に損害賠償責任がある場合や、無承認無許可医薬品（いわゆる健康食品として販売されたもののほか、個人輸入により入手された医薬品を含む）の使用による健康被害についても救済制度の対象から除外されています。

▼給付の種類と請求の期限

給付の種類		請求の期限
医療費	医薬品の副作用による疾病の治療[*]に要した費用を実費補償するもの（ただし、健康保険等による給付の額を差し引いた自己負担分。）	医療費の支給の対象となる費用の支払いが行われたときから5年以内
医療手当	医薬品の副作用による疾病の治療[*]に伴う医療費以外の費用の負担に着目して給付されるもの（定額）	請求に係る医療が行われた日の属する月の翌月の初日から5年以内
障害年金	医薬品の副作用により一定程度の障害の状態にある18歳以上の人の生活補償等を目的として給付されるもの（定額）	請求期限なし
障害児養育年金	医薬品の副作用により一定程度の障害の状態にある18歳未満の人を養育する人に対して給付されるもの（定額）	請求期限なし
遺族年金	生計維持者が医薬品の副作用により死亡した場合に、その遺族の生活の立て直し等を目的として給付されるもの（定額）ただし、最高10年間を限度とする。	死亡のときから5年以内[注]遺族年金を受けることができる先順位者が死亡した場合には、その死亡のときから2年以内
遺族一時金	生計維持者以外の人が医薬品の副作用により死亡した場合に、その遺族に対する見舞等を目的として給付されるもの（定額）	遺族年金と同じ
葬祭料	医薬品の副作用により死亡した人の葬祭を行うことに伴う出費に着目して給付されるもの（定額）	遺族年金と同じ

（＊）医療費、医療手当の給付の対象となるのは副作用による疾病が「入院治療を必要とする程度」の場合

（注）ただし、死亡前に医療費、医療手当、障害年金または障害児養育年金の支給決定があった場合には、死亡のときから2年以内。

（3）救済給付の請求

要指導医薬品または一般用医薬品の使用による副作用被害への救済給付の請求に当たっては、医師の診断書、要した医療費を証明する書類（受診証明書）などのほか、その医薬品を販売した薬局開設者、医薬品の販売業者が作成した販売証明書等が必要となります。医薬品の販売に従事する専門家である登録販売者は、販売証明書の発行につき円滑な対応を図る必要があります。

なお、医薬品の副作用であるかどうか判断がつきかねる場合でも、給付請求を行うことは可能です。

（4）請求先

独立行政法人医薬品医療機器総合機構。

3 医薬品PLセンター

医薬品副作用被害救済制度の対象とならないケースのうち、製品不良など、製薬企業に損害賠償責任がある場合には、「医薬品PLセンター」への相談が推奨されます。

平成6年、製造物責任法（PL法）が国会において成立するに当たり、「裁判によらない迅速、公平な被害救済システムの有効性に鑑み、裁判外の紛争処理体制を充実強化すること」が衆参両院で附帯決議され、各業界に対して裁判によらない紛争処理機関の設立が求められました。これを受けて、日本製薬団体連合会において、平成7年7月のPL法の施行と同時に医薬品PLセンターが開設されました。

消費者が、医薬品又は医薬部外品に関する苦情（健康被害以外の損害も含まれる）について製造販売元の企業と交渉するに当たって、公平・中立な立場で申立ての相談を受け付け、交渉の仲介や調整・あっせんを行い、裁判によらずに迅速な解決に導くことを目的としています。

（著者注）PL法の補足

一般用医薬品として販売される製品は、製造物責任法（PL法）の対象でもあります。PL法は、製造物の欠陥により、人の生命、身体、財産に係る被害が生じた場合における製造業者等の損害賠償の責任について定めており、販売した一般用医薬品に明らかな欠陥があった場合などは、PL法の対象となりえることも理解しておいてください。

確認テスト（○×問題）

問題 5-2-16　医薬品副作用被害救済制度は、医薬品を適正に使用したにも関わらず、副作用によって一定程度以上の健康被害が生じた場合に、医療費等の諸給付を行うものである。

問題 5-2-17　健康被害の程度が、入院治療を必要と認められる場合であって、やむを得ず自宅療養を行った場合、医薬品副作用被害救済制度の救済給付の対象となる。

問題 5-2-18　医薬品副作用被害救済制度による給付費用は、国と製薬企業の折半で運営されている。

問題 5-2-19　医薬品副作用被害救済制度のうち、遺族一時金とは、生計維持者以外の人が医薬品の副作用により死亡した場合に、その遺族に対する見舞等を目的として給付されるものをいう（定額）。

問題 5-2-20　医薬品副作用被害救済制度のうち、医療費とは、医薬品の副作用による疾病の治療に要した費用を実費補償するものである（ただし、健康保険等による給付の額を差し引いた自己負担分）。

問題 5-2-21　医薬品副作用被害救済制度に関して、障害年金には、請求期限が定められていない。

問題 5-2-22　医薬品副作用被害救済制度に関して、給付の種類には、葬祭料は含まれない。

問題 5-2-23　「医薬品副作用被害救済制度」を利用して医療費の給付を申請する際の窓口は、保健所である。

確認テスト

問題 5-2-24

　次の医薬品副作用被害救済制度による給付の種類、給付額および請求期限の組み合わせについて、正しいものはどれか。

（平成29年　福井、滋賀、京都、兵庫、和歌山）

	［給付の種類］	［給付額］	［請求期限］
1	医療費	定額でない	請求期限なし
2	医療手当	定額	請求期限あり
3	障害年金	定額でない	請求期限なし
4	障害児養育年金	定額でない	請求期限あり
5	葬祭料	定額	請求期限なし

☞ 解答は別冊p.40

一般用医薬品に関する安全対策

これまでに発生した一般用医薬品による健康被害を次に示します。

（1）アンプル入りかぜ薬

解熱鎮痛成分としてアミノピリン、スルピリンが配合されたアンプル入りかぜ薬の使用による重篤な副作用（ショック）で、1959年から1965年までの間に計38名の死亡例が発生したことがあります。アンプル剤は、錠剤や散剤に比べて吸収が速く、血中濃度が急速に高値に達するため、通常用量でも副作用を生じやすいことが確認されたことから、1965年厚生省（当時）より製薬企業に対しアンプル入りかぜ薬製品の回収が要請されました。

（2）小柴胡湯による間質性肺炎

小柴胡湯による間質性肺炎については、1991年4月以降、使用上の注意に記載されていましたが、その後、小柴胡湯とインターフェロン製剤の併用例による間質性肺炎が報告されたことから、1994年1月、インターフェロン製剤との併用を禁忌とする旨の使用上の注意の改訂が行われました。しかし、その後も、死亡を含む重篤な症例あったことから、1996年3月、厚生省（当時）より関係製薬企業に対して緊急安全性情報の配布が指示されました。

（3）一般用かぜ薬による間質性肺炎

2003年5月までに、一般用かぜ薬の使用によると疑われる間質性肺炎の発生事例が、計26例報告されています。従来から、かぜ薬の使用上の注意において、「5～6回服用しても症状がよくならない場合には服用を中止して、専門家に相談する」等の記載はありましたが、それらの注意に加えて、「まれに間質性肺炎の重篤な症状が起きることがあり、その症状は、かぜの諸症状と区別が難しいため、症状が悪化した場合には服用を中止して医師の診療を受ける」旨の注意喚起がなされることとになったのです。

（4）塩酸フェニルプロパノールアミン（PPA）含有医薬品

PPAは、鼻充血や結膜充血を除去し、鼻づまり等の症状の緩和を目的として、鼻炎用内服薬、鎮咳去痰薬、かぜ薬等に配合されていました。2000年に米国において、食欲抑制剤として使用した場合に、出血性脳卒中の危険性が指摘され、米国食品医薬品庁（FDA）から米国内の販売中止が要請されました。

　日本では食欲抑制剤としての承認はなく、直ちに販売を中止しませんでしたが、2003年8月までに、PPAが配合された一般用医薬品による脳出血等の副作用症例が複数報告され、それらの多くが用法・用量の範囲を超えた使用または禁忌とされている高血圧症患者の使用によるものでした。そのため、厚生労働省より関係製薬企業等に対して、使用上の注意の改訂、情報提供の徹底等を行うとともに、代替成分としてプソイドエフェドリン塩酸塩等への速やかな切り替えが指示されました。

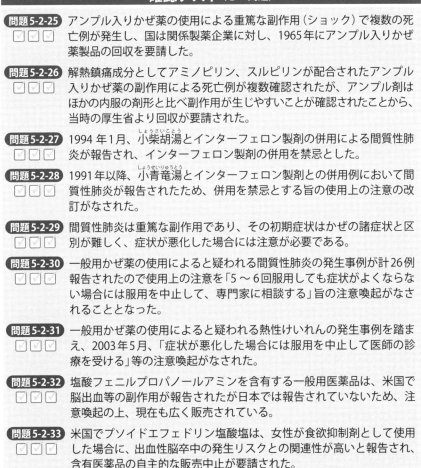

確認テスト（○×問題）

問題 5-2-25　アンプル入りかぜ薬の使用による重篤な副作用（ショック）で複数の死亡例が発生し、国は関係製薬企業に対し、1965年にアンプル入りかぜ薬製品の回収を要請した。

問題 5-2-26　解熱鎮痛成分としてアミノピリン、スルピリンが配合されたアンプル入りかぜ薬の副作用による死亡例が複数確認されたが、アンプル剤はほかの内服の剤形と比べ副作用が生じやすいことが確認されたことから、当時の厚生省より回収が要請された。

問題 5-2-27　1994年1月、小柴胡湯（しょうさいことう）とインターフェロン製剤の併用による間質性肺炎が報告され、インターフェロン製剤の併用を禁忌とした。

問題 5-2-28　1991年以降、小青竜湯（しょうせいりゅうとう）とインターフェロン製剤との併用例において間質性肺炎が報告されたため、併用を禁忌とする旨の使用上の注意の改訂がなされた。

問題 5-2-29　間質性肺炎は重篤な副作用であり、その初期症状はかぜの諸症状と区別が難しく、症状が悪化した場合には注意が必要である。

問題 5-2-30　一般用かぜ薬の使用によると疑われる間質性肺炎の発生事例が計26例報告されたので使用上の注意を「5〜6回服用しても症状がよくならない場合には服用を中止して、専門家に相談する」旨の注意喚起がなされることとなった。

問題 5-2-31　一般用かぜ薬の使用によると疑われる熱性けいれんの発生事例を踏まえ、2003年5月、「症状が悪化した場合には服用を中止して医師の診療を受ける」等の注意喚起がなされた。

問題 5-2-32　塩酸フェニルプロパノールアミンを含有する一般用医薬品は、米国で脳出血等の副作用が報告されたが日本では報告されていないため、注意喚起の上、現在も広く販売されている。

問題 5-2-33　米国でプソイドエフェドリン塩酸塩は、女性が食欲抑制剤として使用した場合に、出血性脳卒中の発生リスクとの関連性が高いと報告され、含有医薬品の自主的な販売中止が要請された。

☞ 解答は別冊 p.41

5-2-5　医薬品の適正使用のための啓発活動

　法第68条の3において、「国、都道府県、保健所を設置する市および特別区は、関係機関および関係団体の協力の下に、医薬品および医療機器の適正な使用に関する啓発および知識の普及に努める」と規定されています。

　登録販売者を目指すみなさんも、薬剤師とともに、一般用医薬品の販売に従事するプロフェッショナルとして、適切なセルフメディケーションの普及定着、医薬品の適正使用の推進のため、次のような啓発活動に積極的に参加、協力することが期待されています。

(1)「ダメ。ゼッタイ。」普及運動

　「6・26国際麻薬乱用撲滅デー」を広く普及し、薬物乱用防止を一層推進するため、毎年6月20日〜7月19日までの1か月間、国、自治体、関係団体等により、「ダメ。ゼッタイ。」普及運動が実施されています。

　薬物乱用、薬物依存は、違法薬物（麻薬、覚醒剤、大麻等）によるものばかりでなく、一般用医薬品によっても生じ得るものです。特に、青少年では、薬物乱用の危険性に関する認識や理解が必ずしも十分でなく、好奇心から身近に入手できる薬物（一般用医薬品を含む）を興味本位で乱用することがあります。要指導医薬品または一般用医薬品の乱用をきっかけとして、違法な薬物の乱用につながることもあり、その場合、乱用者自身の健康を害するだけでなく、社会的な弊害を生じるおそれが大きいので、医薬品の適正使用の重要性等に関して、小中学生のうちから啓発することが重要です。

　身近な薬物であっても大量に摂取したり、アルコールとの同時摂取による急性中毒から転倒、昏睡、死亡などのほか、長期の乱用によって、臓器障害、情緒不安定、対人関係・社会生活上の障害などにいたった事例が報告されています。

(2)「薬と健康の週間」

　医薬品の持つ特質およびその使用・取り扱い等について正しい知識を広く生活者に浸透させることにより、保健衛生の維持向上に貢献することを目的とし、毎年10月17日〜23日の1週間を「薬と健康の週間」として、国、自治体、関係団体等による広報活動やイベント等が実施されています。

　店舗販売業の勤務者であれば制約もあろうかと思いますが、登録販売者においては、薬剤師とともに一般用医薬品の販売に従事する専門家として、医薬品

の適正使用の推進のため、こうした活動に積極的に参加、協力していただきたいと願います。

● 啓発活動の日程

6月26日	国際麻薬乱用撲滅デー (World Drug Day)
6月20日〜7月19日	「ダメ。ゼッタイ。」普及運動
10月17日〜23日	薬と健康の週間

*毎年同じ日程で実施されています。

一般用医薬品においても、エフェドリン、コデイン（鎮咳去痰薬に限る）、ジヒドロコデイン（鎮咳去痰薬に限る）、ブロモバレリル尿素、プソイドエフェドリンおよびメチルエフェドリン（鎮咳去痰薬のうち、内用液剤に限る）の水和物およびその塩類を有効成分として含有する製剤は濫用等のおそれのある医薬品として指定されています（p.322参照）。

確認テスト（○×問題）

問題5-2-34 一般用医薬品では、薬物乱用が起こるおそれはない。

問題5-2-35 違法な薬物の乱用は、乱用者自身の健康を害するだけでなく、社会的な弊害を生じるおそれが大きい。

問題5-2-36 青少年は薬物乱用の危険性に関する認識や理解が十分ではなく、好奇心から身近に入手できる薬物を興味本位で乱用することもあり、小中学生のうちから啓発が重要である。

問題5-2-37 医薬品の適正使用のための啓発活動は、主に医療機関が中心となって実施すべきものであり、登録販売者が参加する必要はない。

問題5-2-38 「6・26国際麻薬乱用撲滅デー」を広く普及させ、薬物乱用防止を一層推進するため、毎年6月20日〜7月19日までの1か月間、国、自治体、関係団体等が実施する啓発活動は、麻薬・覚醒剤乱用防止運動と呼ばれている。

問題5-2-39 薬物乱用防止を一層推進するため、国、自治体、関係団体等により、「ダメ。ゼッタイ。」普及運動が実施されている。

問題5-2-40 医薬品の持つ特質およびその使用・取り扱い等について正しい知識を広く生活者に浸透させることにより、保健衛生の維持向上に貢献することを目的とし、毎年10月17日〜23日の1週間をセルフメディケーション週間として、国、自治体、関係団体等による広報活動やイベント等が実施されている。

☛ 解答は別冊 p.41

別表5-1「してはいけないこと」から出題された過去問題

以下の問題は「してはいけないこと」の関連の問題です。3章の学習を終え、p.388 ～ p.396の別表5-1を覚えた上で、解答してください。

問題5-2-41　　　　　　　　　　　　　　　　　　　□□□

次の1～5で示される成分を含む一般用医薬品の、添付文書の「してはいけないこと」の項目欄において、吸収増大による精神神経系障害が生じるおそれがあるため、「服用前後は飲酒しないこと」と記載されているものはどれか。

（令和3年　北海道、青森、岩手、秋田、山形、宮城、福島）

1　オキセサゼイン
2　カフェイン
3　ヒマシ油
4　次硝酸ビスマス
5　タンニン酸アルブミン

問題5-2-42　　　　　　　　　　　　　　　　　　　□□□

一般用医薬品の添付文書の「次の人は使用（服用）しないこと」の項に記載することとされている事項に関する組合せの正誤のうち、正しい組合せはどれか。

（令和3年　茨城、栃木、群馬、山梨、長野、新潟）

	医薬品成分等	基礎疾患等
a	芍薬甘草湯	高血圧
b	プソイドエフェドリン塩酸塩	心臓病
c	合成ヒドロタルサイト	透析療法を受けている人
d	ジフェンヒドラミン塩酸塩	糖尿病

	a	b	c	d
1	正	正	正	誤
2	正	誤	誤	正
3	正	誤	正	誤
4	誤	正	正	誤
5	誤	正	誤	誤

問題 5-2-43

次の医薬品成分のうち、眠気、目のかすみ、異常なまぶしさを生じることがあるため、一般用医薬品の添付文書の「してはいけないこと」の項に、「服用後、乗物または機械類の運転操作をしないこと」と記載されるものはどれか。

（令和3年　茨城、栃木、群馬、山梨、長野、新潟）

1　テオフィリン
2　スコポラミン臭化水素酸塩水和物
3　ケトプロフェン
4　センノシド
5　スクラルファート

問題 5-2-44

次の表は、ある一般用医薬品の鼻炎用内服薬に含まれている、有効成分の一覧である。

3カプセル中	
成分	分量
メキタジン	4mg
プソイドエフェドリン塩酸塩	75mg
メチルエフェドリン塩酸塩	75mg
シンイエキス	24mg
ベラドンナ総アルカロイド	0.4mg
無水カフェイン	110mg

この鼻炎用内服薬の添付文書等の「次の人は使用（服用）しないこと」の項目において、「次の診断を受けた人」と記載されている基礎疾患の正誤について、正しい組合せを1つ選べ。　　　　　　　　　　　　（令和3年　関西広域連合　改）

a　てんかん
b　糖尿病
c　高血圧
d　甲状腺機能障害

	a	b	c	d
1	正	正	誤	誤
2	正	誤	正	誤
3	誤	正	正	正
4	正	誤	誤	正
5	誤	正	誤	正

問題 5-2-45　□□□

　アスピリン喘息を誘発するおそれがあるため、一般用医薬品の添付文書等に、「次の人は使用（服用）しないこと」と記載されている成分を1つ選べ。

（令和3年　関西広域連合）

1　酸化マグネシウム
2　ジフェンヒドラミン塩酸塩
3　ジヒドロコデインリン酸塩
4　フマル酸第一鉄
5　イブプロフェン

☞ 解答は別冊p.42

別表5-2「相談すること」から出題された過去問題

　以下の問題は「相談すること」の関連の問題です。3章の学習を終え、p.396～p.403の別表5-2を覚えた上で、解答してください。

問題 5-2-46　□□□

　次の一般用医薬品の漢方処方製剤のうち、その添付文書等において、「相談すること」の項目中に「次の診断を受けた人」として「甲状腺機能障害」と記載することとされているものとして、正しいものの組合せはどれか。（令和3年　千葉、東京、神奈川、埼玉）

a　防風通聖散
　　ぼうふうつうしょうさん
b　桂枝湯
　　けいしとう
c　小青竜湯
　　しょうせいりゅうとう
d　半夏厚朴湯
　　はんげこうぼくとう

1（a、b）　　2（a、c）　　3（b、c）　　4（b、d）　　5（c、d）

問題 5-2-47　□□☑

次の表は、ある一般用医薬品のアレルギー用薬に含まれている成分の一覧である。このアレルギー用薬の添付文書等において、使用上の注意に記載することとされている事項として、正しいものの組合せはどれか。（令和3年　千葉、東京、神奈川、埼玉）

2錠中	
メキタジン	4mg
リボフラビン	12mg
ピリドキシン塩酸塩	30mg
ニコチン酸アミド	60mg

a　服用後、乗物または機械類の運転操作をしないこと。
b　てんかんの診断を受けた人は、服用前に専門家に相談すること。
c　緑内障の診断を受けた人は、服用前に専門家に相談すること。
d　下痢の症状がある人は、服用前に専門家に相談すること。

1（a、b）　　2（a、c）　　3（a、d）　　4（b、c）　　5（b、d）

問題 5-2-48　□□□

次の医薬品成分のうち、一般用医薬品の添付文書等において、生じた血栓が分解されにくくなるため、「相談すること」の項目中に「次の診断を受けた人」として「血栓のある人（脳血栓、心筋梗塞、血栓性静脈炎等）、血栓症を起こすおそれのある人」と記載することとされている内服薬の成分の正誤について、正しい組合せはどれか。

（令和3年　千葉、東京、神奈川、埼玉）

a　スクラルファート（スクラルファート水和物）
b　次硝酸ビスマス
c　パパベリン塩酸塩
d　トラネキサム酸

	a	b	c	d
1	正	正	正	正
2	誤	正	誤	正
3	正	誤	正	誤
4	誤	誤	誤	正
5	誤	正	正	誤

問題 5-2-49 ☑ ☑ ☑

　一般用医薬品の添付文書等において、「妊婦または妊娠していると思われる人」は、「相談すること」と記載されている医薬品の正誤について、正しい組合せを1つ選べ。

（令和3年　関西広域連合）

a　ブロモバレリル尿素が配合された乗物酔い防止薬

b　センノシドが配合された瀉下薬

c　アセトアミノフェンが配合された解熱鎮痛薬

d　コデインリン酸塩が配合された鎮咳去痰薬

	a	b	c	d
1	正	正	正	誤
2	正	正	誤	正
3	正	誤	正	正
4	誤	正	正	正
5	正	正	正	正

問題 5-2-50 ☑ ☑ ☑

　次の医薬品成分と、その成分を含む一般用医薬品の添付文書等に「相談すること」と記載することとされている対象者との関係について、正しいものの組合せを1つ選べ。

（令和3年　関西広域連合）

	医薬品成分	対象者
a	アスピリン	甲状腺機能亢進症の診断を受けた人
b	アセトアミノフェン	肝臓病の診断を受けた人
c	メチルエフェドリン塩酸塩	心臓病の診断を受けた人
d	ロペラミド塩酸塩	てんかんの診断を受けた人

1（a、b）　　2（a、d）　　3（b、c）　　4（c、d）

問題5-2-51　☑☑☑

　次の表は、ある一般用医薬品に含まれている成分の一覧である。この医薬品を購入する目的で店舗を訪れた35歳女性から、次のような相談を受けた。この女性に対する登録販売者の説明について、<u>不適切なもの</u>の組合せはどれか。

（令和3年　千葉、東京、神奈川、埼玉　改）

＜相談内容＞

　このかぜ薬を使用する際に気を付けることを教えてほしい。以前かぜ薬を使用したときに尿の色が鮮やかな黄色になり気になったため、尿に目立った色がつかないものがよい。

　常備薬として、息子（10歳）にも使いたいと思っている。

1回量2錠中	
ジヒドロコデインリン酸塩	8mg
メチルエフェドリン塩酸塩	20mg
グアイフェネシン	60mg
キキョウ乾燥エキス末	53.3mg
オウヒ乾燥エキス	24mg
イブプロフェン	150mg
クロルフェニラミンマレイン酸塩	2.5mg
リボフラビン	4mg

a　服用後、眠気があらわれることがあります。

b　息子さんが服用する時は、半量の1回1錠服用するようにしてください。

c　高熱や呼吸困難を伴う激しい咳のような症状がみられる場合は、他の疾患の可能性があるため、医療機関を受診してください。

d　この薬を飲んでも尿の色が鮮やかな黄色になることはありませんので、安心してください。

1（a、b）　　2（a、c）　　3（a、d）　　4（b、c）　　5（b、d）

☞ 解答は別冊p.43

別表

▼別表5-1　主な使用上の注意の記載とその対象成分・薬効群等「してはいけないこと」

●「してはいけないこと」

「次の人は使用（服用）しないこと」

○アレルギーの既往歴	主な成分・薬効群等	理由
「本剤または本剤の成分によりアレルギー症状を起こしたことがある人」	かぜ薬、解熱鎮痛薬	アレルギー症状の既往歴のある人が再度使用した場合、ショック（アナフィラキシー）、皮膚粘膜眼症候群（スティーブンス・ジョンソン症候群）、中毒性表皮壊死融解症（ライエル症候群）等の重篤なアレルギー性の副作用を生じる危険性が高まるため。
	デキストロメトルファン臭化水素酸塩水和物、デキストロメトルファンフェノールフタレイン酸塩	
	クエン酸チペピジン、チペピジンヒベンズ酸塩	
	アミノフィリン水和物、テオフィリン	
	リドカイン、リドカイン塩酸塩	
	クロルフェニラミンマレイン酸塩、ベラドンナ総アルカロイド・プソイドエフェドリン塩酸塩・カフェインまたはクロルフェニラミンマレイン酸塩・ベラドンナ総アルカロイド・プソイドエフェドリン塩酸塩・カフェインを含有する鼻炎用内服薬	
	ヨードチンキを含有するみずむし・たむし用薬	
	ポビドンヨードが配合された含嗽薬、口腔咽喉薬、殺菌消毒薬	
	ブチルスコポラミン臭化物	
	ロペラミド塩酸塩	
	メキタジン	
	リドカイン、リドカイン塩酸塩、アミノ安息香酸エチル、塩酸パラブチルアミノ安息香酸ジエチルアミノエチルまたはジブカイン塩酸塩が配合された外用痔疾用薬（坐薬、注入軟膏）	
「喘息を起こしたことがある人」	インドメタシン、フェルビナク、ケトプロフェンまたはピロキシカムが配合された外用鎮痛消炎薬	喘息発作を誘発するおそれがあるため。

「本剤または他のかぜ薬、解熱鎮痛薬を使用（服用）して喘息を起こしたことがある人」	アセトアミノフェン、アスピリン、イブプロフェン、イソプロピルアンチピリン等の解熱鎮痛成分	アスピリン喘息を誘発するおそれがあるため。
「次の医薬品によるアレルギー症状（発疹・発赤、かゆみ、かぶれ等）を起こしたことがある人　チアプロフェン酸を含有する解熱鎮痛薬、スプロフェンを含有する外用鎮痛消炎薬、フェノフィブラートを含有する高脂血症治療薬」	ケトプロフェンが配合された外用鎮痛消炎薬	接触皮膚炎、光線過敏症を誘発するおそれがあるため。
「次の添加物によるアレルギー症状（発疹・発赤、かゆみ、かぶれ等）を起こしたことがある人　オキシベンゾン、オクトクリレンを含有する製品（日焼け止め、香水等）」		接触皮膚炎を誘発するおそれがあるため。
「本剤または本剤の成分、牛乳によるアレルギー症状を起こしたことがある人」	タンニン酸アルブミン	タンニン酸アルブミンは、乳製カゼインを由来としているため。
	カゼイン、カゼインナトリウム等（添加物）	カゼインは牛乳タンパクの主成分であり、牛乳アレルギーのアレルゲンとなる可能性があるため。

○症状・状態

「次の症状がある人」	主な成分・薬効群等	理由
胃酸過多	カフェイン、無水カフェイン、カフェインクエン酸塩等のカフェインを含む成分を主薬とする眠気防止薬	カフェインが胃液の分泌を亢進し、症状を悪化させるおそれがあるため。
前立腺肥大による排尿困難	プソイドエフェドリン塩酸塩	交感神経刺激作用により、尿の貯留・尿閉を生じるおそれがあるため。
激しい腹痛または吐き気・嘔吐	ヒマシ油が配合された瀉下薬	急性腹症（腸管の狭窄、閉塞、腹腔内器官の炎症等）の症状である可能性があるため。

5

医薬品の適正使用・安全対策

別表

「患部が化膿している人」 「次の部位には使用しないこと：水痘（水ぼうそう）、みずむし・たむし等または化膿している患部」	ステロイド性抗炎症成分が配合された外用薬	細菌等の感染に対する抵抗力を弱めて、感染を増悪させる可能性があるため。
	インドメタシン、フェルビナク、ケトプロフェンまたはピロキシカムが配合された外用薬	感染に対する効果はなく、逆に感染の悪化が自覚されにくくなるおそれがあるため。

○基礎疾患等

「次の診断を受けた人」	主な成分・薬効群等	理由
心臓病	プソイドエフェドリン塩酸塩 芍薬甘草湯	徐脈または頻脈を引き起こし、心臓病の症状を悪化させるおそれがあるため。
胃潰瘍	カフェイン、無水カフェイン、カフェインクエン酸塩等のカフェインを含む成分を主薬とする眠気防止薬	胃液の分泌が亢進し、胃潰瘍の症状を悪化させるおそれがあるため。
高血圧	プソイドエフェドリン塩酸塩	交感神経興奮作用により血圧を上昇させ、高血圧を悪化させるおそれがあるため。
甲状腺機能障害		甲状腺機能亢進症の主症状は、交感神経系の緊張等によってもたらされており、交感神経系を興奮させる成分は、症状を悪化させるおそれがあるため。
糖尿病		肝臓でグリコーゲンを分解して血糖値を上昇させる作用があり、糖尿病を悪化させるおそれがあるため。
「日常的に不眠の人、不眠症の診断を受けた人」	抗ヒスタミン成分を主薬とする催眠鎮静薬（睡眠改善薬）	睡眠改善薬は、慢性的な不眠症状に用いる医薬品でないため。 医療機関において不眠症の治療を受けている場合には、その治療を妨げるおそれがあるため。

その他	主な成分・薬効群等	理由
「透析療法を受けている人」	スクラルファート、水酸化アルミニウムゲル、ケイ酸アルミン酸マグネシウム、ケイ酸アルミニウム、合成ヒドロタルサイト、アルジオキサ等のアルミニウムを含む成分が配合された胃腸薬、胃腸鎮痛鎮痙薬	長期間服用した場合に、アルミニウム脳症及びアルミニウム骨症を発症したとの報告があるため。
「口の中に傷やひどいただれのある人」	クロルヘキシジングルコン酸塩が配合された製剤（口腔内への適応を有する場合）	傷やただれの状態を悪化させるおそれがあるため。

○小児における年齢制限

	主な成分・薬効群等	理由
「15歳未満の小児」	アスピリン、アスピリンアルミニウム、サザピリン、プロメタジンメチレンジサリチル酸塩、サリチル酸ナトリウム	外国において、ライ症候群の発症との関連性が示唆されているため。
	プロメタジン塩酸塩等のプロメタジンを含む成分	外国において、乳児突然死症候群、乳児睡眠時無呼吸発作のような致命的な呼吸抑制が現れたとの報告があるため。
	イブプロフェン	一般用医薬品では、小児向けの製品はないため。
	抗ヒスタミン成分を主薬とする催眠鎮静薬（睡眠改善薬）	小児では、神経過敏、興奮を起こすおそれが大きいため。
	オキセサゼイン	一般用医薬品では、小児向けの製品はないため。
	ロペラミド	外国で乳幼児が過量摂取した場合に、中枢神経系障害、呼吸抑制、腸管壊死に至る麻痺性イレウスを起こしたとの報告があるため。
「6歳未満の小児」	アミノ安息香酸エチル	メトヘモグロビン血症を起こすおそれがあるため。
「3歳未満の小児」	ヒマシ油類	

○妊婦、授乳婦等

	主な成分・薬効群等	理由
「妊婦または妊娠していると思われる人」	ヒマシ油類	腸の急激な動きに刺激されて流産・早産を誘発するおそれがあるため。
	ジフェンヒドラミン塩酸塩を主薬とする催眠鎮静薬（睡眠改善薬）	妊娠に伴う不眠は、睡眠改善薬の適用症状でないため。
	エチニルエストラジオール、エストラジオール	妊娠中の女性ホルモン成分の摂取によって、胎児の先天性異常の発生が報告されているため。
	オキセサゼイン	妊娠中における安全性は確立されていないため。
「出産予定日12週以内の妊婦」	アスピリン、アスピリンアルミニウム、イブプロフェン	妊娠期間の延長、胎児の動脈管の収縮・早期閉鎖、子宮収縮の抑制、分娩時出血の増加のおそれがあるため。

5

医薬品の適正使用・安全対策

別表

「授乳中の人は本剤を服用しないか、本剤を服用する場合は授乳を避けること」	ジフェンヒドラミン塩酸塩、ジフェンヒドラミンサリチル酸塩等のジフェンヒドラミンを含む成分が配合された内服薬、点鼻薬、坐薬、注入軟膏	乳児に昏睡を起こすおそれがあるため。
	アミノフィリン水和物、テオフィリンが配合された鎮咳去痰薬、鎮暈薬	乳児に神経過敏を起こすことがあるため。
	ロートエキスが配合された内服薬、外用痔疾用薬(坐薬、注入軟膏)	乳児に頻脈を起こすおそれがあるため(なお、授乳婦の乳汁分泌が抑制されることがある)。
	センノシド、センナ、ダイオウまたはカサントラノールが配合された内服薬。ヒマシ油類	乳児に下痢を起こすおそれがあるため。
	コデインリン酸塩水和物、ジヒドロコデインリン酸塩	コデインで、母乳への移行により、乳児でモルヒネ中毒が生じたとの報告があるため。

「服用後、乗物または機械類の運転操作をしないこと」

薬効群	主な成分等	懸念される症状
かぜ薬、催眠鎮静薬、乗物酔い防止薬、鎮咳去痰薬、口腔咽喉薬、鼻炎用内服薬、アレルギー用薬、内服痔疾用薬	ジフェンヒドラミン塩酸塩、クロルフェニラミンマレイン酸塩等の抗ヒスタミン成分	眠気等
かぜ薬、鎮咳去痰薬	コデインリン酸塩水和物、ジヒドロコデインリン酸塩	
解熱鎮痛薬、催眠鎮静薬	ブロモバレリル尿素、アリルイソプロピルアセチル尿素	
止瀉薬	ロペラミド塩酸塩、ロートエキス	
胃腸鎮痛鎮痙薬、乗物酔い防止薬	スコポラミン臭化水素酸塩水和物、メチルオクタトロピン臭化物	眠気、目のかすみ、異常なまぶしさを生じることがあるため。
胃腸薬	ピレンゼピン塩酸塩水和物	目のかすみ、異常なまぶしさを生じることがあるため。
かぜ薬、胃腸鎮痛鎮痙薬、鼻炎用内服薬、乗物酔い防止薬	スコポラミン臭化水素酸塩水和物、メチルオクタトロピン臭化物以外の抗コリン成分	

○連用に関する注意		
薬効群	主な成分等	理由
かぜ薬、解熱鎮痛薬、抗菌性点眼薬、鼻炎用内服薬、鎮静薬、アレルギー用薬「長期連用しないこと」	（成分によらず、当該薬効群の医薬品すべてに記載）	一定期間または一定回数使用しても症状の改善がみられない場合は、ほかに原因がある可能性があるため。
外用鎮痛消炎薬「長期連用しないこと」	インドメタシン、フェルビナク、ケトプロフェン、ピロキシカム	
瀉下薬「連用しないこと」	ヒマシ油	
鼻炎用点鼻薬「長期連用しないこと」	（成分によらず、左記薬効群の医薬品すべてに記載）	二次充血、鼻づまり等を生じるおそれがある。
眠気防止薬「短期間の服用にとどめ、連用しないこと」	カフェイン、無水カフェイン、カフェインクエン酸塩等のカフェインを含む成分	眠気防止薬は、一時的に緊張を要する場合に居眠りを防止する目的で使用されるものであり、連用によって睡眠が不要になるというものではなく、短期間の使用にとどめ、適切な睡眠を摂る必要があるため。
短期間の服用に限られる漢方生薬製剤「短期間の服用にとどめ、連用しないこと」	グリチルリチン酸二カリウム、グリチルレチン酸、カンゾウ等のグリチルリチン酸を含む成分（1日用量がグリチルリチン酸として40mg以上、またはカンゾウとして1g以上を含有する場合）	偽アルドステロン症を生じるおそれがあるため。
外用痔疾用薬（坐薬、注入軟膏）「長期連用しないこと」		
漢方生薬製剤以外の鎮咳去痰薬、瀉下剤、婦人薬「長期連用しないこと」		
胃腸薬、胃腸鎮痛鎮痙薬「長期連用しないこと」	スクラルファート、水酸化アルミニウムゲル、ケイ酸アルミン酸マグネシウム、ケイ酸アルミニウム、合成ヒドロタルサイト、アルジオキサ等のアルミニウムを含む成分が配合された胃腸薬、胃腸鎮痛鎮痙薬	長期連用により、アルミニウム脳症及びアルミニウム骨症を生じるおそれがあるため。
外用痔疾用薬、化膿性皮膚疾患用薬、鎮痒消炎薬、しもやけ・あかぎれ用薬「長期連用しないこと」	ステロイド性抗炎症成分（コルチゾン換算で1gまたは1mLあたり0.025mg以上を含有する場合。ただし、坐薬及び注入軟膏では、含量によらず記載）	副腎皮質の機能低下を生じるおそれがあるため。

5

医薬品の適正使用・安全対策

別表

漢方製剤 「症状があるときのみの服用にとどめ、連用しないこと」	芍薬甘草湯	うっ血性心不全、心室頻拍の副作用が現れることがあるため。
止瀉薬 「1週間以上継続して服用しないこと」	次没食子酸ビスマス、次硝酸ビスマス等のビスマスを含む成分	海外において、長期連用した場合に精神神経症状が現れたとの報告があるため。
浣腸薬 「連用しないこと」	（成分によらず、当該薬効群の医薬品に記載）	感受性の低下（いわゆる"慣れ"）が生じて、習慣的に使用される傾向があるため。
駆虫薬 「○○以上続けて服用しないこと」 （承認内容により、回数または日数を記載）		過度に服用しても効果が高まることはなく、かえって副作用を生じるおそれがあるため。虫卵には駆虫作用が及ばず、成虫になるのを待つため、1か月以上の間隔を置く必要があるため。

「大量に使用（服用）しないこと」

主な成分・薬効群等	理由
センナ、センノシド、ダイオウ、カサントラノール、ビサコジル、ピコスルファートナトリウム等の刺激性瀉下成分が配合された瀉下剤	腸管粘膜への刺激が大きくなり、腸管粘膜に炎症を生じるおそれがあるため。

○乱用に関する注意

	主な成分・薬効群等	理由
「過量服用・長期連用しないこと」	コデインリン酸塩水和物、ジヒドロコデインリン酸塩が配合された鎮咳去痰薬（内服液剤）	倦怠感や虚脱感等が現れることがあるため。 依存性・習慣性がある成分が配合されており、乱用事例が報告されているため。

○食品との相互作用に関する注意

	主な成分・薬効群等	懸念される相互作用
「コーヒーやお茶等のカフェインを含有する飲料と同時に服用しないこと」	カフェイン、無水カフェイン、カフェインクエン酸塩等のカフェインを含む成分を主薬とする眠気防止薬	カフェインが過量摂取となり、中枢神経系、循環器系等に作用が強く現れるおそれがあるため。
「服用前後は飲酒しないこと」	かぜ薬、解熱鎮痛薬	肝機能障害、胃腸障害が生じるおそれがあるため。
	次硝酸ビスマス、次没食子酸ビスマス等のビスマスを含む成分	吸収増大による精神神経系障害が生じるおそれがあるため。
	ブロモバレリル尿素またはアリルイソプロピルアセチル尿素が配合された解熱鎮痛薬、催眠鎮静薬、乗物酔い防止薬	鎮静作用の増強が生じるおそれがあるため。
	抗ヒスタミン成分を主薬とする催眠鎮静薬	

○併用薬に関する注意		
「本剤を使用している間は、次の医薬品を使用しないこと」	主な成分・薬効群等	懸念される相互作用
他の瀉下薬（下剤）	茵蔯蒿湯、大黄甘草湯、大黄牡丹皮湯、麻子仁丸、桃核承気湯、防風通聖散、三黄瀉心湯、大柴胡湯、乙字湯（ダイオウを含む場合）、瀉下成分が配合された駆虫薬	激しい腹痛を伴う下痢等の副作用が現れやすくなるため。
ヒマシ油	駆虫薬（瀉下成分が配合されていない場合）	駆虫成分が腸管内にとどまらず吸収されやすくなるため。
駆虫薬	ヒマシ油	

○その他：副作用等を避けるため必要な注意		
「次の部位には使用しないこと」	主な成分・薬効群等	理由
目や目の周囲、粘膜（たとえば、口腔、鼻腔、膣等）	みずむし・たむし用薬	皮膚刺激成分により、強い刺激や痛みを生じるおそれがあるため。
目の周囲、粘膜等	外用鎮痒消炎薬（エアゾール剤に限る）	エアゾール剤は特定の局所に使用することが一般に困難であり、目などに薬剤が入るおそれがあるため。
湿疹、かぶれ、傷口	外用鎮痛消炎薬	皮膚刺激成分により、強い刺激や痛みを生じるおそれがあるため。
陰のう、外陰部等	みずむし・たむし用薬	角質層が薄いため白癬菌は寄生しにくく、いんきん・たむしではなく陰のう湿疹等、他の病気である可能性があるため。また、皮膚刺激成分により、強い刺激や痛みを生じるおそれがあるため。
湿疹		湿疹に対する効果はなく、誤って使用すると悪化させるおそれがあるため。
湿潤、ただれ、亀裂や外傷のひどい患部	（液剤、軟膏剤またはエアゾール剤の場合）	刺激成分により、強い刺激や痛みが現れることがあるため。

目の周囲、粘膜、やわらかな皮膚面（首の回り等）、顔面等	うおのめ・いぼ・たこ用薬	角質溶解作用の強い薬剤であり、誤って目に入ると障害を与える危険性があるため。粘膜や首の回り等の柔らかい皮膚面、顔面等に対しては作用が強すぎるため。
炎症または傷のある患部		刺激が強く、症状を悪化させるおそれがあるため。
ただれ、化膿している患部	殺菌消毒薬（液体絆創膏）	湿潤した患部に用いると、分泌液が貯留して症状を悪化させることがあるため。
湿潤、ただれのひどい患部、深い傷、ひどいやけどの患部	バシトラシンが配合された化膿性皮膚疾患用薬	刺激が強く、症状を悪化させるおそれがあるため。
「本剤の使用中は、天候にかかわらず、戸外活動を避けるとともに、日常の外出時も本剤の塗布部を衣服、サポーター等で覆い、紫外線に当てないこと。なお、塗布後も当分の間、同様の注意をすること」	ケトプロフェンが配合された外用鎮痛消炎薬	使用中または使用後しばらくしてから重篤な光線過敏症が現れることがあるため。

▼別表5-2　主な使用上の注意の記載とその対象成分・薬効群等 「相談すること」

●「相談すること」

○「妊婦または妊娠していると思われる人」

主な成分・薬効群等	理由
アスピリン、アスピリンアルミニウム、サザピリン、エテンザミド、サリチルアミド、イブプロフェン、イソプロピルアンチピリン、アセトアミノフェンが配合されたかぜ薬、解熱鎮痛薬	妊娠末期のラットに投与した実験において、胎児に弱い動脈管の収縮がみられたとの報告があるため。 なお、アスピリンについては、動物実験（ラット）で催奇形性が現れたとの報告があるため。また、イソプロピルアンチピリンについては、化学構造が類似した他のピリン系解熱鎮痛成分において、動物実験（マウス）で催奇形性が報告されているため。
ブロモバレリル尿素が配合されたかぜ薬、解熱鎮痛薬、催眠鎮静薬、乗物酔い防止薬	胎児障害の可能性があり、使用を避けることが望ましいため。
ベタネコール塩化物、ウルソデオキシコール酸	

副腎皮質ホルモンが配合された外用痔疾用薬、鎮痒消炎薬	
コデインリン酸塩水和物、ジヒドロコデインリン酸塩が配合されたかぜ薬、鎮咳去痰薬	麻薬性鎮咳成分であり、吸収された成分の一部が胎盤関門を通過して胎児へ移行することが知られているため。 コデインリン酸塩水和物については、動物実験（マウス）で催奇形性が報告されているため。
瀉下薬 （カルボキシメチルセルロースカルシウム、カルボキシメチルセルロースナトリウム、ジオクチルソジウムスルホサクシネートまたはプランタゴ・オバタ種皮のみからなる場合を除く）	腸の急激な動きに刺激されて流産・早産を誘発するおそれがあるため。
浣腸薬、外用痔疾用薬（坐薬、注入軟膏）	
「妊娠3か月以内の妊婦、妊娠していると思われる人または妊娠を希望する人」	ビタミンA主薬製剤、ビタミンAD主薬製剤	ビタミンAを妊娠3か月前から妊娠3か月までの間に栄養補助剤から1日10,000国際単位以上を継続的に摂取した婦人から生まれた児に、先天異常（口裂、耳・鼻の異常等）の発生率の増加が認められたとの研究報告があるため。

○「授乳中の人」

薬効群等	乳汁中に移行する可能性がある主な成分等
かぜ薬、解熱鎮痛薬、鎮咳去痰薬、鼻炎用内服薬、アレルギー用薬	メチルエフェドリン塩酸塩、メチルエフェドリンサッカリン塩、トリプロリジン塩酸塩水和物、プソイドエフェドリン塩酸塩、ペントキシベリンクエン酸塩、アスピリン、アスピリンアルミニウム、イブプロフェン
かぜ薬、解熱鎮痛薬、眠気防止薬、乗物酔い防止薬、鎮咳去痰薬 （カフェインとして1回分量100mg以上を含有する場合）	カフェイン、無水カフェイン、安息香酸ナトリウムカフェイン
胃腸鎮痛鎮痙薬、乗物酔い防止薬	メチルオクタトロピン臭化物、メチキセン塩酸塩、ジサイクロミン塩酸塩
外用痔疾用薬（坐薬、注入軟膏）	メチルエフェドリン塩酸塩、メチルエフェドリンサッカリン塩
止瀉薬	ロペラミド塩酸塩
婦人薬	エチニルエストラジオール、エストラジオール

○「高齢者」

主な成分・薬効群等	理由
解熱鎮痛薬、鼻炎用内服薬	効き目が強すぎたり、副作用が現れやすいため。
グリセリンが配合された浣腸薬	

5

医薬品の適正使用・安全対策

別表

メチルエフェドリン塩酸塩、メチルエフェドリンサッカリン塩、プソイドエフェドリン塩酸塩、トリメトキノール塩酸塩水和物、メトキシフェナミン塩酸塩等のアドレナリン作動成分またはマオウが配合された内服薬、外用痔疾用薬（坐薬、注入軟膏）	心悸亢進、血圧上昇、糖代謝促進を起こしやすいため。
グリチルリチン酸二カリウム、グリチルレチン酸またはカンゾウが配合された内服薬、外用痔疾用薬（坐薬、注入軟膏）（1日用量がグリチルリチン酸として40mg以上、またはカンゾウとして1g以上を含有する場合）	偽アルドステロン症を生じやすいため。
スコポラミン臭化水素酸塩水和物、メチルオクタトロピン臭化物、イソプロパミドヨウ化物等の抗コリン成分またはロートエキスが配合された内服薬、外用痔疾用薬（坐薬、注入軟膏）	緑内障の悪化、口渇、排尿困難または便秘の副作用が現れやすいため。

○小児に対する注意

	主な成分等	理由
発熱している小児、けいれんを起こしたことがある小児	テオフィリン、アミノフィリン水和物	けいれんを誘発するおそれがあるため。
「水痘（水ぼうそう）もしくはインフルエンザにかかっているまたはその疑いのある乳・幼・小児（15歳未満）」	サリチルアミド、エテンザミド	構造が類似しているアスピリンにおいて、ライ症候群の発症との関連性が示唆されており、原則として使用を避ける必要があるため。
1か月未満の乳児（新生児）	マルツエキス	身体が非常に未熟であり、安易に瀉下薬を使用すると脱水症状を引き起こすおそれがあるため。

○アレルギーの既往歴

	主な成分等	理由
「薬によりアレルギー症状や喘息を起こしたことがある人」	黄色4号（タートラジン）（添加物）	喘息誘発のおそれがあるため。
	ガジュツ末・真昆布末を含む製剤	まれにアナフィラキシーを起こすことがあるため。

○特定の症状・状態

「次の症状がある人」	主な成分・薬効群等	理由
高熱	かぜ薬、鎮咳去痰薬、鼻炎用内服薬、小児五疳薬	かぜ以外のウイルス性の感染症その他の重篤な疾患の可能性があるため。
けいれん	ピペラジンリン酸塩水和物等のピペラジンを含む成分	痙攣を起こしたことがある人では、発作を誘発する可能性があるため。
むくみ	グリチルリチン酸二カリウム、グリチルレチン酸、カンゾウ等のグリチルリチン酸を含む成分（1日用量がグリチルリチン酸として40mg以上、またはカンゾウとして1g以上を含有する場合）	偽アルドステロン症の発症のおそれが特にあるため。

下痢	緩下作用のある成分が配合された内服痔疾用薬	下痢症状を助長するおそれがあるため。
はげしい下痢	小児五疳薬	大腸炎等の可能性があるため。
急性のはげしい下痢または腹痛・腹部膨満感・吐き気等の症状を伴う下痢	タンニン酸アルブミン、次硝酸ビスマス、次没食子酸ビスマス等の収斂成分を主体とする止瀉薬	下痢を止めるとかえって症状を悪化させることがあるため。
	ロペラミド塩酸塩	
発熱を伴う下痢、血便または粘液便の続く人		
便秘を避けなければならない肛門疾患		便秘が引き起こされることがあるため。
はげしい腹痛	瀉下薬（ヒマシ油、マルツエキスを除く）、浣腸薬、ビサコジルを主薬とする坐薬	急性腹症（腸管の狭窄、閉塞、腹腔内器官の炎症等）の可能性があり、瀉下薬や浣腸薬の配合成分の刺激によって、その症状を悪化させるおそれがあるため。
吐き気・嘔吐		
痔出血	グリセリンが配合された浣腸薬	腸管、肛門に損傷があると、傷口からグリセリンが血管内に入って溶血を起こすことや、腎不全を起こすおそれがあるため。
排尿困難	ジフェンヒドラミン塩酸塩、クロルフェニラミンマレイン酸塩等の抗ヒスタミン成分	排尿筋の弛緩と括約筋の収縮が起こり、尿の貯留を来すおそれがあるため。特に、前立腺肥大症を伴っている場合には、尿閉を引き起こすおそれがあるため。
	ジフェニドール塩酸塩	
	構成生薬としてマオウを含む漢方処方製剤	
	スコポラミン臭化水素酸塩水和物、メチルオクタトロピン臭化物、イソプロパミドヨウ化物等の抗コリン成分	
	ロートエキス	
口内のひどいただれ	含嗽薬	粘膜刺激を起こすおそれのある成分が配合されている場合があるため。
はげしい目の痛み	眼科用薬	急性緑内障、角膜潰瘍または外傷等の可能性が考えられるため。特に、急性緑内障の場合には、専門医の処置によって早急に眼圧を下げないと失明の危険性があり、角膜潰瘍の場合も、専門医による適切な処置を施さないと視力障害等を来すことがあるため。

5

医薬品の適正使用・安全対策

別表

○基礎疾患等		
「次の診断を受けた人」	主な成分・薬効群等	理由
てんかん	ジプロフィリン	中枢神経系の興奮作用により、てんかんの発作を引き起こすおそれがあるため。
胃・十二指腸潰瘍	アスピリン、アスピリンアルミニウム、エテンザミド、イソプロピルアンチピリン、アセトアミノフェン、サリチルアミド	胃・十二指腸潰瘍を悪化させるおそれがあるため。
	次硝酸ビスマス、次没食子酸ビスマス等のビスマスを含む成分	ビスマスの吸収が高まり、血中に移行する量が多くなり、ビスマスによる精神神経障害等が発現するおそれがあるため。
肝臓病	小柴胡湯	間質性肺炎の副作用が現れやすいため。
	アスピリン、アスピリンアルミニウム、エテンザミド、イブプロフェン、イソプロピルアンチピリン、アセトアミノフェン	肝機能障害を悪化させるおそれがあるため。
	サントニン	
	ピペラジンリン酸塩等のピペラジンを含む成分	肝臓における代謝が円滑に行われず、体内への蓄積によって副作用が現れやすくなるため。
	セミアルカリプロティナーゼ、ブロメライン	代謝、排泄の低下によって、副作用が現れやすくなるため。
	ガジュツ末・真昆布末を含む製剤	肝機能障害を起こすことがあるため。
甲状腺疾患	ポビドンヨード、ヨウ化カリウム、ヨウ素等のヨウ素系殺菌消毒成分が配合された口腔咽喉薬、含嗽薬	ヨウ素の体内摂取が増える可能性があり、甲状腺疾患の治療に影響を及ぼすおそれがあるため。
甲状腺機能障害 甲状腺機能亢進症	アドレナリン作用成分が配合された鼻炎用点鼻薬	甲状腺機能亢進症の主症状は、交感神経系の緊張等によってもたらされており、交感神経系を興奮させる成分は、症状を悪化させるおそれがあるため。
	メチルエフェドリン塩酸塩、トリメトキノール塩酸塩水和物、フェニレフリン塩酸塩、メトキシフェナミン塩酸塩等のアドレナリン作動成分	
	マオウ	
	ジプロフィリン	中枢神経系の興奮作用により、症状の悪化を招くおそれがあるため。
	水酸化アルミニウム・炭酸マグネシウム・炭酸カルシウム共沈生成物、沈降炭酸カルシウム、無水リン酸水素カルシウム、リン酸水素カルシウム水和物、乳酸カルシウム水和物	甲状腺ホルモンの吸収を阻害するおそれがあるため。

高血圧	アドレナリン作用成分が配合された鼻炎用点鼻薬	交感神経興奮作用により血圧を上昇させ、高血圧を悪化させるおそれがあるため。
	メチルエフェドリン塩酸塩、トリメトキノール塩酸塩水和物、フェニレフリン塩酸塩、メトキシフェナミン塩酸塩等のアドレナリン作動成分	
	マオウ	
	グリチルリチン酸二カリウム、グリチルレチン酸、カンゾウ等のグリチルリチン酸を含む成分（1日用量がグリチルリチン酸として40mg以上、またはカンゾウとして1g以上を含有する場合）	大量に使用するとナトリウム貯留、カリウム排泄促進が起こり、むくみ（浮腫）等の症状が現れ、高血圧を悪化させるおそれがあるため。
心臓病	アドレナリン作用成分が配合された鼻炎用点鼻薬	心臓に負担をかけ、心臓病を悪化させるおそれがあるため。
	メチルエフェドリン塩酸塩、トリメトキノール塩酸塩水和物、フェニレフリン塩酸塩、メトキシフェナミン塩酸塩、ジプロフィリン等のアドレナリン作動成分	
	マオウ	
	スコポラミン臭化水素酸塩水和物、メチルオクタトロピン臭化物、イソプロパミドヨウ化物等の抗コリン成分	
	ロートエキス	
	アスピリン、アスピリンアルミニウム、エテンザミド、イブプロフェン、アセトアミノフェン	むくみ（浮腫）、循環体液量の増加が起こり、心臓の仕事量が増加し、心臓病を悪化させるおそれがあるため。
	グリチルリチン酸の塩類、カンゾウまたはそのエキス（1日用量がグリチルリチン酸として40mg以上、またはカンゾウとして1g以上を含有する場合）	大量に使用するとナトリウム貯留、カリウム排泄促進が起こり、むくみ（浮腫）等の症状が現れ、心臓病を悪化させるおそれがあるため。
	硫酸ナトリウム	血液中の電解質のバランスが損なわれ、心臓の負担が増加し、心臓病を悪化させるおそれがあるため。
	グリセリンが配合された浣腸薬	排便直後に、急激な血圧低下等が現れることがあり、心臓病を悪化させるおそれがあるため。
腎臓病	アスピリン、アスピリンアルミニウム、エテンザミド、イブプロフェン、アセトアミノフェン	むくみ（浮腫）、循環体液量の増加が起こり、腎臓病を悪化させるおそれがあるため。
	グリチルリチン酸二カリウム、グリチルレチン酸、カンゾウ（1日用量がグリチルリチン酸として40mg以上、またはカンゾウとして1g以上を含有する場合）	大量に使用するとナトリウム貯留、カリウム排泄促進が起こり、むくみ（浮腫）等の症状が現れ、腎臓病を悪化させるおそれがあるため。

5

医薬品の適正使用・安全対策

別表

腎臓病（つづき）	スクラルファート、水酸化アルミニウムゲル、ケイ酸アルミン酸マグネシウム、ケイ酸アルミニウム、合成ヒドロタルサイト、アルジオキサ等のアルミニウムを含む成分が配合された胃腸薬、胃腸鎮痛鎮痙薬	過剰のアルミニウムイオンが体内に貯留し、アルミニウム脳症、アルミニウム骨症を生じるおそれがあるため。使用する場合には、医療機関において定期的に血中アルミニウム、リン、カルシウム、アルカリフォスファターゼ等の測定を行う必要があるため。
	制酸成分を主体とする胃腸薬	ナトリウム、カルシウム、マグネシウム等の無機塩類の排泄が遅れたり、体内貯留が現れやすいため。
	酸化マグネシウム、水酸化マグネシウム、硫酸マグネシウム等のマグネシウムを含む成分、硫酸ナトリウムが配合された瀉下薬	
	ピペラジンリン酸塩等のピペラジンを含む成分、プソイドエフェドリン塩酸塩	腎臓における排泄が円滑に行われず、副作用が現れやすくなるため。
糖尿病	アドレナリン作用成分が配合された鼻炎用点鼻薬	肝臓でグリコーゲンを分解して血糖値を上昇させる作用があり、糖尿病の症状を悪化させるおそれがあるため。
	メチルエフェドリン塩酸塩、トリメトキノール塩酸塩水和物、フェニレフリン塩酸塩、メトキシフェナミン塩酸塩等のアドレナリン作動成分	
	マオウ	
緑内障	眼科用薬	緑内障による目のかすみには効果が期待できず、また、充血除去作用成分が配合されている場合には、眼圧が上昇し、緑内障を悪化させるおそれがあるため。
	パパベリン塩酸塩	眼圧が上昇し、緑内障を悪化させるおそれがあるため。
	抗コリン成分が配合された鼻炎用内服薬、抗コリン成分が配合された鼻炎用点鼻薬	抗コリン作用によって房水流出路（房水通路）が狭くなり、眼圧が上昇し、緑内障を悪化させるおそれがあるため。
	ペントキシベリンクエン酸塩水和物	
	スコポラミン臭化水素酸塩水和物、メチルオクタトロピン臭化物、イソプロパミドヨウ化物等の抗コリン成分	
	ロートエキス	
	ジフェニドール塩酸塩	
	ジフェンヒドラミン塩酸塩、クロルフェニラミンマレイン酸塩等の抗ヒスタミン成分	

血栓のある人（脳血栓、心筋梗塞、血栓静脈炎等）、血栓症を起こすおそれのある人	トラネキサム酸（内服）、セトラキサート塩酸塩	生じた血栓が分解されにくくなるため。
貧血	ピペラジンリン酸塩等のピペラジンを含む成分	貧血の症状を悪化させるおそれがあるため。
全身性エリテマトーデス、混合性結合組織病	イブプロフェン	無菌性髄膜炎の副作用を起こしやすいため。

「次の病気にかかったことのある人」	主な成分・薬効群等	理由
胃・十二指腸潰瘍、潰瘍性大腸炎、クローン病	イブプロフェン	プロスタグランジン産生抑制作用によって消化管粘膜の防御機能が低下し、胃・十二指腸潰瘍、潰瘍性大腸炎、クローン病が再発するおそれがあるため。

○併用薬等

「次の医薬品を使用（服用）している人」	主な成分・薬効群等	理由
瀉下薬（下剤）	柴胡加竜骨牡蛎湯、響声破笛丸	腹痛、激しい腹痛を伴う下痢が現れやすくなるため。
「モノアミン酸化酵素阻害剤（セレギリン塩酸塩等）で治療を受けている人」	プソイドエフェドリン塩酸塩	モノアミン酸化酵素阻害剤との相互作用によって、血圧を上昇させるおそれがあるため。
「インターフェロン製剤で治療を受けている人」	小柴胡湯、小柴胡湯が配合されたかぜ薬	インターフェロン製剤との相互作用によって、間質性肺炎を起こしやすくなるため。

▼別表5-3　医薬品安全性情報報告書

別紙1　様式①

□	医療用医薬品	**医薬品安全性情報報告書**	化粧品等の副作用等は、様式②をご使用ください。
□	要指導医薬品	☆医薬品医療機器法に基づいた報告制度です。	健康食品等の使用によると疑われる健康被害については、最寄りの保健所へご連絡ください。
□	一般用医薬品	記入前に裏面の「報告に際してのご注意」をお読みください。	

患者情報

患者イニシャル	性別	副作用等発現年齢	身長	体重	妊娠
	□男 □女	歳 (乳児： ヶ月 週)	cm	kg	□無 □有 (妊娠 週) □不明

原疾患・合併症	既往歴	過去の副作用歴	特記事項
1.	1.	□無・□有	飲酒 □有 ( ) □無 □不明
		医薬品名：	喫煙 □有 ( ) □無 □不明
2.	2.	副作用名：	ｱﾚﾙｷﾞｰ□有 ( ) □無 □不明
		□不明	その他 ( )

副作用等に関する情報

副作用等の名称又は症状、異常所見	副作用等の重篤性「重篤」の場合、＜重篤の判定基準＞の該当する番号を ( ) に記入	発現期間 (発現日 ～ 転帰日)	副作用等の転帰 後遺症ありの場合、( ) に症状を記入
1.	□重篤 → ( )　□非重篤	年 月 日　～　年 月 日	□回復 □軽快 □未回復　□死亡 □不明　□後遺症あり ( )
2.	□重篤 → ( )　□非重篤	年 月 日　～　年 月 日	□回復 □軽快 □未回復　□死亡 □不明　□後遺症あり ( )

＜重篤の判定基準＞ ①：死亡　②：障害　③：死亡につながるおそれ　④：障害につながるおそれ　⑤：治療のために入院又は入院期間の延長　⑥：①～⑤に準じて重篤である　⑦：後世代における先天性の疾病又は異常

＜死亡の場合＞被疑薬と死亡の因果関係： □有 □無 □不明	＜胎児への影響＞ □影響あり □影響なし □不明

被疑薬及び使用状況に関する情報

被疑薬 (副作用との関連が疑われる医薬品の販売名)	製造販売業者の名称 (業者への情報提供の有無)	投与経路	1日投与量 (1回量×回数)	投与期間 (開始日～終了日)	使用理由 (疾患名、症状名)
	(□有□無)			～	
	(□有□無)			～	
	(□有□無)			～	

↑　最も関係が疑われる被疑薬に○をつけてください。

併用薬 (副作用発現時に使用していたその他の医薬品の販売名　可能な限り投与期間もご記載ください。)

副作用等の発現及び処置等の経過 (記入欄が不足する場合は裏面の報告者意見の欄等もご利用ください。)

年　月　日

※被疑薬投与前から副作用等の発現後の全経過において、関連する状態・症状、検査値等の推移、診断根拠、副作用に対する治療・処置、被疑薬の投与状況等を経時的に記載してください。検査値は下表もご利用ください。

副作用等の発現に影響を及ぼすと考えられる上記以外の処置・診断：□有 □無
有りの場合 → (□放射線療法 □輸血 □手術 □麻酔 □その他 ( ))
再投与：□有 □無　有りの場合→ 再発：□有 □無　ワクチンの場合、ロット番号 ( )
一般用医薬品の場合：　□薬局等の店頭での対面販売　□インターネットによる通信販売
購入経路→　□その他 (電話等) の通信販売　□配置薬 □不明 □その他 ( )

報告日：　　年　　月　　日 (既に医薬品医療機器総合機構へ報告した症例の続報の場合はチェックしてください 。→□)
報告者 氏名：　　　　　　　施設名 (所属部署まで)：
　　　 (職種：□医師、□歯科医師、□薬剤師、□看護師、□その他 ( ))
住所：〒

電話：　　　　　　　FAX：

医薬品副作用被害救済制度及び　　　　　　：□患者が請求予定 □患者に紹介済み □患者の請求予定はない
生物由来製品感染等被害救済制度について □制度対象外 (抗がん剤等、非入院相当ほか)　□不明、その他
※一般用医薬品を含めた医薬品 (抗がん剤等の一部の除外医薬品を除く。) の副作用等による重篤な健康被害については、医薬品副作用被害救済制度又は生物由来製品感染等被害救済制度があります (詳細は裏面)。

➢ FAX又は電子メールでのご報告は、下記までお願いします。両面ともお送りください。
(FAX: 0120-395-390 電子メール：anzensei-hokoku@pmda.go.jp　医薬品医療機器総合機構安全性情報・企画管理部情報管理課宛)

さくいん

406

409

さくいん

DEKIDAS-Webについて

　本書の読者の方の購入特典として、DEKIDAS-Webを利用できます。DEKIDAS-Webは、スマートフォンやパソコンからアクセスできる、問題演習用のWebアプリです。登録販売者試験の本試験問題を収録し、弱点を分析したり、誤答や未解答の問題だけを演習したりすることができます。

　第6版の登録販売者合格教本の読者の方は、令和2年度と令和3年度の問題を1920問解くことができます。

　収録問題の詳細については、p.19をご覧ください。

■ご利用方法

　スマートフォン・タブレットで利用する場合は、右のQRコードを読み取り、エントリーページにアクセスしてください。

　パソコンなどQRコードを読み取れない場合は、以下のページから登録してください。

URL	https://entry.dekidas.com/
認証コード	cw04Mm91JH2UFwa7

　なおログインの際にメールアドレスが必要になります。

DEKIDAS-WEB

認証コード	cw04Mm91JH2UFwa7
メールアドレス	

※ パスワードを忘れてしまった場合に利用します。受け取れないメールアドレスを指定されますと、アカウントの復旧が難しくなってしまいます。

認証

■有効期限

　本書の読者特典のDEKIDAS-Webは、2025年9月11日まで利用できます。

■著者紹介

本間　克明（ほんま かつあき）

株式会社メディカルシステムネットワーク（なの花薬局）
グループ／株式会社北海道医薬総合研究所 取締役会長
株式会社ニナファームジャポン顧問

医薬品卸の営業を10年務めたのち、平成2年に調剤薬局を開
業。現在は薬剤師向けの著作活動を中心に、登録販売者の育
成にあたっている。男声合唱団ススキーノ副団長。バリトン
歌手としても活躍中。

1954年北海道旭川市生れ。

北海道薬科大学卒業。同大学院修士課程修了。北海道大学経済学部大学院修士課程修了。

資格：薬剤師、修士（薬学および経営学）

著書など：「薬局薬剤師における在宅業務マニュアル」、「保険薬局事務完全マスター」、
　　　　　「調剤報酬実務必携」。

カバーデザイン	●小島 トシノブ〔NONdesign〕	本文デザイン・DTP	●藤田 順
立体イラスト	●白石 佳子	本文イラスト	●浅田 弥彦
立体イラスト撮影	●伊藤 勝		

第6版 登録販売者 合格教本

2010年11月 1日 初 版　第1刷発行
2022年10月 6日 第6版　第1刷発行

著　者　　本間 克明

発行者　　片岡 巌

発行所　　株式会社技術評論社
　　　　　東京都新宿区市谷左内町21-13
　　　　　電話　03-3513-6150 販売促進部
　　　　　　　　03-3513-6166 書籍編集部

印刷／製本　昭和情報プロセス株式会社

定価はカバーに表示してあります。

ISBN978-4-297-12962-0 C3047
Printed in Japan

■お問い合わせについて

　本書に関するご質問は、FAXか書面でお願
いします。**電話での直接のお問い合わせにはお
答えできませんので、あらかじめご承知ください。**
また、下記のWebサイトでも質問用のフォーム
を用意しておりますので、ご利用ください。

　ご質問の際には、書名と該当ページ、返信先
を明記してください。e-mailをお使いになられ
る方は、メールアドレスの併記をお願いします。

　お送りいただいた質問は、場合によっては回
答にお時間をいただくこともございます。なお、
ご質問は本書に書いてあるもののみとさせてい
ただきます。

■お問い合わせ先
〒162-0846
東京都新宿区市谷左内町21-13
株式会社技術評論社　書籍編集部
「第6版 登録販売者 合格教本」係
FAX：03-3513-6183
Web：https://gihyo.jp/book/

■追加情報・補足情報について
　本書の追加情報、補足情報、正誤表、ダウ
ンロードなどについては、以下のURLをご覧く
ださい。
https://gihyo.jp/book/2022/978-4-
12962-0/support

第6版 登録販売者合格教本 別冊
確認テスト解答

■ p.23

問題 1-1-1 ×　薬の作用のすべてが解明されているわけではないので、何が起こるか予測がつかない。

問題 1-1-2 ×　好ましくない反応(副作用)を生じる場合がある。

問題 1-1-3 ○　記述の通り。

問題 1-1-4 ×　診断や予防も含む。

問題 1-1-5 ×　殺虫剤などを誤って使うと健康被害が生じることがある。

問題 1-1-6 ○　記述の通り。

問題 1-1-7 ○　記述の通り。それが登録販売者の仕事の本質です。合格後も学ぶことを忘れないように。

問題 1-1-8 ×　保証されなければならない。

問題 1-1-9 ○　記述の通り。

■ p.25

問題 1-1-10 ○　記述の通り。

問題 1-1-11 ○　記述の通り。

問題 1-1-12 ×　少量であっても可能性はある。

問題 1-1-13 ○　記述の通り。

問題 1-1-14 ○　記述の通り。

問題 1-1-15 ○　記述の通り。

問題 1-1-16 ×　GLPは非臨床試験(動物実験)における安全性の基準で、ヒトを対象としたものはGood Clinical Practice (GCP)。略号をしっかり覚え

るとともに、医薬品が市販される前に多くの安全性の評価が行われていることを理解するように。

問題 1-1-17 ×　GVPは製造販売後安全管理基準のことで、製造販売後の調査および試験の実施基準はGood Post-marketing Study Practice (GPSP)。

問題 1-1-18 ×　Good Vigilance Practice (GVP) と Good Post-marketing Study Practice (GPSP) の説明が逆。

■ p.27

問題 1-1-19 ○　記述の通り。

問題 1-1-20 ×　効果を表示できない。

問題 1-1-21 ○　記述の通り。

問題 1-1-22 ×　「特定の保健機能の表示」→「栄養機能の表示」。

問題 1-1-23 ×　「治す」という表示はできない。

問題 1-1-24 ○　記述の通り。

問題 1-1-25 ×　表示できるが、「個別の審査を受けたものではない」を明示する必要あり(p.284「②栄養機能食品」を参照)。

問題 1-1-26 ○　記述の通り(基本的に健康な人が対象となる)。

問題 1-1-27 ×　健康食品と医薬品の相互作用も多いので、注意を払う必要があるし、これこそが医薬品を扱う者の仕事の本質だと考える。

問題 1-2-1　×　含まれている。WHOの副作用の定義は「疾病の予防、診断、治療のため、または身体の機能を正常化するために、人に通常用いられる量で発現する医薬品の有害かつ意図しない反応」。

問題 1-2-2　○　記述の通り。

問題 1-2-3　○　記述の通り。

問題 1-2-4　×　軽度なものも副作用に含む。

問題 1-2-5　×　アレルギーによる副作用は予測が不可能。

問題 1-2-6　×　添加物である、黄色4号、カゼイン、亜硫酸塩などがアレルゲンとなることもある。

問題 1-2-7　×　アレルギーには体質的な要素と遺伝的な要素がある。

問題 1-2-8　○　記述の通り。

問題 1-2-9　×　販売者→一般の生活者。

問題 1-2-10　○　記述の通り。まず「中止」。そのように対応すること。

問題 1-2-11　○　記述の通り。登録販売者の働きかけによって副作用の早期認識と重篤化の回避を図ろう。

問題 1-2-12　○　記述の通り。副作用の相談を受けた場合には、一般用医薬品をまず中止すること。

問題 1-2-13　○　記述の通り。

問題 1-2-14　○　だから専門家の関与が必要である。

問題 1-2-15　○　記述の通り。

問題 1-2-16　○　記述の通り。

問題 1-2-17　○　記述の通り。

問題 1-2-18　×　小児に与えてはいけない一般用医薬品がいくつかある。たとえばアスピリンは、「いかなる場合も小児（15歳未満）には使用しないこと」とされている（p.110参照）。

問題 1-2-19　○　記述の通り。

問題 1-2-20　○　記述の通り。

問題 1-2-21　○　記述の通り。

問題 1-2-22　○　記述の通り。

問題 1-2-23　×　一般用医薬品には、習慣性・依存性がある成分を含んでいるものがある。

問題 1-2-24　○　記述の通り。

問題 1-2-25　×　離脱が容易ではないからこそ、専門家が販売時に障壁となって乱用防止に努力しなければならない。

問題 1-2-26　○　記述の通り。

問題 1-2-27　×　相互作用は減弱も増強もあり得る。

問題 1-2-28　×　作用部位で起こる場合と吸収、代謝の過程で起こる場合がある。

問題 1-2-29　×　いくつかの成分が配合されている場合が多い。一方、医療用医薬品は、配合薬が少ない。

問題 1-2-30　×　適正に使用したとしても相互作用は起こり得る。

問題1-2-31 ○ 記述の通り

問題1-2-32 × 腎臓→肝臓。

問題1-2-33 ○ 記述の通り。

問題1-2-34 ○ 記述の通り。

問題1-2-35 × 漢方製剤によく配合される甘草は、多くの食品（醤油・菓子など）に甘味料として使われているため、摂取量が多くなると副作用の発生（偽アルドステロン症、p.96参照）に注意が必要。

問題1-2-36 ○ 記述の通り。

問題1-2-37 × 乳児は生後4週以上〜1歳未満、幼児は1歳以上〜7歳未満、小児は7歳以上〜15歳未満。

問題1-2-38 × 小児は腸が長く、服用した医薬品の吸収率が相対的に高い。

問題1-2-39 × 小児は、血液脳関門が未発達。

問題1-2-40 ○ 記述の通り。

■ p.39 ────────

問題1-2-41 ○ 記述の通り。

問題1-2-42 × 誤飲・誤用事故を招きやすい。

問題1-2-43 × 75歳→65歳。

問題1-2-44 × 個人差が大きいため年齢のみでリスクを判断できない。

問題1-2-45 ○ 記述の通り。

問題1-2-46 ○ 記述の通り。

問題1-2-47 × 一般用医薬品の使用によって基礎疾患の症状が悪化することがある。

問題1-2-48 ○ 記述の通り。

■ p.41 ────────

問題1-2-49 × 胎盤では、母体の血管と胎児の血管が直接つながっているわけではなく、血液が混じり合わない仕組みになっていて、胎児への影響を防御するようになっている。その仕組みが、血液−胎盤関門。

問題1-2-50 ○ 記述の通り。

問題1-2-51 × ビタミンB_{12}→ビタミンA。

問題1-2-52 ○ 記述の通り。

問題1-2-53 ○ 記述の通り。

問題1-2-54 ○ 記述の通り。

■ p.43 ────────

問題1-2-55 × 今は通院していなくても、よく情報を収集して、購入者等が使用の可否を適切に判断することができるよう情報提供する必要がある。

問題1-2-56 × プラセボ効果とは、薬理作用によらない作用。

問題1-2-57 × 不都合な副作用も起こり得る。

問題1-2-58 ○ 記述の通り。

問題1-2-59 × プラセボ効果は不確実であり、それを目的として使用すべきではない。

問題1-2-60 ○ 記述の通り。

問題1-2-61 × 光（紫外線）とともに多湿や高温は、変質の大きな要因。

問題1-2-62 × 経時変化による品質の劣化は避けられない。

問題1-2-63 ○ 記述の通り。

確認テスト解答

問題1-2-64　✕　使用期限は未開封状態で保管された場合。開封してしまうと使用期限まで品質が保持されない。

問題1-3-1　○　記述の通り。

問題1-3-2　✕　一般用医薬品の役割は「軽度な疾患に伴う症状の改善」。なお、本文には記載しなかったが、一般用医薬品の役割6項目は、この「中間報告書」によって示された。

問題1-3-3　○　記述の通り。

問題1-3-4　✕　主役は「一般の生活者」。「専門家」は情報の提供者ではあるが、主役ではない。

問題1-3-5　○　記述の通り。

問題1-3-6　✕　症状が重いときは、受診を勧めるべき。

問題1-3-7　✕　一般用医薬品で対処可能な範囲は限られる。

問題1-3-8　○　記述の通り。

問題1-3-9　○　記述の通り（そのように実践していただきたい）。

問題1-3-10　✕　相手の理解を確認しながら説明すべき。

問題1-3-11　○　記述の通り。

問題1-3-12　✕　それでも可能な限り伝える努力は必要。

問題1-3-13　○　記述の通り。

問題1-3-14　○　記述の通り。

問題1-3-15　✕　それぞれ使用する人の状況に応じて、注意すべきポイントが違うので、確認が必要。

問題1-3-16　✕　相互作用等を考えると確認が必要。

問題1-3-17　○　記述の通り。

問題1-3-18　✕　確認して、実際に使用するようになったときに、改めて添付文書に目を通すよう促すことが重要。

問題1-3-19　○　記述のように店頭において行動すること。

問題1-3-20　✕　アレルギーは、摂取した量にあまり依存せず起こる。一度アレルギーを経験した同種の成分は避けるべき。

問題1-3-21　○　記述の通り。

問題1-3-22　【解答　3】
すべて確認する必要がある。

問題1-4-1　✕　鎮咳成分→催眠鎮静成分。催眠鎮静作用を持つサリドマイドは、1958年に睡眠薬として市販され、続いて1960年にサリドマイドを配合した胃腸薬が発売され、「つわりに効く」と宣伝されたため被害が拡大した。

問題1-4-2　✕　サリドマイドは鎮静作用を目的として、胃腸薬に配合された。

問題1-4-3　○　記述の通り。

問題1-4-4　✕　国と製薬企業が共に被告となった。サリドマイド訴訟は、1974年10月に和解が成立している。

問題1-4-5　✕　開発国のドイツでも被害が出たが、アメリカではサリドマイドの輸入を認めなかったため発生していない。

問題1-4-6　×　ドイツではすばやく回収されたが、わが国の対応が遅く、多くの被害者が出た。

問題1-4-7　○　記述の通り。

問題1-4-8　×　血管新生を妨げる作用はS体（ヒント：新生 Sinsei）、鎮静作用はR体（ヒント：鎮静 Relax）。

問題1-4-9　×　R体とS体は体内で相互に転換するため、分離精製しても避けることはできない。

■ p.53 ─────────────

問題1-4-10　×　慢性脊髄視神経症→亜急性脊髄視神経症。

問題1-4-11　×　歩行困難などは回復せず、また視力障害から失明に至ることもあった。

問題1-4-12　×　クロロホルム製剤→キノホルム製剤。

問題1-4-13　×　解熱鎮痛薬→整腸剤。

問題1-4-14　×　鎮暈薬→整腸剤。

問題1-4-15　○　記述の通り。

問題1-4-16　×　1979年9月に全面和解が成立している。

問題1-4-17　×　設問の内容は、キノホルムではなくサリドマイドの話。

問題1-4-18　○　記述の通り。

問題1-4-19　○　記述の通り。

問題1-4-20　○　記述の通り。

■ p.55 ─────────────

問題1-4-21　○　記述の通り。

問題1-4-22　○　記述の通り。

問題1-4-23　○　記述の通り。

問題1-4-24　×　HIV訴訟の和解を踏まえ、検査や献血時の問診の充実も図られ、現在も続けられている。

問題1-4-25　×　プリオンは細菌でもウイルスでもないタンパク質の一種。

問題1-4-26　×　ウシ乾燥硬膜→ヒト乾燥硬膜。

問題1-4-27　○　記述の通り。CJD訴訟は、2002年3月に和解が成立している。

問題1-4-28　○　記述の通り。

問題1-4-29　○　記述の通り。

問題1-4-30　×　CJD訴訟を契機に、「生物由来製品による感染等被害救済制度」が創設されたのが2002年。サリドマイド訴訟、スモン訴訟を契機として、「医薬品副作用被害救済制度」が創設されたのが1979年。

第2章　人体の働きと医薬品

■ p.59 ─────────────

問題2-1-1　×　機械的消化→化学的消化。

問題2-1-2　×　象牙質→エナメル質。

問題2-1-3　○　記述の通り。

問題2-1-4　×　味蕾と舌乳頭の説明が逆。

問題2-1-5　×　唾液に含むのはコール酸ではなくプチアリン（唾液アミラーゼ）。

問題2-1-6　×　唾液には、デンプンをデキストリンや麦芽糖に分解する消化酵素（プチアリン。唾液アミラーゼともいう）が含まれる。

確認テスト解答

問題2-1-7　○　記述の通り。

問題2-1-8　○　記述の通り。

問題2-1-9　○　記述の通り。殺菌・抗菌物質つまり、リゾチームを含んでいる。

問題2-1-10　○　記述の通り。

問題2-1-11　○　記述の通り。

問題2-1-12　×　食道に、消化液の分泌腺はない。

■ p.61 ────────

問題2-1-13　×　ペプシン→ペプシノーゲン。胃壁からは非活性のペプシノーゲンが分泌される。

問題2-1-14　×　炭水化物主体の食品の方が滞留時間は短い。

問題2-1-15　○　記述の通り。

問題2-1-16　○　記述の通り。

問題2-1-17　×　肝臓→膵臓。

問題2-1-18　○　記述の通り。

問題2-1-19　×　脂質を分解する酵素であるリパーゼが含まれている。

■ p.63 ────────

問題2-1-20　×　炭水化物→脂質。

問題2-1-21　×　再吸収されて循環する。

問題2-1-22　×　コレステロール→ヘモグロビン。

問題2-1-23　○　記述の通り。

問題2-1-24　×　ヘモグロビン→ビリルビン。

問題2-1-25　×　横隔膜の直下に位置する。

問題2-1-26　×　小腸で吸収されたブドウ糖は、血液によって肝臓に運ばれて

グリコーゲンとして蓄えられる。

問題2-1-27　○　記述の通り。

問題2-1-28　×　肝臓は、B_6やB_{12}等の水溶性ビタミンも貯蔵することができる。

問題2-1-29　×　アセトアルデヒドから酢酸に代謝。

問題2-1-30　×　アルコールは、アセトアルデヒドに代謝されたのち、さらに代謝されて酢酸となる。

問題2-1-31　×　必須アミノ酸は人間の体では合成されないため、食事等から摂取しなければならない。

問題2-1-32　○　記述の通り。

■ p.65 ────────

問題2-1-33　○　記述の通り。

問題2-1-34　×　大腸に消化液の分泌腺はない。

問題2-1-35　×　S状結腸→直腸。

問題2-1-36　○　記述の通り。

問題2-1-37　○　記述の通り。

問題2-1-38　○　記述の通り。

問題2-1-39　×　糞便の構成は、大半は水分で、腸壁上皮細胞の残骸15 ～ 20%、腸内細菌の死骸10 ～ 15%、食物残滓5%。

問題2-1-40　×　盲腸→直腸。盲腸から上行結腸へとつながる。

問題2-1-41　○　記述の通り。

問題2-1-42　○　記述の通り。

■ p.67 ────────

問題2-1-43　○　記述の通り。

問題2-1-44　○　記述の通り。

問題2-1-45　×　咽頭→喉頭。

問題2-1-46　×　肺自体には肺を動かす筋組織はない。

問題2-1-47　×　横隔膜→肺胞。

問題2-1-48　×　横隔膜や肋間筋による。

問題2-1-49　×　粘液層はない。

問題2-1-50　○　記述の通り。

■ p.69 ─────────

問題2-1-51　×　静脈と動脈の説明が逆。

問題2-1-52　○　記述の通り。

問題2-1-53　×　最小血圧と最大血圧の説明が逆。

問題2-1-54　○　記述の通り。

問題2-1-55　×　血清→血漿。

問題2-1-56　○　記述の通り。

問題2-1-57　×　受けにくくなる。

■ p.71 ─────────

問題2-1-58　×　赤血球→リンパ球。

問題2-1-59　○　記述の通り。

問題2-1-60　×　好中球→単球（マクロファージ）。

問題2-1-61　○　記述の通り。

問題2-1-62　○　記述の通り。

問題2-1-63　○　記述の通り。

問題2-1-64　○　記述の通り。

問題2-1-65　○　記述の通り。

■ p.73 ─────────

問題2-1-66　○　記述の通り。

問題2-1-67　×　ネフロン→腎小体。

問題2-1-68　○　記述の通り。

問題2-1-69　×　アドレナリン→アルドステロン。

問題2-1-70　×　副腎皮質→副腎髄質。

問題2-1-71　×　尿管→尿道。

■ p.75 ─────────

問題2-1-72　○　記述の通り。

問題2-1-73　○　記述の通り。

問題2-1-74　○　記述の通り。

問題2-1-75　×　遠くと近くが逆。

問題2-1-76　○　記述の通り。

問題2-1-77　×　ビタミンB_1→ビタミンA。

問題2-1-78　○　記述の通り。

問題2-1-79　○　記述の通り。

■ p.77 ─────────

問題2-1-80　×　順応を起こしやすく、においを感じなくなる。

問題2-1-81　○　記述の通り。

問題2-1-82　○　記述の通り。

問題2-1-83　×　副鼻腔も鼻腔も同じ。

問題2-1-84　×　線毛があって粘液を分泌する粘膜で覆われている。

問題2-1-85　×　問題文は中耳の説明。

問題2-1-86　×　内耳→中耳。

問題2-1-87　×　少し意地悪な出題である。耳管が細く短くて→耳管が太く短くて。

問題2-1-88　○　記述の通り。

■ p.79 ─────────

問題2-1-89　×　収縮と拡張が逆。

問題2-1-90　×　内皮→皮下組織。

問題2-1-91　○　記述の通り。

問題2-1-92　×　表皮細胞が肥厚して→角質層が肥厚して。

問題2-1-93　×　メラニン色素は、太陽光に含まれる紫外線から皮膚組織を防護する役割がある。

問題2-1-94　×　皮下組織→表皮。

問題2-1-95　×　真皮には、毛細血管や知覚神経の末端が通っている。

問題2-1-96　○　記述の通り。

問題2-1-97　○　記述の通り。

■ p.81 ────────────

問題2-1-98　○　記述の通り。骨の基本構造図をよく理解してください。

問題2-1-99　○　記述の通り。

問題2-1-100　×　骨質→骨髄。

問題2-1-101　×　有機質と無機質の説明が逆。

問題2-1-102　×　伸縮性はあまりない。

問題2-1-103　×　グリコーゲンの代謝に伴って生成する乳酸が蓄積して、筋組織の収縮性が低下する現象。

問題2-1-104　×　随意筋と不随意筋の説明が逆。

■ p.83 ────────────

問題2-1-105　×　「関門」があるので通過できるものと通過できないものがある。

問題2-1-106　×　脳を介さない。

問題2-1-107　×　減少する。

■ p.85 ────────────

問題2-2-1　○　記述の通り。

問題2-2-2　×　濃い方から薄い方へ拡散する。

問題2-2-3　×　拡散によりしみ込んでいく。

問題2-2-4　×　腸溶性製剤以外は、胃で溶出する。

問題2-2-5　×　直腸から吸収された場合、肝臓を通らないため、代謝を受けない。

問題2-2-6　×　肝臓を通過しない。

問題2-2-7　×　鼻粘膜から吸収された場合、肝臓を通らないため、代謝を受けない。

問題2-2-8　×　浸潤・拡散しにくくなる。

問題2-2-9　×　皮膚から吸収された場合、肝臓を通らないため、代謝を受けない。

問題2-2-10　×　皮膚の状態で影響を受ける。

■ p.87 ────────────

問題2-2-11　×　血液脳関門→門脈。

問題2-2-12　○　記述の通り。

問題2-2-13　×　糞便→尿。

問題2-2-14　×　腎機能が弱っていると排泄が遅れ、効き目が強く出ることがある。店頭ではなかなか難しいが、こういう情報が収集できないと、適切なアドバイスができないし、結果として健康被害を招いてしまう。できれば、みなさんの努力で未然に防いでいただきたい。

問題2-2-15　○　記述の通り。

問題2-2-16　×　結合したり離れたり、可逆的である。より結合力が強い成分が現れると、離れてしまう。

問題2-2-17　○　記述の通り。このことが相互作用の要因ともなっているので、

可能な限り購入者から情報を収集して対処してほしい。

問題2-2-18 ✕ 医薬品の排泄は尿中が多いが、糞便や乳汁からも排泄される。

■ p.89

問題2-2-19 ○ 記述の通り。

問題2-2-20 ✕ 最高血中濃度→最小有効濃度。

問題2-2-21 ✕ 医薬品の血中濃度を故意に高くすると、有害な作用（副作用や毒性）も現れやすくなる。

問題2-2-22 ✕ 一定以上の濃度（ある閾値を超えること）が必要。p.24「投与量と効果の関係」の図を参照のこと。

問題2-2-23 ○ 記述の通り。過剰に摂取しても、薬効は頭打ちになり、むしろ有害な作用が現れやすくなる。

問題2-2-24 ○ 記述の通り。勝手に服用量を調節すると、まったく効かなかったり、有害作用が出るおそれがある。特に、第2類医薬品の販売時は、可能な限り用法用量を確認していただきたい。

問題2-2-25 ✕ 貼付剤で皮膚から吸収させ全身に作用させるものもあるが、外用液剤は局所用であり全身作用を期待するものではない。このほか「手引き」の記述によれば、口腔用錠剤、カプセル剤、顆粒剤、シロップ剤がある。

■ p.91

問題2-2-26 ○ 記述の通り。錠剤のように崩壊してから溶解する過程がないため、ストレートに血中濃度が上がり

やすい。液剤タイプのかぜ薬は特に注意が必要。何本も一度に飲んでも早く効くわけではないし、むしろ害が多い。

問題2-2-27 ○ 記述の通り。

問題2-2-28 ○ 記述の通り。

問題2-2-29 ✕ 遅い→速い。

問題2-2-30 ✕ 比較的錠剤が大きく、噛み砕いたりして水なしでも飲める。もちろん水で飲んでもかまわないが、一般用医薬品では、胃腸薬にこのタイプが多い。

問題2-2-31 ○ 記述の通り。

問題2-2-32 ○ 記述の通り。ゼラチンによる重篤な食物アレルギーの報告は毎年数例ある。そのうち、カプセル剤に起因するものは不明で、過度に神経質になる必要はないが、アレルギーが起こる可能性は否定できない。たった一人であっても、未然に防ぐことができれば意義は大きい。

■ p.92

問題2-2-33 ○ 記述の通り。

問題2-2-34 ✕ 直接的な刺激を与えてしまう。

問題2-2-35 ✕ 患部を水で洗い流したい場合は、クリーム剤を用いることが多い。

問題2-2-36 ○ 記述の通り。

問題2-2-37 ✕ 問題文は、スプレー剤の説明。

■ p.93

問題2-3-1 ✕ 予測できない（何が起こるか分からない）と考えていてほしい。

確認テスト解答

9

問題2-3-2　○　記述の通り。知識は当然のこととして、「異常」を見分ける感性も必要。添付文書に書かれていない未知の副作用が、目の前で起きているかもしれないのだから。

問題2-3-3　×　遅延型→即時型。

問題2-3-4　×　死に至ることもある。

■ p.95 ────────────

問題2-3-5　○　記述の通り。

問題2-3-6　×　ほぼ同時に起こる。

問題2-3-7　○　記述の通り。

問題2-3-8　×　障害が残ることもある。

問題2-3-9　×　解明されていないので、予測はできない。

問題2-3-10　×　皮膚粘膜眼症候群（スティーブンス・ジョンソン症候群）と同様の症状を示す中毒性表皮壊死融解症（TEN）の両者とも、2週間以内の発症が多いが、1か月以上経ってから起こることもある。

問題2-3-11　○　記述の通り。

問題2-3-12　×　血色素であるヘモグロビン→黄色色素であるビリルビン。

問題2-3-13　×　胆汁酸→ビリルビン。

問題2-3-14　×　アルブミンが尿中へ→ビリルビンが胆汁中へ。

■ p.97 ────────────

問題2-3-15　×　肝臓→副腎皮質。

問題2-3-16　×　ナトリウム→カリウム。

問題2-3-17　○　記述の通り。

問題2-3-18　○　記述の通り。

問題2-3-19　×　白血球（好中球）が増加

→白血球（好中球）が減少。

問題2-3-20　×　末梢神経→中枢神経。

問題2-3-21　○　記述の通り。

問題2-3-22　○　記述の通り。

問題2-3-23　○　記述の通り。症状や兆候が現れた場合、まず服用を中止すること。

■ p.99 ────────────

問題2-3-24　×　無菌性髄膜炎の原因はウイルスが主体だが、医薬品の副作用でも起こる。

問題2-3-25　×　急性で激しい頭痛を伴う。

問題2-3-26　○　記述の通り。

問題2-3-27　×　喘息ではなく、全身性エリテマトーデス、混合性結合組織病、関節リウマチなどの基礎疾患がある人では、医薬品の副作用としての無菌性髄膜炎を発症するリスクが高い（p.403参照）。2章に限定すると範囲外の出題。イブプロフェンはp.122を参照。

問題2-3-28　○　記述の通り。

問題2-3-29　○　記述の通り。

問題2-3-30　×　消化性潰瘍→イレウス様症状。

問題2-3-31　×　胃や十二指腸の粘膜が傷害される。

問題2-3-32　○　記述の通り。

■ p.101 ────────────

問題2-3-33　×　下痢傾向→便秘傾向。

問題2-3-34　○　記述の通り。

問題2-3-35　×　激しい腹痛が現れる。

問題2-3-36　×　イレウス様症状→消化

性潰瘍。

問題2-3-37 × イレウス様症状→消化性潰瘍。

問題2-3-38 × 下痢傾向→便秘傾向。

問題2-3-39 × 間質性肺炎→肺炎。問題文は通常の肺炎の説明。

問題2-3-40 ○ 記述の通り。試験対策ではなく、日常業務に活かすために、間質性肺炎の症状をよく理解しておくこと。

問題2-3-41 × 区別が難しいので対応も難しいが、長期化している場合は、受診を勧めるべき。

■ p.103 ─────────────

問題2-3-42 ○ 記述の通り。特にアスピリン喘息の既往症のある人は、消炎鎮痛剤の外用薬でも発作を起こす危険性が高い。

問題2-3-43 × 呼吸停止等の重症化に注意が必要。

問題2-3-44 × 1時間以内で鼻炎様の症状が現れることが多い。

問題2-3-45 × うっ血性心不全→不整脈。

問題2-3-46 ○ 記述の通り。

問題2-3-47 ○ 記述の通り。

問題2-3-48 ○ 記述の通り。

■ p.105 ─────────────

問題2-3-49 × 眼圧低下→眼圧上昇。

問題2-3-50 × 白内障→緑内障。

問題2-3-51 × 眼圧低下→眼圧上昇。

問題2-3-52 ○ 記述の通り。散瞳すると異常にまぶしさを感じる。

問題2-3-53 × 眼圧の下降→眼圧の上昇。

問題2-3-54 ○ 記述の通り。眼科受診の勧めは大切。

問題2-3-55 × 再発しない→再発する。

問題2-3-56 × 境目がはっきりしている。

問題2-3-57 × 触れた部分に限定される。

■ p.107 ─────────────

問題2-3-58 ○ 記述の通り。

問題2-3-59 × 白い生地や薄手の服では遮光が充分でなく、紫外線を透過してしまうおそれがある。

問題2-3-60 × ケトプロフェン含有の貼付剤は要注意p.220（5版）参照。

問題2-3-61 ○ 記述の通り。

問題2-3-62 ○ 記述の通り。

問題2-3-63 ○ 記述の通り。

問題2-3-64 ○ 記述の通り。

問題2-3-65 ○ 記述の通り。

問題2-3-66 × できれば使用した医薬品の添付文書持って、受診すべき。

第3章　主な医薬品とその作用

■ p.111 ─────────────

問題3-1-1 × 細菌によることもないわけではないが、約8割はウイルスが原因。

問題3-1-2 ○ 記述の通り。

問題3-1-3　×　かぜ薬には、ウイルスの増殖を抑えたり、ウイルスを体内から除去する作用はない。つまり原因を除去できるわけではなく、症状を緩和することをかぜ薬は目的としている。

問題3-1-4　×　「総合感冒薬」よりも、症状に合わせたかぜ薬を選択すべき。不要な成分が配合されていると、無意味に副作用のリスクを高めることとなる。

問題3-1-5　×　イソプロピルアンチピリンが一般用医薬品で唯一のピリン系解熱鎮痛成分。

問題3-1-6　○　記述の通り。そのように店頭でも対応していただきたい。

問題3-1-7　×　15歳未満で、水痘またはインフルエンザの場合、使用を避けること。

問題3-1-8　×　小児向けの主要成分。

問題3-1-9　○　記述の通り。

問題3-1-10　×　特にそのような報告はない。

■p.113 ―――――――――――――

問題3-1-11　○　記述の通り。

問題3-1-12　×　メキタジンは、抗ヒスタミン成分で、くしゃみや鼻汁を抑える。

問題3-1-13　○　記述の通り。

問題3-1-14　○　記述の通り。

問題3-1-15　×　メチルエフェドリン塩酸塩は、交感神経系を刺激して鼻粘膜の血管を収縮させ、気管支については拡張させる。

問題3-1-16　×　コデインリン酸塩水和物は、咳中枢の興奮をしずめて咳を止めるが、去痰作用はない。

問題3-1-17　×　チペピジンヒベンズ酸塩は、交感神経には作用せず、咳中枢の興奮をしずめて咳を止める。

問題3-1-18　○　記述の通り。

問題3-1-20　○　記述の通り。

問題3-1-21　×　凝固した血液を溶解されにくくする働きもあるため、血栓のある人（脳血栓、心筋梗塞、血栓性静脈炎等）は、医師または薬剤師に相談すること。

問題3-1-22　×　炎症物質の産生を抑える作用。

■p.115 ―――――――――――――

問題3-1-23　×　そのような作用はない。

問題3-1-24　○　記述の通り。

問題3-1-25　○　記述の通り。

問題3-1-26　×　抗炎症成分。

問題3-1-27　×　低ナトリウム血症→低カリウム血症。

問題3-1-28　○　記述の通り。

問題3-1-29　×　1日最大服用量が40mgまで、医薬品としては1日200mgまで。

■p.117 ―――――――――――――

問題3-1-30　○　記述の通り。

問題3-1-31　×　かぜのひき始めに用いるが、体の虚弱な人は使用しないこととされている。

問題3-1-32　×　添付文書には、肝機能障害の注意はない。

問題3-1-33　×　かぜのひき始めから数日たって症状が少し長引いている状態のときに用いる。

問題3-1-34　×　カンゾウを含むが、マオウは含まない。

問題3-1-35　○　記述の通り。

■p.119 ─────────

問題3-1-36　○　記述の通り。

問題3-1-37　×　カンゾウを含むが、マオウは含まない。

■p.121 ─────────

問題3-1-38　○　記述の通り。販売にあたって、十分注意を払っていただきたい。

問題3-1-39　○　記述の通り。

問題3-1-40　○　記述の通り。

問題3-1-41　○　記述の通り。出産予定日12週間以内は避けることを、店頭で徹底すること。

問題3-1-42　○　記述の通り。

問題3-1-43　○　記述の通り。

問題3-1-44　×　アセトアミノフェン、カフェイン、エテンザミドの組合せ。

問題3-1-45　○　記述の通り。

問題3-1-46　×　痛みの伝わりを抑える働きをする。

問題3-1-47　○　記述の通り。

■p.123 ─────────

問題3-1-48　×　抗炎症作用は期待できない。

問題3-1-49　×　ライ症候群の発生との関連性が示唆されているのは、アスピリンとサザピリン。

問題3-1-50　×　アセトアミノフェンには、そのような記述はなく、エテンザミドやサルチルアミドが該当する。

問題3-1-51　○　記述の通り。

問題3-1-52　○　記述の通り。

問題3-1-53　○　記述の通り。

問題3-1-54　×　イブプロフェンは15歳未満の小児には使用しないこととされているし、実際、一般用医薬品には小児用の製品はない。

問題3-1-55　×　アスピリン、サザピリンは、ピリン系ではない。

■p.125 ─────────

問題3-1-56　○　漢方はゆっくり効くイメージだが、芍薬甘草湯は即効性あり。「体力に関わらず」使用できるものの、肝機能障害、間質性肺炎、うっ血性心不全や心室頻拍などの副作用に注意。カンゾウ含む。

問題3-1-57　○　釣藤散は、「体力中等度」の人の慢性頭痛に適すが、胃腸虚弱で冷え症の人には不向き。カンゾウ含む。

確認テスト解答

13

問題3-1-58 【解答　2】

a ○ 記述の通り。芍薬甘草湯（しゃくやくかんぞうとう）は、体力に関わらず使えて、こむらがえりに有効。カンゾウ含む。

b × 問題文は、桂枝加朮附湯（けいしかじゅつぶとう）、桂枝加苓朮附湯（けいしかりょうじゅつぶとう）の内容。呉茱萸湯（ごしゅゆとう）は、痛みに用いる漢方の中では、カンゾウを含まない。

c × 問題文は、当帰四逆加呉茱萸生姜湯（とうきしぎゃくかごしゅゆしょうきょうとう）の内容。疎経活血湯（そけいかっけっとう）も当帰四逆加呉茱萸生姜湯もカンゾウ含む。

d ○ 記述の通り。薏苡仁湯（よくいにんとう）は、カンゾウの他、マオウも含むので、体の虚弱な人、胃腸の弱い人、発汗傾向の著しい人には不向き。

問題3-1-59 ○ 記述の通り。

問題3-1-60 × 慢性には用いない。受診を勧めること。

問題3-1-61 ○ 記述の通り。そのようにアドバイスしていただきたい。

問題3-1-62 × 添付文書には、「授乳中の人は本剤を服用しないか、本剤を服用する場合は授乳を避けること」と記載がある。p.392も参照。

問題3-1-63 × 添付文書には、「服用時は飲酒しないでください」と記載がある。

問題3-1-64 ○ 記述の通り。

問題3-1-65 ○ 記述の通り。

問題3-1-66 × 生薬成分といえども長期にわたって使用すべきではない。

問題3-1-67 ○ 酸棗仁湯（さんそうにんとう）は、1週間位服用して症状の改善がみられない場合には、漫然と服用を継続しないこと。

問題3-1-68 × 1週間位服用して改善が見られない場合は、漫然と続けず、医療機関を受診するなどの対応が必要。

問題3-1-69 × 抑肝散（よくかんさん）の内容。

問題3-1-70 ○ 記述の通り。

問題3-1-71 × 加味帰脾湯（かみきひとう）の説明。柴胡加竜骨牡蛎湯（さいこかりゅうこつぼれいとう）は、体力中等度以上で、精神不安があって、動悸、不眠、便秘などを伴う高血圧の随伴症状（動悸、不安、不眠）、神経症、更年期神経症、小児夜泣き、便秘。

問題3-1-72 × 習慣になりやすい。「短期間の服用にとどめ、連用しないこと」と添付文書に記載がある。

問題3-1-73 ○ 記述の通り。

問題3-1-74 ○ 記述の通り。

問題3-1-75 × 尿量の増加（利尿）をもたらす。

問題3-1-76 × 副作用が現れやすいため、小児用はない。

問題3-1-77 × 心拍数が低下→増加。

問題3-1-78 ○ 記述の通り。

問題3-1-79 ○ 記述の通り。

問題3-1-80 × 乳汁中にも移行する。

問題3-1-81　×　成人と乳児の半減期が逆。

■ p.137 ─────────────

問題3-1-82　○　記述の通り。

問題3-1-83　○　記述の通り。

問題3-1-84　×　内耳の前庭神経の調節、内耳への血流の改善であって、不安や緊張を和らげる作用はない。

問題3-1-85　×　抗コリン成分→抗ヒスタミン成分。

問題3-1-86　×　ジメンヒドリナート→アミノ安息香酸エチル。

問題3-1-87　○　記述の通り。

問題3-1-88　○　記述の通り。

問題3-1-89　×　スコポラミン臭化水素酸塩水和物→プロメタジン塩酸塩。

問題3-1-90　×　アミノ安息香酸エチル→ブロモバレリル尿素。

■ p.141 ─────────────

問題3-2-1　×　末梢神経系→中枢神経系。

問題3-2-2　○　記述の通り。

問題3-2-3　×　粘液分泌が減る→粘液分泌が増える。

問題3-2-4　○　記述の通り。長期連用や大量摂取によって倦怠感や虚脱感、多幸感等が現れることがあり、薬物依存につながるおそれがある。不自然な購入については何らかの介入が必要。

■ p.143 ─────────────

問題3-2-5　×　麻薬性鎮咳成分→非麻薬性鎮咳成分。

問題3-2-6　×　チペピジンクエン酸塩は非麻薬性鎮咳成分であり、気管支拡張作用はない。

問題3-2-7　×　メチルエフェドリン塩酸塩はアドレナリン作動成分であり、交感神経系を刺激して気管支を拡張させる作用を示し、呼吸を楽にして咳や喘息の症状を鎮める。

問題3-2-8　○　記述の通り。

問題3-2-9　○　記述の通り。

問題3-2-10　○　記述の通り。

問題3-2-11　○　記述の通り。

問題3-2-12　×　痰の粘液のねばりけを弱めて排出しやすくする去痰作用を期待するもので、気管支拡張作用はない。

■ p.145 ─────────────

問題3-2-13　○　記述の通り。

問題3-2-14　○　記述の通り。ただし、気道粘膜での粘液分泌を抑制することで痰が出にくくなることがあるため、注意が必要。

問題3-2-15　×　オオバコを基原とする生薬は、シャゼンソウ。

問題3-2-16　○　記述の通り。

問題3-2-17　○　記述の通り。

問題3-2-18　×　シャゼンソウは、オオバコの花期の全草で、気道粘液の分泌を促す。

問題3-2-19　×　去痰作用。

問題3-2-20　○　記述の通り。

■ p.147 ─────────────

問題3-2-21　○　記述の通り。

確認テスト解答

問題 3-2-22　×　半夏厚朴湯はカンゾウを含まず、不安神経症、神経性胃炎、つわり、咳、しわがれ声、のどのつかえ感に適すが、喘息には用いない。

問題 3-2-23　×　柴朴湯は、カンゾウを含む。

問題 3-2-24　×　設問の内容は、五虎湯の説明。

問題 3-2-25　×　設問の内容は、麦門冬湯の説明。

■ p.149 ─────────

問題 3-2-26　○　記述の通り。

問題 3-2-27　○　記述の通り。

問題 3-2-28　○　本書では省略したが、記述の通り。また含嗽薬の使用後すぐに食事を摂ると、殺菌消毒効果が薄れやすい。

問題 3-2-29　○　記述の通り。

問題 3-2-30　×　殺菌消毒成分→抗炎症成分。

問題 3-2-31　×　炎症を生じた粘膜組織の修復を促す作用を期待して配合。

問題 3-2-32　×　副腎皮質におけるホルモン産生に影響を及ぼす可能性がある→甲状腺におけるホルモン産生に影響を及ぼす可能性がある。

■ p.151 ─────────

問題 3-2-33　×　設問の内容は、紫雲膏（p.222）の説明。

問題 3-2-34　×　桔梗[キキョウ]と甘草[カンゾウ]の2つの生薬から成っている。

問題 3-2-35　○　記述の通り。

問題 3-2-36　○　記述の通り。本文では触れなかったが、駆風解毒散も駆風解毒湯も内容は同じ。

問題 3-2-37　○　記述の通り。

問題 3-2-38　×　設問の内容は、防風通聖散（p.244）の説明。

■ p.153 ─────────

問題 3-3-1　○　記述の通り。現実には店頭では困難が伴うが、漫然と習慣的に服用していたり、透析療法を受けている等の情報をキャッチした場合には、ひとこと声をかける努力をしていただきたい。

問題 3-3-2　×　抗コリン作用はなく、胃酸の中和作用。

問題 3-3-3　×　消化作用はなく、胃酸の中和作用。

問題 3-3-4　○　記述の通り。

問題 3-3-5　×　酸度の高い食品といっしょに使用すると胃酸に対する中和作用が低下してしまう。

問題 3-3-6　×　オブラートで包んで、味や香りを遮蔽する方法で服用してしまうと本来の効果が期待できない。

■ p.155 ─────────

問題 3-3-7　×　タンパク質の消化酵素。

問題 3-3-8　○　記述の通り。

問題 3-3-9　×　銅→アルミニウム。

問題 3-3-10　×　胃粘膜の修復を期待。

問題 3-3-11　○　記述の通り。

問題 3-3-12　×　腎機能障害→肝機能障害。

問題3-3-13　×　サリチル酸を生じる→トラネキサム酸を生じる。

問題3-3-14　×　消化管内容物中に発生した気泡の分離を促すこと（腹部膨満感の解消）を目的とする。

問題3-3-15　○　記述の通り。抗コリン作用があるため排尿困難がある人、緑内障の診断を受けた人は要注意。

問題3-3-16　×　健胃作用ではなく、胃液の分泌を抑える作用がある。

■p.157 ─────────

問題3-3-17　○　記述の通り。

問題3-3-18　○　記述の通り。

問題3-3-19　×　葛根湯（かっこんとう）の説明（p.116参照）。

問題3-3-20　×　安中散（あんちゅうさん）は胃炎に適し、市販の「漢方胃腸薬」は、これを主薬とするものが多い。問題文は、補中益気湯（ほちゅうえっきとう）の説明（p.241参照）。

問題3-3-21　○　記述の通り。

問題3-3-22　×　麦門冬湯（ばくもんどうとう）の説明（p.146参照）。

問題3-3-23　×　小柴胡湯（しょうさいことう）の説明（p.117参照）。

問題3-3-24　○　記述の通り。

■p.159 ─────────

問題3-3-25　×　問題文は炭酸カルシウム等の吸着成分の説明（p.160参照）。

問題3-3-26　×　食べ過ぎ・飲み過ぎによる下痢、寝冷えによる下痢の症状に用いられ、食あたりや水あたりによる下痢については適応対象ではない。

問題3-3-27　×　食べ過ぎ・飲み過ぎによる下痢、寝冷えによる下痢の症状に用いられ、食あたりや水あたり等の細菌感染による下痢については適応対象ではない。

問題3-3-28　×　ベルベリン塩化物ではなくタンニン酸アルブミン。タンニン酸アルブミンは、タンニン酸とタンパク質（乳製カゼイン）との化合物であるため、牛乳にアレルギーのある人は服用を避けたほうがよい。

■p.161 ─────────

問題3-3-29　×　石炭→木材。石炭を原料とするものは工業用クレオソート油であり、正露丸に含まれる木クレオソートとは成分が異なる。

問題3-3-30　○　記述の通り。

問題3-3-31　○　記述の通り。

問題3-3-32　○　記述の通り。

問題3-3-33　×　防虫剤や殺鼠剤を誤って飲み込んだ場合のような脂溶性の物質による中毒には使用しない。吸収が促進されて中毒を悪化させてしまう。

問題3-3-34　○　記述の通り。

問題3-3-35　×　センノシド→ヒマシ油。

問題3-3-36　○　記述の通り。

■p.163 ─────────

問題3-3-37　×　胃や小腸では分解されないが、大腸に生息する腸内細菌によって分解されて、大腸への刺激作用を示す。

17

問題3-3-38　×　小腸→大腸(問題文を
　　しっかり読まないと落ちる落とし穴)。

問題3-3-39　×　水分量を減らす→水分
　　量を増す。

問題3-3-40　×　ほとんどが吸収される
　　ことなく、腸内容物の浸透圧を高める
　　ことで糞便中の水分量を増す。

問題3-3-41　×　腸管内で糞便のかさを
　　増やすとともに糞便を柔らかくするこ
　　とによる瀉下作用を目的としている。

問題3-3-42　○　記述の通り。

問題3-3-43　×　主成分である麦芽糖が
　　腸内細菌によって分解（発酵）して生
　　じるガスによって便通を促す。

■p.165 ─────────

問題3-3-44　○　記述の通り。

問題3-3-45　×　設問の内容は、大黄牡
　　丹皮湯（だいおうぼたんぴとう）の説明。

問題3-3-46　×　設問の内容は、大黄甘
　　草湯（だいおうかんぞうとう）の説明。

問題3-3-47　○　記述の通り。

問題3-3-48　○　記述の通り。漫然と継
　　続使用するよりも、医師の診療を受け
　　るよう促すべき。

■p.167 ─────────

問題3-3-49　×　ブチルスコポラミン臭
　　化物にはアナフィラキシーの注意があ
　　るが、メチルオクタトロピン臭化物に
　　は記載がない。

問題3-3-50　×　そのような記載はない。

問題3-3-51　×　消化管の平滑筋に直接
　　働いて胃腸の痙攣を鎮める作用を示す
　　が、抗コリン成分と異なり、胃液分泌

を抑える作用はない。

問題3-3-52　×　消化管の粘膜および平
　　滑筋に対する麻酔作用による鎮痛鎮
　　痙。

問題3-3-53　○　記述の通り。

問題3-3-54　○　記述の通り。眼科を受
　　診しているという情報をキャッチした
　　ら、緑内障の確認を。

問題3-3-55　×　全身に作用するので、
　　散瞳による目の異常、ほてり、頭痛、
　　眠気、口渇、便秘、排尿困難に注意が
　　必要。

問題3-3-56　×　一般用医薬品の使用に
　　よって、本来の疾病が隠れてしまう懸
　　念があるので、まず受診を勧めるべき。

■p.169 ─────────

問題3-3-57　○　記述の通り。

問題3-3-58　○　記述の通り。

問題3-3-59　×　薬液を注入した後すぐ
　　に排便すると、薬液のみが排出されて
　　効果が十分得られないので、便意が強
　　まるまでしばらく我慢すること。

問題3-3-60　×　直腸の急激な動きに刺
　　激されて流産・早産を誘発するおそれ
　　があるため、妊婦または妊娠している
　　と思われる女性では使用を避けること。
　　知識として覚えるだけでなく、妊娠が
　　明らかな女性が浣腸薬を購入しようと
　　したときに適切なアドバイスができる
　　ようになること。

問題3-3-61　×　浸透圧の差によって腸
　　管壁から水分を取り込んで直腸粘膜を
　　刺激し、排便を促す。

問題3-3-62　○　記述の通り。

問題3-3-63　○　記述の通り。

問題3-3-64　×　使い残しがある場合、残量を再利用すると感染のおそれがあるので使用後は廃棄すること。

問題3-3-65　×　炭酸水素ナトリウムは、直腸内で徐々に分解して炭酸ガスの微細な気泡を発生することで直腸を刺激して排便を促す。

■ p.171

問題3-3-66　×　一般用医薬品の駆虫薬が対象とする寄生虫は、回虫と蟯虫。

問題3-3-67　○　記述の通り（p.160参照）。

問題3-3-68　×　駆虫薬は、腸管内の寄生虫を駆除するために用いられる。

問題3-3-69　×　駆虫薬は、原則的に空腹時に使用する。

問題3-3-70　×　むしろ、副作用を増強するおそれがある。

問題3-3-71　○　記述の通り。

問題3-3-72　○　記述の通り。

問題3-3-73　○　記述の通り。

問題3-3-74　○　記述の通り。販売時にあらかじめ伝えておくと不安が解消される。

問題3-3-75　×　サントニンは回虫の駆除。

■ p.173

問題3-4-1　○　記述の通り。

問題3-4-2　×　ヒキガエル科のアジアヒキガエル等の耳毒腺の分泌物。

問題3-4-3　×　口中で噛み砕くと舌等が麻痺することがあるため、噛まずに服用すること。

問題3-4-4　○　記述の通り。

問題3-4-5　○　記述の通り。

問題3-4-6　○　記述の通り。

問題3-4-7　×　ヒグマの胆汁は、健胃成分のユウタン（p.153）。

問題3-4-8　○　記述の通り。

■ p.175

問題3-4-9　×　リュウノウは心筋への直接作用ではなく、中枢神経系の刺激作用。

問題3-4-10　○　記述の通り。

問題3-4-11　○　記述の通り。p.138「小児鎮静薬」参照。

問題3-4-12　○　記述の通り。

問題3-4-13　【解答　a　強心　b　利尿　c　カンゾウ】

■ p.177

問題3-4-14　×　腎臓→肝臓。

問題3-4-15　○　記述の通り。

問題3-4-16　×　大豆油不鹸化物（ソイステロール）は、腸管におけるコレステロールの吸収を抑える。

問題3-4-17　○　記述の通り。

問題3-4-18　○　記述の通り。

問題3-4-19　○　記述の通り。

問題3-4-20　○　記述の通り。

問題3-4-21　○　記述の通り。

問題3-4-22　○　記述の通り。

■ p.179

問題3-4-23　○　記述の通り。

問題3-4-24　○　記述の通り。

問題3-4-25　○　記述の通り。

確認テスト解答

問題3-4-26　×　鉄剤を服用すると便が黒くなることがあるが、これは消化管出血とは無関係で、酸化された鉄分が排泄されたことによる。

問題3-4-27　×　銅→コバルト。

問題3-4-28　×　コバルトは赤血球ができる過程で必要不可欠なビタミンB$_{12}$の構成成分。

問題3-4-29　×　マンガンは糖質・脂質・タンパク質の代謝をする際に働く酵素の構成物質であり、エネルギー合成を促進する目的で、硫酸マンガンが配合されている場合がある。

問題3-4-30　×　亜鉛→銅。

■p.181 ────────────

問題3-4-31　○　記述の通り。

問題3-4-32　○　記述の通り。

問題3-4-33　○　記述の通り。

問題3-4-34　×　ヘプロニカートは、代謝されてニコチン酸が遊離し、そのニコチン酸の働きによって末梢の血液循環を改善する。

問題3-4-35　×　ルチンは、ビタミンに類似した物質の一種で、高血圧等における毛細血管の補強、強化の効果を期待して用いられる。

問題3-4-36　×　設問の内容は、七物降下湯（しちもつこうかとう）の説明。

■p.183 ────────────

問題3-5-1　【解答　3】

■p.185 ────────────

問題3-5-2　○　記述の通り。そのよう

にアドバイスすることも大切。

問題3-5-3　○　記述の通り。

問題3-5-4　×　局所麻酔成分として配合。

問題3-5-5　○　記述の通り。

問題3-5-6　×　ジフェンヒドラミン塩酸塩は、抗ヒスタミン作用により痔に伴う痒みを和らげる作用をもつ。

問題3-5-7　×　局所への穏やかな刺激によって痒みを抑える。

問題3-5-8　○　記述の通り。

問題3-5-9　×　アラントインは、組織修復成分。

問題3-5-10　【解答　1】

■p.187 ────────────

問題3-5-11　○　記述の通り。

問題3-5-12　○　記述の通り。

問題3-5-13　×　セチルピリジニウム塩化物は、殺菌消毒成分。

問題3-5-14　×　殺菌消毒成分。

問題3-5-15　×　シコンは、ムラサキの根を用いた生薬で、新陳代謝促進、殺菌、抗炎症等の作用を期待して用いられる。

問題3-5-16　○　記述の通り。

問題3-5-17　○　記述の通り。

問題3-5-18　×　毛細血管を補強、強化して出血を抑える。

■p.189 ────────────

問題3-5-19　×　肛門周囲の末梢血管の血行を促して、うっ血を改善する。

問題3-5-20　○　記述の通り。

問題3-5-21　×　便を軟らかくして、症

状を改善するのであって、痔出血とは
あまり関わりがない。

問題3-5-22　○　記述の通り。

問題3-5-23　○　記述の通り。

問題3-5-24　×　設問の内容は、乙字湯
の説明。芎帰膠艾湯（きゅうききょうがいとう）は、体力中等度以
下で冷え症で、出血傾向があり胃腸障
害のないものの痔出血、貧血、月経異
常・不正出血、皮下出血に適す。

問題3-5-25　×　本文では触れなかった
が、注入軟膏に限らず、坐薬の成分が
直腸粘膜で吸収されて循環血液中に入
ることがある。

■p.191 ─────────────

問題3-5-26　×　抗菌作用であって、「膀
胱の弛緩効果」は期待していない。

問題3-5-27　×　牛車腎気丸（ごしゃじんきがん）は、体力中
等度以下で、疲れやすくて、四肢が冷
えやすく尿量減少し、むくみがあり、
ときに口渇があるものの下肢痛、腰痛、
しびれ、高齢者のかすみ目、痒み、排
尿困難、頻尿、むくみ等に用いる。

問題3-5-28　○　記述の通り。

問題3-5-29　×　六味丸（ろくみがん）は、体力中等度
以下で、疲れやすくて尿量減少または
多尿で、ときに手足のほてり、口渇が
あるものの排尿困難、残尿感、頻尿、
むくみ、痒み、夜尿症、しびれに適す。

問題3-5-30　○　記述の通り。

問題3-5-31　○　記述の通り。

■p.193 ─────────────

問題3-6-1　×　更年期症状を有する女
性→母乳を与えている女性。

問題3-6-2　×　膣粘膜または外陰部に
塗擦するタイプがある。

問題3-6-3　○　記述の通り。

問題3-6-4　○　記述の通り。

問題3-6-5　○　記述の通り。

■p.195 ─────────────

問題3-6-6　○　記述の通り。

問題3-6-7　○　記述の通り。

問題3-6-8　×　温清飲はカンゾウを含
まない。

問題3-6-9　○　記述の通り。

問題3-6-10　×　桂枝茯苓丸はカンゾウ
を含まない。

■p.197 ─────────────

問題3-6-11　×　五積散は、ダイオウを
含まず、カンゾウとマオウを含む。

問題3-6-12　×　カンゾウは含まない。

問題3-6-13　○　記述の通り。カンゾウ
およびダイオウを含む。

問題3-6-14　×　カンゾウは含まない。

問題3-6-15　×　症状の改善が見られな
いようであれば、一般用医薬品をあれ
これ変えるのではなく、受診を勧める
べき。

問題3-6-16　○　記述の通り。

問題3-6-17　×　婦人用薬は、通常、複
数の生薬成分を含有しているため、ほ
かの婦人用薬や生薬含有製剤と併用す
ると含有生薬が重複して、効き目が強
すぎたり、副作用が起こりやすくなる
おそれがある。ダイオウ、カンゾウを
含む製剤との併用には特に注意が必
要。

問題3-7-1 × 肥満細胞から遊離したヒスタミンが受容体と反応するのを防ぐことにより、くしゃみ・鼻水を抑える。

問題3-7-2 × クレマスチンフマル酸塩→メキタジン。

問題3-7-3 × 乳汁に移行する。

問題3-7-4 ○ 記述の通り。

問題3-7-5 ○ 記述の通り。

問題3-7-6 × ジフェニルピラリンテオクル酸塩→メキタジン。

問題3-7-7 ○ 記述の通り。

問題3-7-8 × プソイドエフェドリン塩酸塩は、鶏卵由来ではないため、鶏卵アレルギーとは関係ない。

問題3-7-9 ○ 記述の通り。販売時に配慮が必要。

問題3-7-10 ○ 記述の通り。販売時に配慮が必要。

問題3-7-11 ○ 記述の通り（p.322も参照）。

問題3-7-12 × フェニレフリン塩酸塩に殺菌効果はない。

問題3-7-13 × アドレナリン作動成分であり、交感神経系を刺激して鼻粘膜の血管を収縮させることによって鼻粘膜の充血を和らげる。

問題3-7-14 ○ 記述の通り。

問題3-7-15 × シンイは、モクレン科のタムシバ、コブシ、ボウシュンカ、マグノリア・スプレンゲリまたはハクモクレン等の蕾を基原とする生薬。

問題3-7-16 × 十味敗毒湯（じゅうみはいどくとう）はカンゾウを含むがマオウは含まない。

問題3-7-17 ○ 記述の通り。販売時に配慮が必要。

問題3-7-18 × 併用により、重複摂取となり、効き目が強すぎたり、副作用が起こりやすくなるおそれがあるので、同時に購入しようとした場合には、ちょっとした声かけ（確認作業）が必要であろう。

問題3-7-19 ○ 記述の通り。

問題3-7-20 × 一般用医薬品のアレルギー用薬は、一時的な症状の緩和が目的で、予防的に服用したり長期にわたって使用するものではない。

問題3-7-21 × 減感作療法は、医療機関で検査し、その上で、アレルゲンに対して徐々に体を慣らしていく治療法であり、一般用医薬品で対処できる領域ではない。

問題3-7-22 ○ 記述の通り。販売時にそのようにアドバイスすること。

問題3-7-23 ○ 記述の通り。

問題3-7-24 ○ 記述の通り。

問題3-8-1 ○ 記述の通り。

問題3-8-2 ○ 記述の通り。

問題3-8-3 × テトラヒドロゾリン塩酸塩は、アドレナリン作動成分で、交感神経系を刺激して鼻粘膜の血管を収縮させる。

問題3-8-4 × ケトチフェンフマル酸塩は、抗ヒスタミン成分。

問題3-8-5　〇　記述の通り。つまり、アレルギー性鼻炎でない場合に購入して使用しても意味がない。

問題3-8-6　〇　記述の通り。

■ p.209 ──────────

問題3-9-1　×　もう一つ、人工涙液がある。

問題3-9-2　〇　記述の通り。

問題3-9-3　〇　記述の通り。

問題3-9-4　×　1滴の薬液の量は約50μLであるのに対して、結膜嚢の容積は30μL程度とされており、一度に何滴も点眼しても効果が増すわけではない。

問題3-9-5　〇　記述の通り。

問題3-9-6　〇　記述の通り。

問題3-9-7　〇　記述の通り。

問題3-9-8　×　点眼薬であっても、全身性の副作用として、皮膚に発疹、発赤、痒み等が現れることがある。

問題3-9-9　〇　記述の通り。

問題3-9-10　〇　記述の通り。眼科の診察を受けたことがなければ、一度受診することを勧めたほうがよい。緑内障は、何らかの原因で視神経が障害され視野（見える範囲）が狭くなる病気で、眼圧の上昇がその病因の一つといわれている。一度視野が狭くなると元には戻らない。

■ p.211 ──────────

問題3-9-11　×　アドレナリン→アセチルコリン。アセチルコリンを分解する酵素（コリンエステラーゼ）の働きを

抑える。

問題3-9-12　×　眼圧を低下→眼圧を上昇。

問題3-9-13　×　血管を拡張→血管を収縮。

問題3-9-14　×　テトラヒドロゾリン塩酸塩は、アドレナリン作動成分。

問題3-9-15　×　眼圧の低下→眼圧の上昇。

問題3-9-16　〇　記述の通り。

問題3-9-17　〇　記述の通り。

問題3-9-18　×　プラノプロフェンは、非ステロイド性抗炎症成分であり、炎症の原因となる物質の生成を抑える作用を示し、目の炎症を改善する。

問題3-9-19　×　炎症を生じた眼粘膜の組織修復を促す。

問題3-9-20　〇　記述の通り。

■ p.213 ──────────

問題3-9-21　〇　記述の通り。

問題3-9-22　×　ヒスタミンの働きを抑えること（抗ヒスタミン作用）により、目の痒みを和らげる。

問題3-9-23　×　クロモグリク酸ナトリウムは、肥満細胞からのヒスタミン遊離を抑えて、花粉やハウスダストによる目のアレルギー症状の緩和を目的で配合される。アレルギー性でない結膜炎等に対しては無効。

問題3-9-24　〇　記述の通り。

問題3-9-25　〇　記述の通り。

問題3-9-26　×　細菌感染による結膜炎やものもらい、眼瞼炎などの化膿性の症状が考えられる。

確認テスト解答

問題3-9-27 ×　サルファ剤は、ウイルスや真菌の感染に対する効果はない。

■p.217 ─────────────
問題3-10-1 ×　黄色の色素で、真菌、結核菌、ウイルスに対しては効果がない。
問題3-10-2 ×　器具等の消毒には用いない。
問題3-10-3 ○　記述の通り。
問題3-10-5 ×　石けんとの混合によって殺菌消毒効果が低下する。
問題3-10-6 ○　記述の通り。

■p.219 ─────────────
問題3-10-7 ○　記述の通り。
問題3-10-8 ×　ヒドロコルチゾン、プレドニゾロン酢酸エステルは、ステロイド性抗炎症成分。
問題3-10-9 ×　ステロイド性抗炎症成分。
問題3-10-10 ×　ステロイド性抗炎症成分。
問題3-10-11 ×　ステロイド性抗炎症成分。
問題3-10-12 ○　記述の通り。
問題3-10-13 ○　記述の通り。

■p.221 ─────────────
問題3-10-14 ○　記述の通り。
問題3-10-15 ○　記述の通り。
問題3-10-16 ○　記述の通り。特に喘息の既往症のある人は要注意。
問題3-10-17 ×　プロスタグランジンの産生を抑える作用を示し、筋肉痛、関節痛、肩こり等の緩和に用いられる。
問題3-10-18 ×　非ステロイド性抗炎症成分。
問題3-10-19 ×　外用薬として用いられるステロイド性抗炎症成分は末梢組織におけるプロスタグランジンなどの炎症を引き起こす成分の産生を抑えて痒みや発赤などの皮膚症状を抑える。ピロキシカムは非ステロイド性抗炎症成分であり、外用薬として用いる場合は、皮膚の下層にある骨格筋や関節部まで浸透してプロスタグランジンの産生を抑え、筋肉痛、関節痛、肩こり、腰痛、腱鞘炎等に用いられる。
問題3-10-20 ×　非ステロイド性抗炎症成分。
問題3-10-21 ○　記述の通り。

■p.223 ─────────────
問題3-10-22 ○　記述の通り。
問題3-10-23 ○　記述の通り。
問題3-10-24 ○　記述の通り。
問題3-10-25 ×　角質層の水分保持量を高め、皮膚の乾燥を改善する。
問題3-10-26 ○　記述の通り。
問題3-10-27 ○　記述の通り。
問題3-10-28 ×　サルファ剤は、細菌のDNA合成を阻害するが、真菌には無効（p.212参照）。
問題3-10-29 ×　細菌の細胞壁合成を阻害することにより抗菌作用を示す。
問題3-10-30 ○　記述の通り。

■p.225 ─────────────
問題3-10-31 ○　記述の通り。

問題3-10-32 ○ 記述の通り。

問題3-10-33 ○ 記述の通り。

問題3-10-34 × 皮膚糸状菌の細胞膜に作用して、その増殖・生存に必要な物質の輸送機能を妨げ、その増殖を抑える。

問題3-10-35 × アルカリ性→酸性。

問題3-10-36 ○ 記述の通り。

問題3-10-37 × アクネ菌→皮膚糸状菌（白癬菌）。

問題3-10-38 × 液剤は刺激が強いので、じゅくじゅくと湿潤している患部には、軟膏またはクリームが適する。

問題3-10-39 × 2週間位使用しても症状がよくならない場合には、抗真菌成分に耐性を生じている可能性や、皮膚糸状菌による皮膚感染でない可能性もある。一般用医薬品を漫然と使用せず、皮膚科の受診を勧めるべき。

■ p.227 ─────────────

問題3-10-40 ○ 記述の通り。

問題3-10-41 ○ 記述の通り。

問題3-10-42 × 「抗コリン作用」ではなく、「コリン作用」。コリン作用薬とは、副交感神経を刺激するアセチルコリンに類似した物質。頭皮の副交感神経が刺激されると、血管が拡張して、毛根への血行が促進される。

問題3-10-43 ○ 記述の通り。

問題3-10-44 × 男性ホルモン→女性ホルモン。

問題3-10-45 ○ 記述の通り。女性ホルモンの一種であるエストラジオール安息香酸エステルが配合されている場合がある。

問題3-10-46 ○ 記述の通り。

問題3-10-47 ○ 記述の通り。

問題3-10-48 ○ 記述の通り。

問題3-10-49 ○ 記述の通り。

■ p.229 ─────────────

問題3-11-1 × 知覚神経の伝達を遮断して痛みを鎮めることを目的とする。

問題3-11-2 × 齲蝕部分の細菌の繁殖を抑える。

問題3-11-3 ○ 記述の通り。

問題3-11-4 × 歯周組織の修復、口臭の抑制。

問題3-11-5 × フィトナジオン（ビタミンK$_1$）は、出血防止を目的とする。

■ p.231 ─────────────

問題3-11-6 ○ 記述の通り。

問題3-11-7 × 口腔粘膜の炎症を和らげることを目的とする。

問題3-11-8 × 口腔粘膜の組織修復を促す作用を期待する。

問題3-11-9 × 患部からの細菌感染を防止する。

問題3-11-10 × 患部からの細菌感染を防止する。

問題3-11-11 ○ 記述の通り。

■ p.233 ─────────────

問題3-12-1 ○ 記述の通り。

問題3-12-2 ○ 記述の通り。

問題3-12-3 × 大量に使用しても禁煙達成が早まるものでなく、かえってニコチン過剰摂取による副作用のおそれがある。

問題3-12-4　×　吸収が促進→吸収が低下。

問題3-12-5　×　ニコチンが唾液とともに飲み込まれてしまい、口腔粘膜から十分吸収されない。

問題3-12-6　○　記述の通り。

■p.235 ────────────

問題3-13-1　○　記述の通り。

問題3-13-2　×　ビタミンA→ビタミンE。

問題3-13-3　×　レチノール酢酸エステルはビタミンAであり、視力調節を期待して用いるが、脚気は、ビタミンB_1の欠乏による。

問題3-13-4　×　欠乏症→過剰症。

問題3-13-5　○　記述の通り。

問題3-13-6　○　記述の通り。

問題3-13-7　○　記述の通り。

問題3-13-8　×　トコフェロール→ビタミンA。

問題3-13-9　×　ビタミンE→ビタミンC。

■p.237 ────────────

問題3-13-10　×　ビタミンB_1→ビタミンC。

問題3-13-11　×　ビタミンB_2→ビタミンB_1。

問題3-13-12　×　赤色→黄色。利用されなかったB_2が排泄されただけなので心配はない。

問題3-13-13　×　ビタミンB_1→ビタミンB_2。

問題3-13-14　○　記述の通り。

問題3-13-15　×　夜間視力の維持に関与するのは、ビタミンA。

問題3-13-16　×　ビタミンB_{12}は、赤血球の形成を助け、神経機能を正常に保つ栄養素。

問題3-13-17　○　記述の通り。

問題3-13-18　×　アスコルビン酸（ビタミンC）には、末梢血管障害による肩こりの緩和作用はない。

問題3-13-19　×　医薬部外品の保健薬の効能・効果の範囲は、滋養強壮、虚弱体質の改善、病中・病後の栄養補給等に限定されている。

■p.239 ────────────

問題3-13-20　○　記述の通り。

問題3-13-21　○　記述の通り。

問題3-13-22　○　記述の通り。

問題3-13-23　○　記述の通り。

問題3-13-24　×　アスパラギン酸ナトリウムは、生体におけるエネルギーの産生効率を高め、骨格筋の疲労の原因となる乳酸の分解を促す。

問題3-13-25　×　ヘスペリジンは、ビタミンCの吸収を助ける作用がある。

問題3-13-26　×　コンドロイチン硫酸ナトリウムは、軟骨組織の主成分で、軟骨成分を形成および修復する働きがある。

問題3-13-27　×　グルクロノラクトンは、肝臓の働きを助け、肝血流を促進する働きがある。

問題3-13-28　×　ガンマ-オリザノールは、米油および米胚芽油から見出された抗酸化作用を示す成分。

問題3-13-29 × 医薬部外品→医薬品。

問題3-13-30 ○ 記述の通り。

問題3-13-31 ○ 記述の通り。

問題3-13-32 ○ 記述の通り。

問題3-13-33 ○ 記述の通り。

問題3-14-1 ○ 記述の通り。

問題3-14-2 ○ 記述の通り。

問題3-14-3 × 設問のように考えている生活者が多いと推察されるので、間質性肺炎や肝機能障害のような重篤な副作用が起き得ることを念頭に置いて、長期の購入者に対しては、本人が異変に気づくことができるよう情報提供していただきたい。

問題3-14-4 × 生後3か月未満の乳児には使用しないこと。

問題3-14-5 × 設問の内容は、防已黄耆湯（ぼういおうぎとう）の説明。黄連解毒湯（おうれんげどくとう）は、体力中等度以上で、のぼせぎみで顔色赤く、いらいらして落ち着かない傾向のあるものの鼻出血、不眠症、神経症、胃炎、二日酔い、血の道症、めまい、動悸、更年期障害、湿疹・皮膚炎、皮膚のかゆみ、口内炎に適す。

問題3-14-6 × 防已黄耆湯は、カンゾウを含むが、ダイオウは含まない。

問題3-14-7 ○ 記述の通り。防風通聖散（ぼうふうつうしょうさん）は、瀉下作用のあるダイオウを含む。その他、カンゾウ、マオウも含むため注意を要する漢方である。まれに重篤

な副作用として肝機能障害、間質性肺炎、偽アルドステロン症が起こることが知られている。

問題3-14-8 ○ 記述の通り。

問題3-14-9 × 設問の内容は、防風通聖散（ぼうふうつうつう）の説明。清上防風湯（せいじょうぼうふうとう）は、体力中等度以上で、赤ら顔でときにのぼせがあるもののにきび、顔面・頭部の湿疹・皮膚炎、赤鼻（酒さ）（しゅ）に適す。

問題3-14-10 × 全草→塊根。

問題3-14-11 ○ 記述の通り。

問題3-14-12 ○ 記述の通り。

問題3-14-13 × ボウフウは、セリ科のボウフウの根および根茎を基原とする生薬で、発汗、解熱、鎮痛、鎮痙等の作用を期待して用いられる。

問題3-14-14 × 設問の内容はブシの作用。ショウマは、キンポウゲ科のサラシナショウマ、フブキショウマ、コライショウマまたはオオミツバショウマの根茎を基原とする生薬で、発汗、解熱、解毒、消炎等の作用を期待して用いられる。

問題3-14-15 ○ 記述の通り。

問題3-14-16 ○ 記述の通り。

問題3-14-17 × 設問の内容はブクリョウ。サンザシは、バラ科のサンザシまたはオオミサンザシの偽果をそのまま、または縦切もしくは横切したものを基原とする生薬で、健胃、消化促進等の作用を期待して用いられる。

確認テスト解答

27

問題3-15-1 × クレゾール石けんはウイルスに対する殺菌消毒作用はない。

問題3-15-2 × エタノールは、ウイルスに対する殺菌消毒作用を示す。

問題3-15-3 ○ 記述の通り。

問題3-15-4 × 手指・皮膚の消毒用であり、器具等の消毒には用いない。

問題3-15-5 ○ 記述の通り。

問題3-15-6 ○ 記述の通り。

問題3-15-7 × まずは、流水で十分に（15分間以上）洗眼すること。

問題3-15-8 【解答　1】

a ○ 記述の通り。

b × 滅菌とはすべての微生物を殺滅または除去すること。数を減らすのは殺菌消毒。

c ○ 記述の通り。本文では触れなかったので、そのように理解してください。

d ○ 記述の通り。

問題3-15-9 × 衛生害虫は、ハエ、蚊、ゴキブリ、シラミ、トコジラミ、ノミ、イエダニ、ツツガムシ。

問題3-15-10 ○ 記述の通り。

問題3-15-11 ○ 記述の通り。

問題3-15-12 × 有機塩素系→有機リン系。

問題3-15-13 × ペルメトリンは人体に直接適用しない。

問題3-15-14 ○ 記述の通り。

問題3-15-15 × プロポクスルは、カーバメイト系殺虫成分で、ピレスロイド系殺虫成分に抵抗性を示す害虫の駆除に用いる。

問題3-15-16【解答　2】

a × 一般用では医薬部外品が多いが［p.334の別表4-1（1）参照］、医薬品に分類されるものもある。

b ○ 記述の通り。

c ○ 記述の通り。

d × 湿度がダニの増殖の要因になるため、水で希釈する薬剤の使用は避ける。

問題3-15-17【解答　2】

問題3-15-18 ○ 記述の通り。

問題3-15-19 ○ 記述の通り。

問題3-15-20 × そのような効果はない。

問題3-16-1 ○ 記述の通り。第2類医薬品に該当するものが多い。

問題3-16-2 ○ 記述の通り。

問題3-16-3 × 対象外。

問題3-16-4 ○ 記述の通り。

問題3-16-5 ○ 記述の通り。

問題3-16-6 ○ 記述の通り。

問題3-16-7 ○ 記述の通り。

問題3-16-8 × 弱アルカリ性→弱酸性。

問題3-16-9 × その結果をもって直ちに疾患の有無や種類を判断することはできない。

問題3-16-10 × 検出時間について「手

引き」にも記載はないが、尿糖では30秒後が一般的。時間を置くほど色が濃くなってしまうことがある。

■ p.260

問題3-16-11 ○ 記述の通り。

問題3-16-12 ○ 記述の通り。

問題3-16-13 × 温度の影響を受けることがある。検査薬が高温になる場所に放置されたり、冷蔵庫内に保管されていたりすると、設計どおりの検出感度を発揮できなくなるおそれがあるので、販売時に一言付け加えるのが望ましい。

問題3-16-14 × 室温で設計されているため、極端な低温も高温も検出感度が保てなくなる。

問題3-16-15 ○ 記述の通り。

問題3-16-16 ○ 記述の通り。

第4章　薬事関係法規・制度

■ p.263

問題4-1-1 【解答 5】 第1条は医薬品医療機器等法の目的を明記したものであり、よく覚えること。

■ p.265

問題4-1-2 × 都道府県知事の登録が必要。

問題4-1-3 × 6か月以内→30日以内。

問題4-1-4 × 30日以内に、名簿の登録の消除の申請が必要。

■ p.267

問題4-1-5 ○ 法第2条1項よる医薬品の定義の第1号目。問題文の表現に戸惑ったかもしれないが、正しい。

問題4-1-6 × 医療用医薬品においても、一般用医薬品においても、局方品は広く使われている。

問題4-1-7 ○ 記述の通り。

問題4-1-8 × 人の身体に直接使用されない器具用消毒薬、検査薬、殺虫剤なども医薬品に含まれる。

問題4-1-9 × 衛生用品は医薬品に含まない。

問題4-1-10 × 人の疾病の診断または予防に使用されることが目的であっても、プログラムは医薬品に該当しない。

問題4-1-11 × 法第2条1項第3号の定義によって、医薬品成分が含まれていなくても、「やせ薬」と標榜した場合には、医薬品とみなされ規制を受ける。

■ p.269

問題4-1-12 ○ 記述の通り。

問題4-1-13 ○ 記述の通り。

問題4-1-14 ○ 記述の通り。法第4条第5項による一般用医薬品の定義、条文をよく理解しておくこと。

問題4-1-15 × 医師等の管理・指導の下で使用されるものは、医療用医薬品。

■ p.271

問題4-1-16 × 要指導医薬品は、薬剤師の対面（つまり通販は不可）による情報の提供と指導が求められるが、あらかじめ定められた用量に基づいて使用すべきものである。

確認テスト解答

問題4-1-17 ○ 記述の通り。

問題4-1-18 ○ 記述の通り。

問題4-1-19 × 誰でも判断できる症状、胃痛、胸やけ、むかつき、もたれ等で示される。

問題4-1-20 ○ 記述の通り。

問題4-1-21 ○ 記述の通り。

問題4-1-22 × 少し意地悪な設問ではあるが、問題文をよく読んで欲しい。法第44条には「…黒地に白枠、白字をもつて、その品名および「毒」の文字が記載されていなければならない。」とある。努めるのではなく、必ず記載しなければならない。

問題4-1-23 ○ 記述の通り。

問題4-1-24 × 劇薬は、他の物と区別して貯蔵、陳列しなければならないが、「かぎ」は要求されていない。なお、一般用医薬品で劇薬に該当するものはない。

問題4-1-25 ○ 記述の通り。

問題4-1-26 × 18歳未満→14歳未満。

問題4-1-27 ○ 記述の通り。

■ p.272 ─────────

問題4-1-28 × 法第2条10項によれば、医療機器も対象となる。

問題4-1-29 × ある→ない。

問題4-1-30 ○ 記述の通り。

■ p.273 ─────────

問題4-1-31 【解答 1】

a × 著しいもの→著しくないもの。

b ○ 記述の通り。

c × 製造販売業→製造業。

d × 医療用医薬品の販売は、薬局および卸売販売業者に限られる。

問題4-1-32 【解答 3】

a ○ 記述の通り。

b × 黒地に白枠、白文字。

c × 18歳→14歳。

d ○ 記述の通り。文書の交付に代えて、一定の条件を満たした電子的ファイルに記録したものの交付を受けてもよい（法第46条第3項）。

■ p.275 ─────────

問題4-1-33 ○ 記述の通り。

問題4-1-34 ○ 記述の通り。

問題4-1-35 ○ 記述の通り。

問題4-1-36 ○ 記述の通り。

問題4-1-37 ○ 記述の通り。法第36条の7におけるリスク区分の定義の応用問題。

問題4-1-38 × （第3類医薬品を除く。）→（第1類医薬品を除く。）

問題4-1-39 × 第3類医薬品は、比較的リスクは低いが、副作用等により身体の変調・不調が起こるおそれはある。

問題4-1-40 × 医薬品である以上、副作用や保健衛生上のリスクは伴う。

問題4-1-41 ○ 記述の通り。リスク区分は固定されたものではなく、収集された情報によって変わることがある。

■ p.277 ─────────

問題4-1-42 ○ 記述の通り。医薬品等の製造にあたっては「製造業の許可」

と「製造販売業の許可」の二つの許可
があり、記載義務があるのは、製造販
売業者の氏名（名称）、住所。

問題4-1-43 ✕ 製造番号または製造記
号は、法定表示項目。

問題4-1-44 ✕ 重量、容量または個数
等の内容量は、法定表示項目。

問題4-1-45 ✕ リスク区分を示す識別
表示は、法定表示項目。

問題4-1-46 ○ 記述の通り。効能効果
は法定表示項目ではないが、購入者が
選択しやすいように、「○○胃腸薬」「○
○便秘薬」のように商品名に効能効果
が入った商品が多い。

問題4-1-47 ○ 記述の通り。

問題4-1-48 ✕ 「店舗専用」の文字は、
法定表示項目。

問題4-1-49 ✕ 用法用量は、外箱の法
定表示項目ではないが、「添付する文
書または容器等もしくは外箱等のいず
れかに、用法用量その他使用及び取り
扱い上必要な注意等が記載されていな
ければならない」（法第52条第2項）と
ある。

問題4-1-50 ✕ 誇大→虚偽。内容とし
ては正しいようにも思うが、法律の条
文（法第45条）を正確に覚えていない
と答えが出せない設問となっている。

問題4-1-51 ○ 記述の通り。

■ p.279 ─────────

問題4-1-52 ○ 記述の通り。

問題4-1-53 ○ 記述の通り。

問題4-1-54 ✕ 問題文を注意深く読ん
で欲しい。製造販売業の「許可」が必

要で、品目ごとに「承認」を受ける必
要がある。

問題4-1-55 ✕ 届出も許可も不要。コ
ンビニでもガソリンスタンドでも、ど
こでも自由に販売できる。

問題4-1-56 ✕ かつては医薬品だった
が医薬部外品に移された製品群（指定
医薬部外品）がある。

問題4-1-57 ○ 記述の通り。第4章別
表4-1（p.334）を参照。

問題4-1-58 ○ 記述の通り。

問題4-1-59 ○ 記述の通り。医薬品に
該当する。

■ p.281 ─────────

問題4-1-60 ○ 記述の通り。

問題4-1-61 ○ 記述の通り。

問題4-1-62 ✕ 化粧品を業として製造
販売する場合には、製造販売業の許可
を受けた者が、あらかじめ品目ごとの
届出を行う必要がある（法第12条第1
項、第14条の9）。ただし、厚生労働
大臣が指定する成分を含有する化粧品
である場合は、品目ごとの承認を得る
必要がある（法第14条第1項）。

問題4-1-63 ○ 記述の通り。

問題4-1-64 ✕ 医薬品的な効能効果
は、化粧品には認められない。設問の
内容は、医薬部外品に該当する。

問題4-1-65 ✕ 医薬部外品となる。

問題4-1-66 ✕ 医薬部外品となる。「ひ
げを剃りやすくする」「ひげそり後の肌
を整える」は化粧品に使用可能。

問題4-1-67 ✕ 記述の通り。境界が難
しいが、「薬用歯みがき」（歯を白くす

る、歯周炎の予防、むし歯を防ぐ等）は化粧品ではなく医薬部外品に該当する。別表4-2「化粧品の効能効果の範囲」(p.339) をよく見ておくように。

■ p.283

問題4-1-68 × 医薬品、医薬部外品および再生医療等製品を除くすべての飲食物を食品という。

問題4-1-69 × 医薬品的な効能効果を表示した場合には、医薬品とみなされる。

問題4-1-70 × この場合、形状のみをもって医薬品との判断がなされることはない。

問題4-1-71 ○ 記述の通り。特別用途食品は、健康増進ということより、低たんぱく食や低アレルゲン食等のように病者用食品という意味合いが強い。

問題4-1-72 ○ 記述の通り。

■ p.285

問題4-1-73 ○ 記述の通り。したがって、「消費者庁長官の個別の審査を受けたものではない」という表示が必要。

問題4-1-74 ○ 記述の通り。

問題4-1-75 × 亜鉛→マグネシウム。本文では触れなかったが、こういう出題もあるので、p.341の「別表4-4 栄養機能食品：栄養機能表示と注意喚起表示」は、よく目を通しておくように。

問題4-1-76 ○ 記述の通り。

問題4-1-77 × 機能性表示食品は、事業者の自己責任において「届出」を行うもので、国（消費者庁）が審査をし

たり許可を与えたりするものではない。

問題4-1-78 × 一般に言う「健康食品」は、法令で定義されたものではないことを、専門家として認識しておこう。

問題4-1-79 ○ 記述の通り。

問題4-1-80 × 特別用途食品→栄養機能食品。うっかり○を付けたくなる設問だが、特別用途食品は保健機能食品に含まれない。混乱しないように、しっかり整理しておくこと。

■ p.287

問題4-2-1 × 配置販売業を含めた3種類。

問題4-2-2 × 薬局の開設者は、薬剤師でなくても、無資格の個人でも、法人（会社）でも可。

問題4-2-3 × 薬局の許可だけで可能。ただし、調剤併設型のドラッグストアの場合には、営業時間等の違いがあるため、薬局と店舗販売業の両方の許可を受けている場合が多い。

■ p.289

問題4-2-4 × 市区町村長→都道府県知事。

問題4-2-5 × 薬局の規模→傷病の区分。

問題4-2-6 × 健康機能薬局→健康サポート薬局。

問題4-2-7 ○ 記述の通り。

■ p.291

問題4-2-8 × 恒常的に→やむを得ず、かつ、一時的に。

問題4-2-9　×　薬剤師不在時は、要指導医薬品陳列区画または第1類医薬品陳列区画を閉鎖しなければならない。

問題4-2-10　【解答　2】

ア　○　記述の通り。

イ　○　記述の通り。

ウ　○　記述の通り。

エ　×　薬局開設者は、調剤室の閉鎖に加え、要指導医薬品陳列区画または第1類医薬品陳列区画を閉鎖しなければならない。薬剤師不在時間内に、登録販売者が販売できる医薬品は、第2類と第3類のみ。

■p.293 ─────────────

問題4-2-11　×　薬局の開設許可を受けていなければ、薬剤師がいても調剤はできない。

問題4-2-12　×　申請者の住所地→店舗の住所地。

問題4-2-13　×　管理者は薬剤師または登録販売者でなければならないが、申請者（開設者）は無資格の個人でも法人でも可能。ただし、登録販売者試験の改正（実務経験の廃止）により、平成27度の合格者より、過去5年以内に2年以上の実務経験がなければ、一般用医薬品の販売・指導はできても管理者にはなれない。

問題4-2-14　×　一般用医薬品と要指導医薬品のみ。薬剤師がいても医療用医薬品は販売できない。

問題4-2-15　×　登録販売者がいれば第2類医薬品の販売は可能。第1類医薬

品および要指導医薬品については、薬剤師に販売または授与させなければならない（法第36条の5）。

問題4-2-16　×　その他の従業者に対し→店舗販売業者（つまり、オーナー）に対し。

問題4-2-17　×　「薬局」の名称を付すことができるのは、薬局開設許可を受け場合に限られる。

問題4-2-18　×　法第28条第4項に「店舗管理者は、その店舗の所在地の都道府県知事の許可を受けた場合を除き、その店舗以外の場所で業として店舗の管理その他薬事に関する実務に従事することはできない。」とある。

■p.295 ─────────────

問題4-2-19　【解答　4】

1　×　薬剤師がいても薬局でなければ調剤は不可。

2　×　薬局の許可受けたもののみ。

3　×　一般従事者としての従事期間も含む。

4　○　記述の通り。

■p.297 ─────────────

問題4-2-20　○　記述の通り。

問題4-2-21　○　記述の通り。

問題4-2-22　○　記述の通り。

問題4-2-23　×　配置販売業者が、店舗による販売または授与の方法で医薬品を販売等しようとする場合には、別途、薬局の開設または店舗販売業の許可を受ける必要がある。

問題4-2-24　○　記述の通り。

問題4-2-25 × 医薬品の配置販売に従事してから30日以内に→あらかじめ。

問題4-2-26 × 配置販売しようとする区域の都道府県知事に届出は必要だが、身分証明書の交付はない。身分証明書の交付を受けるのは配置員の住所地の都道府県知事で、この身分証を携帯する。

問題4-2-27 ○ 記述の通り。

問題4-2-28 × 配置販売業では、医薬品を開封して分割販売すること（いわゆる量り売り）は禁止されている。

問題4-2-29 × 配置販売業の許可が必要となる。

■ p.301

問題4-2-30 × 「希望する者のみ」ではなく、「購入者に伝えること」（法第36条の5、規則第158条の11）とされている。

問題4-2-31 ○ 記述の通り。

問題4-2-32 ○ 記述の通り。

問題4-2-33 × 第1類医薬品を販売した際には、品名、数量、日時、販売した薬剤師の氏名、情報提供を行った薬剤師の氏名、購入者等が情報提供の内容を理解したことの確認の結果を、書面に記載して2年間保存しなければならない。

■ p.303

問題4-2-34 × 年齢、性別のほか多くの確認事項があるが、氏名については求められていない。

問題4-2-35 × 「望ましい」ではなく「しなければならない」。

問題4-2-36 × 要指導医薬品における情報提供は必須。ただし、第1類医薬品を購入し、または譲り受ける者から説明を要しない旨の意思の表明があり、薬剤師が、当該第1類医薬品が適正に使用されると認められると判断した場合には、適用しないこととされている（法第36条の10第6項）。

問題4-2-37 ○ 記述の通り。

問題4-2-38 ○ 記述の通り。

■ p.305

問題4-2-39 × 第1類医薬品は薬剤師のみ。問題文をよく読むように。

問題4-2-40 ○ 記述の通り。

問題4-2-41 ○ 記述の通り。本文には触れなかったが、第1類医薬品を購入し、または譲り受ける者から説明を要しない旨の意思表示があり、薬剤師が当該第1類医薬品が適正に使用されると判断した場合には、情報提供を行うことは要しないとされている（法第36条の10第6項）。

問題4-2-42 × 配置販売業においても、書面による情報提供を省略することはできない。

■ p.307

問題4-2-43 ○ 記述の通り。

問題4-2-44 ○ 記述の通り。

問題4-2-45 × 正しいように見えてしまうが、相談があった場合には、「努める」（努力義務）ではなく、「必ず」情

報提供しなければならない。

問題4-2-46 ○ 記述の通り。

■p.310 ─────────────

問題4-2-47 ○ 記述の通り。

問題4-2-48 × 同一薬効であっても混在は認められない。

問題4-2-49 × 「第1類医薬品陳列区画」、または、かぎをかけた陳列設備あるいは直接手の触れられない陳列設備。

問題4-2-50 × 第1類医薬品は原則として、構造設備規則の規定する「第1類医薬品陳列区画」に陳列しなければならない。

問題4-2-51 ○ 記述の通り。

問題4-2-52 ○ 記述の通り。

問題4-2-53 ○ 記述の通り。

■p.313 ─────────────

問題4-2-54 ○ 記述の通り。

問題4-2-55 ○ 記述の通り。

問題4-2-56 × 従事した期間が2年に満たない登録販売者は、「研修中」等の表示が求められるが、「実務経験年数および研修の受講履歴」は掲示すべき項目にはない。

問題4-2-57 ○ 記述の通り。

問題4-2-58 × 法律上、薬局開設者または店舗販売業者の住所の掲示は求められていない。

問題4-2-59 ○ 記述の通り。

問題4-2-60 × 要指導医薬品について掲示すべき解説（p.311の「薬局製造販売医薬品、要指導医薬品および一般用

医薬品の販売制度に関する事項」①～⑤）は、要指導医薬品を扱っていなくても掲示しなければならない（規則第15条の15、第147条の12の規定による）。

問題4-2-61 【解答　1】

a ○ 記述の通り。

b ○ 記述の通り。

c × 第3類医薬品を除いてはいけない。

d × 「医薬品による健康被害の救済制度に関する解説」の掲示は必須だが、健康食品による健康被害については、最寄りの保健所に連絡する必要があるものの、救済制度の対象ではないため掲示義務はない。

■p.315 ─────────────

問題4-2-62 ○ 記述の通り。

問題4-2-63 ○ 記述の通り。

問題4-2-64 ○ 記述の通り。特定販売に限らず、薬局、店舗販売、配置販売においても、健康被害の救済制度に関する解説はしなければならない。

問題4-2-65 ○ 記述の通り。

■p.320 ─────────────

問題4-2-66 ○ 記述の通り。

問題4-2-67 ○ 記述の通り。

問題4-2-68 ○ 記述の通りだが、ロット番号および使用期限については、偽造医薬品の流通防止に向けた対策の観点から、併せて記載することが望ましいとされている。

問題4-2-69　×　5年間→3年間。

問題4-2-70　×　同一法人の店舗間移動であっても、一般用医薬品を移動する場合には、①品名、②数量、③移転先および移転元の場所ならびに移転の年月日の記録は必要。

問題4-2-71　○　記述の通り(お客が自由に倉庫に出入りできる構造は不可。

問題4-2-72　○　記述の通り(規則第147条の3)。

問題4-2-73　○　記述の通り。

問題4-2-74　×　薬剤師→リスク区分に応じた薬剤師または登録販売者。

問題4-2-75　○　記述の通り。

問題4-2-76　○　記述の通り。期限切れ医薬品の在庫処分セールは不可。

問題4-2-77　○　記述の通り。店舗販売業者だけでなく、薬局開設者も禁止(規則第15条の4)されている。

問題4-2-78　×　履歴等を利用したWeb広告は一般的に行われているが、医薬品についてはそのような方法で「広告してはならない」とされている(規則第15条の5)。

問題4-2-79　【解答　2】
　a　○　解熱鎮痛薬に配合されている場合が多い。
　b　×　副作用に注意しなければならないが、濫用のおそれはない。
　c　×　副作用に注意しなければならないが、濫用のおそれはない。
　d　○　多くのかぜ薬等に配合されていて、濫用の主流となっている。

問題4-3-1　×　医師による診断・治療によらなければ治癒が期待できない疾患(がん、糖尿病、心臓病等)は、自己治療が可能であるかのような広告表現は認められない。

問題4-3-2　○　記述の通り。

問題4-3-3　○　記述の通り。

問題4-3-4　○　記述の通り。

問題4-3-5　×　承認されている効能効果のうち、一部のみを抽出した広告を行うことは、誤認させるおそれがあるので不可。

問題4-3-6　×　広告の依頼主だけでなく、その広告に関与するすべての人が対象となる。

問題4-3-7　×　承認されている効能効果のうち、一部のみを抽出した広告を行うことは、誤認させるおそれがあるので不可。「しばり表現」とは漢方処方でよくみられるが、「比較的体力があり…」などの表現。

問題4-3-8　×　いかなる場合も、未承認の医薬品の名称、製造方法、効能、効果または性能に関する広告は禁止されている(法第68条)。

問題4-3-9　○　記述の通り。

問題4-3-10　×　不当景品類及び不当表示防止法の限度内であれば認められている。

問題4-3-11　○　記述の通り。たとえば、かぜ薬と体温計、消毒薬と絆創膏など。総合感冒薬と咳止めなど、成分が重複

するおそれがある組み合わせは不可。

問題4-3-12　×　成分の重複による危険性が増すため不可。

問題4-3-13　×　合理性があるので認められる。

問題4-3-14　○　記述の通り。

問題4-3-15　○　記述の通り。医薬品でなければかまわないが、くれぐれも注意すること。

問題4-3-16　×　法第37条第1項に抵触する。

問題4-3-17　×　配置販売業は、使用後の回収のみで、現金販売はできない。

■ p.331

問題4-3-18　○　記述の通り。

問題4-3-19　○　記述の通り。

問題4-3-20　○　記述の通り。

問題4-3-21　×　薬事監視員に逮捕権はない。

問題4-3-22　×　「業務が多忙」は理由にならない。

問題4-3-23　×　微妙な問題文だが、法律の条文は、「命ずることができる」となっている。

問題4-3-24　○　記述の通り。実際の業

務は任命された薬事監視員が行う。

問題4-3-25　○　記述の通り。

■ p.333

問題4-3-26　×　「業務停止命令」は、行政処分の一つである。

問題4-3-27　×　「廃棄・回収命令」は、行政処分の一つである。

問題4-3-28　○　記述の通り。

問題4-3-29　○　記述の通り。

問題4-3-30　○　記述の通り。行政処分は、①改善命令、②業務停止命令、③廃棄・回収命令であって、管理者を解雇する権限はない。

問題4-3-31　○　記述の通り。

問題4-3-32　×　医薬品医療機器等法には懲役刑も規定されている。

問題4-3-33　○　記述の通り。

問題4-3-34　×　国民生活センター、各地区の消費生活センターまたは消費者団体等の民間団体も相談の窓口となっている。

問題4-3-35　×　生活者へのアドバイスのほか、必要に応じて行政庁への通報や問題提起を行っている。

問題4-3-36　○　記述の通り。

5章　医薬品の適正使用・安全対策

■ p.345

問題5-1-1　○　記述の通り。

問題5-1-2　×　登録販売者→薬剤師。落ち着いて問題文を読むように。

問題5-1-3　○　記述の通り。したがって、購入者（使用者）にとって必要な情報を選択して届けなければならない。

問題5-1-4　○　記述の通り。

■ p.349

問題5-1-5　×　新たな情報に基づいて改訂される。それは、あなたから発せられる情報かもしれない。

問題5-1-6　○　記述の通り。

問題5-1-7　×　添付文書の販売名の上部に記載される（p.347参照）。

問題5-1-8　×　必要に応じて読むこと→必ず読むこと。少し意地悪な出題かもしれない。

問題5-1-9　○　記述の通り。

問題5-1-10　○　記述の通り。

問題5-1-11　○　記述の通り。

問題5-1-12　×　販売名に薬効名が含まれている場合には、薬効名の記載が省略されることがある。

問題5-1-13　○　記述の通り。

問題5-1-14　○　記述の通り。

■ p.351 ─────────────

問題5-1-15　×　一般の方が自ら判断できる症状、用途等が示されている。

問題5-1-16　○　記述の通り。

問題5-1-17　○　記述の通り。

問題5-1-18　×　「用法および用量」の項目に、年齢区分は記載される。

問題5-1-19　○　記述の通り。

問題5-1-20　○　問題文の通り。「試験問題の作成に関する手引き」には記載されているが、理解が難しいかもしれない。たとえば、3つの添加物が配合されており、1つはゼラチン、残り2つが企業秘密成分とすれば、「ゼラチン、その他2成分」のような記載になることがある。

問題5-1-21　×　「香料」「pH調整剤」も使用していれば記載が必要。

問題5-1-22　×　用法および用量の項目→成分および分量の項目。

問題5-1-23　○　記述の通り。

■ p.353 ─────────────

問題5-1-24　○　記述の通り。

問題5-1-25　×　凍結させてしまうと、溶かしたときに、沈澱して元に戻らなくなるおそれがある。

問題5-1-26　○　記述の通り。

問題5-1-27　×　錠剤、カプセル剤、散剤は、取り出したときに、室温との急な温度差で湿気を帯びるおそれがある。

問題5-1-28　×　2016年度の報告では、小児の誤飲事故の原因製品としては、「たばこ」が147件でもっとも多く、次いで「医薬品・医薬部外品」が108件、「プラスチック製品」が72件、「食品類」が61件だった。

問題5-1-29　○　記述の通り。

問題5-1-30　○　記述の通り。しかし、汚染もあり得るが、入れ替えによる誤飲事故のほうが心配である。

問題5-1-31　×　目薬は共有すべきでない。

問題5-1-32　×　消費者相談窓口は記載しなければならない。

問題5-1-33　×　医薬品医療機器等法→消防法。

■ p.355 ─────────────

問題5-1-34　○　記述の通り。

問題5-1-35　○　記述の通り。

問題5-1-36　○　記述の通り。

問題5-1-37　○　記述の通り。

問題5-1-38　×　省略できない。小児の運転など理屈に合わないが、添付文書は網羅的であるため、すべて記載される。だからこそ、専門家によって、購

入者に必要な情報を選択して伝える必要がある。

問題5-1-39 × 「保管および取扱い上の注意」→「使用上の注意（してはいけないこと）」。

問題5-1-40 ○ 記述の通り。

■ p.357 ────────

問題5-1-41 ○ 記述の通り。

問題5-1-42 × おおよその目安として65歳以上。1章を参照のこと。

問題5-1-43 ○ 記述の通り。

問題5-1-44 ○ 記述の通り。

問題5-1-45 × 過去にはなくても、リスクは高いので「相談」は必要。

問題5-1-46 × 現に医師の治療を受けている人→現に医師の治療を受けているか否かによらず。

■ p.359 ────────

問題5-1-47 × 重篤な健康被害が起きることがある。

問題5-1-48 × 相談する必要がない旨→相談する旨。問題文を慎重に読むように。

問題5-1-49 ○ 記述の通り。

問題5-1-50 ○ 記述の通り。

問題5-1-51 ○ 記述の通り。

問題5-1-52 × 添付文書に「相談する旨」記載されているし、説明すべきである。

問題5-1-53 ○ 記述の通り。そのように理解して現場に活かすこと。

問題5-1-54 × まず一般的な副作用について発現部位別に症状が記載され、

そのあとに続けて、まれに発生する重篤な副作用について副作用名ごとに症状が記載されている。もし、記載されていない副作用を発見した場合には、総合機構に報告すること（この報告は登録販売者に課せられた義務でもある）。

■ p.361 ────────

問題5-1-55 ○ 記述の通り。

問題5-1-56 ○ 記述の通り。

問題5-1-57 ○ 記述の通り。

問題5-1-58 × 記載義務はないが、流通の便宜上、使用期限が記載されることが多い。

問題5-1-59 ○ 記述の通り。可燃性ガスを噴射剤としているエアゾール製品や消毒用アルコールなどは、消防法に基づく注意事項、「火気厳禁」等が記載される。

■ p.363 ────────

問題5-1-60 ○ 記述の通り。

問題5-1-61 × 都道府県→厚生労働省。

問題5-1-62 ○ 記述の通り。

問題5-1-63 × 厚生労働省の指示により、製造販売業者（製薬企業）から医療機関や薬局等へ直接配布される。

問題5-1-64 ○ 記述の通り。医療用、一般用ともに小柴胡湯による間質性肺炎に関する緊急安全性情報が平成8年3月に発出された。

問題5-1-65 × 3か月以内→1か月以内。

問題 5-1-66　×　制約はなく、誰でも閲覧可能。

問題 5-1-67　○　記述の通り。

問題 5-1-68　○　記述の通り。

問題 5-1-69　○　記述の通り。

問題 5-1-70　○　記述の通り。「PMDAメディナビ」というメール配信サービスで、誰でも受信登録ができる。

問題 5-1-71　○　記述の通り。

問題 5-1-72　×　添付文書集を店舗に備えておくように定められてはいないが、最新情報を収集しておくように。

問題 5-1-73　○　記述の通り。販売時に心がけておきたいポイント。

問題 5-1-74　×　第3類といえども何が起こるか分からないのが医薬品、油断は禁物。

問題 5-1-75　×　保管するよう常に伝えるように。

問題 5-1-76　×　掲載されているので、常に最新の情報をホームページから収集することを習慣にしていただきたい。

問題 5-2-1　×　「医薬品副作用モニター制度」のスタートは1967年。また、1979年にはサリドマイド訴訟、スモン訴訟を契機として、副作用被害の迅速な救済を図るため「医薬品副作用被害救済制度」が創設されている（p.52参照）。

問題 5-2-2　○　記述の通り。

問題 5-2-3　×　ダイレクトOTCは10年。

問題 5-2-4　○　記述の通り。

問題 5-2-5　×　厚生労働大臣が、薬事・食品衛生審議会の意見を聴いて、安全対策上必要な行政措置を講じる。

問題 5-2-6　○　記述の通り。

問題 5-2-7　【解答　2】
難しいが、p.369の表を覚えるしかない。

a　○　15日以内。

b　×　30日以内。

c　○　15日以内。

d　×　「使用上の注意から予測できるもので、非重篤なもの」は報告義務がない。

問題 5-2-8　×　使用上の注意に記載されている既知の副作用には限らない。

問題 5-2-9　×　報告を受けた総合機構が情報を精査するので、見分けがつきにくくても報告の対象となる。

問題 5-2-10　○　記述の通り。

問題 5-2-11　○　記述の通り。

問題 5-2-12　○　記述の通り。

問題 5-2-13　○　記述の通り。

問題 5-2-14　×　家族等からの話でも十分。

問題 5-2-15　○　記述の通り。

問題 5-2-16　○　記述の通り。「適正に使用したにも関わらず」がポイント。故意に多量に飲んだ場合などは救済の対象にならない。

問題 5-2-17　○　記述の通り。本書では

記述を省略したが、「手引き」には書かれているので、ここで覚えていただきたい。

問題5-2-18 × 基本は、製薬企業から年度ごとに納付される拠出金。

問題5-2-19 ○ 記述の通り。

問題5-2-20 ○ 記述の通り。

問題5-2-21 ○ 記述の通り。

問題5-2-22 × 葬祭料も含まれる。

問題5-2-23 × 請求先は、独立行政法人医薬品医療機器総合機構。

問題5-2-24 【解答 2】

かなり難易度の高い設問である。p.375の表をしっかり理解しよう。

		[給付の種類]	[給付額]	[請求期限]
1	×	医療費	定額でない	請求期限あり（5年以内）
2	○	医療手当	定額	請求期限あり（5年以内）
3	×	障害年金	定額	請求期限なし
4	×	障害児養育年金	定額	請求期限なし
5	×	葬祭料	定額	請求期限あり（死亡のときから5年以内）

定額でないのは、「医療費」のみ。

■ p.379

問題5-2-25 ○ 記述の通り。

問題5-2-26 ○ 記述の通り。

問題5-2-27 ○ 記述の通り。

問題5-2-28 × 小青竜湯ではなく小柴胡湯。

問題5-2-29 ○ 記述の通り。

問題5-2-30 × 従来より「5～6回服用しても症状がよくならない場合には服用を中止して、専門家に相談する」等の注意がなされていたが、それらに加えて、「まれに間質性肺炎の重篤な症状が起きることがあり、その症状は、かぜの諸症状と区別が難しいため、症状が悪化した場合には服用を中止して医師の診療を受ける」旨の注意喚起がなされることになった。

問題5-2-31 × 熱性けいれんの発生事例→間質性肺炎の発生事例。

問題5-2-32 × 日本では食欲抑制剤としての承認がなかったため、米国とは対応が異なり直ちに販売中止とはならなかった。そのかわり、使用上の注意の改訂、情報提供の徹底等を行うとともに、代替成分としてプソイドエフェドリン塩酸塩等への速やかな切り替えが指示された。

問題5-2-33 × プソイドエフェドリン塩酸塩→塩酸フェニルプロパノールアミン（PPA）。

■ p.381

問題5-2-34 × 入手しやすい一般用医薬品で、薬物乱用が起こることを認識しておかなければならない。不自然な大量購入などは要注意。

確認テスト解答

問題 5-2-35　○　記述の通り。

問題 5-2-36　○　記述の通り。

問題 5-2-37　×　登録販売者も、薬剤師とともに、一般用医薬品の販売に従事する専門家として、適切なセルフメディケーションの普及定着、医薬品の適正使用の推進のため、啓発活動に積極的に参加、協力することが期待されている。

問題 5-2-38　×　麻薬・覚せい剤乱用防止運動→「ダメ。ゼッタイ。」普及運動。

問題 5-2-39　○　記述の通り。

問題 5-2-40　×　セルフメディケーション週間→薬と健康の週間。

問題 5-2-41　【解答　4】

その他、飲酒しないこととして、かぜ薬、解熱鎮痛薬等がある。p.394参照。

問題 5-2-42　【解答　4】

a　×　芍薬甘草湯：p.394参照。

b　○　プソイドエフェドリン塩酸塩:p.390参照。

c　○　合成ヒドロタルサイト：p.390参照。

d　×　ジフェンヒドラミン塩酸塩：p.390、p.391、p.392参照。

問題 5-2-43　【解答　2】

1　×　テオフィリン：p392参照。

2　○　スコポラミン臭化水素酸塩水和物：p392参照。

3　×　ケトプロフェン：p.388、p.389、p.396参照。

4　×　センノシド：p.392、p394参照。

5　×　スクラルファート：p.390、p393参照。

問題 5-2-44　【解答　3】

1　×　てんかん：p.400参照。

2　○　糖尿病：p.390参照。

3　○　高血圧：p.390参照。

4　○　甲状腺機能障害：p.390参照。

問題 5-2-45　【解答　5】

アスピリン喘息：p.389参照。

問題5-2-46 【解答　2】

　難易度の高い問題となっている。まず、出題の意図が「マオウ」であることに気づかなければならない。次にマオウを含む製剤を選択できなければ、正解にたどり着けない。

マオウ：p.142、p.401参照。
防風通聖散：p.244参照。
桂枝湯：p.118参照。
小青竜湯：p.118参照。
半夏厚朴湯：p.146参照。

問題5-2-47 【解答　2】

　この製剤中で、気をつけなければならないのは、メキタジン。p.198、p.388参照。

問題5-2-48 【解答　4】

　トラネキサム酸：p.403参照。

問題5-2-49 【解答　5】

a　○　ブロモバレリル尿素：p.396参照。
b　○　瀉下薬：p.397参照。
c　○　アセトアミノフェン：p.396参照。
d　○　コデインリン酸塩：p.397参照。

問題5-2-50 【解答　3】

a　×　アスピリン：p.396、p.397、p.398、p.400、p.401参照。
b　○　アセトアミノフェン：p.396、p.400、p.401参照。
c　○　メチルエフェドリン塩酸塩：p.397、p.398、p.401参照。
d　×　ロペラミド塩酸塩：p.397、p.399参照。

問題5-2-51 【解答　5】

a　○　ジヒドロコデインリン酸塩：p.392参照。
b　×　p.32参照。
c　○　p.96参照。
d　×　リボフラビン：p.177参照。

確認テスト解答

← 取り外してお使いいただけます。